LA SECOND

Né le 15 septembre 1916 en ...., Virgil
Gheorghiu étudie la philosophie et la théologie à
Bucarest et Heidelberg, avant de devenir journaliste,
puis secrétaire de légation au ministère des Affaires
étrangères de son pays.
Opposé au régime communiste, il s'installe en France
(1948). Son roman La Vingt-cinquième Heure fait sa
renommée dans le monde libre, mais la découverte d'un
ouvrage paru pendant la guerre en faveur de la réoccu-
pation de la Bessarabie lui attire de violentes attaques.
Il s'en explique dans un nouveau roman, part vivre un
certain temps en Amérique et revient en France. Le
pessimisme qui le porte à condamner notre univers
déshumanisé n'a pas désarmé dans ses œuvres (La
Seconde Chance, La Cravache, Les Mendiants de miracles, etc.). Le 23 mai 1963, V. Gheorghiu est ordonné
prêtre de l'église orthodoxe.

Prologue: rejeté par tous en Roumanie, famille et collège, Boris Bodnar refuse l'aide de son camarade, Pierre
Pillat, et gagne la Russie en traversant le Dniestr à la
nage.
Pillat devient juge militaire à Bucarest où vit Eddy
Thall, idole de sa jeunesse, maintenant actrice célèbre.
Mais quand le nazisme s'impose, Eddy Thall doit suivre
ses malheureux compagnons juifs dans le lent voyage
vers la mort qui passe par les camps de concentration
et les prisons.
La roue tourne, le fascisme cède le pas au communisme
que sert Bodnar avec la froideur implacable du fanatique déshumanisé. Et le premier village où il applique
ses méthodes, c'est Piatra, refuge de Pierre et de Marie
Pillat.
A leur tour, ils rejoindront la cohorte des déracinés
qui errent par le monde avec l'espoir impossible d'une
« seconde chance »... Tel est le thème de cette œuvre
forte où la fiction se confond avec la réalité.

C. VIRGIL GHEORGHIU

La seconde chance

ROMAN

TRADUIT DU ROUMAIN
PAR LIVIA LAMOURE

PLON

© *Librairie Plon, 1952.*

Droits de reproduction et de traduction réservés
pour tous pays, y compris l'U. R. S. S.

A la première lectrice française de
« *La Vingt-cinquième Heure* »
MADAME MAURICE BOURDEL

« L'homme fut d'abord créé individu unique, pour qu'on sût que quiconque supprime une seule existence, l'Ecriture la lui impute exactement comme s'il avait détruit le monde entier, et quiconque sauve une seule existence, l'Ecriture lui en tient le même compte que s'il avait sauvé le monde entier. »

TALMUD (Sanhédrin, 4, 5.)

OUVERTURE

« Un homme ne peut pas vivre nu. Un homme peut vivre en haillons, c'est vrai, mais tu n'as même pas de haillons. Tu n'as plus rien. »

Pierre Pillat regarda l'uniforme kaki de Boris Bodnar. Il continua :

« Après trois mois, le premier policier te déshabille, prend ces vêtements et les renvoie à l'école. Ils ne sont pas à toi. Il ne te reste plus rien pour t'habiller. Pas même une chemise, pas même une pantoufle. Rien. Tu es plus nu qu'un Papou. Tu es l'homme le plus nu de l'univers. Que veux-tu faire? »

Pierre Pillat chercha les yeux bleus de son camarade. Les yeux de Bodnar regardaient à terre.

« On t'a remis le bulletin d'exclusion? » demanda Pillat.

Boris Bodnar continua de regarder la terre battue de la cour de l'école. Il porta la main à sa poche pour tirer le billet d'exclusion. La veste d'uniforme avait quatre poches; mais on coupait les poches des élèves exclus, pour les humilier.

Lorsque les doigts de Boris Bodnar ne trouvèrent pas la poche à sa place habituelle, ils cherchèrent dans la deuxième poche fixée à la poitrine. Elle était coupée. Et les deux poches du bas étaient coupées

également. Il rougit. Boris Bodnar avait revêtu des
habits de « recalé [1] ». ce matin-là, à six heures.

Depuis qu'il les avait endossés, il avait machinale-
ment cherché ses poches, d'innombrables fois. Inconsciemment, ses mains cherchaient les poches du haut,
puis celles du bas et, à la fin, elles tombaient, résignées,
comme en ce moment. Les poches coupées étaient une
des premières humiliations de Boris Bodnar. Ses yeux
bleus regardèrent un instant la place où elles se trouvaient autrefois. Il vit qu'il ne manquait pas seulement les poches. On avait coupé le liséré jaune qui
bordait le col. On avait coupé le liséré qui bordait les parements et celui qui descendait le long
du pantalon. Les six boutons de la tunique étaient
coupés, eux aussi. Ces boutons qu'il avait frottés
chaque soir — comme tous les élèves du Collège royal
de Kichinev — jusqu'à ce qu'ils brillent comme de
l'or, n'existaient plus maintenant. Aucun des six. A
leur place il y avait des boutons en fer, petits et
rouillés. Les six boutonnières de la veste, dans lesquelles s'encastraient les boutons dorés, étaient trop
grandes pour les boutons de fer. Elles avaient les bords
élimés et sales. Sans les boutons d'or, les boutonnières
ressemblaient maintenant à des orbites dont on aurait
arraché les yeux.

Sans lever les yeux vers Pierre Pillat, Boris Bodnar
chercha la poche du pantalon. Chaque élève avait au
pantalon kaki d'uniforme quatre poches. Toutes
étaient maintenant cousues. Boris Bodnar s'énerva de
nouveau. L'absence de chaque poche lui faisait mal,
comme si on avait coupé quelque lambeau dans sa
propre chair, et non pas dans l'uniforme. Il se souvint
qu'il s'était confectionné une poche intérieure où se
trouvait le bulletin.

---

1. Les « recalés » des lycées militaires roumains étaient assi-
milés à des soldats ayant subi la peine de la dégradation militaire : arrachement des épaulettes, des insignes, etc... (N. du Tr.).

« Tu veux voir à quoi ressemble un bulletin d'exclusion de l'école? » demanda-t-il, ironique.

Il tendit à Pierre Pillat un papier jaune plié en quatre. C'était un papier couleur de feuille fanée, une couleur choisie, semblait-il, spécialement pour les cas d'exclusion, de décès ou d'internement à l'hôpital.

Pillat lut :

Conformément au décret de fonctionnement des Collèges royaux roumains, l'élève Bodnar Boris est renvoyé du Collège et n'a le droit de porter l'uniforme royal que pendant les trois mois qui suivent son exclusion. Les agents de la force publique sont tenus d'exécuter cette décision et de remettre l'uniforme au Collège royal de Kichinev après l'expiration des trois mois.

« Que peux-tu faire après trois mois, tout nu? demanda Pillat. Il faut rentrer à la maison, chez tes parents. Il n'y a pas d'autre solution. »

Pillat tenait le bulletin d'exclusion déplié dans sa main gauche. Il posa la main droite sur l'épaule de Boris. La tunique n'avait plus d'épaulettes. A la place où il y avait autrefois les épaulettes à liséré jaune, avec la couronne royale et le chiffre du roi de Roumanie — patron de l'école — il n'y avait plus rien maintenant. Sans les épaulettes, la tunique était un vêtement mort. A vrai dire ce n'était plus une tunique, c'était le cadavre d'une tunique. Une tunique sans épaulettes est comme un homme décapité. C'est pour cela que, dans l'histoire militaire, arracher les épaulettes équivalut toujours à la mort. Avant de lui infliger la punition physique, on arrache au déserteur les épaulettes en présence de ses camarades. Les épaulettes sont la tête d'un uniforme militaire.

Depuis six heures du matin, Boris Bodnar n'avait plus d'épaulettes.

Pierre Pillat sentait que sa main reposait sur quelque chose de mort. Même l'étoffe de la tunique de Boris Bodnar était morte, et pas seulement parce que les épaulettes manquaient. La fibre même du tissu était morte. L'étoffe avait été tuée avant que les uniformes fussent remis aux élèves exclus de l'école. Ces uniformes avaient été portés pendant des années et jetés ensuite dans le sous-sol. Mais auparavant on les passait à l'étuve et on les désinfectait. En même temps que les microbes, on avait détruit la vie de l'étoffe kaki; elle devenait terreuse et fripée. Les fibres dont on avait tissé le drap mouraient sous l'action de la vapeur, de la pression de l'étuve et des désinfectants trop forts, comme meurent les cellules d'un être vivant. Une fois par an les uniformes inutilisables étaient retirés du sous-sol de l'école et envoyés en fabrique pour être transformés en charpie. Cette année il y en aurait quatorze en moins. Boris Bodnar avait revêtu un de ces quatorze uniformes.

« Si tu ne rentres pas maintenant chez toi, à la maison, tu iras dans trois mois, quand les policiers te poursuivront pour reprendre tes vêtements et te laisser nu, dit Pierre Pillat. Tes parents auront beau se fâcher, ils finiront par céder. Ils ne vont tout de même pas te couper la tête. Et ils devront t'habiller. Rentre chez toi. Il n'y a pas d'autre solution. »

L'élève Pierre Pillat ôta sa main de l'épaule de Boris Bodnar. Le costume de « recalé » de son ancien collègue sentait le désinfectant, le moisi et la pourriture.

« J'ai parlé aux camarades, dit Pillat. Nous allons faire une collecte pour recueillir l'argent de ton voyage. »

Boris Bodnar serra les dents.

« Je n'ai plus de camarades », dit-il, et, pour la première fois, il eut envie de pleurer, d'éclater en sanglots. « Je n'ai plus de camarades, répéta Boris. Vous.

ceux de cinquième, vous n'êtes plus mes camarades.
Je suis un recalé. Je ne suis pas en cinquième. Pas
même en quatrième [1]. Les recalés ne doivent plus rester
à l'école. Je n'ai plus de camarades.

— Tu es notre camarade, à ceux de cinquième, dit
Pillat. Même si tu n'es pas dans notre classe. Nous
avons passé quatre ans sur le même banc.

— Vous avez été mes compagnons pendant quatre
ans. » La voix de Boris tremblait. « Maintenant vous
ne l'êtes plus. C'est normal. »

La cour de l'école avait la forme d'un grand carré
entouré de grosses murailles grises. Elle se remplissait.
Cinq cents élèves étaient descendus en récréation et
regardaient les quatorze recalés dans leurs vêtements
d'opprobre. Les exclus n'avaient plus le droit de pénétrer dans les salles de classe, ni dans les réfectoires,
ni dans les dortoirs.

Ils restaient dans la cour, appuyés contre les murs,
contre les poteaux du terrain de foot-ball, contre les
poteaux du terrain de basket-ball, contre les poteaux
du terrain de tennis.

Dans leurs tuniques aux poches coupées, sans épaulettes, sans boutons dorés, sans lisérés, les quatorze
« recalés » restaient appuyés contre les poteaux, contre
les marronniers de la cour et contre les hautes murailles de pierre. Et ils regardaient tous à terre.

« A quelle heure partez-vous? » demanda Pierre
Pillat.

Il avait posé la question pour rompre le silence car
le silence augmentait la distance qui séparait les anciens condisciples.

---

1. Dans les écoles secondaires roumaines les classes sont dési-
gnées dans un ordre inverse de celui des classes françaises. Au
lieu de commencer par la sixième, cinquième, etc. les classes
roumaines sont appelées première, deuxième, etc. Donc ici la
cinquième équivaut à la seconde en France et la quatrième à la
troisième classe secondaire française. (N. du Tr.).

Boris Bodnar haussa les épaules. Les cinq cents élèves qui se promenaient dans la cour — boutons brillants comme l'or, souliers resplendissants — regardaient les « recalés » sans s'en approcher. Ils les regardaient avec crainte. Les élèves savaient que les « recalés » étaient laissés quelques jours dans la cour pour servir d'exemple au début de l'année scolaire. Ensuite, toujours pendant une récréation — afin qu'on les vît — ils étaient encadrés par des sentinelles et dirigés vers la porte de l'école d'où on les conduirait à la gare, à pied, à travers le centre de la ville.

Ils étaient l'ivraie que l'on rejetait. Les élèves regardaient les « recalés » du coin de l'œil, et de loin, sans les approcher. Pillat était près de Boris Bodnar. Autour d'eux il y avait un cercle vide. Autour de chaque « recalé » dans cette cour carrée, il y avait un cercle vide, maléfique... Les élèves qui portaient les épaulettes aux initiales du roi avaient peur des « recalés ». Personne ne s'approchait d'eux, même si, auparavant, ils avaient été bons amis. Dans les yeux des écoliers qui les regardaient, on lisait les mêmes sentiments que dans ceux des automobilistes qui rencontrent à un croisement une voiture broyée avec les passagers tués ou blessés.

C'était la crainte de voir leur arriver la même chose. Et à cause de cela, ils passaient leur chemin les yeux fermés. La peur est plus forte que la pitié. En regardant les « recalés » les élèves faisaient le serment d'être travailleurs pendant l'année à venir, comme les automobilistes font le serment de conduire prudemment lorsqu'ils voient sur le bord de la route une voiture écrasée contre un arbre ou un poteau télégraphique.

Pillat était, lui aussi, étreint subitement par le même sentiment de crainte. Sans le vouloir, il essayait de tirer enseignement des malheurs de Boris. Eviter la faute que Boris avait commise et qui l'avait mené à l'accident.

« Que s'est-il passé? demanda Pierre Pillat. Je n'arrive pas à comprendre que tu aies raté ton examen. »

Un silence. Les joues de Boris étaient pâles, la barbe y apparaissait en un duvet blond et doux. Sous les narines se montrait l'ombre de la moustache.

Boris leva ses yeux bleus vers le ciel. Des nuages noirs roulaient vers l'Est. Ils passaient vite, gigantesques, juste au-dessus de l'école, l'un après l'autre, comme les nuages de pluie. A vingt kilomètres à l'Est il y avait le Dniestr et de l'autre côté du Dniestr, la Russie. Boris Bodnar regardait les nuages sombres qui passaient au-dessus de l'école et au-dessus de sa tête, et pensait que dans quelques instants ils seraient sur le Dniestr, et puis survoleraient la Russie.

« J'ai beau me casser la tête, dit Pierre Pillat, je n'y comprends rien. Aucun de nos camarades n'y comprend rien. Tu as toujours été le meilleur mathématicien de notre classe. Tu trouvais les problèmes que personne ne pouvait résoudre. Nous avons dû passer tous les deux cet examen à titre de mesure disciplinaire; parce que nous avions résolu le problème et l'avions donné à copier à toute la classe. Mais personne n'aurait jamais cru que justement toi — tête de mathématicien, mathématicien-né — tu ne pourrais pas résoudre le problème de l'examen. Dis-moi, le professeur soutient que tu as rendu une copie blanche. Tu n'as même pas écrit une ligne. Que s'est-il passé? »

Boris Bodnar continua pendant une seconde à regarder les nuages noirs qui passaient au-dessus de l'école, vers l'Est. Ensuite il regarda les boutons dorés de la tunique de Pillat dans lesquels il voyait — comme dans six miroirs convexes — sa figure pâle.

« Pourquoi cette question? » demanda Boris.

Il devenait méfiant.

« C'est naturel, dit Pillat. Chacun de nous se pose cette question. Il a dû se passer quelque chose d'anormal. »

La récréation avait pris fin. Les timbres résonnaient stridents. Les élèves jetaient un dernier regard rapide aux « recalés » et se pressaient vers les classes pour être à l'heure, pour ne pas être en retard, pour ne pas se retrouver à leur tour des redoublants habillés de vêtements d'opprobre.

Les cinq cents élèves avaient tous les mêmes pensées en se bousculant vers les salles de cours. « Pourvu qu'il ne nous arrive pas la même chose... »

« Maintenant c'est l'heure de latin, dit Pillat. Je la manque. Viens avec moi derrière le tas de bois, nous pourrons parler tranquillement. »

La cour était vide.

« Non », dit Boris Bodnar. (De ses deux mains il s'accrocha au mur de pierre contre lequel il s'appuyait.) « Tu sais bien que vous, élèves du Collège royal, vous n'avez pas la permission de parler aux exclus. Même après avoir quitté l'école vous ne devez plus rester en relations — même épistolaires — avec eux. Va au cours de latin, autrement ils te puniront de cachot. »

Pierre Pillat le traîna par la main. Ils se dirigèrent vers le fond de la cour et se cachèrent derrière le tas de bois.

« Non, ça n'a plus aucun sens de parler, dit Boris Bodnar. Nos routes se séparent pour toujours. Nous étions bons amis, c'est vrai; maintenant c'est fini. Tu seras officier. Tu porteras l'uniforme du roi. Et tu feras partie de l'élite du pays, du corps des officiers, comme on dit au cours d'éducation morale!

— Personne ne peut séparer nos routes », dit Pillat. Il serra la main de Boris. « Nous avons été amis et nous le resterons. Même si c'est défendu, nous nous écrirons. Il n'est pas nécessaire de signer les lettres. Je connais ton écriture. Tu m'écriras régulièrement n'est-ce pas? »

L'officier de service inspectait la cour. Cachés der-

rière le tas de bois, Pierre Pillat et Boris Bodnar
étaient invisibles. Après avoir jeté un regard vers les
exclus, appuyés contre les murs, les arbres et les poteaux des terrains de sport, l'officier s'en alla.

« Tes parents ont de la fortune, dit Pillat. Ils t'en-
verront dans un lycée civil. Tu feras deux classes en un
an... »

Boris Bodnar rougit. Au-dessus de l'ombre de moustache, ses narines palpitaient.

« Va à ton cours de latin et fiche-moi la paix, répondit-il.

— Je te parle en ami, dit Pillat, pourquoi te fâches-
tu?

— Si tu veux me parler en ami, ne me parle pas de
mes parents ni de retour à la maison. »

La main de Pierre Pillat se posa sur l'épaule sans
épaulettes de Boris. Mais Bodnar regardait les nuages
noirs fuyant rapidement vers la Russie.

« Je ne t'ai rien dit de mal, Boris. Je t'ai conseillé
de rentrer à la maison. C'est tout. C'est un conseil
raisonnable.

— Je n'ai pas besoin de tes conseils, répondit Bodnar en regardant le ciel. Tu sais que nous ne nous
reverrons jamais plus. Nos routes se sont séparées.
C'est peut-être la dernière fois que nous parlons ensemble. Sais-tu pourquoi je ne veux pas entendre
parler de mes parents et de la maison? Je vais te le
dire. C'est peut-être une vengeance de ma part... Tu
sais que j'ai un frère?... »

Il tremblait.

« Tu as un frère? dit Pillat. Tu ne m'en avais
jamais parlé. Nous avons passé quatre ans sur le même
banc d'école. Je pensais que nous nous étions confiés
tous nos secrets. Moi, du moins, je te les avais tous
confiés. »

Pillat se sentait trahi dans son amitié. Il regrettait
de n'être pas allé au cours de latin, d'être resté dans

la cour avec son ancien camarade, qui lui avait menti
pendant quatre ans.

Pillat regarda la cour. Il aurait aimé retourner en
classe et laisser Boris, l'abandonner — seul — mais il
ne le pouvait plus. Il était trop tard. Il était obligé
d'attendre la récréation suivante.

« Pourquoi ne m'as-tu jamais dit que tu avais un
frère? » demanda Pillat. Sa voix était âpre. « Je n'ai
jamais eu de secret pour toi.

— Je te le dis maintenant : j'ai un frère. Il s'appelle
Angelo. De là vient tout le drame. C'est à cause de
cela que je ne peux pas rentrer à la maison. Comprends-tu? Parce que le Ciel m'a donné un frère. »

Boris Bodnar regardait les yeux de Pierre Pillat
comme s'il avait voulu les transpercer.

« Angelo a trois ans de moins que moi », continua-
t-il.

Pierre Pillat n'était plus intéressé par les paroles
de son ancien compagnon. Le fait capital était que
Boris lui avait caché quelque chose, que Boris avait
manqué de sincérité à son égard.

« Lorsque j'avais trois ans, il s'est passé quelque
chose qui a tout changé. Tu veux savoir quoi? »

Pillat haussa les épaules.

« Voilà l'histoire en quelques mots, dit Bodnar.
Si tu m'écoutes, tu comprendras pourquoi j'ai gardé
le secret, pourquoi personne en classe ne sait que j'ai
un frère. J'avais trois ans. J'étais dans la cour. Devant
la maison il y avait une cour avec des abricotiers.
Les abricotiers étaient en fleur, tout blancs. Je n'avais
que trois ans mais je me souviens de tous les détails.
J'avais un costume en tricot blanc. Maman m'avait
recommandé de faire attention, de ne pas salir mon
costume neuf. Ensuite elle m'a laissé jouer dans la
cour, sous les abricotiers. Angelo avait quelques mois.
Il était dans sa voiture, au soleil. Maman m'avait dit
de le surveiller. Jamais je ne m'étais trouvé seul avec

mon frère Angelo. Il y avait toujours maman. Je ne l'avais même pas bien regardé. Maintenant, j'étais seul avec Angelo. Je me suis approché de la voiture et je l'ai regardé, curieux. Un enfant, c'était quelque chose de nouveau pour moi, un jouet.

« J'ai découvert ses pieds et je les ai regardés. J'ai touché les petits pieds roses. Je riais. Cela m'amusait de l'entendre crier quand je lui serrais les pieds comme les poupées qui crient lorsqu'on appuie dessus. J'ai découvert ensuite sa tête. Une tête rose et ronde comme une balle. Il tenait les yeux fermés à cause du soleil. Il les a ouverts pendant quelques instants et j'ai vu qu'il avait de grands yeux bleus. Mais il ne voulait pas les garder ouverts. Je les ai ouverts avec mes doigts. Ils me plaisaient. Ils étaient beaux, limpides, et je voulais les contempler. De tout ce qu'Angelo possédait, ce que je préférais c'était ses yeux. J'aimais les ouvrir parce qu'il serrait les paupières avec force. Voyant qu'il ne voulait rien savoir, je l'ai quitté pour m'amuser dans le sable, près du landau. Lorsque Angelo a crié, je me suis approché de lui et de nouveau j'ai essayé de lui ouvrir les yeux. J'avais trouvé un clou dans le sable. Et parce que je ne pouvais pas ouvrir ses beaux yeux avec mes doigts j'ai séparé les les paupières avec le clou. Il criait, il se débattait. Alors j'ai appuyé le clou avec force sur l'œil d'Angelo, comprends-tu? Parce que je voulais ouvrir cet œil, qu'il tenait fermé. J'aimais tant ses yeux et je voulais les voir.

« Le cri d'Angelo remplit la cour. Je ne sais plus ce qui s'est passé après. Quand maman est arrivée, la voiture d'Angelo était pleine de sang, mes habits blancs pleins de sang, mes mains pleines de sang, ses joues pleines de sang. Avec le clou j'avais crevé l'œil droit d'Angelo, son œil que j'aimais tant. « Criminel! » hurlait maman; j'entends encore sa voix. « Criminel! »

« Maman s'est évanouie, elle s'est écroulée dans

l'allée. Les voisins sont venus, des hommes, des femmes, la cour était pleine de monde. Mon père est arrivé; le prêtre est arrivé, et le docteur et l'aubergiste.

« Mes souvenirs ne sont plus nets. J'étais couvert de sang. C'est tout ce que je sais. Le prêtre et le docteur ont transporté maman dans la maison. Il n'y avait plus que des visages inconnus. Une foule. Plus tard, maman parut de nouveau. Deux femmes étrangères lui tenaient les mains. Elle criait qu'elle voulait me pendre parce que j'étais un criminel, un assassinné. »

Boris Bodnar regarda à terre.

« C'est tout, dit-il. Depuis ce jour, depuis l'âge de trois ans, la vie s'est arrêtée pour moi. Tout le monde, à la maison, au village, à l'école, ne m'appelait plus que « l'assassin ». Pour tous j'étais « le criminel ».

« A partir de ce jour, mes camarades, l'instituteur, le prêtre, les voisins, mon père, ma mère n'ont fait que me surveiller, sans trêve. Ils espionnaient mes moindres gestes, le moindre de mes actes, mes paroles, pour y découvrir des intentions criminelles.

« Si par mégarde je poussais du coude un enfant, si je jouais à la fronde, si je jetais un caillou, si je prenais un couteau, un clou, un objet coupant, on m'accusait de le faire dans un but criminel.

« Et tout le monde m'appelait « Boris le criminel ».

Au-dessus de l'école, les nuages noirs passaient vers l'Est.

« Angelo guérit, dit Bodnar, mais il n'avait plus son œil. J'avais crevé le globe bleu avec mon clou. Et le globe bleu de l'œil était mort, éliminé. L'orbite droite était vide, les paupières fermées. C'était ma punition, d'avoir toujours devant moi — à la maison, dans la cour — l'orbite vide d'Angelo. Et je regardais son œil gauche, si bleu, si beau, comme une grande pierre précieuse, mais unique. Car je te le dis, je n'ai

jamais vu un œil plus bleu, plus brillant que l'œil
gauche d'Angelo...

« Je ne pouvais pas me pardonner d'avoir détruit
avec un clou l'autre bulle bleue, merveilleusement
belle, la lumière de son orbite droite.

« Dès cette aventure commencèrent les persécutions.
Mon père m'a déshérité. Je ne mangeais plus à table
avec Angelo et mes parents, je mangeais avec les
domestiques. Toute notre fortune était au nom d'Angelo. J'étais tout juste toléré dans la maison. Plus
Angelo grandissait plus les gens du village me haïs-
saient. Cet été-là, pendant les vacances, j'ai parlé à
une jeune fille devant la maison. Juste deux mots.
Elle m'a demandé : « Aimes-tu mes yeux? » J'ai répondu oui. Alors elle a caché son visage avec ses
mains et m'a dit : « Ne me les crève pas, si tu les
« aimes », et elle s'est sauvée en courant.

« Quand j'arrivais à l'école, les enfants cachaient
leurs yeux avec leurs mains et criaient : « Garez vos
« yeux, voilà Boris, il va les arracher! »

— Pardonne-moi, dit Pierre Pillat bouleversé, je
ne t'en veux plus, je te supplie de m'excuser.

— Pourquoi t'excuser?

— Je t'en voulais parce que tu m'avais caché
l'existence de ton frère. C'était normal de ne pas le
dire. »

Pillat posa la main sur l'épaule sans épaulette de
Boris Bodnar.

« Pendant toute mon enfance, maman a prié le
Ciel pour que j'attrape une maladie, scarlatine, typhus,
une maladie terrible, et que je meure. Tout le monde
souhaitait ma mort. On m'envoyait ramasser des cham-
pignons dans les bois, on me les faisait goûter dans
l'espoir que j'en morde un vénéneux, et que j'en
meure. Au village, à la maison, dans le monde entier,
j'étais celui dont il fallait se débarrasser.

« Dès l'âge de trois ans j'ai dû contrôler tous mes

gestes, car le plus banal était interprété comme un acte criminel qui déclenchait la fureur contre moi. J'ai vécu ainsi, seul, apeuré, méprisé.

« Les enfants me jetaient à terre, ils fouillaient mes poches pour voir si je n'avais pas de clous, de couteaux, des objets coupants. Parce que *tout* ce que je possédais était dangereux. Et chaque fois ils me battaient. Je n'ai jamais eu de canif. Je n'ai jamais eu de couteau, à table, pendant mon enfance. Il fallait que je déchire la viande avec mes dents.

— Tu me fais pitié, Boris, dit Pierre Pillat. Si j'avais su tout ça...

— Sais-tu pourquoi j'ai échoué à l'examen? demanda Boris. Veux-tu le savoir? Je peux te le dire maintenant. C'est parce qu'il m'a été impossible de travailler pendant tout l'été. Je n'ai pas eu le courage de dire à mon père ou à ma mère que j'avais un examen de passage en mathématiques. Pour qu'ils ne le devinent pas, j'ai essayé de travailler la nuit. Autrement j'aurais déclenché l'orage! Ils m'auraient traité de dégénéré, de crétin, d'idiot. Mais ils m'ont surpris, la nuit, éveillé, en train de résoudre des problèmes d'algèbre. Ils m'ont fait une scène. « La nuit est faite « pour dormir; les êtres normaux dorment la nuit. » Alors j'ai brûlé mes livres et il ne m'a plus été possible de travailler. Voilà pourquoi j'ai raté mon examen et j'ai été exclu de l'école. »

Boris Bodnar avait fini. Après un long silence il dit :

« Maintenant que tu sais tout, me conseilles-tu encore de rentrer à la maison? »

Pierre Pillat regardait au loin. Boris continua :

« Les miens n'attendaient qu'un prétexte pour me chasser. Maintenant ils l'ont. De me voir paraître dans cet uniforme, avec le bulletin d'exclusion, confirmerait leur opinion que je suis un dégénéré, un criminel. Et ils deviendraient plus violents encore. D'ailleurs ils ne me permettraient pas de pénétrer dans la maison. Pas même dans la cour, et personne au village ne me donnerait asile. Cela n'a plus aucun sens, que j'aille à la maison, tu comprends, aucun sens. »

Un grand, un lourd silence suivit. Pierre Pillat releva le bas de son pantalon et tira de sa chaussette un paquet de tabac. Il le tendit à Boris. Bodnar commença à rouler une cigarette. Ses doigts tremblaient.

« Jamais je n'ai entendu ou lu une histoire plus déchirante que la tienne, dit Pillat. Je n'ai connu personne qui ait souffert si intensément. Comment as-tu pu avoir la force de cacher ta douleur, Boris? Je ne l'aurais jamais devinée. Aucun de nos camarades, aucun de nos maîtres ne l'aurait devinée. La seule chose que nous ne pouvions pas comprendre, c'était que tu commençais à maigrir et que tu devenais triste à l'approche des vacances. Je m'étonnais de voir que tu ne recevais jamais de lettres de chez toi. Tu es le seul à ne jamais en recevoir. Pendant quatre ans aucune lettre... N'est-ce pas, tu n'en as jamais reçu? »

Les yeux de Bodnar étaient humides; il ne répondit rien. Il regardait les nuages; il aimait les voir glisser au-dessus de leurs têtes. Des caravanes de nuages. Vers l'Est. Il étendit ses jambes et alluma une cigarette. Son regard tomba sur ses gros souliers. C'étaient des chaussures de « recalé », qui ne formaient même pas la paire : la gauche était plus grande, plus foncée.

« N'as-tu pas réussi à te consoler avec Dieu? demanda Pierre Pillat. Dieu est une grande consolation pour ceux qui souffrent trop. »

Ils étaient assis tous deux sur le sable. Ils fumaient. Boris se taisait.

« Tu n'as jamais essayé d'approcher Dieu?

— J'ai essayé, dit Boris Bodnar. Dans ma situation, je ne pouvais approcher personne sur terre, il était normal que je m'approche de Dieu. Lorsque j'ai entendu dire pour la première fois qu'il y avait Quelqu'un de l'autre côté — au Ciel — Quelqu'un qui pardonnait, je me suis jeté dans ses bras avec passion.

« Je pense qu'aucun enfant n'a prié Dieu avec une passion plus brûlante que la mienne. Je ne pouvais pas aimer Dieu d'un plus grand amour. J'avais besoin de quelqu'un qui pardonne. Et l'on dit que Dieu pardonne à tous. Je lui parlais tous les jours, presque sans arrêt, comme à un ami. Le soir, je priais pendant des heures, en pleurant.

— Et Dieu t'a répondu? questionna Pillat.

— Dieu m'a répondu, dit Boris Bodnar. Mais Dieu m'a répondu comme les hommes. Il me semblait qu'il voulait m'attirer dans un piège lui aussi. Alors j'ai essayé de l'éviter, comme j'évitais les hommes. Mais Dieu était présent, près de moi. Je croyais sentir son souffle quand je l'appelais.

« A six ans j'ai eu la certitude qu'il ne fallait plus prier, que je devais éviter même Dieu, que je devais rester seul.

— Tu ne pries plus depuis l'âge de six ans?

— Non, dit Bodnar. A six ans je me suis séparé de Dieu. Il m'est arrivé une aventure banale. En rentrant de l'école, un après-midi, je n'ai pas trouvé mes parents à la maison. Ils étaient partis à la ville avec Angelo. Il n'y avait personne. Toutes les portes étaient fermées à clef. Je suis resté seul dans la cour, comme tant d'autres fois. La nuit tombait, j'avais sommeil. Il était tard et j'avais faim. Je voulais aussi faire mes devoirs pour le lendemain. J'ai décidé alors d'entrer dans la maison. Je croyais que mes parents n'allaient pas revenir de la nuit. J'avais froid et j'avais peur, seul dans la nuit. Avec un fil de fer j'ai essayé d'ouvrir la porte mais c'était difficile. Je n'avais que six ans. Je suis tombé à genoux près de la porte et j'ai demandé à Dieu Son aide pour que je puisse entrer dans la maison. Qu'Il m'aide à ne pas passer toute la nuit dehors.

J'ai demandé à Dieu Son assistance parce que seul je ne pouvais pas ouvrir la porte.

— Et Dieu t'a aidé?

— Dieu m'a aidé, répondit Boris. Je l'avais imploré avec une telle ardeur! Je pleurais. J'avais fait une prière avec des larmes pour qu'il m'aide à ouvrir la porte avec ma clef de fortune. J'ai senti que Dieu venait près de moi, qu'Il me secourait. En un clin d'œil j'ai ouvert la porte. Je suis entré dans la maison. Il faisait chaud. J'étais heureux. Sans allumer la lampe, je suis tombé à genoux et j'ai remercié Dieu. J'ai senti alors, pour la première fois, avec certitude, que je n'étais plus seul au monde. J'avais un ami, Dieu. Tu ne peux pas savoir, Pierre, quel bonheur c'est d'avoir un ami, lorsque tout le monde vous hait! Et j'en possédais un. Un ami que je pouvais appeler n'importe quand. Je n'étais plus seul. J'étais avec Dieu. Je suis resté longtemps devant l'icône. Je ne pouvais plus me séparer de cet ami. C'est le don le plus précieux, que d'avoir quelqu'un près de toi, quand tu n'as plus personne — ni père ni mère, ni compagnons de jeux, ni camarades — mais seulement des ennemis partout. Des gens qui souhaitent ta mort...

« Maintenant j'avais quelqu'un qui ne m'appelait pas criminel, qui m'aidait. C'était Dieu. Je n'ai rien mangé ce soir-là. J'étais trop heureux. J'ai oublié de manger. J'ai oublié mes devoirs, j'ai oublié ma solitude et ma fatigue, j'ai oublié toutes mes souffrances. Je suis resté à genoux devant Dieu, mon ami. J'étais heureux. J'aurais pu rester toute la nuit avec mon nouveau, mon unique ami.

« Mais à ce moment mon père est arrivé avec maman et Angelo. Ils avaient leurs habits de promenade, ils avaient mangé au restaurant et ils étaient allés au cinéma.

« Ils sont entrés dans la maison, furieux et m'ont trouvé à genoux devant l'icône. « Où est le crimi-

nel? » cria mon père avant de donner la lumière...
Ensuite je ne sais plus. Mon père m'a jeté à terre et
m'a piétiné avec ses chaussures neuves, ma mère est
arrivée après et m'a frappé, elle aussi. « Criminel »,
hurlait mon père, « crois-tu que je te nourris pour
« fracturer nos portes? Pour apprendre aux domes-
« tiques à pénétrer dans la maison pendant notre absence? »

« Ils m'ont battu terriblement. J'étais couvert de
sang. Je me suis glissé dehors et j'ai dormi sur un banc
près de la maison. J'étais meurtri de coups, plein de
sang et je pensais à mon ami — à Dieu — et je dis :
« Seigneur, tu sais tout. Tu savais ce qui arriverait
« si tu m'aidais à ouvrir cette porte. Pourquoi m'aider
« si tu savais ce qui allait se passer? » Il me semblait
entendre la réponse de Dieu : « Boris, tu m'a prié de
« t'aider. Tu m'as prié avec ferveur... — C'est juste.
« Mais toi, Seigneur, tu savais que ce que je te deman-
« dais était mal. Tu vois, je suis tout couvert de plaies.
« de bleus, de sang. Tu les as vus me piétiner. Si tu
« ne m'avais pas aidé à ouvrir cette porte, rien ne
« serait arrivé. L'aide que tu m'as accordée, Seigneur,
« n'est pas l'aide d'un ami. Je ne l'aurais pas fait pour
« toi, quitte à te fâcher sur le moment. Je ne t'aurais
« pas aidé, Seigneur, à accomplir quelque chose de
« mal. — J'accorde ce que l'on me demande. répon-
« dit Dieu. — Mais je suis un enfant de six ans! Je ne
« sais pas ce qui est bien, ce qui est mal. Ce que je t'ai
« demandé ce soir — cette histoire de porte — je pen-
« sais que c'était bien, et voilà que c'était une mau-
« vaise chose. Mais toi, Seigneur, tu sais où est le bien,
« où est le mal. »

« Dieu ne m'a pas répondu. Ou bien Il m'a répondu
mais j'étais trop fatigué et je ne L'ai pas entendu. Je
me suis endormi en pleurant. Depuis ce soir-là je n'ai
plus prié. Je n'en veux pas à Dieu. Mais j'ai peur de
Lui demander encore quelque chose de mal. Je ne

demande plus rien. Si je prie, je dis simplement : « Je
« ne sais que te demander, Seigneur. Accorde-moi ce
« que tu voudras. »

« Même cet été je n'ai pas prié pour mon examen...

— Tu n'as pas prié pour qu'Il t'aide à le passer?
demanda Pillat.

— Non. J'ai demandé à Dieu de m'aider s'Il juge
que c'est un bien pour moi de réussir. Mais de ne pas
m'aider s'il vaut mieux que j'échoue...

— Echouer à un examen, ce n'est jamais bien, dit
Pillat. Ne crois-tu pas que tu exagères? Dans le cas
présent le bien est nettement séparé du mal.

— Panaït Istrati est parti pour la France, et il est
devenu un écrivain mondial, parce qu'il a été battu
et mis à la porte par l'aubergiste de Braïla chez qui
il était domestique. Si l'aubergiste ne l'avait pas jeté
dehors, la nuit, en chemise, Istrati n'aurait pas quitté
le pays et Panaït Istrati ne serait pas devenu ce qu'il
est. Il aurait continué à être valet d'auberge à Braïla.
Peut-être serait-il devenu aubergiste à son tour... C'est
tout. Dans tout mal, il y a un bien; seulement nous
ignorons où est le bien, où est le mal.

— Tu veux aussi partir pour l'étranger? » demanda
Pillat.

Boris Bodnar regardait les nuages qui glissaient
vers l'Est.

« Comment le sais-tu? C'est vrai, je veux partir.
Je ne le veux pas, il le faut. Je suis forcé. Il n'y a
pas d'autre solution. Je veux partir et recommencer
tout. Partir dans un endroit où personne ne saura que
je suis Boris, qui a crevé l'œil de son frère. Où personne ne se méfie de moi. Où les jeunes filles ne
cachent pas leurs yeux en criant : « Tu les trouves
« beaux parce que tu veux les crever! » Je ne suis pas
cruel, Pierre. Je ne veux crever les yeux de personne.
Ce fut un malheur... je n'étais qu'un enfant... Je ne
suis pas un criminel.

— Où veux-tu partir? demanda Pillat.

— En Russie, répondit Boris Bodnar. En Russie, parce que c'est plus près. En quelques heures, à pied, j'arrive au Dniestr, je le traverse à la nage. » Il se tut un instant. « Cette nuit même je serai peut-être en Russie. Voilà pourquoi je n'ai pas besoin d'argent; mais je te remercie de me l'avoir offert.

— Tu connais la terreur qui règne en Russie, dit Pillat. Chaque hiver, tu vois arriver les réfugiés qui traversent le Dniestr sur la glace au risque d'être abattus.

— Je sais, mais la terreur que je subis ici est encore plus grande. Et, ici, je suis seul à être terrorisé. Là-bas, en Russie, si véritablement la terreur existe, elle est collective. Et c'est une grande chose d'avoir des compagnons. Même des compagnons de souffrance. La solitude est la plus terrible souffrance de l'univers. L'homme peut endurer la plus grande terreur en commun, mais la solitude est mortelle. En ce qui me concerne je ne pense pas que la vie sera plus dure pour moi en Russie qu'ici. Depuis l'âge de trois ans jusqu'à ce jour, je n'ai connu que l'espionnage, la méfiance, l'accusation, l'humiliation, la suspicion... Au regard de tout cela, je crois qu'en Russie je me sentirai libre.

— Pourquoi veux-tu quitter le pays? Reste ici, sans rentrer chez toi.

— En Roumanie, je dois avouer que je suis exclu du Collège, que je suis le criminel qui a crevé l'œil de son frère. Dans mon pays, ma mère, mon père, les gens du village peuvent me rencontrer. Et aussi les camarades. Dans mon pays, l'œil d'Angelo et les accusations des hommes me poursuivraient toute ma vie. En Russie, personne ne cachera ses yeux quand je passerai dans les rues. Et pour moi, c'est capital. »

Boris Bodnar continua :

« Je serai peut-être abattu en traversant le Dniestr à la nage. La frontière est bien gardée. Mais l'idée de la mort ne m'épouvante pas. Je suis plus habitué à l'idée de mourir qu'à l'idée de vivre. Et peut-être vaut-il mieux que les gardes m'abattent à la frontière.

— Ne parle pas ainsi », dit Pillat.

Il roula une nouvelle cigarette. Il regarda sa montre-bracelet.

« Il y a encore un quart d'heure jusqu'à la récréation. »

Il ajouta :

« Pourquoi m'avoir caché ton secret? Tu aurais été plus à l'aise si tu me l'avais confié. Je t'aurais aidé. Tu as eu tort de garder ce secret. Il fallait me le dire.

— Si je te l'avais raconté, tu m'aurais surveillé aussi pour voir si je n'étais pas un criminel-né.

— Ça, non! » dit Pillat.

Boris Bodnar regardait la blague à tabac. Dedans, Pillat avait quelques papiers et de l'argent. Boris Bodnar les regardait.

« Je voudrais faire quelque chose pour toi, dit Pillat. Je ferais tout ce que tu me demanderais.

— Je ne peux rien te demander. Au fond, que pourrais-je demander? »

Il continuait à regarder la blague à tabac.

— Je ferais tout ce que tu voudrais, dit à nouveau Pillat.

— Dans la blague, tu as une photo », dit Boris Bodnar. (Il était cramoisi.) « J'ai vu que tu avais une photo quand tu as pris le tabac. C'est l'image d'une jeune fille. Veux-tu m'en faire cadeau?

— De grand cœur », dit Pillat.

Il sortit la photo d'une jeune fille en uniforme d'écolière. Une toute petite photo d'identité, grande comme un timbre-poste.

« C'est une de tes parentes? » demanda Boris en prenant la photographie et en regardant l'uniforme à petit col blanc.

C'était une jeune fille de leur âge, une adolescente.
« C'est une élève du Conservatoire, répondit Pillat.
Elle s'appelle Eddy Thall. Je ne la connais que de
vue. Ce n'est pas elle qui me l'a donnée. Je l'ai trouvée dans un livre de la bibliothèque du lycée. »

Ensemble ils regardèrent le visage enfantin, les
beaux traits de l'élève du Conservatoire, Eddy Thall.

« Elle est très belle, dit Pillat. Elle suit des cours
de danse et d'art dramatique.

— Tu l'aimes? demanda Boris Bodnar.

— Je n'ai jamais eu l'occasion de lui parler, dit
Pillat, mais je l'aime, énormément. Je la vois passer
dans la rue, avec ses amies pendant les vacances. »

La jeune fille du portrait souriait.

« Tu peux la prendre, dit Pillat. Je te la donne
avec plaisir.

— Non », dit Bodnar.

Et il rendit la photo à Pillat.

« Elle ne te plaît pas? demanda Pierre.

— Mais si, elle me plaît beaucoup. Elle est belle. »
Il hésita un instant.

« J'aurais aimé l'emporter avec moi, dit-il. Si je
l'avais emportée je n'aurais plus été seul. J'aurais eu
au moins une photo.

— Tu peux la prendre. »

La photographie d'Eddy Thall était entre eux, sur
le sable.

« Je vais traverser le Dniestr à la nage, dit Boris.
Si j'emportais la photo, elle s'abîmerait. Je ne l'aurais
plus en arrivant là-bas. J'arriverais toujours seul, même
si je l'emportais. La photo s'effacerait dans l'eau. Ça
n'a aucun sens, que je l'emporte. Je dois y renoncer.
Pourtant j'aurais tant aimé l'avoir avec moi. »

Les sonneries annoncèrent longuement la récréation
suivante. Pillat reprit la photo. Il l'enveloppa dans
un papier, la replaça dans la blague à tabac. Il cacha
la blague dans sa chaussette et se mêla aux autres

élèves qui remplissaient la cour du Collège royal de Kichinev.

Boris Bodnar resta seul, les yeux à terre.

« Pas même une photo, se dit Boris Bodnar. Mais je ne serai plus seul. Je n'ai pas pu prendre la photo de la jeune fille du Conservatoire, mais j'emporte son nom avec moi. Avec lui je peux passer à la nage de l'autre côté. »

Quand on n'a plus rien, absolument rien, même le nom d'une jeune fille qu'on ne connaît que par une photo, c'est quelque chose. Rien que le nom... Et un si beau nom. Très beau même.

Il dit : « Eddy Thall... » Il sourit au nom, puis il répéta : « Eddy Thall... »

LE LIVRE DES JUIFS

I

Eddy Thall posa le coupe-papier d'or sur le plateau du petit déjeuner. Elle relut la lettre. Ensuite elle regarda la femme en blouse blanche qui ouvrait les rideaux de la chambre à coucher.

« Approche, Tinka, dit Eddy Thall. Connais-tu cette jeune fille? »

La servante prit entre ses doigts la photo grande comme un timbre-poste. Elle l'éloigna des yeux pour mieux la regarder. Elle contempla l'uniforme noir, le petit col blanc. Les yeux de Tinka Neva se mouillèrent; elle s'attendrissait facilement et elle avait les larmes aux yeux toutes les fois que l'on parlait d'un fait ou d'une chose de sa vie passée, ou de la vie de la famille Thall.

« C'est mademoiselle Eddy », dit Tinka; et elle s'essuya les yeux.

« Je l'ai reçue ce matin, dit Eddy Thall. C'est un admirateur qui me l'a envoyée. Figure-toi, Tinka, c'est un garçon qui était amoureux de moi quand j'avais quinze ans. »

Eddy Thall prit la lettre qu'elle avait ouverte avec le coupe-papier d'or. Elle remonta son oreiller sous ses épaules.

« Voilà ce qu'il m'écrit, dit-elle. « Mademoiselle, il
« y a quinze ans, lorsque vous étiez élève du Conserva-
« toire, vous avez oublié cette photo dans un livre de
« la bibliothèque. Je l'ai trouvée. Je l'ai gardée sur
« moi longtemps, attendant l'occasion de vous la
« remettre personnellement. Cette occasion ne s'est pas
« présentée ou plus exactement je n'ai pas eu le cou-
« rage de vous parler et de vous rendre la photo bien
« que je vous aie rencontrée de multiples fois dans la
« rue, au théâtre, à la pâtisserie, au jardin public.
« Vous veniez à Néamtz pendant les vacances. Et je
« vous voyais tous les jours. Ensuite vous êtes devenue
« une grande artiste. Vous avez ouvert votre propre
« théâtre. Bien que devenu un homme dans la force
« de l'âge, le courage me manquait. Mais cette fois ce
« n'était plus la timidité de l'adolescence qui en était
« cause. J'étais intimidé par votre gloire. Hier soir je
« vous ai vue au théâtre dans *la Reine de Saba*. Je
« suis rentré à la maison. J'ai cherché cette photo que
« je vous prie d'accepter avec ma profonde admira-
« tion. — Juge Pierre Pillat. »
Tinka écoutait debout, près du lit défait.
« Il y a un post-scriptum, continua Eddy Thall :
« Cette photo m'a été demandée par un de mes
« camarades, Boris Bodnar, avant sa fuite en Russie. Il
« avait été exclu de l'école et il a traversé le Dniestr à
« la nage. La destinée de cette minuscule photo était
« donc de voyager vers l'Est. Je suis heureux de l'avoir
« gardée et de pouvoir vous la rendre maintenant,
« bien que je n'aie pas été seul amoureux d'elle. »
Eddy Thall quitta son lit. Elle regarda la pendulette
tendue d'une soirie couleur de ciel. Il était huit heures
du matin. Elle se tourna vers Tinka et vit qu'elle
pleurait.
« Y a-t-il une raison de pleurer dans ce que j'ai lu?
demanda Eddy Thall.
— C'est tellement beau, ce que dit la lettre, dit

Tinka, tellement beau que mes larmes coulent toutes seules.

— Etais-je si belle, quand j'étais petite, que l'on pouvait tomber amoureux de ma photo? demanda Eddy Thall.

— Mlle Eddy a toujours été belle », dit Tinka.

Elle posa le plateau. Eddy Thall regarda les autres lettres. Puis elle reprit celle du juge Pierre Pillat. Elle pensa à l'élève qui était parti pour la Russie. Et elle regretta que ce Boris Bodnar ait échoué et qu'il ait été exclu du collège.

Eddy Thall était une grande artiste. Le facteur lui apportait chaque jour des lettres d'admirateurs. Mais aucune ne lui avait procuré autant de joie que la lettre du juge Pierre Pillat.

« Deux policiers veulent vous parler », annonça Tinka entrant de nouveau dans la chambre à coucher.

Sa voix était changée. Elle était effrayée.

« Qu'ils attendent que j'aie fini mon café, dit Eddy Thall.

— Ils sont pressés. Ils veulent vous parler tout de suite. Je leur ai dit que mademoiselle n'était pas encore levée. Ils sont entrés dans le bureau et attendent. »

Eddy Thall mit son peignoir. Elle pénétra énervée dans le bureau. Les policiers, deux jeunes gens à imperméables, étaient debout. Elle les pria de s'asseoir, arracha la feuille du calendrier et les regarda, comme à la scène.

« Vous désirez? »

Ils étaient toujours debout.

« Pourquoi ne vous asseyez-vous pas? » demanda Eddy.

Elle froissait la feuille du calendrier : 9 janvier 1940 et la jeta dans la corbeille.

« Nous vous dérangeons à cause d'une enquête », dit l'un.

Le deuxième ouvrit la serviette qu'il appuya sur le bord du fauteuil pendant que le premier enchaînait :

« La femme qui nous a ouvert est à votre service? »

Eddy Thall les regardait. Ils étaient sérieux comme deux élèves du Conservatoire dans leur premier rôle.

« La femme qui a ouvert la porte est ma gouvernante », dit Eddy Thall ironique.

Le second policier sortit un carnet et se mit à écrire. Le premier demanda :

« Il y a longtemps qu'elle est à votre service?

— Quand je suis née, elle était au service de mes parents.

— Il y a combien d'années? demanda toujours le premier.

— Je pense qu'il y a environ quarante ans qu'elle est chez nous. Si vous désirez des renseignements plus précis, vous pouvez l'interroger.

— Quel est son salaire?

— Cinq mille lei par mois, déposés à son compte en banque. Et tout ce dont elle a besoin. Elle est ici chez elle. »

Eddy Thall alluma une cigarette. Elle était la directrice d'un grand théâtre qui portait son nom. Les journaux la donnaient comme la plus grande artiste. A chaque pas, dans tout le pays, on voyait sa photo sur les affiches. Son nom était prononcé à la radio plusieurs fois par jour et il était affiché dans les salles d'attente de toutes les gares, dans toutes les stations de tramways, dans les autobus. Même les enfants connaissaient le nom d'Eddy Thall. Tous les policiers qu'elle avait connus jusqu'alors lui avaient demandé des autographes. Ceux-ci étaient les premiers qui ne désiraient pas son autographe. Ils étaient venus pour une enquête.

« Le nom de votre gouvernante? demanda le policier.

— Tinka Neva, dit-elle. Si vous avez encore des questions à poser, dépêchez-vous, je vous prie. »

Elle se leva, éteignit sa cigarette.

« Nous voudrions savoir quelle est la religion de votre gouvernante, demanda le policier.

— Chrétienne », répondit Eddy Thall.

Le second policier ferma le cahier et le replaça dans la serviette.

« Les lois en vigueur interdisent aux personnes d'origine sémite d'avoir du personnel chrétien. Vous êtes obligée de lui verser le salaire de trois mois et de la congédier. C'est tout ce que nous avions à vous dire. »

Les deux policiers s'inclinèrent, tout aussi graves qu'à leur arrivée. Eddy Thall attendait qu'ils se dirigent vers la porte.

« Les infractions à cette loi sont punies de six mois de prison », dit le premier. Il continua : « Nous pourrions procéder à l'interrogatoire de *Madame* Tinka Neva? »

Eddy Thall sonna.

« Ces messieurs désirent vous parler, Tinka. »

Elle gagna sa chambre.

Tinka resta seule avec les deux jeunes gens. Elle examinait leurs pardessus, leurs souliers ternes.

« Vous êtes Tinka Neva? » demanda le premier.

Tinka le mesura du regard, hostile.

« Madame vous a dit mon nom? A quoi bon me le demander alors?

— Ce que madame a dit ne suffit pas. Il faut nous le dire aussi. »

Le deuxième policier sortit le cahier et commença à écrire.

« Quel âge avez-vous et depuis combien de temps êtes-vous au service de la famille Thall?

— Quand je suis arrivée chez M. Thall, j'avais dix-huit ans. Il doit y avoir trente-huit ans de cela. »

Tinka eut peur. Elle tremblait. Jamais elle n'avait connu de semblables visites dans cette maison.

« Etes-vous contente de la façon dont votre patronne vous traite?

— Si je n'avais pas été contente je ne serais pas restée toute ma vie ici.

— Votre patronne vous paiera le salaire de trois mois et vous congédiera. Les lois en vigueur interdisent aux juifs d'avoir des domestiques chrétiens. »

Les policiers boutonnaient leurs pardessus.

« Je n'ai pas le droit de gagner ma vie en travaillant? demanda Tinka.

— Vous avez le droit de travailler, répondit le policier, mais pas chez des personnes d'origine juive. »

Tinka sentit l'injustice. Elle n'avait plus peur.

« Le maître chez lequel je veux travailler, c'est moi qui le choisis. Je suis une domestique, ce qui m'intéresse c'est d'avoir un bon maître. Le reste — s'il est chrétien ou juif — ne m'intéresse pas. »

Les policiers se dirigeaient vers la porte.

« Si elle ne vous paie pas les trois mois de salaire avant de vous congédier, il faut venir à la police nous remettre une réclamation, dit le premier.

— Je ne pars pas d'ici, dit Tinka. Je suis contente ici. »

Elle pleurait, maintenant.

« Seule ma patronne peut me mettre dehors, si elle n'est pas contente de moi. Mais mademoiselle est contente de moi », dit Tinka à travers ses larmes, tandis que les policiers quittaient la maison.

II

Après le départ des policiers, Tinka Neva pleura. Son vieux corps tremblait comme une branche grêle.

Eddy Thall la prit par les épaules.

« Le diable n'est pas si noir qu'on le dit. Calme-toi, Tinka. Tu resteras ici. J'ai des relations. Je vais faire intervenir quelqu'un. »

Tinka ne pouvait plus parler. Elle essuya les fauteuils. Ensuite elle essuya le parquet à la place des policiers, comme si elle voulait effacer jusqu'à leur trace dans la maison.

L'humiliation qu'on lui avait infligée l'avait envahie jusqu'au plus profond de son être. Elle pensait : « Personne ne peut me chasser de ma place, en dehors de ma maîtresse. Le roi même n'a pas le droit de se mêler de mon travail. Si je le fais bien ou mal, c'est l'affaire de ma maîtresse. »

Tinka Neva avait quitté son village adolescente. Elle n'avait plus de famille, personne, nulle part. Sa maison était la maison de sa maîtresse.

Eddy tendit un paquet de lettres.

« Viens, Tinka, ne pleure plus. Prends ces lettres et brûle-les. »

Tinka gardait les lettres dans ses mains. L'ordre de les brûler était trop dur. Tinka Neva était un être sensible. Brûler des lettres, surtout maintenant, après l'incident des policiers, était un acte trop pénible, au-dessus de ses forces.

Tinka ne savait pas lire. De toute sa vie elle n'avait jamais reçu de lettres. Mais toute sa vie elle avait apporté des lettres à ses maîtres en même temps que le petit déjeuner au lit. Chaque fois, elle voyait avec quelle hâte les mains de sa maîtresse ouvraient les lettres, et comme sa maîtresse s'attristait ou se réjouissait à chaque lettre. Dans l'esprit de Tinka avait pris corps l'idée indéracinable que les lettres étaient des êtres vivants. Elles vous faisaient rire, vous réjouissaient ou vous attristaient. Si les lettres n'avaient pas été vivantes, elles n'auraient pas eu ce pouvoir. A cause de cela, Tinka essuyait toujours ses mains avant

de chercher le courrier dans la boîte, près de la porte.
Elle avait du respect pour les lettres, et maintenant
qu'on lui demandait de brûler le paquet, il lui semblait qu'on lui ordonnait de brûler des êtres vivants,
des colombes, des lapereaux ou des oisillons...

Eddy Thall lui tournait le dos. Elle triait d'autres
lettres pour les brûler. Tinka sentait que chaque enve-
loppe devenait un péché qui s'ajoutait aux autres
péchés qu'elle devait commettre.

« Ce sont les lettres de Lidia Petrovici, dit Eddy
Thall. Te souviens-tu à quel moment nous avons
expédié à Lidia son dernier colis? Je crois qu'il y a
quatre mois de cela. Je n'ai pas eu de réponse. J'ai
peur qu'il lui soit arrivé quelque chose. La police a
peut-être confisqué le colis. Ils viendront nous interroger. Mieux vaut brûler ces lettres. »

Eddy Thall pensait à sa cousine, Lidia Petrovici,
qui habitait dans l'Etat des Slaves du Sud. Là-bas on
avait assassiné tous les juifs. Lidia vivait sous un faux
nom. Elle était une des seules juives survivantes. Mais
il devenait dangereux de lui expédier des colis. C'est
pourquoi, Eddy brûlait ses lettres ; des lettres où régulièrement on accusait réception de médicaments, de
chocolat, de vêtements.

« Etes-vous très fâchée que les policiers soient
venus pour moi? demanda Tinka. Je vous en demande
pardon. Je n'aurais pas dû vous causer cette peine.

— Tu n'y es pour rien, Tinka, dit Eddy. Comment
peux-tu croire que ce soit ta faute? Tiens, il vaut
mieux brûler les lettres. »

La sonnette vibra deux fois, discrètement.

« Ne va pas à la porte avec les lettres », dit Eddy
Thall.

Elle prit des mains de Tinka le paquet et le cacha
sous la couverture de soie.

III

Un militaire en uniforme bleu marine était entré
dans le bureau où les policiers étaient venus une heure
auparavant.

« Je crois que c'est encore à cause de moi, dit
Tinka en pénétrant dans la chambre à coucher. J'ai-
merais mieux être morte, mademoiselle Eddy, que de
vous donner tant de soucis. Ce matin, les policiers
sont venus à cause de moi, maintenant c'est un juge
militaire ; pardonnez-moi.

— Tranquillise-toi, Tinka. »

Eddy entra dans le bureau. L'officier — aux boutons d'or, aux épaulettes d'or — s'inclina. Un seul
geste disait à Eddy Thall si quelqu'un était maître
de soi ou s'il était troublé. Elle avait appris au théâtre
à observer les gestes. L'officier qui était devant elle
était troublé, intimidé.

« Je me suis permis de vous faire cette visite, dit-il.
Je suis le capitaine magistrat Pierre Pillat. Je pense
que vous avez reçu ma lettre. »

Eddy Thall regarda le revolver, le stylet, les galons.

« Je ne suis que temporairement en uniforme », dit-
il. Je suis mobilisé.

— Votre lettre m'a émue. Merci de tout cœur »,
dit Eddy.

Elle lui désigna le fauteuil. Ils étaient gênés l'un
devant l'autre, comme s'ils s'étaient rencontrés il y a
quinze ans.

« Il faut que je vous fasse un aveu : je vous dois
énormément. Chez nous, au Collège royal de Kichinev,
il régnait une discipline de fer, à la prussienne. Le
programme était rude. Nous cherchions, tous, une pos-

sibilité d'évasion. En réalité, il était impossible de
s'évader. On ne pouvait s'évader que dans le rêve.
Votre photo était pour moi une occasion de rêver.
Chaque soir je rêvais à vous. C'était tellement beau... »

Il rougit.

« Si j'avais été externe, tout cela ne serait peut-
être pas arrivé. Mais les adolescents enfermés dans une
caserne ne peuvent pas vivre sans rêves. Je regardais
votre photo et je rêvais. La photo est froissée. Excusez-
moi. On inspectait journellement nos poches, nos
livres, nos cahiers. Je devais la cacher avec mon tabac,
pour qu'elle ne soit pas confisquée. Il y avait danger
permanent que vous me soyez confisquée... Je veux
dire votre photo. »

Il riait. Eddy Thall avait les yeux fixés sur les épaulettes à balance d'or, au chiffre du roi, sur le revolver,
sur le poignard, emblèmes de la force, emblèmes de
l'autorité.

« Savez-vous ce que j'avais imaginé à quinze ans?
Je m'étais juré de vous demander en mariage quand
je serais grand et de ne pas aimer d'autre fille. Je
pensais à tout cela, hier soir, au théâtre. Je vous féli-
cite de tout mon cœur. Vous avez été extraordinaire dans
le rôle de la Reine de Saba. Extraordinaire. Le
spectacle fini, j'ai cherché la photo et je vous l'ai
envoyée.

— Vous me parliez dans la lettre d'un autre admirateur, dit-elle. Comment s'appelait-il? Boris...

— Boris Bodnar, répondit Pierre Pillat. Il a disparu
à l'âge de quinze ans. Il m'avait dit qu'il partait pour
la Russie. Depuis je n'en ai plus entendu parler. J'ai
pourtant essayé de savoir quelque chose de lui. J'ai
écrit à son frère. Il y avait eu un drame entre eux.
Quand ils étaient petits, Boris avait crevé l'œil de son
frère. A cause de cela, les parents l'ont déshérité.
Angelo, le frère, s'est fait moine et il ne sait rien de
Boris. Personne ne sait plus rien de lui. »

Tandis qu'il parlait, Pillat regardait dans la chambre par la porte entrouverte.

Eddy Thall avait l'impression qu'il regardait les lettres cachées sous la couverture. Cela l'inquiétait.

« J'ai une répétition, dit-elle. Si vous voulez, nous nous verrons une autre fois. »

Elle regarda l'heure. Il ne bougeait pas. Il examinait la chambre.

L'inquiétude d'Eddy grandissait. Elle était devenue méfiante, elle avait peur que la visite de ce magistrat ait un but professionnel.

« J'ai encore quelque chose à vous dire. » Il était gêné. « Comme vous voyez, je suis procureur militaire. En cette qualité, nous apprenons beaucoup de choses.

— Vous venez faire une enquête? demanda-t-elle. La lettre et la photo n'étaient qu'un prétexte... Vous auriez pu commencer par l'enquête. »

Eddy Thall se leva, tremblante.

« Ce n'est pas une enquête, dit Pierre Pillat. Je voulais seulement vous demander si vous connaissiez une dame Lidia Petrovici, de l'État des Slaves du Sud. »

Eddy Thall était rouge de colère. Elle avait envie de jeter quelque chose à la tête de ce militaire qui avait inventé une histoire d'amour afin de pouvoir s'introduire dans sa maison pour enquêter sur Lidia Petrovici.

« Il y a quelque temps, nos services de contre-espionnage ont arrêté un agent ennemi, un espion, fonctionnaire des chemins de fer. On m'a soumis le cas. Parmi d'autres choses qu'il passait à la frontière, il y avait un colis adressé à Mme Lidia Petrovici, aux bons soins de Milostiva [1] Debora Paternik. L'accusé prétend que le colis vient de vous. Il contient des choses inoffensives, des médicaments pour la tuberculose, des vitamines, du chocolat, du café et quelques

1. *Milostiva* est une formule de politesse signifiant littéralement : « Très charitable dame. »

objets d'habillement. C'est d'ailleurs l'unique paquet
à contenu inoffensif confisqué à cet agent ennemi.
Je n'ai pas mentionné votre nom dans le procès-
verbal. Je vous rapporte le paquet. Je voulais vous
rendre ce petit service. »

Pierre Pillat tira le colis de la serviette et le posa sur
la table.

« C'est moi qui l'ai expédié, dit Eddy Thall. Lidia
Petrovici est ma cousine, elle est tuberculeuse. Légalement je n'ai pas le droit de lui envoyer de colis.
Alors je le fais clandestinement. C'est le seul crime que
j'aie commis.

— Ce n'est pas un crime, madame. D'ailleurs comme
je vous l'ai dit en arrivant, je ne suis pas ici en qualité de procureur. »

Ils se turent tous les deux. Le colis de médicaments
pour les poumons, de toniques contre la débilité et
l'anémie, de vitamines, et le pull-over tricoté pour
tenir chaud à la poitrine, était sur la table entre Eddy
Thall et Pierre Pillat. Entre eux deux.

« Dans l'Etat des Slaves du Sud, tous les juifs ont
été déportés, dit Eddy Thall. Déportés ou assassinés.
Ma cousine, qui est une violoniste de renommée mondiale, a échappé au progrom, du moins jusqu'à maintenant. Elle vit sous un faux nom, dans un village.
De temps en temps, je lui fais parvenir un colis de
médicaments par l'intermédiaire de cette très secourable Mme Debora Paternik, qui est une protectrice
des opprimés. C'est la femme du chef de l'Etat.

— Je me sens coupable, parce que ce colis n'est pas
arrivé à destination, dit Pierre Pillat. Je voudrais
pouvoir réparer. Je vous présenterai un ami à moi.
Schaffner [1] aux wagons-lits, qui le portera à votre cousine. Il s'appelle Daniel Motak. Je vous l'enverrai
peut-être demain. »

---

1. Personnage qui tient du convoyeur et du contrôleur et qui
fait aussi fonction de garçon de wagon-restaurant. (N. du Tr.).

Pierre Pillat se leva, s'inclina et se dirigea vers la porte...

« Revenez, dit Eddy Thall. Venez. Nous parlerons de notre enfance. Cette fois, c'est moi qui éprouve le besoin de m'évader de la réalité. Comprenez-vous ? Comme vous l'éprouviez au Collège royal, lorsque vous rêviez sur une photo. Revenez. Mais je vous en supplie, pas en uniforme. Vous me feriez grand plaisir en venant en costume civil, pas en uniforme. »

IV

« Je suis l'homme dont vous a parlé le juge Pierre Pillat. Je suis le *Schaffner* Daniel Motok. »

Devant Eddy Thall se tenait un homme à cravate grise, en pardessus noir. Il se tenait droit et il était ganté.

Eddy Thall lui désigna un fauteuil.

« Mon ami m'a fait savoir que vous aviez un paquet à faire parvenir », dit Motok. »

Le colis de médicaments et d'habits pour Lidia Petrovici était prêt sur le bureau. Motok le regardait discrètement en cherchant l'adresse.

« Il suffit de le remettre au valet de la maison de Milostiva Debora Paternik avec l'indication « pour Lidia ». C'est tout. »

Motok plaça le colis dans la valise de cuir. Il se leva et s'apprêta à partir.

« Je vous prie de ne le remettre qu'entre les mains du valet de chambre. Il s'appelle Ivo Doppelhof. C'est un vieil homme à cheveux argentés. Vous le reconnaîtrez facilement, dit Eddy Thall. D'ailleurs ce valet est la seule personne qui habite avec Milostiva Debora Paternik. En aucun cas il ne faut le donner aux soldats, aux gardes de la porte. Même s'ils vous le demandent. »

Motok inclina la tête, signifiant ainsi qu'il exécuterait scrupuleusement sa mission.

« Je pense que le juge Pillat vous a renseigné. Dans le paquet il y a des médicaments pour une cousine malade, rien d'autre. Milostiva Debora Paternik est la femme du chef de l'Etat indépendant des Slaves.

— Je suis au courant », dit Motok.

De sa main gantée il serrait la poignée de la valise.

« Combien vous dois-je? demanda Eddy Thall.

— Absolument rien, dit-il. Au contraire, c'est un grand honneur pour moi que de vous rendre cet insignifiant service. »

Mais Motok savait que ce n'était pas poli de refuser quelque chose à une dame et il dit :

« Si vous voulez me procurer une très grande joie, alors j'accepterais avec plaisir un billet de faveur pour la représentation de *La Reine de Saba* de vendredi soir. A cette occasion je vous confirmerai la remise du paquet. »

Mettant dans sa poche la carte de visite avec la signature d'Eddy Thall qui devait lui servir de billet d'entrée au théâtre, il dit :

« Je rentre vendredi soir à sept heures. Avant le début du spectacle, à neuf heures, j'aurai le temps nécessaire pour passer à la maison et m'habiller. Madame, je vous remercie. »

Il se dirigea vers la porte, toujours du même pas. La manière de s'habiller, de marcher, de parler du *Schaffner* Motok rappelait le mécanisme des horloges et la précision des horaires de chemins de fer. Eddy Thall appela Pierre Pillat au téléphone pour lui apprendre la visite de Motok et pour le remercier.

« C'est la première fois que j'expédie un colis à Lidia sans crainte et avec la certitude qu'il arrivera à destination. Je vous remercie, monsieur Pillat.

— Le *Schaffner* Motok est un homme à qui l'on peut se fier. »

Pendant ce temps le *Schaffner* Motok s'arrêtait sur le seuil de la porte. Avant de sortir dans la rue il boutonna ses gants en marchant. Il ne voulait commettre aucune incorrection.

V

« J'ai la certitude que tout va s'arranger. J'ai eu la guigne pendant un moment, mais c'est passé. »

Eddy Thall était assise, les jambes repliées sous elle, dans son fauteuil comme chaque fois qu'elle était contente. En face d'elle se tenait Max Reingold, aux lunettes cerclées d'or. Vêtu comme les banquiers du monde entier. A la perfection. Discrètement. Coûteusement. C'était le directeur administratif du théâtre, ancien associé et ami du père d'Eddy Thall.

« Le fait que vous, Max Reingold, vous veniez pour la première fois sans me prévenir, c'est aussi une grande joie. J'ai été malheureuse, ces derniers jours. On m'a sommée de congédier Tinka. On a confisqué un paquet destiné à Lidia. Le facteur était un espion. J'aurais pu avoir des ennuis. La police est venue. Maintenant tout est rentré dans l'ordre. Tout ira bien de nouveau. Vous êtes venu. Et en ce moment je suis heureuse, très heureuse même.

— *Liebes Kind...* chère enfant, dit Max Reingold, je ne peux pas rester longtemps. J'ai du travail. Et je regrette de venir seulement pour gâcher votre joie. Mais je suis obligé de le faire. *Liebes Kind,* on ferme notre théâtre. »

Eddy Thall se leva.

« Les théâtres juifs doivent payer une taxe sup-

plémentaire, dit Max Reingold. Ça, c'est de l'histoire
ancienne. Les versements au fisc pouvaient être
retardés ou bénéficier d'une amnistie. Maintenant c'est
différent. J'ai reçu sommation du ministère de l'Intérieur de payer sous quarante-huit heures deux millions de lei ou de fermer. L'un ou l'autre. Il faut
fermer, nous n'avons pas tant d'argent et nous ne
pouvons pas ajourner. »

Max Reingold se leva. Il voulait partir.

« Il n'y a plus de raison à ce que je reste, dit-il. Il
n'y a rien à discuter. C'est clair. Venez ce soir dîner
avec nous. Rebecca et Esther vous embrassent. »

Esther était la fille de Max Reingold. Rebecca sa
femme. Eddy Thall les aimait, mais à ce moment elle
ne pouvait pas leur accorder une seule pensée.

« Il y aurait une solution. Continuer les représentations en yiddish. Mais bien que juifs, nos acteurs ne
connaissent pas le yiddish et les spectateurs non plus.
Il faut fermer. »

Eddy Thall essaya de le retenir. Max Reingold lui
caressa le front. Il appela de nouveau Eddy Thall
liebes Kind, comme l'appelait son père. Et il partit.
Sur le seuil il se retourna.

« Eddy, il y a deux messieurs qui veulent vous
voir. »

Max Reingold laissa ouverte la porte de la maison
d'Eddy Thall pour que les deux messieurs qui attendaient puissent entrer.

VI

« Vous êtes de la police? » demanda Eddy Thall.

Elle regardait les deux hommes. Tous les deux portaient des imperméables et l'un d'eux avait une serviette.

« Que me voulez-vous encore? Vous venez pour le
congé de la gouvernante? D'autres sont déjà venus.
Pour la fermeture du théâtre? Quelle sorte de renseignements désirez-vous?

— Nous faisons partie de la communauté israélite,
dit celui qui n'avait pas de serviette. Nous venons
pour les vêtements. »

Eddy Thall les regarda. On ne pouvait pas donner
d'âge aux deux hommes, mais dans leurs yeux, sur
leurs visages, dans leurs gestes, dans le son de leur
voix transparaissait la souffrance. On lisait uniquement l'humiliation dans leurs regards, et aussi la peur.

« Vous savez, continua l'homme sans serviette, que
chaque citoyen d'origine juive doit donner, pour les
œuvres de bienfaisance du gouvernement, une quantité de vêtements correspondant à sa situation maté-
rielle. »

Eddy Thall appuya sur le bouton de la sonnette et
lorsque Tinka parut elle lui dit :

« Ces messieurs veulent de vieux vêtements pour la
communauté israélite.

— Ce n'est pas pour la communauté, dit l'homme
sans serviette. Cette collecte est pour les œuvres du
gouvernement. La communauté est obligée seulement
d'effectuer le ramassage. »

Le second tira un registre de la serviette et l'ouvrit.
« D'après les revenus déclarés au fisc vous êtes
obligée de donner : trois paires de chaussures, cinq
chemises, quatre robes, deux manteaux...

— Prenez ce que vous voudrez ». dit Eddy Thall.

Elle ouvrit la porte de la penderie où il y avait
toute la garde-robe. Elle grelottait.

« Si le gouvernement vous a donné l'ordre de
prendre mes vêtements, exécutez-vous. Prenez-les. Et
si cela ne vous suffit pas, vous pouvez me déshabiller,
prendre ceux que j'ai sur moi et me laissser toute
nue. »

Eddy Thall entra dans la salle de bain, ferma la porte à clef et se mit à pleurer.

Les deux hommes regardaient dans la penderie les dizaines de robes, les costumes avec lesquels Eddy Thall avait paru en scène, avec lesquels elle avait interprété tous ses grands rôles.

« Je vous apporte quelques vieux vêtements, dit Tinka. Si ce n'est pas assez, revenez. »

Elle les conduisit à la cuisine, déballa à leurs pieds un paquet de lingerie, de souliers, de vieux effets. Les deux hommes choisirent et firent un ballot. Ils partirent contents. Cela leur suffisait.

Eddy Thall pénétra alors dans la cuisine. Il y avait sur une chaise deux chaussons de danse, noirs, semblables à deux pétales. C'étaient ses chaussons quand elle était élève de la classe de ballet.

« Pourquoi ces chaussons?

— J'ai voulu les donner, dit Tinka, ils étaient avec les choses à jeter, mais les hommes n'en ont pas voulu. Ils disent qu'ils ne peuvent pas les considérer comme des souliers ni même comme des pantoufles. Et ils les ont laissés.

— Tinka, dit Eddy, tu sais que le gouvernement ferme notre théâtre; demain c'est la dernière représentation. Il prend nos habits, il prend notre personnel, il prend notre théâtre. Que vais-je faire, Tinka? Dis-moi, que vais-je faire? Car il faut que je fasse quelque chose avant que le gouvernement me prenne la vie. Parce qu'un jour ils viendront prendre ma vie... Mais jusqu'alors que vais-je faire? »

Tinka lui caressa doucement la tête... Elle ne put répondre lorsque Eddy Thall lui demanda en sanglotant :

« Tinka, dis-moi, que vais-je devenir? »

VII

Le train de Daniel Motok avait eu du retard à son arrivée dans la capitale de l'Etat indépendant. Une heure auparavant la voie ferrée avait été détruite par les partisans. Motok rendit les papiers du wagon-couchettes. Il fit son rapport rapidement. Devant la glace il mit de l'ordre dans l'uniforme à initiales d'or de la Compagnie des wagons-lits et jeta une pèlerine sur ses épaules. Il prit la valise avec le paquet et se dirigea vers le quartier de villas où se trouvait le palais de Milostiva Debora Paternik. La ville était plongée dans l'obscurité comme toutes les villes d'Europe en temps de guerre. Motok regarda sa montre et pressa le pas afin d'arriver avant neuf heures, comme il l'avait promis à Eddy Thall.

« Milostiva Debora Paternik n'a pas de couronne, songea le *Schaffner* Motok. Elle ne porte pas couronne mais elle est pareille à une reine. C'est la première dame de l'Etat indépendant des Slaves du Sud. » Le *Schaffner* Motok savait rêver comme rêvent les enfants, les jeunes filles et les poètes. Il ne s'ennuyait pas comme les autres voyageurs du train. Il s'asseyait sur sa chaise et rêvait comme s'il avait regardé un film ou tourné les pages d'un livre d'images coloriées. Son train pouvait avoir un retard de sept heures ou rester sur une voie de garage. Il ne s'ennuyait pas. Il n'était pas seul. Il rêvait, comme il rêvait maintenant à Milostiva Debora Paternik tout en avançant, sa valise à la main. Il pensait aux portraits des reines dans les livres d'histoire pour mieux imaginer Milostiva Paternik. Il était fier de pénétrer dans ce palais et de remettre le paquet à Ivo Doppelhof, le valet aux cheveux d'argent.

Motok fut arraché à son rêve par les cris stridents de dizaines de sirènes qui éclatèrent subitement dans la ville morte.

Il se réfugia contre le mur à droite de la rue. Au-dessus de lui le ciel semblait en feu. Les flammes paraissaient sortir de terre en même temps que le rugissement des sirènes et un vrombissement de moteurs. L'asphalte du trottoir tremblait, le mur contre lequel était collé Motok tremblait. Même les arbres qui bordaient la rue semblaient trembler. Cinq motocyclettes avec projecteurs, sirènes en marche, montaient la pente derrière lui. Motok fut soudain inondé par une lumière qui brûlait les yeux. Il avait l'impression que la clarté des projecteurs le déshabillait entièrement. Il se colla davantage contre le mur de pierre. Il se sentait nu. Derrière les motocyclettes, il y avait trois grandes automobiles avec phares et sirènes. Ensuite d'autres motocyclettes. Motok était pâle. La bande motorisée venant du bas de la rue, comme surgie de terre, semblait maintenant monter vers le ciel, car on entendait le bruit des sirènes s'éloigner dans les nuages, suivant les flammes des projecteurs. Motok tremblait.

Motok tourna la tête. Près de lui un homme, un piéton, s'était réfugié aussi contre le mur.

« C'est Milan Paternik. »

Les hommes à motocyclettes, enveloppés dans des manteaux de cuir, avec des casques de fer, brillaient dans la lumière des phares comme s'ils étaient en métal. Leurs visages, les bottes, les motocyclettes, tout avait le même éclat d'acier. Et ils étaient passés comme une horde motorisée de l'Apocalypse. Les yeux de Motok étaient douloureux à cause de la forte lumière des projecteurs. Ses tempes bourdonnaient. Il se tourna de nouveau dans l'obscurité.

« Le général Milan Paternik ne circule que la nuit, avec trois automobiles et vingt motocyclettes. C'est

le détachement motorisé de la mort : projecteurs,
sirènes et cent vingt kilomètres à l'heure. Il ne circule
jamais autrement, le général Milan Paternik. Seulement, un jour, il va se casser la figure. On ne peut
pas marcher de la sorte sans se casser la figure... »

L'inconnu près de Motok riait, d'un rire macabre.
Il sentait l'eau-de-vie. Il continua :

« Savez-vous où va le général Milan Paternik? On
lui a fait savoir probablement que dans un coin de
la ville on a décelé la présence d'un juif ou d'un chrétien orthodoxe. Une fausse dénonciation, assurément.
Car il y a longtemps que dans l'Etat indépendant des
Slaves du Sud il n'existe plus de juif ni de chrétien
orthodoxe. Ils ont tous été tués. Et pourtant, Milan
Paternik le brave surgit avec son détachement motorisé d'assassins chaque fois qu'il apprend qu'un juif
se cache quelque part. Il veux l'exterminer de sa propre
main. Et maintenant il va là où un juif a été signalé.
Mais il n'en trouvera plus un seul. Bonsoir! Milan
Paternik ne trouve plus de juifs. Il n'en existe plus. »

L'homme s'éloigna, comme englouti par la nuit.

« Eddy Thall, pensa Motok, m'a dit que Lidia
Petrovici était juive. L'inconnu soutient qu'il n'existe
plus un seul juif. » Motok se hâta vers la résidence de
la très secourable Debora Paternik.

VIII

Les portes du château où habitait Milostiva Debora
Paternik s'ouvrirent toutes grandes. Les vingt motocyclettes pénétrèrent dans la cour. Le rugissement des
sirènes cessa. Les phares restaient allumés et les
moteurs prêts à démarrer. Les hommes à manteau de
cuir, aux casques, bottes et visages qui luisaient comme

du métal restaient en formation de marche sur leurs motocyclettes.

Milan Paternik sortit de la voiture du milieu. Il monta l'escalier de marbre. Il ressemblait à un élève de lycée ; seuls les galons de général, les étoiles du képi et les ors sur les manches de la tunique, qui brillaient à la lumière des projecteurs, attestaient que ce n'était pas un écolier. Deux hommes de haute taille, à manteau de cuir étaient déjà près de la porte. La sonnerie du château fonctionnait sans interruption, comme les sirènes. La porte s'ouvrit. Milan n'attendit pas. Il escalada les marches sans regarder Ivo Doppelhof, le valet, et marcha d'un pas lourd sur les tapis profonds. Il se dirigeait vers le salon. Les deux policiers à manteau de cuir restèrent dans le vestibule. Les autres, dehors, avaient l'air de cerner le château.

« Prévenez ma mère », cria Milan Paternik.

Il était maintenant dans le salon. Seul. Il s'arrêta devant un miroir immense. Il passa la main gantée sur ses joues pâles, creuses, comme les joues d'un malade. Il examina ensuite ses yeux au regard fatigué mais impitoyable. Et il examina aussi son manteau à grandes épaulettes d'or qui jetaient sur son visage de grands reflets — comme les projecteurs.

« Je suis fatigué », se dit-il. Il était fier de se sentir fatigué et de ne pas marchander ses heures de sommeil.

Dans la pièce voisine Milostiva Debora s'apprêtait à venir au salon. Ivo était debout près de la porte.

« Nerveux? questionna Milostiva.

— Comme d'habitude, Milostiva, répondit Doppelholf. Très nerveux. »

Milostiva n'aurait pas voulu lui parler, mais personne ne pouvait résister à Milan Peternik, son fils. Il ne venait la voir que rarement. Leurs entrevues étaient froides ou hostiles.

« Très nerveux? demanda Milostiva et elle jeta un châle noir sur ses épaules.

— Très nerveux, Milostiva », dit le valet.

Milan Paternik avait vingt-six ans. Tout le monde connaissait son œuvre, même les enfants. Milan avait tué huit cent mille juifs et chrétiens orthodoxes.

« La plus grande punition pour une mère, c'est d'avoir un fils assassin. Un fils qui se vautre dans le sang. »

Elle essuya une larme. Une larme toute petite, comme une perle. Et elle pénétra dans le salon, droite, le regard haut. Elle était maintenant devant son fils.

« Pourquoi gardes-tu ton manteau, Milan? dit Milostiva. Tu vas prendre froid en sortant. »

Il ne lui baisa pas la main. Il frottait ses doigts, nerveux. Toujours debout.

Milostiva regarda son visage blême, les yeux fatigués, les épaules frêles. Elle ne voyait pas les galons ni les épaulettes de général. En cet instant elle voyait que son fils était fatigué, pâle, surmené. Et cela lui faisait mal. C'était son fils. Elle s'approcha de lui.

« Donne-moi la main, Milan, dit-elle ; tu as bien maigri. »

Les mains desséchées de Milostiva prirent les mains de Milan Paternik. Il était ganté.

« Pourquoi gardes-tu tes gants? » demanda-t-elle.

Elle le regarda fixement dans les yeux. Milostiva aurait voulu baiser le front haut de Milan, le front de son fils. Mais elle n'en avait pas le courage. Elle serra les mains qui avaient gardé leurs gants, mais n'insista plus pour les lui faire quitter. Elle savait qu'il ne l'écouterait pas. Il était entêté. Il l'était depuis son enfance.

« Mère, je suis malheureux, dit-il.

— Raconte toutes tes peines à ta mère, Milan. »

Elle serra davantage les mains gantées de cuir.

« Je t'aiderai. Regarde-moi dans les yeux. Ne regarde pas ailleurs. Regarde-moi comme tu le faisais quand tu étais petit. »

Pendant une seconde il regarda la figure ridée, à la peau blanche. Ses doigts serrèrent un peu plus les mains de Milostiva. Puis il regarda de nouveau ailleurs.

« Ce que j'ai à te dire, mère, m'est très pénible.

— Personne ne comprend mieux le malheur qu'une mère. Raconte, Milan, mon enfant aimé. C'est donc si grave, ce qui t'arrive?

— Tu sais qui je suis, mère? demanda Milan Paternik.

La voix était de nouveau dure, comme le regard.

Milostiva pensa aux centaines de milliers d'hommes innocents qu'avait exterminés Milan. Elle avait envie de crier de douleur mais elle se maîtrisa.

« Peu importe ce que tu as fait, Milan, tu restes mon fils. Je suis ta mère.

— Voilà tout le drame : tu es ma mère. »

Milan Paternik se leva.

« Je t'ai demandé de me répondre clairement et sans hésitation. Qui suis-je? Du moment que tu es ma mère je suppose que tu le sais. »

Milostiva le regardait avec les yeux pleins de larmes. Elle se taisait.

« Je vais te le dire, moi, qui je suis. Je suis né il y a vingt-six ans à Budapest, où toi et mon père étiez exilés. Vous dirigiez tous les deux l'organisation politique *Za Dom*, fondée par l'*Intelligence Service*. Officiellement *Za Dom*, devait libérer notre peuple du joug étranger. En réalité c'était une formation terroriste, qui travaillait dans les Balkans pour l'Empire britannique. Mes sœurs et moi avons été élevés dans la religion de *Za Dom*. Les premiers mots que j'aie appris à prononcer étaient « la patrie est au-dessus de tout ». En même temps que le latin, l'histoire et la géographie vous m'avez enseigné à tirer au pistolet, à planter un poignard, à manœuvrer une mitraillette. Vous étiez fiers de moi. J'attendais la

libération de notre patrie pour pouvoir y retourner.
jusqu'à vingt-six ans je n'avais jamais mis le pied sur
le sol de cette patrie. C'était mon plus ardent désir.

— Tous les exilés aspirent au retour dans leur
patrie, dit Milostiva. C'est un désir sacré, Milan. Je
ne regrette pas de t'avoir élevé dans cette religion de
la liberté, du désir de la patrie, de l'indépendance
nationale. Je suis même fière d'avoir élevé mes enfants
dans de tels sentiments.

— Tu te souviens de notre premier voyage à Rome?
demanda Milan. Dans tous les pays d'Europe où nous
avions vécu, nous n'avions connu que la misère. Nous
logions dans des chambres d'hôtel où tu tapais à la
machine des articles pour des journaux et des rapports ; tu faisais la cuisine, la lessive. C'était pour nous
toujours la même vie, à Berlin, à Paris, à Budapest,
à Berne, à Genève, à Sofia, à Bucarest. Partout et
toujours des chambres d'hôtel, des réunions secrètes.
Tu lavais le linge, tu faisais bouillir des pommes de
terre et tu tapais à la machine.. Et, tout à coup, le
voyage à Rome. Une villa au bord de la mer, de l'argent, quatre autos devant le perron. Des gardes du
corps. Des journaux imprimés. Des domestiques. T'en
souviens-tu? Mussolini avait invité *Za Dom* à collaborer avec le fascisme. Les Anglais, vos chefs, vous ont
dit que c'était une invitation à ne pas refuser. Ils
voulaient que *Za Dom* collabore avec les fascistes,
qu'il prenne l'argent des fascistes et qu'il serve les
intérêts de l'Angleterre dans les Balkans.

— En politique, de telles transactions sont monnaie
courante. Ce que nous faisions n'était pas nouveau.
Les Anglais nous ont soutenus et encouragés dans
cette voie. Nous n'avons rien fait sans demander conseil
aux Anglais. Nous avions mis dans l'Angleterre l'espoir
de notre liberté et de notre indépendance.

— Ensuite est arrivée l'invitation pour Berlin.

— L'Angleterre nous a conseillé de l'accepter.

C'était une directive dictée par les nécessités politiques d'alors. Mais elle était temporaire.

— En 1940 nous étions à Berlin. Nous fûmes réveillés en pleine nuit. Et on nous dit que notre rêve était réalisé. Ton rêve, celui de mon père et du peuple entier. Notre Patrie était libre et indépendante. La nation vous a reçus, toi et mon père, comme deux héros. Vous étiez les libérateurs de notre peuple. J'ai été nommé chef de la police. Général. Et dès le premier jour, depuis que notre indépendance était acquise, j'ai voulu exécuter les autres points du programme de l'organisation *Za Dom*. Tu les connais. Tu les as tapés à la machine combien de fois! Indépendance, socialisme national, antibolchevisme, antisémitisme. »

Milostiva pleurait.

« Quelques points du programme ont été ajoutés ultérieurement, dit-elle. En échange de l'aide apportée, Hitler et Mussolini nous ont demandé une organisation antibolchevique et nationaliste. Les Anglais nous ont conseillé d'accepter. Ils disaient que ces points ne seraient jamais appliqués. Qu'après notre libération ils veilleraient à ce que nous possédions toutes les libertés démocratiques, dans notre nouvel Etat indépendant.

— Les Anglais sont restés en Angleterre et vous avez acquis votre liberté avec l'aide fasciste, comme Londres vous avait conseillé de le faire. Et maintenant, vous vous trouviez dans votre nouvel Etat avec tout un programme fasciste. Quant à moi, mère, je n'en ai pas connu d'autre. Je ne savais pas qu'il y avait des points qu'il fallait appliquer et d'autres pas. J'ai cru en *Za Dom*. Et je ne connais pas d'autre vie que *Za Dom*. J'ai nettoyé l'Etat de tous les éléments inférieurs : tziganes, orthodoxes, juifs. Le jour où Himmler m'a serré la main, me félicitant pour l'organisation du nouvel Etat, 1 m'a dit : « L'Allemagne n'a pas réussi

« à liquider tous les juifs comme vous l'avez fait,
« général Milan Paternik. Votre Etat est le seul Etat
« nationaliste à ne posséder qu'un seul juif... — Il n'y
« en a même plus un, dis-je. Dans l'Etat indépendant,
« il n'y a plus un seul juif. » Himmler sourit,. il me
dit : « Vous avez encore un juif, mais celui-là, vous
« pouvez lui laisser la vie. » Tu sais à qui il faisait
allusion?

— A moi, dit Milostìva. Je suis la seule juive de
l'Etat indépendant.

— Pourquoi me l'avoir toujours caché? demanda
Milan. Maintenant, après avoir débarrassé l'Etat des
juifs, après avoir tant versé de sang, j'apprends que
tu es juive. Toi, ma mère! »

Milan Paternik se laissa tomber dans un fauteuil.

« Je n'ai aucun tort. Vous m'avez élevé dans le
fanatisme du parti. J'ai appliqué son programme avec
fanatisme, point par point. Aujourd'hui, j'apprends
cette chose, et ma vie est finie. »

Milan Paternik se leva. Il était encore plus pâle,
ses yeux étaient plus fatigués. Il s'approcha de Milostìva Debora.

« Ma carrière, qui est pour moi synonyme de vie
et d'idéal, a pris fin. C'est pour cela que je suis venu
ce soir ici, mère. »

Il resta une seconde immobile.

« Tout cela à cause de moi?

— A cause de toi, mère. »

La vieille dame se leva, de la main elle lui caressa
la tête.

« Tout est fini, dit Milan » Il lui montra une
ampoule qu'il avait sortie de sa poche. « Si tu estimes
qu'il existe pour moi une autre solution, je te prie de
me le dire. Mais je crois qu'il ne me reste plus que le
suicide. Je ne peux pas avoir une autre vie en dehors
de *Za Dom* et *Za Dom* m'élimine parce que je suis ton
fils, le fils d'une juive.

— Patiente jusqu'à demain », dit la vieille dame.
Elle lui caressa les cheveux. « Mon cœur de mère trouvera une solution. Viens demain matin et nous dis-
cuterons. Je te demande de me faire une seule pro-
messe. Celle de rester en vie jusqu'à demain. J'ai confiance dans ta parole d'honneur. Jette l'ampoule. »

Milan Paternik jeta l'ampoule par la fenêtre.

« Tu n'es fautif en rien, Milan, dit la vieille dame.
Tu as eu la foi, ainsi qu'il est dans la nature de tout
être jeune. Ton père et moi, nous avions une foi
ardente et nous avions lutté pour la liberté de notre
peuple. Notre peuple était faible. Il avait besoin
d'aide. Et nous avons demandé l'aide de l'Angleterre.
L'Angleterre nous a poussés dans les bras d'Hitler et
de Mussolini. C'est elle la coupable. *Gott strafe England* [1]. Milan, je voudrais t'embrasser. »

IX

Le valet de chambre Ivo Doppelhof écoutait derrière la porte. Il avait entendu toute la conversation.

« C'est vrai, se dit Ivo Doppelhof, Milan ne savait
pas que sa mère était juive. On ne le lui a jamais
avoué. Je les ai suivis partout en exil. Moi, je le savais.
Il a été élevé dans la foi antisémite. Ses parents l'ont
laissé devenir antisémite. Ils avaient confiance en l'Angleterre. Ils pensaient qu'à un moment donné l'Angleterre changerait de direction, que les points du
programme concernant l'antisémitisme ne seraient jamais appliqués. Et voici qu'ils ont été appliqués et
l'Angleterre n'a rien dit. Elle ne dit jamais rien. »

Dehors, on entendit les motocyclettes, les sirènes.

1. Dieu punisse l'Angleterre

le vrombissement des moteurs. Le général Milan Paternik venait de partir.

« Ivo! »

On entendit la voix de Milostiva Debora Paternik.
La vieille dame était dans le salon. Ivo entra sur la
pointe des pieds.

« Je voudrais prendre un peu l'air », dit-elle.

Milostiva ne semblait pas déprimée. Le valet apporta
sa longue pèlerine noire et la lui mit sur les épaules.
C'était une vieille habitude; lorsqu'elle ne pouvait
pas dormir, Milostiva sortait dans le parc.

Ivo Doppelhof lui soutenait le bras. Ils descendaient
lentement.

« Vous étiez tout près, pendant ma discussion avec
Milan? demanda-t-elle.

— J'étais tout près, Milostiva », répondit Ivo.

Tous deux gardèrent le silence. En bas des marches
Milostiva dit :

« Faites mon lit, s'il vous plaît. Je remonterai dans
une demi-heure. »

La vieille dame avait à la main une petite lampe
électrique.

Par la fenêtre de la chambre à coucher, Ivo la regarda aller lentement, avec cet œil électrique et sa
pèlerine noire, dans les allées de gravier fin, sous les
marronniers.

La soirée était froide. Ivo avait fini de préparer le
lit. On entendait les pas de la maîtresse sous la fenêtre,
dans les allées, pareils à des bruissements. Il la regarda.
Elle s'arrêta sous le bosquet de lilas, comme si elle
cherchait quelque chose. Elle se baissa. Ensuite elle
appela, levant la tête vers la fenêtre.

« Ivo! »

Le valet l'aida à monter dans sa chambre et pendant
qu'il enlevait la pèlerine de ses épaules, Milostiva dit :

« Préparez-moi une infusion, s'il vous plaît. »

Ivo lui prépara une infusion de pétales de roses

mélangés à du tilleul et de la camomille, qu'il apporta sur le plateau d'argent près du lit de Milostiva. Elle lui sourit et lui souhaita une bonne nuit.

Milostiva Debora resta seule, étendue sur son lit jusqu'à ce que le bruit des pas du valet se fût évanoui dans le couloir. Alors elle se leva, ouvrit l'armoire et prit dans la trousse de cuir une lime à ongles. Elle s'approcha de la lumière pâle de la veilleuse et avec la lime à ongles elle scia le bout de l'ampoule de poison. C'était l'ampoule que Milan, son fils, avait tirée de la poche de sa tunique et qu'il avait jetée par la fenêtre. Elle l'avait trouvée dans l'allée, sous le bosquet de lilas. Elle versa le liquide rosâtre dans la petite tasse de porcelaine, sans se presser. Elle versa dans la tasse de porcelaine, le liquide rosâtre, sur l'infusion de rose, de tilleul et de camomille. Elle sucra. Ensuite, Milostiva goûta. Elle sourit et goûta de nouveau, de ses lèvres pâles. L'infusion sentait la rose et aussi un peu le tilleul et la camomille. Milostiva était sereine. L'infusion était chaude. Lorsque la dernière goutte fut bue, Milostiva s'étendit sur son lit. Elle ferma les yeux. Elle souriait. L'infusion lui avait laissé dans la bouche un parfum de rose. Un parfum qui s'était répandu dans tout son être : rose, fleurs de tilleul et de camomille.

« Demain matin il n'y aura plus un seul juif dans l'Etat indépendant des Slaves du Sud, pensa-t-elle. Tous les points du programme du parti *Za Dom* ont été réalisés. Mon fils est le plus grand chef politique. Plus aucun juif. Milan Paternik est plus fort que Himmler. Il sera heureux. Et fier. Et sa poitrine sera couverte de décorations. *Gott strafe England.* »

La phrase *Gott strafe England* résonnait doucement dans ses oreilles, comme le tic-tac de la pendule dans la chambre voisine.

X

Il s'était écoulé une heure depuis que Ivo Doppelhof
avait porté la tisane à Milostiva. Il ne pouvait pas
dormir. Il sortit dans le couloir et s'approcha de la
porte de la chambre à coucher. Debora Paternik avait
des polypes, et lorsqu'elle dormait elle avait un ron-
flement très doux. On n'entendait pas dans la chambre
ce souffle de chatte endormie, de chatte âgée. Doucement, Ivo Doppelhof ouvrit la porte. Il faisait sombre
dans la chambre. Milostiva était étendue sur son lit,
couchée sur le dos, tout habillée. Un rayon de lumière
traversait les rideaux. Le visage de Debora était blanc
comme une feuille de papier. Ivo Doppelhof s'approcha du lit et alluma la lampe.

« Milostiva », appela-t-il à voix basse.

Milostiva ne répondit pas. Il toucha sa main, regarda
autour de lui. Sur la table de chevet il y avait la petite
tasse, la lime à ongles et l'ampoule vide.

« Milostiva », cria-t-il, et il répéta encore plus fort :
« Milostiva! »

Elle était immobile.

« L'assassin, dit Ivo Doppelhof, l'assassin qui a tué
sa mère! »

Ivo Doppelhof voulait crier au secours, il voulait
appeler les gardes. Mais il lui était impossible de
prendre une décision. Il resta immobile, debout près
du lit. Ensuite, il s'agenouilla, il prit la main de la
morte, y déposa un baiser et la plaça de nouveau sur
la poitrine. Il se signa.

Il se leva et se dirigea vers la porte. Arrivé sur le
seuil il s'arrêta. Il regarda le corps de la vieille dame
sur le lit, les mains croisées, avec la robe de velours
noir, la pèlerine qui pendait sur le tapis comme une

aile blessée. Ivo Doppelhof rentra dans sa chambre.

Il fit sa valise, mit son pardessus avec des gestes rapides. Il vérifia son vieux passeport à visa suisse et le mit dans sa poche. Il regardait autour de lui. Au portemanteau pendait son uniforme de valet de chambre à galons dorés. Il n'en avait plus besoin. En dehors de la valise et du passeport, il n'avait plus rien à prendre dans cette pièce. Rien.

Il entra de nouveau dans la chambre de Milostiva, la valise dans la main gauche et le chapeau dans la main droite. Il pria devant la morte.

« Maintenant vous n'avez plus besoin de moi, Milostiva », dit-il.

Il se tut, la tête baissée.

« Il n'y a même plus de raison que je vous conduise au cimetière. Adieu, Milostiva. »

Le valet laissa la lumière allumée. Il mit son chapeau. Il essuya ses yeux remplis de larmes. Ensuite il sortit du palais de Milostiva Debora Paternik par la porte de service.

« Pendant quarante ans, j'ai été valet de Milostiva. »

Il se dirigea vers le centre de la ville.

« Maintenant je retourne en Suisse. Dans mon pays... »

XI

« Je n'ai averti personne de la mort de Milostiva, absolument personne. »

Le valet Ivo Doppelhof se tenait devant le docteur Ante Petrovici, ministre de l'Intérieur de l'Etat indépendant. Il cherchait ses mots. Il tenait à la main sa valise et son chapeau. Il n'avait pas voulu s'asseoir. Il restait debout devant le bureau.

« Avant de partir pour la gare, je suis venu vous l'annoncer, vous raconter comment les choses se sont passées. »

Ante Petrovici se taisait.

« J'ai entendu la discussion, continua Ivo Doppelhof. Le poison, c'est lui qui le lui a donné, Milan Paternik. Oui, il lui a donné le poison. L'ampoule est encore sur la table de chevet de Milostiva. Je n'ai rien touché. J'ai juste croisé ses mains sur sa poitrine. J'ai laissé la lumière allumée et je suis parti. C'est tout. »

Les yeux bleus d'Ante s'assombrirent, à croire qu'ils étaient devenus noirs. Il prit le récepteur, le remit en place. Il se leva. Ante Petrovici boitait fort. Il enfila son pardessus. Il tremblait et ne disait rien. Il ne regardait même pas Ivo. Personne. Rien. Il semblait détaché de tout ce qui l'environnait.

« Vous ne voyez pas d'objection à ce que je quitte l'Etat indépendant cette nuit? Je retourne dans ma patrie. Je suis resté ici uniquement pour Milostiva », dit Ivo.

Ante Petrovici le regarda dans les yeux.

« J'ai un train à 0 h 30, dit Ivo Doppelhof.

— Bon voyage, lui souhaita Ante Petrovici. Je vais m'occuper de tout. »

Il parlait comme dans un rêve. Ante Petrovici était un intellectuel. Il avait une tête de savant et une moustache blonde comme celle du poète Rainer Maria Rilke. Il serra la main d'Ivo et ouvrit la porte.

« Herr Doktor, dit Ivo d'une voix implorante, Herr Doktor, continua-t-il, je dois vous faire encore un aveu, et je vous prie de m'en excuser. Je ne devrais peut-être pas me mêler de cela... »

Petrovici le regardait dans les yeux.

« Il s'agit de Mme Lidia, votre ancienne femme. Milostiva lui venait en aide, avec de l'argent, des ali ments, des médicaments. Maintenant Milostiva n'est plus. C'est tout ce que je voulais vous dire.

— Lidia est à l'étranger, partie depuis longtemps, depuis deux ans, dit Ante Petrovici.

— Mme Lidia n'est pas à l'étranger, elle est cachée en Dalmatie dans un village, sous un faux nom, dit Ivo. Milostiva connaissait son adresse, et elle l'aidait. Maintenant Milostiva n'est plus. Et Mme Lidia est très malade.

— Vous en êtes sûr? »

Ante Petrovici avait divorcé quatre ans auparavant. Lidia était une artiste, une grande violoniste. Il l'aimait, mais ils avaient dû se séparer, car elle était devenue extrêmement nerveuse. Ils ne pouvaient plus vivre ensemble. C'est uniquement parce qu'elle était trop nerveuse qu'ils avaient divorcé. Elle avait dit qu'elle partait pour l'étranger. Elle était connue partout. En Amérique, en France, en Angleterre. Il savait que Lidia était partie après leur divorce.

« Vous êtes certain que Lidia n'est pas à l'étranger?

— Absolument certain, Herr Doktor. »

Lidia Petrovici était juive, et tous les juifs de l'Etat indépendant avaient été assassinés.

« Pourquoi Milostiva ne m'en a-t-elle jamais rien dit? demanda Ante Petrovici. Pourquoi vous ne m'en avez jamais parlé? »

Le valet haussa les épaules.

« Il est impossible que Lidia soit encore en vie. Impossible. Si cela est, je m'en occuperai. Vous pouvez partir, Ivo Doppelhof. Bon voyage. Si elle est ici, je la retrouverai. »

Ante Petrovici laissa Ivo sortir du bureau. Avant de le laisser partir il se retourna brusquement.

« Vous maintenez ne pas connaître l'adresse de Lidia? dit-il.

— Seule Milostiva la connaissait », dit de nouveau Ivo.

Ante Petrovici n'avait plus rien à demander. Il laissa Ivo partir à la gare, retourner dans son pays, où il s'était fait bâtir une maison. Une maison pour vivre tranquille, lorsqu'il ne serait plus valet de chambre. Et maintenant il ne l'était plus.

Ante Petrovici rentra dans son bureau. Seul. Il prit le téléphone.

« Faites savoir au chef de l'Etat que Milostiva Debora Paternik est morte. Empoisonnée. C'est tout pour l'instant. Je me rends au palais de Milostiva. »

Ante Petrovici avait son chapeau sur la tête, son pardessus. Il sonna. Un officier parut.

« Faites des recherches afin de savoir si Mme Lidia Petrovici, mon ancienne femme, est partie pour l'étranger. Il doit exister un rapport là-dessus. Demandez aux services de renseignements. Partout. »

Il s'essuya le front et sortit dans la rue.

XII

Le *Schaffner* Motok revint à la gare avec le paquet pour Lidia. Personne n'avait répondu, à la résidence de Milostiva. Eddy Thall lui avait recommandé de ne pas remettre le colis aux gardes. Or, personne ne répondait en dehors des gardes. Il regarda le tas de passeports. Il ne les ouvrit même pas. Il était trop fatigué. La tête entre les mains, il pensait à la scène du palais de Milostiva, où il avait sonné en vain pendant une demi-heure. A la fin il avait dû partir. Le valet n'avait pas répondu.

A ce moment on entendit des coups de feu. Ils se succédaient, nombreux, juste contre le wagon-couchettes. Le *Schaffner* Motok ouvrit sa fenêtre. Sur le

quai à quelques pas du wagon, un homme se débattait, une petite valise près de lui. Des miliciens armés
de mitraillettes accoururent. Ils enlevèrent la valise.
Par les bras et par les jambes, ils soulevèrent le corps
de l'homme qui continuait à se débattre. Un autre
milicien essaya de retirer d'entre les rails, sous le
wagon, le chapeau de l'homme, en s'aidant du canon
de son fusil.

Il n'y avait personne sur le trottoir. Quatre miliciens avaient traîné l'homme hors de la gare. Celui
qui avait récupéré le chapeau tombé sous le wagon
partait aussi.

Motok regardait la grande tache de sang qui s'étalait sur l'asphalte et d'où partait un filet qui se pro-
longeait jusqu'à la sortie. C'était le sang du mort que
les quatre miliciens avaient emporté en le traînant
par les bras et par les pieds. Motok s'essuya les yeux.
Il aurait voulu descendre, mais un autre groupe de
miliciens se tenait dans le couloir du wagon.

« Les papiers des passagers », cria un officier.

Avant que Motok ait pu répondre, l'officier commença à vérifier les papiers qui étaient sur la table.
Il les examinait rapidement, l'un après l'autre; ensuite
il retira un passeport avec le billet de train et le ticket
de la couchette. Motok aurait voulu voir le nom sur
le passeport.

« Le compartiment cinq est libre », dit l'officier.

Il mit le passeport d'Ivo Doppelhof dans sa poche
avec le billet de train et le ticket des wagons-lits.

« C'est le passager du cinq qui a été abattu. »

Deux miliciens pénétrèrent dans le compartiment
pour voir si Ivo Doppelhof n'avait rien laissé. Le
Schaffner Motok aurait voulu descendre pour prendre
un peu l'air et pour se renseigner sur ce qui s'était
passé. Mais le wagon était gardé par des miliciens.
Motok n'avait pas la permission de descendre en gare.
Il resta dans sa cabine et se mit à contrôler les papiers

des autres voyageurs. Après le départ du train, il
partit inspecter les compartiments. Ils étaient complets. Il y avait des diplomates, des officiers et des
industriels allemands.

Lorsque le train eut quitté l'Etat indépendant, un
voyageur lui demanda une bouteille de bière. C'était
un Italien.

« Vous avez parlé au Suisse avant son exécution? »
demanda-t-il.

Motok le regarda dans les yeux. Il ne savait pas de
quel Suisse il s'agissait.

« Toute la ville le sait, et vous qui étiez témoin
oculaire, vous ne le savez pas? C'était pourtant votre
passager, le compartiment cinq.

— Je n'avais pas encore vérifié les papiers. Je ne
connais même pas son nom, dit Motok. Après, il m'a
été impossible de descendre. Je ne l'ai même pas vu.
Je l'ai à peine aperçu se débattant sur le quai; contre
le wagon, après son exécution.

— C'est Ivo Doppelhof, le valet de Milostiva Debora
Paternik », dit l'Italien.

Il but sa bière.

« De mémoire d'homme on n'a vu dans l'Etat indépendant des choses aussi terribles que celles qui
se sont passées ce soir. Un drame colossal! Le général
Milan Paternik a tué sa mère pour des considérations
raciales. On n'a jamais vu ça. Tuer sa mère pour des
motifs raciaux, parce qu'elle n'est pas aryenne! Sa
propre mère! Il l'a empoisonnée. Ensuite il a fait fusiller le valet qui avait été témoin de l'assassinat.
Le valet voulait s'enfuir, mais les miliciens l'ont rat-
trapé ici, en gare, et l'ont abattu. Vous l'avez vu.
Milan Paternik voulait supprimer l'unique témoin de
son crime. Il avait peur qu'une fois rentré en Suisse,
le valet racontât ce qu'il avait vu. Il l'a abattu. Mais
pour rien. Car toute la ville en parle. L'Europe entière
en parle! »

Motok regarda le paquet pour Lidia, sous la table, parmi les bouteilles de bière.

« On a annoncé à la radio l'arrestation et la démission de Milan Paternik. C'est son père qui l'a chassé. A minuit tous les postes de radio ont répandu la nouvelle. Vous n'avez rien entendu?... Mais enfin dans quel monde vivez-vous? Le général Milan Paternik est relevé de ses fonctions. »

Le *Schaffner* Motok s'essuya le front. Il était pris de vertige.

« Etes-vous sûr que le passager abattu était Ivo Doppelhof, le valet de Milostiva Debora Paternik?

— C'est une chose connue de tout le monde. Il n'y a que vous qui l'ignorez. Pourtant vous étiez le mieux placé pour le savoir. Vous ne l'aviez pas vu? Vous ne lui aviez pas parlé? Demain vous en aurez la confirmation dans la presse. C'est un scandale formidable. »

Motok n'avait plus la force de penser.

« Ouvrez-moi une autre bouteille de bière », dit le passager.

Motok se baissa, il écarta le paquet adressé à Milostiva et ouvrit la bouteille qu'il posa devant le voyageur.

L'Italien lui tapa sur l'épaule.

« Ce qui est encore plus grave, c'est que Doppelhof était sujet suisse. Un citoyen neutre. La Suisse va protester, et ça, c'est grave. »

Le train roulait toutes lumières éteintes. Ils étaient au cœur de l'Europe. Au centre de l'Europe. Camouflage total. Nuit.

XIII

« C'est une faveur tout à fait exceptionnelle, absolument exceptionnelle », dit l'ambassadeur allemand.

Il tendit à Ante Petrovici l'autorisation de pénétrer dans le camp d'Auschwitz, et il continua :

« Il y a quatre semaines que Lidia Petrovici a été internée en Allemagne. Des dispositions ont été prises. Elle sera libérée dès votre arrivée. Elle pourra revenir avec vous. J'espère que vous la trouverez en bonne santé. Mais je vous prie de garder la plus absolue discrétion. Les choses de ce genre doivent rester confidentielles. Bon voyage, Herr Doktor. »

Ante Petrovici partit le jour même pour l'Allemagne. Une semaine s'était à peine écoulée depuis le suicide de Milostiva, l'assassinat d'Ivo Doppelhof et l'expulsion de Milan Paternik de l'Etat indépendant. Ante Petrovici avait présenté sa démission. Il ne voulait plus être ministre. Mais il n'obtint qu'un refus. Il avait retrouvé les traces de Lidia. Elle était détenue à Auschwitz et maintenant sa mise en liberté était accordée. Il partait la chercher.

Depuis deux ans il n'avait plus pensé à Lidia. Il y pensait maintenant. La dernière fois qu'ils s'étaient serré les mains, après le procès de divorce, elle lui avait dit : « Je pars pour l'étranger. » Ensuite la guerre avait éclaté, il était devenu ministre et il n'en avait plus entendu parler.

« Pourquoi Lidia n'a-t-elle pas fait appel à moi? se demandait Ante Petrovici. Etant ministre, j'aurais pu l'aider, mais elle a gardé le silence. Pourtant elle a été ma femme. » Ante Petrovici n'arrivait pas à comprendre. Pourquoi le haïssait-elle. Elle le haïssait parce qu'il faisait partie d'un gouvernement qui exterminait les juifs. Mais lui, Ante Petrovici ne collaborait pas. Il administrait.

« Lidia était en droit de m'en vouloir. Il était logique, normal qu'elle me haïsse. Même sans participation effective je faisais partie de la bande d'ingénieurs de l'ordre nouveau. Et pour qu'il y ait de l'ordre en Europe, ces ingénieurs politiques exterminaient certaines races, les tziganes, les juifs. Moi aussi, je travaillais pour cet ordre. Contre les hommes. Et c'est pour cela que Lidia me haïssait. Car je collaborais à la destruction des hommes pour l'établissement d'un ordre nouveau. C'est le crime le plus grand. Et même si jamais il n'y avait eu de dispute entre nous, il était normal que Lidia me méprise, qu'elle demande l'aide des étrangers et non pas la mienne. »

Ante Petrovici emportait dans l'auto de la nourriture, des médicaments, des habits, des couvertures. Tout était près de lui, pour Lidia. Il traversait l'Allemagne à toute allure. Jamais il ne s'était tant pressé, et lorsqu'il arriva à Auschwitz, il était complètement épuisé. Il voulait libérer Lidia quelques minutes plus tôt. Chaque seconde de plus que Lidia passait au camp, c'était par sa faute.

« *Die Häftlinge* [1] Lidia Petrovici est décédée. »

Ante Petrovici se tenait devant le commandant du camp. Le commandant avait à la main l'ordre de mise en liberté.

« *Schade* [2], dit-il. Dommage. Si vous étiez venu une semaine plus tôt, elle était encore en vie. Dommage. Un pareil ordre de mise en liberté est une chose tout à fait exceptionnelle. Dommage qu'il arrive pour une prisonnière qui n'est plus en vie.

— Pourrai-je l'inhumer dans son pays?

— Les prisonniers décédés au camp sont incinérés, dit le commandant. C'est une disposition générale. »

Ante Petrovici aurait voulu faire ses adieux. Il vit le commandant placer l'ordre de mise en liberté dans un dossier. Administrativement, cet ordre lui appartenait.

« Elle n'a pas laissé de lettre, d'objet quelconque? »
Le commandant du camp sourit ironiquement.

---

1 La détenue.
2. Dommage.

« Ce n'est pas l'habitude des prisonniers d'envoyer des lettres. Je regrette. »

Ante Petrovici sortit.

« Extermination totale, pensa-t-il. Lidia a été exterminée. Incinérée. Complètement. Sans laisser de trace. Pas même un bouton de robe. Extermination complète, totale. »

XIV

Le *Schaffner* Daniel Motok alla chez Pierre Pillat. Il voulait lui raconter ce qui s'était passé. Les journaux ne disaient rien. On racontait seulement que le général Milan Paternik, chef de la police de l'Etat indépendant avait été remplacé. C'était tout. Ailleurs on lisait que Milostiva Debora Paternik, femme du chef de l'Etat indépendant et l'une des collaboratrices les plus actives de son mari, venait de mourir. Il n'y avait rien concernant Ivo Doppelhof.

Motok tenait le paquet à la main. Il voulait dire la vérité à Pillat, lui raconter comment à son arrivée dans la capitale de l'Etat indépendant il avait trouvé des soldats qui gardaient un château où il n'y avait qu'une morte, comment le valet s'était enfui...

« Je ne peux pas aller chez Eddy Thall lui rendre son paquet. Je ne peux pas lui raconter ces horreurs. Vas-y, toi. » Voilà ce que Motok voulait raconter à Pillat. Il avait aussi apporté le colis. Pillat n'était pas chez lui. Motok regarda sa montre. Il était huit heures. Il sortit la carte de visite au nom d'Eddy Thall.

« J'irai tout de même au théâtre. Je ne resterai pas à la représentation, je suis trop fatigué, mais j'y déposerai le paquet. C'est tout. »

Il prit un taxi.

Devant le théâtre il vérifia de nouveau sa montre.
Il était neuf heures moins un quart. Il regarda les
grandes fenêtres. Elles étaient sombres. Il monta les
degrés de pierre. Le théâtre était immense; le hall
était dans l'obscurité. Motok essaya d'ouvrir la porte.
Elle était fermée. Il posa le paquet sur les marches et
craqua une allumette.

« Il est neuf heures moins un quart, se dit-il, le
théâtre devrait être ouvert si les représentations commencent à neuf heures. »

Un papier blanc était collé sur la porte. On avait
écrit en grosses capitales :

« *Le théâtre Eddy Thall cesse momentanément ses
représentations.* »

Motok aurait voulu savoir pourquoi les représentations étaient interrompues mais il n'y avait personne
pour le renseigner.

« Heureusement que c'est temporaire », dit Motok.

Avant de s'éloigner il voulut se rendre compte s'il
avait bien lu. Il craqua une autre allumette, les lettres
apparurent sur la feuille blanche collée sur la porte.
Le théâtre Eddy Thall cesse... L'allumette s'éteignit.
Il ne pouvait plus lire. L'affiche était dans l'obscurité,
mais ce qui était certain c'est que Motok avait bien lu.
Les représentations du théâtre Eddy Thall avaient
cessé.

XV

« Il faut comprendre, Tinka, dit Eddy Thall. Il
n'est pas en notre pouvoir de changer quelque chose.
J'ai tout essayé. On ne me permet plus de te garder
à mon service. Tu dois partir. Autrement, nous irons
en prison toutes les deux. Aucun juif n'a plus le droit
d'avoir des domestiques chrétiens. »

Tinka avait mis ses habits de ville. Elle restait debout devant Eddy Thall dans ce même bureau qu'elle n'avait plus le droit de balayer depuis quelques jours. Elle vit que, pendant son absence, le parquet n'avait pas été ciré et que la poussière des livres n'avait pas été enlevée. Ces choses la peinaient. Elle examinait la maison et éprouvait une sorte de gêne à voir rompu l'équilibre de son activité.

« Prends tes papiers, dit Eddy Thall. Tu as ton carnet de banque, où sont inscrites tes économies. Tu peux retirer de l'argent quand tu voudras. Je t'ai versé un an de salaire, et non trois mois comme l'exige la loi. Tu as tous tes papiers : extrait de naissance, extrait de baptême. Tout. »

Eddy Thall lui tendit le paquet. Tinka n'avait jamais eu ces papiers entre les mains. Ils étaient toujours restés dans le tiroir du bureau. Ils lui appartenaient, mais jamais elle n'en avait eu besoin. Et maintenant, lorsque Eddy les lui remit, elle éclata en sanglots.

« Que voulez-vous que j'en fasse? demanda Tinka.
— Chaque citoyen doit posséder ses papiers. »

Tinka était connue de tous les commerçants du marché. Elle était connue des voisins, du boucher, du boulanger. Tout le quartier la connaissait, l'agent, le marchand de primeurs. Ce n'était pas une femme qui avait besoin de papiers.

Tinka les gardait à la main. Elle pleurait. Ses larmes tombaient sur sa carte d'identié, sur son extrait de baptême, sur son extrait de naissance.

Pour elle c'était plus humiliant de posséder des papiers que d'être congédiée. C'était l'humiliation d'être *une femme avec des papiers*. Seules, les femmes de mauvaise vie avaient besoin de papiers.

« Non », dit Tinka, et elle les posa sur le coin du bureau.

Maintenant, sur la fin de sa vie, elle ne pouvait pas

supporter pareille humiliation. Elle n'avait commis aucun crime pour être obligée à soixante ans de vivre « avec des papiers ». De devenir une « femme à papiers ».

« Mais aujourd'hui tout le monde vit ainsi, dit Eddy Thall. Regarde ma carte d'identité. Je l'ai toujours dans mon sac.

— Si l'on doit contrôler mes papiers, à moi, vieille femme, comme aux voleurs et aux vagabonds, j'aime mieux mourir », dit Tinka.

Elle essuya ses larmes. Ensuite elle regarda Eddy Thall.

« Demain c'est jeudi, mademoiselle Eddy. »

Depuis quarante ans, chaque jeudi, Tinka Neva lavait le linge dans cette maison. Chaque jeudi, sans exception.

« Tu n'as plus la permission de travailler chez moi, dit Eddy Thall. La loi le défend.

— Je travaillerai pour rien, répondit Tinka. La loi ne peut pas m'interdire de laver le linge jeudi, comme je l'ai fait toute ma vie.

— La loi le défend, Tinka. Si tu fais ta lessive demain nous allons toutes les deux en prison comme des criminelles.

— Croyez-vous que la police va inspecter toutes les maisons pour voir si l'on fait la lessive?

— Une chrétienne n'a plus le droit de laver le linge d'une juive. Tu es chrétienne, je suis juive. Voilà le crime.

— Les policiers ont dû attraper tous les voleurs et tous les criminels du pays, mademoiselle, et comme ils n'ont plus rien à faire ils vont dans les maisons contrôler si les vieilles femmes lavent le linge, dit Tinka.

— C'est bien plus important que les criminels et les voleurs, Tinka. Si tu laves mon linge, c'est un crime politique. Un crime plus grand que tous les crimes accomplis sous le soleil. »

A travers les larmes, Tinka regardait le lit défait dans la chambre à coucher.

« Je peux faire le lit? demanda-t-elle.

— Non, Tinka, dit Eddy Thall. Je t'ai dit que tu n'as plus la permission de travailler chez moi.

— C'est donc encore de la politique, demanda Tinka, si je fais le lit? C'est de la politique?

— Tout est politique, Tinka. »

Tinka regarda la tasse de thé sur la table.

« Vous prenez toujours le thé à cette heure-ci, dit-elle timidement. Si je vous le prépare, ça n'a rien de politique. Le monde n'est tout de même pas assez fou pour prétendre pareille chose.

— Tout travail effectué par toi dans cette maison est considéré comme une infraction aux lois raciales. Un crime politique. Même dans un thé il y a de la politique.

— Vous voulez peut-être me mettre vous-même à la porte, dit Tinka. Parce que moi, je ne comprends pas. Laver le linge, préparer un thé, essuyer la poussière des livres, où est la politique là-dedans? Depuis mon enfance, je lave, je fais la cuisine, je frotte le parquet, je fais mon marché et malgré tout cela je n'ai jamais fait de politique. Un thé, dit Tinka, est un thé, ce n'est pas de la politique. Le linge, c'est du linge, ce n'est pas de la politique. Un parquet, c'est un parquet... »

Tinka sanglotait.

XVI

Une semaine après la fermeture du théâre, un officier se présenta chez Eddy Thall. Il entra dans la maison, joyeux et aimable. Il regarda autour de lui.

Il portait un uniforme bleu, de la couleur du ciel, et les insignes des aviateurs.

« Je viens visiter l'appartement », dit-il.

A peine sur le seuil, sans attendre la réponse d'Eddy Thall, il jeta un coup d'œil dans le petit salon voisin et fit entendre un sifflement admiratif.

« C'est un appartement splendide. Combien de pièces? »

Il examinait les tapis, le mobilier. Il était content.

« Prenez place », dit Eddy Thall.

Elle voulait l'empêcher de pénétrer dans les autres pièces et c'est pour cela qu'elle l'invitait à s'asseoir. Mais l'officier s'approcha de la fenêtre.

« Vous avez une vue admirable. Splendide. »

De la poche de sa tunique il tira un papier qu'il tendit à Eddy Thall.

« Je suis le lieutenant aviateur Varlaam. Le ministère m'a affecté votre appartement. »

Eddy Thall prit le papier à en-tête et cachets. C'était l'ordre de réquisition de sa maison. Ses mains tremblaient. Elle savait que les maisons juives étaient réquisitionnées mais elle n'avait jamais pensé que son appartement lui serait pris aussi vite.

Elle plongea son regard dans les grands yeux lumineux de l'aviateur et dit :

« Comment pouvez-vous, lieutenant, jeter les gens hors de chez eux, pour vous installer à leur place? C'est une chose que je serais incapable de faire.

— Je vous prie de m'excuser, dit-il en rougissant. Comme à tout officier, on m'a donné un appartement. J'ai été invité à le visiter pour dire si je l'accepte ou non. Voilà les faits. Mais je ne veux jeter personne dehors. Excusez-moi, madame, je croyais l'appartement libre.

— Il est considéré comme libre parce qu'il est habité par une juive. Une maison occupée par un juif est considérée comme libre. Mais vous voyez bien qu'elle ne l'est pas. Et c'est une maison construite par mes parents. »

Varlaam s'inclina.

« Ce n'est pas ma faute. Encore une fois, madame, excusez-moi. Ce n'est absolument pas ma faute. »

Et il s'en alla.

XVII

Chaque jour Eddy Thall s'attendait à recevoir l'ordre d'évacuer la maison. Ni la mort de Lidia, ni la fermeture du théâtre, ni l'éloignement de Tinka ne l'avaient autant peinée que la réquisition de sa maison. La maison est un refuge où l'on peut s'enfermer pour souffrir. Maintenant elle devait l'abandonner.

Serviette en cuir, chaussures noires, lunettes d'or, col empesé, Max Reingold, installé dans un fauteuil, lui parlait avec autant de calme que s'il s'était agi de choses insignifiantes et non de leur propre vie. Max Reingold gardait la même tranquillité pour lui parler que pour calculer. Il discutait comme s'il faisait une addition ou une soustraction, avec calme, attention et objectivité.

« La seule chance qui nous reste, c'est d'ouvrir de nouveau le théâtre, dit-il. Rouvrir le théâtre Eddy Thall, cinq fois plus grand, pour cinq mille spectateurs. J'ai tous les plans parfaitement au point. »

Eddy Thall eut un haut-le-corps.

« Nous avons cette chance, dit Max Reingold. Mais pas ici. Nous pouvons rouvrir le théâtre Eddy Thall à Tel Aviv, en Palestine. Nous pouvons émigrer. C'est une merveilleuse perspective. »

La lumière joyeuse qui avait brillé un instant dans les yeux d'Eddy Thall s'éteignit.

« Ici, en Roumanie, nous ne pouvons plus rien faire. Voici le bilan : le théâtre fermé, les maisons réquisitionnées, les domestiques congédiés. Bientôt ils nous enfermeront dans des camps, où ils nous brûleront dans des fours crématoires, comme c'est arrivé dans d'autres pays. Et puis, ici, ce n'est pas notre pays. Nous sommes juifs. Notre patrie, c'est la Palestine. La seule solution, c'est l'émigration. »

Eddy Thall se taisait.

« Vous n'êtes pas contente? demanda Max Reingold. Peu de juifs ont cette chance d'émigrer. Nous l'avons.

— Je veux réfléchir encore, dit Eddy Thall. Il y a des choses auxquelles il est dur de renoncer.

— En partant d'ici vous ne renoncez qu'à la terreur et à l'humiliation.

— Je ne peux pas quitter facilement la Roumanie, dit Eddy Thall. Je suis née ici. Le pays natal est comme la femme que vous épousez. Jusqu'à une certaine date elle vous est étrangère, une inconnue. Mais du jour où elle est devenue votre épouse vous l'aimez plus que tout au monde, plus que votre propre mère, plus que vos propres sœurs. Pour elle vous quittez tout. C'est la même chose pour la terre natale. Même si elle est étrangère. C'est votre terre et vous ne pouvez pas l'abandonner. La Roumanie est mon pays natal. Elle m'est plus chère que la patrie éternelle, la Palestine. »

Max Reingold se leva.

« Votre raisonnement paraît logique, mais réfléchissez encore. Je crois que l'émigration est notre seule chance. Il faut l'utiliser. »

XVIII

« Je te donne la mansarde, dit Eddy Thall. Je t'en
supplie, ne viens plus dans l'appartement; si la police
te trouve ici on va croire que tu continues à me servir. »

Tinka était debout près de la porte.

« Le juge Pillat ne peut donc pas m'aider? demanda-t-elle.

— Personne ne peut nous défendre, contre les lois,
Tinka, dit Eddy Thall. Les lois sont plus cruelles que
les bêtes féroces.

— Que vais-je faire, toute la journée? » demanda
Tinka.

Elle regardait fixement Eddy Thall.

« Monte dans ta chambre. Travaille, ou si tu t'en-
nuies, va au cinéma. »

Tinka se mit à sangloter. L'invitation d'aller au
cinéma en plein jour de travail, comme les femmes
perdues, l'humiliait. Tinka aurait pu faire n'importe
quoi, mais aller au cinéma un mardi, c'était au-dessus
de ses forces. Elle sortit en pleurant, elle monta dans
sa mansarde et se mit à tremper du linge.

A ce moment, quelqu'un frappa à la porte. Deux
policiers entrèrent. Ils examinèrent attentivement les
murs; l'un d'eux s'approcha de la cuvette de linge.
Il prit dans ses mains les chemises épaisses, en toile
rugueuse. C'étaient les chemises de Tinka.

« Vous n'avez pas honte de fourrer votre nez dans
ma cuvette? »

Le policer souleva les draps, les chemises, les mouchoirs. Il voulait se rendre compte si, parmi le linge
grossier, il ne trouverait pas une combinaison de soie

ou de la lingerie fine de dame. Il n'y avait rien que
du linge rude de vieille bonne.

« Dehors! Sortez! dit Tinka.

— Si vous parlez ainsi, nous vous faisons un procès-
verbal pour outrages, dit le policier. Nous faisons notre
métier.

— Même un chien ne vient pas renifler et fourrer
son nez dans la bassine où une vieille femme fait sa
lessive. Si c'est ça le métier de policier, alors le policier n'est pas un homme. »

Les agents sortirent. Ils passèrent dans les autres
chambres où logeaient les anciennes domestiques.
Tinka parlait seule, en colère.

« Si c'est à ça que sert la police, s'il y a maintenant des lois qui envoient les policiers flairer le linge
des domestiques, farfouiller dedans pour chercher de
la politique parmi les chemises sales des bonnes, alors
c'est la fin du monde! Pfui! »

Et Tinka cracha derrière eux, sur toutes les lois et
sur la police et sur tous ceux qui font des lois. Ensuite
elle pleura à gros sanglots, comme pour un mort. Personne ne l'entendait, sa chambre étant juste sous les
toits. Mais pleurer la soulageait comme si on lui avait
ôté un poids du cœur. Elle prit courage et décida de
partir en guerre contre la police, pour se venger de
toutes ses humiliations et de toutes ses injustices.

Par l'escalier de service elle descendit dans la cuisine d'Eddy Thall. Là, elle se sentit respirer. Il y avait
une semaine qu'elle n'avait plus pénétré dans cette
cuisine où elle avait vécu toute sa vie. Maintenant elle
s'y trouvait de nouveau. Son univers était dans cette
pièce avec robinets et fourneau, avec des casseroles
sur les murs, avec des placards remplis d'assiettes et
de verres. Sans la cuisine, la vie de Tinka Neva n'était
plus une vie. Pour elle la vie signifiait le marché, les
emplettes, le panier plein, le persil, les petits pois,
les pommes de terre. La vie, c'était nettoyer les pommes

de terre, faire la vaisselle, c'était l'odeur de l'oignon finement haché. La vie, c'était couper des carottes en rondelles, c'était l'heure du repas avec son arôme de potage, de rôti et de pudding. Tout cela était fini pour Tinka depuis une semaine. Et privée de ces choses, la vie de Tinka était vide.

Dans la cuisine, Tinka éclata à nouveau en sanglots. Elle s'assit sur son petit tabouret de bois et elle pleura, le visage dans les mains, regardant à travers ses larmes, comme à travers une vitre embuée, les casseroles pendues au mur par rang de taille. Elle regarda le fourneau qu'elle avait essuyé de ses propres mains et qu'elle avait poli à le rendre brillant comme un miroir, chaque après-midi pendant que sa vaisselle égouttait.

Tinka alluma le feu. Elle se sentait revivre. Elle mit chauffer de l'eau et balaya.

« Même si je dois aller en prison, aujourd'hui je ferai la cuisine, » se dit-elle.

Eddy Thall n'était pas à la maison. Tinka prit le cabas. Elle était fière de descendre l'escalier avec son cabas, et de passer devant les vitrines des magasins. Au marché elle acheta tout ce qu'il pouvait contenir. Elle dépensait comme pour une fête. Elle achetait et payait avec son propre argent, avec ses économies. Maintenant elle revenait avec son cabas plein comme si elle n'avait pas rapporté des légumes, mais des trophées. Son cabas n'était rempli que de trophées. Elle se dirigeait fière vers la maison. L'agent du coin la regarda longuement et lui sourit. Il la connaissait.

L'agent n'avait pas dressé de contravention ce jour-là dans le quartier. Aucun commerçant n'avait laissé de cageots vides sur le trottoir. Aucune bonne n'avait secoué ses tapis par la fenêtre après neuf heures du matin. Aucun camion de marchandises n'avait stationné au milieu de la rue. L'agent devait pourtant écrire quelque chose dans son rapport. Et alors il eut une idée : noter que Tinka Neva continuait à travailler chez les juifs. C'est tout. Il partit remettre son rapport.

Tinka était arrivée à la cuisine, elle avait vidé son panier et lavait les légumes. C'est alors que les policiers entrèrent.

« En flagrant délit, dit l'un deux... Où est votre maîtresse?

— Elle est absente. »

Son cœur battait, mais Tinka n'avait pas peur. Dans la cuisine, elle se sentait à l'abri. Ici elle était dans son domaine. Elle continuait à couper les carottes sur une planche.

« Vous ne savez pas qu'il est défendu de travailler chez les juifs? demanda le second agent.

— Mademoiselle ignore que je prépare le repas, dit Tinka. Aujourd'hui, c'est la première fois. Je ne sais même pas ce qui m'a pris.

— Venez avec nous », ordonna le policier.

Tinka regarda les carottes coupées en petits morceaux. Elle regarda la viande qui mijotait dans la casserole. L'autre morceau de viande, pour le rôti, était sur la table. Elle regarda tour à tour les marmites, l'eau qui bouillait sur la cuisinière, le feu...

« Je vous demande pardon, dit-elle voulant les amadouer.

— Venez avec nous, dit le policier. Vous ferez votre déclaration et ensuite vous serez libre.

— Je vous prie de m'excuser, répéta-t-elle. J'ai commis une faute. »

Un des agents éteignit le feu.

« Pourquoi me conduisez-vous à la police? » cria Tinka.

Elle s'assit ostensiblement sur une chaise. En voyant les policiers éteindre le feu, la colère la prit.

Les deux agents l'empoignèrent chacun par un bras. Tinka se fit lourde; elle commença à crier. Mais les bras des policiers étaient forts. Ils la soulevèrent. Elle

cria de nouveau, mais son cri fut étouffé. Un des
hommes lui ferma la bouche avec la main comme avec
une plaque de fer. C'était une main rêche et velue.
Tinka voulut mordre mais il lui était impossible de
remuer les mâchoires. Elle sentait seulement l'odeur
de la main de fer qui lui fermait la bouche et lui coupait le souffle. Elle se sentit traînée dans le couloir,
dans l'escalier. Elle devina que les gens sortaient et
la regardaient. Tinka n'avait plus de forces. Elle était
inerte. Elle se laissa conduire, soulevée, comme si
elle volait. Ses bras étaient endoloris et la main qui
bâillonnait sa bouche lui faisait mal. Une main aux
doigts de fer, une main de policier.

XIX

Eddy Thall apprit l'arrestation de Tinka Neva le
lendemain, par les voisins.

« Ils l'ont bâillonnée, ils l'ont battue. Ils l'ont
descendue de force, dit la concierge. Vous devriez aller
la voir. »

Eddy Thall se rendit à la police. Elle remit un colis
de provisions pour Tinka et demanda à la voir.

« C'est impossible, lui dit le commissaire. Le cas
de Tinka Neva s'est aggravé. Nous l'enverrons devant
la cour martiale. Son cas est du ressort de la justice
militaire. Le fait de contrevenir aux lois raciales et
de continuer à servir des juifs est d'importance secondaire. Elle est inculpée d'outrages à agents de la force
publique. C'est déjà grave. Mais elle est surtout coupable de crime de lèse-majesté. Elle est passible des
travaux forcés. »

Le commissaire lut le rapport de l'agent :

« Après son incarcération l'accusée Tinka Neva

« prononça des paroles injurieuses à l'égard du roi.
« Entre autres : « Si tu envoies les policiers contrôler
« le linge que je lave alors, roi de ce pays, c'est que tu
« es plus bête qu'une bonniche. Ce n'est pas affaire de
« roi. Et je te crache dessus, majesté, parce que tu ne
« mérites pas autre chose. Je suis une honnête femme,
« moi. »

Le commissaire ferma le dossier.

« Peut-il exister chose plus grave? Tous les agents,
ainsi que les autres détenues l'ont entendue crier
jusqu'à ce qu'on la bâillonne : « *Majesté, tu es plus*
« *bête qu'une bonniche et je te crache dessus parce*
« *que tu ne mérites pas autre chose.* » Textuel. Elle
ira devant la cour martiale. Vous ne pouvez pas la
voir. »

Eddy Thall retourna à la maison. Elle téléphona
à Pierre Pillat, l'implorant de faire quelque chose pour
Tinka Neva.

« Je demande immédiatement le dossier, dit Pierre
Pillat. Effectivement le crime de lèse-majesté est puni
de travaux forcés. Je vais essayer d'arranger un peu
sa situation. Mais pour l'instant la mise en liberté
me paraît difficile. Presque impossible. J'irai vous
chercher vendredi après-midi. Nous irons ensemble
voir Tinka Neva. Pour l'instant, je suis attaché — en
qualité de juge militaire — au cabinet du chef de
l'Etat, du général. Je suis extrêmement occupé. Mais
vendredi à cinq heures je serai chez vous. »

Eddy Thall eut juste la force de dire :

« Merci, monsieur Pillat. » Elle répéta : « Merci,
monsieur Pillat.

— Et votre projet de départ pour la Palestine?
Etes-vous décidée?

— Nous en parlerons, répondit Eddy Thall. Pour
le moment, je vous dis merci. A vendredi. »

Et elle raccrocha pour pouvoir pleurer seule.

Pendant ce temps un agent avait glissé un papier

bleu sous la porte d'Eddy Thall. C'était une convocation à la police pour une déposition concernant l'infraction aux lois interdisant aux juifs l'emploi de personnel chrétien.

Pour la première fois, Eddy Thall pensa que véritablement la seule chance qui lui restait était d'émigrer. Et l'on ne pouvait émigrer qu'en Palestine.

Elle téléphona à Max Reingold.

« Je suis décidée. Je veux émigrer. N'importe où
mais le plus tôt possible. »

Elle aurait voulu raconter à Max Reingold que
Tinka Neva était arrêtée, qu'elle était appelée à la
police. Mais Max Reingold était pressé.

« Ce matin même j'ai un rendez-vous pour mettre
sur pied le plan d'émigration. Je savais que vous vous
décideriez. Dès le début vous étiez sur ma liste. Tout
est approuvé. Il était impossible de ne pas vous décider. C'est l'unique chance. Il n'en existe pas d'autre.
C'est la seule. »

XX

Max Reingold déposa devant Aurel Popesco, chef de
la Sûreté de l'Etat roumain, les dossiers avec les noms
des juifs devant embarquer sur les deux bateaux,
l'*Adassa* et l'*Euxin*.

Aurel Popesco, qui dirigeait l'organisation *Les Anges
de feu*, était un des plus doués parmi les jeunes
juristes. Il regarda les listes portant les noms des juifs
devant partir pour la Palestine. Il les lisait et souriait. Ensuite il ferma le dossier et regarda Max Reingold.

Aurel Popesco était jeune, élégant.

« Nous ne sommes pas des mangeurs de juifs, dit-il.
Nous vous laissons partir. Nous sommes un gouver-

nement national-socialiste. Nous avons un programme
racial-antisémite. Nous voulons nous débarrasser de
vous sans verser de sang et sans violence, tant mieux.
C'est pour cela que je fais lever la réquisition de deux
bateaux, l'*Adassa* et l'*Euxin*. Bien entendu, ce ne sont
pas les meilleurs navires de la marine roumaine. Les
meilleurs, nous les gardons pour nous. C'est logique.
J'ai mis à votre disposition deux bateaux que vous
pouvez acheter et partir avec eux où vous voudrez! »

Aurel Popesco refusa la cigarette offerte par Max
Reingold. Il continua :

« Où partez-vous?... Cela vous regarde. Mais partez.
Vous nous incommodez. Nous sommes les ennemis des
juifs. Nous le disons clairement. Et si vous ne partez
pas, nous utiliserons d'autres moyens pour nous débarrasser de vous. Nous, Roumains, nous avons assez de
la dictature juive. Tous les journaux, tous les théâtres,
tous les restaurants, les cinémas, l'industrie, le commerce, tout était entre les mains des juifs. Entre vos
mains. Maintenant, c'est fini. Nous avons pris le pouvoir. Nous vous avons tout confisqué. Maintenant
nous vous invitons à partir. »

Max Reingold suivait les phrases d'Aurel Popesco.

« Ces deux bateaux, l'*Adassa* et l'*Euxin*, coûtent
extrêmement cher. Nous sommes disposés à les payer.
Leur prix est anormalement élevé, mais nous n'avons
pas d'autre solution. Nous voudrions pourtant savoir :
pouvez-vous garantir notre départ si nous les ache-
tons? »

Max Reingold évita le regard ironique d'Aurel
Popesco.

« Aurons-nous la garantie qu'une fois nos bateaux
remis en état et le prix payé, vous ne les réquisition-
nerez pas?

— Je puis me porter garant de votre départ en vous
donnant ma parole d'honneur, dit Aurel Poposco. Je
sais qu'en affaires la parole d'honneur ne joue pas un

grand rôle. Mais je ne suis pas un homme d'affaires.
Je suis le commandant des *Anges de feu*. Et l'honneur
est tout pour nous. On tient une parole d'honneur.
C'est tout ce que j'avais à vous dire. »

Max Reingold se leva. Aurel Popesco le retint :

« Je pose deux conditions. Vous partez dans la
semaine en cours. Deuxième condition : avant le départ,
tout juif qui embarquera sur l'*Adassa* ou sur l'*Euxin*
signera une déclaration par laquelle il renonce de son
plein gré et pour toujours à la nationalité roumaine.

— D'accord, dit Max Reingold.

— Ceci pour que vous ne soyez pas tentés de revenir.
Les intérêts du pays le demandent et les intérêts du
pays nous sont plus chers que tout. Nous autres, les
Anges de feu, nous sommes disposés — et l'avons
maintes fois prouvé — à sacrifier notre vie pour la
patrie. Dans la situation présente il serait donc illo-
gique de ne pas sacrifier un million de vies juives pour
la patrie, surtout qu'en dehors de ce sacrifice il n'y a
pas de solution possible. Le problème juif doit être
résolu. L'Allemagne et nos grands Alliés de l'Ouest y
sont parvenus. A notre tour maintenant. Je vous sou-
haite un bon voyage et j'espère que dans huit jours
vous aurez quitté définitivement le sol roumain. *Recht
oder unrecht es ist mein Vaterland*[1]. Adieu. »

XXI

Eddy Thall songeait. Encore une nuit et elle pourrait avec Pillat voir Tinka Neva à la prison. C'était
jeudi soir. Il y avait ensuite quatre jours jusqu'à l'embarquement. Toutes les formalités étaient terminées.

---

1. Que ce soit juste ou non, c'est ma patrie.

Dans l'appartement les valises étaient prêtes. Elle n'avait droit qu'à cent kilos de bagages. Il fallait embarquer sur l'*Adassa* et sur l'*Euxin* quinze cents juifs. Pour qu'ils puissent tenir tous, il fallait sacrifier les bagages. Max Reingold était à Constantza où il surveillait les travaux.

« Je serais heureuse de pouvoir sauver Tinka Neva de la prison avant mon départ. Ensuite Pillat l'aidera. Je lui laisse toutes mes affaires, tout ce que je ne peux pas emporter. »

On venait de sonner. On entendit à la porte la voix d'Esther Reingold, la fille de Max.

« Papa est rentré de Constantza, dit-elle en se laissant tomber dans un fauteuil. J'ai des nouvelles extraordinaires. Je suis heureuse. Nous partons demain matin à cinq heures, dit-elle. Papa m'a chargée de te l'annoncer. Il faut se trouver à la gare demain à cinq heures. Le départ est précipité. C'est formidable, d'avoir gagné trois jours. Papa dit que c'est une grande chance. Des nuages noirs s'annoncent à l'horizon. Pas seulement sur mer mais aussi sur terre; dans le domaine politique on prévoit de l'orage. Heureusement, nous partons. »

Esther Reingold avait dix-huit ans. Elle voulait devenir aussi une artiste comme Eddy. Elle embrassa Eddy Thall.

« Je m'en vais. Ce soir, je fais des visites d'adieu. Je vais annoncer mon départ à mes amies. Excuse-moi de te quitter ainsi, mais dorénavant nous serons toujours ensemble, sur mer comme en Palestine. Je vais voir les amies qui restent ici. Toutes m'envient. »

Esther partit. Toujours courant. Comme elle était venue. Heureuse.

XXII

Le train pour Constantza était prêt à partir. A la
fenêtre d'un compartiment de seconde Eddy Thall se
tenait en compagnie de Rebecca et Esther Reingold.
Il ne faisait pas encore jour. On était à la fin de janvier. Max Reingold était sur le quai. Il regardait sa
montre. Cinq heures moins cinq.

« Dès votre arrivée à Constantza vous vous coucherez. Il faut vous reposer. J'ai retenu des chambres dans
un hôtel juste en face de la statue d'Ovide. Des
chambres tranquilles. Reposez-vous. Le voyage ne sera
pas facile. Israël est loin... »

Max Reingold regarda l'horloge de la gare et sa
montre-bracelet ensuite.

« Je prendrai le train de neuf heures et je serai à
minuit à Constantza. » (Max Reingold était ému.) « Je
dois régler toutes les questions en cours aujourd'hui.

— Max, dit Eddy Thall, Pillat vient à cinq heures.

— Je sais. A cinq heures je rencontre le juge Pillat.
Nous ferons une visite à Tinka Neva. Je lui donne tout
ce que vous m'avez dit. Je la confie à Pillat. Et à lui,
je lui présenterai vos excuses d'être partie sans le voir.
J'ai oublié quelque chose?

— Rien, dit Eddy. Vous n'avez rien oublié, Max.
Embrassez Tinka pour moi. »

On annonçait le départ.

« Reposez-vous toute la journée, dit Max Reingold.
Le voyage est dur. Israël est loin. »

Les roues du train se mirent à tourner. A la fenêtre
du compartiment Eddy Thall, Rebecca et Esther agitaient leurs mouchoirs. Sur le quai Reingold les accom-
pagnaient du regard. Ils avaient tous les larmes aux

yeux et ils agitaient les mouchoirs. Et les roues du
train semblaient répéter la dernière phrase de Max
Reingold : « Israël est loin. »

Ils ne cessèrent leurs gestes d'adieu que lorsqu'ils ne
purent plus se voir et lorsque les roues du train se
mirent à scander de plus en plus vite et de plus en
plus fort : « Israël est loin. Israël est loin... Israël est
loin... loin... loin.. »

XXIII

Pierre Pillat regarda la montre de son poignet. Il
était cinq heures. Il pensa qu'Eddy Thall l'attendait
pour aller ensemble à la prison. Il regarda le général
Roshu, chef de l'Etat roumain. Le général était assis
à son bureau lisant des rapports. Il leva la tête vers
Pillat et le vit debout devant le bureau.

« Tu veux me demander la permission de partir?
demanda le général. Tu ne pars pas. Tu es attaché à
mon bureau en qualité de juge militaire. Tu restes
près de moi. Tant que tu es ici tu n'as pas d'autre
occupation. La patrie est au-dessus de tout. »

Sa voix était dure.

« Avec qui, ce rendez-vous? demanda-t-il. Tu as un
rendez-vous avec une femme à cinq heures. »

Pierre Pillat rougit. Il pensait à Eddy Thall.

« Avec une femme, oui. Mais il y a des questions
importantes... Nous devons aller...

— Tu ne pars pas, dit le général. Seule la patrie a
de l'importance. Appelle Aurel Popesco. »

Un jeune homme brun portant l'uniforme des *Anges
de feu* entra dans le bureau du général. Il regardait
Pillat qu'il ne connaissait pas. Il salua le général et
attendit, debout, au garde à vous. L'organisation les

Anges de feu était le mouvement nationaliste qui avait pris le pouvoir. A l'exception du général Roshu, chef de l'Etat, et de quelques autres généraux, tous les ministres en faisaient partie.

Le général Roshu se leva et se dirigea, les mains dans les poches, vers Aurel Popesco.

« Connais-tu les dix Commandements, Popesco? » demanda le général.

Aurel Popesco rougit. Il ne s'attendait pas à une telle question.

« Récite-moi vite les dix Commandements », ordonna le général.

Le chef de la Sûreté hésita.

« Tu ne tueras point, dit le général. Répète après moi. Tu ne tueras point. C'est le commandement de Dieu. Tu les as oubliés, tes dix Commandements. Réponds. Tu les as oubliés, n'est-ce pas? »

Le général Roshu prit sa cravache qui était sur le bureau et commença à cingler ses bottes.

« Tu es chef. Ordonne aux *Anges de feu* de ne point tuer. Dis-leur que c'est mon commandement, à moi, général Roshu, et le commandement de Dieu, de ne point tuer. Si vous ne l'exécutez pas, Dieu vous frappera. Mais en attendant que la colère de Dieu fonde sur vous, c'est moi qui vous frapperai. A coups de cravache sur les fesses. Tous. En commençant par les ministres et jusqu'au dernier soldat. Je vous battrai jusqu'au sang. »

La cravache du général frappa le bureau.

« Télégraphie aux *Anges de feu* : Vous ne tuerez point. »

Les papiers s'envolèrent sous le coup de cravache. Le commandant des *Anges de feu* se baissa pour les ramasser. Le général l'arrêta.

« C'est au domestique de ramasser les papiers et non pas au chef de la Sûreté.

— Mon général, dit Popesco, depuis quatre mois

que nous sommes au pouvoir et que nous gouvernons le pays, nous vous demandons de faire justice. Vous refusez. Nous passons à l'action. A partir de ce jour nous cessons notre collaboration avec vous. Les *Anges de feu* passent aux actes.

— Vous passez donc au crime? » cria le général. Son visage était rouge, aussi rouge que ses cheveux. Il répéta : « Vous passez donc au crime? »

Le général s'approcha du bureau. Ses éperons d'argent sonnaient et aussi les aiguillettes de son uniforme.

« Le peuple nous a confié le gouvernail afin de résoudre le problème juif, dit Aurel Popesco. Le peuple exige des faits. Et nous n'avons rien fait.

— Le problème juif sera résolu, dit le général. Mais il le sera par la voie légale, et non par des assassinats. Non par des crimes. Il ne sera pas résolu par le pillage et le banditisme. Nous, Roumains, nous sommes un peuple chrétien. Or, le chrétien ne tue pas. Tu m'entends, Popesco? Il ne tue pas. »

De nouveau la cravache frappa le bureau.

« Le chrétien ne tue pas son semblable, celui-ci fût-il païen. Je suis le chef de cet Etat et je défends que l'on tue un seul être humain. J'ai appris que vous préparez une révolution pour exterminer les juifs cette nuit. Eh bien, j'ai donné l'ordre à l'armée d'empêcher vos crimes. Pour l'instant je vous invite encore une fois au calme. Par-dessus les frontières l'étranger nous regarde. Et le Dieu du Ciel nous voit. Tu m'entends, Popesco? Envoie immédiatement un ordre télégraphique à tous les membres des *Anges de feu* pour qu'ils respectent le commandement de Dieu. C'est tout pour l'instant. Tu peux disposer. »

Popesco ne bougea pas. Le général se tourna vers Pillat.

« Toi, tu restes ici, près de moi, jusqu'à ce que les voyous se calment. Il faut empêcher le crime. Je veux avoir un magistrat près de moi. Ordonne que l'on t'apporte un lit de camp. Tu mangeras ici, dans ce bureau. Tu y coucheras aussi.

— Mon général, dit Popesco, je désire vous exposer la situation.

— Télégraphie d'abord la consigne de ne point tuer. Ensuite nous pourrons parler.

— Mon général, si je pars maintenant, je ne reviendrai plus jamais. J'ai été délégué par l'état-major des *Anges de feu* afin de vous faire certaines communications. Pour que tout soit clair entre nous.

— Parle », ordonna le général.

Il se dirigea vers la fenêtre. Tournant le dos à Popesco. Tournant le dos à Pillat. Et il continuait à cingler ses bottes de sa cravache.

« Il est impossible de résoudre légalement le problème juif, dit Popesco. Les juifs sont comme l'eau. Vous les chassez d'un endroit, ils y reviennent par des fissures latérales... Exactement comme l'eau. Nous les avons chassés de la presse, du commerce, du théâtre. De nouveau ils ont envahi la presse, le commerce, le théâtre. Ils en ont acheté les actions grâce à des prête-noms chrétiens. Il n'y a rien de changé. Seule la corruption a augmenté. Nous leur interdisons de circuler. Ils achètent les billets deux fois leur prix et continuent de circuler. Interdiction de s'occuper de théâtre? Ils achètent les actions. Interdiction d'écrire? Ils écrivent et signent de noms chrétiens. Il n'y a rien de changé. Il n'existe pas de solution légale du problème juif. Aucune loi ne peut résister au problème juif, de même que le bois et la paille ne résistent pas au feu.

— Pourquoi ne les laissez-vous pas partir? demanda le général sans se retourner.

— Je viens de leur donner deux bateaux, l'*Adassa* et l'*Euxin*. Mais il n'en part que quinze cents. Qu'allons-nous faire du reste, jusqu'à un million?

— Le reste, jusqu'à un million, vous le laissez vivre, dit le général. Si les juifs ne se soumettent pas à nos

lois, alors vous les fourrez en prison. Mais selon la loi,
avec jugement. Pas de violence. Voilà le fait. Je ne
permets pas l'abus, le crime et le banditisme.

— Les *Anges de feu* cessent leur collaboration avec
vous.

— Je vous appelle devant les tribunaux pour
meurtre, même si vous n'avez tué qu'un seul homme.
Qu'il soit juif, Turc ou Chinois.

— Permettez-moi de me retirer », dit Aurel Popesco,
et il quitta le bureau après avoir salué, au garde à
vous.

Le général regardait par la fenêtre. Il réfléchissait.
Brusquement il se tourna vers Pillat.

« Avec qui avais-tu ce rendez-vous? Quelle sorte de
femme t'attend?

— Une connaissance. Une artiste. Nous devions
intervenir près de la police pour son ancienne domestique. »

Devant le général Roshu personne ne pouvait mentir. Pillat disait la vérité.

« Juive? questionna, sombre, le général.

— Juive », dit Pierre Pillat.

Il était blême.

« Dis-lui de se cacher, dit Roshu. Cette nuit, ces
écervelés veulent tuer tous les juifs. Dis à la juive qui
t'attend que tu ne vas pas à son rendez-vous, mais
qu'elle se cache, parce que cette nuit il y aura pogrom. Chaque fois que tu peux sauver une créature
humaine, sauve-la, Pillat, car ainsi seulement, tu pourras te présenter devant Dieu au Jugement dernier et
dire : « Je suis un homme, Seigneur, un homme véri-
« table. » Autrement tu ne le pourras pas. Envoie le
chauffeur lui dire de se cacher. »

Pillat ne savait que croire, mais il exécuta l'ordre.
Une heure plus tard le chauffeur rentra et annonça :

« Mme Eddy Thall a quitté la capitale pour la

Palestine par le train de cinq heures du matin. Elle n'a laissé de commission pour personne. »

On entendait des coups de feu dans la rue. Des tanks passaient.

« Que tous les plantons soient armés, dit Roshu. Nous devons empêcher le sang de couler. »

XXIV

Max Reingold avait rempli tout son programme. Il avait fermé l'appartement d'Eddy Thall et rendu les clefs. Il regrettait que Pillat ne fût pas venu à cinq heures pour aller ensemble voir Tinka Neva. Mais il l'avait attendu. Max Reingold avait donc fait son devoir. Maintenant il était dans la rue. Il était huit heures du soir. Il voulait aller à la gare. Le train pour Constantza était à neuf heures. Il chercha un taxi.

« C'est la révolution, le renseigna l'agent. Les taxis ne circulent plus. Ni les tramways. Nous sommes en état d'alerte. »

Max Reingold se dirigea vers la gare à pied. Il était content de ne pas avoir de bagages. Il avait expédié toutes ses valises à Constantza le matin par le train qu'Eddy Thall, Rebecca et Esther avaient pris. Il avait juste sa serviette. Et maintenant il avançait sur le chemin de la gare. Il faisait sombre.

« Dans un quart d'heure je suis à la gare du Nord », se dit-il marchant sans se presser. Il savait que les *Anges de feu* avaient l'intention de déclencher la révolution. Toute la ville le savait. Mais partout, il y avait la troupe, et les gendarmes, et la police. Le général Roshu, en tant que militaire, savait faire respecter l'ordre. L'armée lui était fidèle. Max Reingold avan-

çait en toute sécurité. Mais il était content de partir le
soir même.

« Demain, il sera peut-être trop tard. Cette nuit le
général est maître de la situation, cela se voit. Mais
demain, comment savoir? Demain les rebelles pourraient avoir le dessus. Seulement, demain, je serai en
pleine mer. » Max Reingold sourit.

« Juif? » demanda un jeune homme.

Max Reingold regarda le jeune qui lui avait posé la
question. Au même moment un autre individu l'éclaira
en pleine figure d'un jet de lumière qui démasqua le
nez sémite, les cheveux roux et les taches de rousseur
de son visage.

Max Reingold voulut sortir son billet de chemin de
fer. Il voulut leur dire qu'il se rendait à la gare, qu'il
embarquait le lendemain. Il voulut leur montrer son
billet de bateau, l'autorisation de quitter le pays. Il
avait le tout dans sa poche. Mais il n'eut même pas le
temps de prononcer une parole.

« Allez, hop! qu'on l'emmène, dit le jeune à la
torche électrique. C'est un juif. »

De tous côtés Max Reingold était entouré de jeunes
hommes armés; près du trottoir stationnait un camion.
Max Reingold s'y sentit poussé à coups de crosse. Il
monta. Il n'y avait plus aucune raison de résister ni de
parler. Le camion était bondé. Une fois dedans, Max
se sentit écrasé.

« Il n'existe pas de situation sans issue si l'on garde
son calme, se dit-il. Je sortirai d'ici et j'attraperai le
train de neuf heures si je réussis à garder mon sang-
froid, à rester calme. Si j'avais eu de la présence d'esprit, j'aurais dû leur dire que je ne suis pas juif. Maintenant je dois me débrouiller. Mais pour cela il faut du
calme. » Max Reingold rassembla ce qui lui restait de
volonté afin de dominer la situation. Il commença par
respirer profondément. Il écarta ses bras afin de respirer le plus profondément possible. On entendit des

coups de feu près du camion. Quelqu'un cria: « Assassins! Assassins! » avant de s'écrouler. On entendit la chute du corps contre les roues du camion. Max Reingold pensa à autre chose. Il devait faire abstraction de tout ce qui se passait autour de lui et n'entendre ni les gémissements, ni les plaintes, car tout cela démoralise.

« Il faut regarder la situation comme si je n'étais pas en cause. C'est capital. »

Max Reingold pensa que la première chose nécessaire pour sortir de ce pas difficile, c'était d'avoir un plan. Un plan bien étudié. Il regarda autour de lui et se fraya insensiblement une place vers la porte du camion. Mais d'autres personnes furent projetées à l'intérieur. Il recula, puis de nouveau il essaya de progresser vers la porte. Tous ceux qui l'entouraient étaient effrayés, pris de panique. Seul Max Reingold avançait lentement, millimètre par millimètre, en direction de la sortie parmi les corps entassés. Au même moment le camion se mit en marche, roulant à toute vitesse. Max Reingold en profita pour s'approcher de la porte. Sur le marchepied il y avait deux jeunes avec des mitraillettes mais Max savait qu'une fois près de la porte la chance pouvait lui sourire à tout instant. C'était la première étape du plan.

Le quartier qu'ils traversaient était aux mains des rebelles. On entendait les coups de feu, des maisons étaient incendiées. Lorsque le camion ralentissait aux carrefours on percevait des plaintes. Les mitrailleuses faisaient un bruit infernal.

« J'ai fait la guerre de 1916 dans les tranchées, se dit Max Reingold. La fusillade ne me fait pas peur. » Il profitait des secousses du camion pour se faire un chemin vers la porte. On ne voyait plus les incendies, on n'entendait plus les coups de feu. Le camion avait quitté la ville. Max Reingold voulut s'orienter. Ce lui fut facile.

« Nous sommes en route vers la prison militaire Jilava, se dit-il. Mais avant de pénétrer dans la prison on traverse la forêt. Environ cinq cents mètres de forêt dense. Là je devrai me sauver, sauter du camion. Ensuite je prendrai le train pour Constantza en gare de Jilava et j'arriverai à temps. »

Il était presque arrivé à la porte. Ils étaient dans la forêt. Subitement des lumières surgirent en bordure de la route. Quelqu'un cria:

« Halte! »

Le camion s'arrêta brusquement et fut entouré d'un cordon de jeunes en uniformes et portant des lampes-torches. C'étaient les *Anges de feu*.

« Descendez! » ordonna une voix. Ensuite d'autres : « En bas! En bas! »

Max Reingold descendit le premier. Il faisait noir, il évitait les torches qui l'aveuglaient. Il regarda le mur de la prison qui était en face. Derrière le camion c'était la forêt. Une forêt dense. Max Reingold la connaissait. Il tombait une pluie fine. Sous les pieds la terre était gluante, l'herbe humide. Max Reingold regarda les arbres, les jeunes portant des torches et les juifs qui descendaient, courbés, du camion.

Max Reingold s'efforçait de regarder le tout objectivement, comme au cinéma. « Il faut profiter du moment propice, comme à la Bourse. Oui, comme à la Bourse, Max. Avec du calme et de la patience. » Il essayait de se donner du courage.

A droite, à gauche il y avait d'autres personnes descendues du camion. Rien que des hommes. Max Reingold redressa son chapeau écrasé dans le camion. Il arrangea sa cravate, boutonna son pardessus. Il fit attention à ne pas salir ses chaussures dans l'herbe haute et mouillée. Il ne devait absolument pas les salir. Il devait garder une tenue décente et être en règle. Cela comptait pour beaucoup dans l'exécution de son plan d'évasion. Tous les juifs descendus du

camion étaient courbés, courbés par la peur. Max Reingold redressa l'échine. Il se tenait droit, maintenant.
Il mit ses mains dans les poches. Il ne voulait pas res-
sembler aux autres. Il ne voulait pas se laisser courber
par la peur.

« Un instant, Max Reingold, ton heure arrive.
Regarde », se dit-il. Autour de lui c'était l'obscurité,
la pluie. La seule chose qui permette de distinguer,
dans le noir, les prisonniers des *Anges de feu* c'est que
les prisonniers sont courbés et les *Anges de feu* sont
droits, très droits.

Max Reingold bomba le torse et prit un air martial.
Il fit un pas hors du rang.

« D'abord il faut être droit et je le suis. Après, il
faut avoir le courage de faire le pas nécessaire dans
cette cohue pour passer du groupe des courbés dans
celui des personnes droites. »

Max Reingold fit un pas. Il s'était éloigné de ceux
qui courbaient le dos. Mais au même moment une
arme lui frappa la poitrine avec force. Il recula et son
corps se plia en deux. De nouveau il était dans le
rang des courbés. Et Max Reingold était plus courbé
que tous les autres. Une douleur lui déchirait la poitrine, pourtant il se redressa.

« Si je réussis à me tenir droit je suis sauvé. » Il
réussit. C'était de nouveau un être vertical. Mais la douleur de la poitrine le transperça. Max Reingold se colla
au mur. Il voulait rester seulement quelques instants pour
reprendre des forces. Le mur était froid et cela lui
faisait du bien. Il s'appuya davantage contre le mur.

« Vite, vite », cria quelqu'un.

C'était une voix de chef, on s'en rendait bien compte.
Elle venait de loin mais c'était une voix forte, directe.
Le chef approchait. Il était entouré de jeunes avec des
torches.

« Il faut que je passe dans leurs rangs, se dit Max
Reingold. Il faut que je passe dans le groupe du chef.

Ensuite je serai sauvé.. Je disparais dans la forêt. Une fois dans le groupe du chef, c'est facile. Mais pour cela je dois être vertical. Comme eux. Derrière eux, il y a la forêt. Par la forêt j'atteins la route. A cinq minutes de marche sur la route il y a la gare de Jilava. A la gare de Jilava je prends le train. Le train de Constantza n'est pas encore passé. A Constantza j'embarque. Pour Israël. »

« Vite », cria le chef.

Dans les rangs des jeunes verticaux où Max Reingold voulait passer, on discerna le bruit des armes que l'on chargeait. Ensuite, en un clin d'œil, les bruits métalliques des cartouches et les cartouchières que l'on fermait. On entendait les vérifications des gâchettes. Max connaissait tous ces bruits. Il avait fait la guerre dans les tranchées. Il se tenait droit. Il fit un pas, un petit pas. Il y avait environ deux mètres pour passer dans le groupe des verticaux. Et il n'y avait pas de lumières, il faisait noir. Le problème était simple, il ne fallait pas perdre une minute. Il fit encore un pas mais au même moment les jeunes gens, à un commandement, s'éloignèrent de quelques mètres. Entre ceux qui portaient des armes et ceux qui se tenaient courbés contre le mur, il y avait maintenant plus de dix mètres. Et dans cette zone de dix mètres il n'y avait plus personne. Maintenant ils étaient séparés. Max savait qu'il ne lui était plus possible de passer dans l'autre groupe. Le moment était passé. Il devait changer de plan. Discrètement, comme un chat, Max Reingold s'étendit sur la terre humide. Il savait que les jeunes allaient tirer. Il devait se creuser un abri, comme il l'avait fait tant de fois pendant la guerre de 1914. Un abri individuel. Vite. Max Reingold commença à creuser rapidement la terre avec ses mains gantées. Il bêchait la terre humide.

« Du calme et du sang-froid, se dit-il. Avec du calme on peut se tirer de n'importe quelle impasse. »

Et il continua à bêcher avec ses doigts. A cet instant les coups de feu commencèrent à claquer, irrégu-
liers, l'un après l'autre. Max grattait la terre rapidement. Tout dépendait de la vitesse avec laquelle il
creuserait son abri. Il le savait. Tout dépendait de
cela. Il creusait des deux mains, la terre était molle
et se laissait travailler. Maintenant Max avait la tête
à l'abri dans la terre. Et il creusait de plus en plus
vite. Avec désespoir. Les balles sifflaient au-dessus de
lui vers le mur et elles ricochaient.

« Tu domines la situation, se dit-il. A minuit tu
dois être à Constantza, ta femme et ta fille t'attendent.
Ensuite, demain, l'embarquement pour Israël. »

Ses doigts s'enfonçaient avec désespoir dans la terre
qu'il fouillait. Les jeunes tiraient. On entendait des
cris, de longues plaintes. Des pleurs, des hurlements.
Max Reingold refusait de se laisser mêler à ce qui se
passait autour de lui. Il devait uniquement suivre son
plan, l'exécution de son plan, et dominer la situation.

La tête de Max était à l'abri. Il pensait à la gare,
à Constantza, à son voyage en Israël. Il ne pensait qu'à
des choses qui affermissaient le moral et le gardaient
au-dessus de la situation, qui le tenaient en dehors
de la panique, de la fusillade et des cris.

Il pensait à des choses réconfortantes : au théâtre
Eddy Thall, à Tel-Aviv, à la Terre promise... A cause
de cela Max Reingold continuait à creuser le sol vite,
avec force, avec désespoir. C'est tout ce qu'il faisait.
Il cherchait à ne pas capituler. Et même lorsque
sa tête traversée par les balles tomba sur les mains
gantées, profondément enfoncées dans la terre humide
et gluante, et lorsque les balles pénétrèrent dans le
cerveau chaud, il n'y eut dans ce cerveau ni peur ni
affolement mais uniquement le désir de ne pas capituler. C'est tout ce qu'il y avait dans le cerveau de
Max Reingold. Le désir d'arriver cette nuit-là à Constantza, où les siens l'attendaient. Rebecca, sa **femme**,

grasse et bonne, Esther, sa fille, sentimentale et belle, Eddy Thall, sa grande artiste, les bateaux *Adassa* et *Euxin*, la mer Noire et la Terre promise de Palestine.

Ainsi mourut Max Reingold. Sans penser à la mort. Sans l'accepter. Les mains, la tête et la poitrine sur la terre humide en pensant à la Terre promise.

Les jeunes tirèrent encore pendant quelques minutes. Ensuite ils cessèrent.

« Jetez les cadavres dans les camions » cria le chef.

Max Reingold n'entendait plus la voix du chef. La voix du chef était enrouée. Il pleuvait et la pluie vous enrouait. C'était un temps malsain.

Les jeunes mirent leurs armes à la bretelle. Les canons étaient encore chauds.

Deux par deux ils prirent les cadavres sanglants près du camion et les jetèrent comme des bûches dans les camions aux phares allumés et dont le moteur tournait.

« Roulez », cria la voix enrouée du chef.

Longeant le mur, tous phares allumés, les camions arrivaient. On travaillait dans l'obscurité.

Une équipe de jeunes avec des lampes-torches vérifiaient s'il ne restait pas de morts.

« Où faut-il les transporter? demanda le chauffeur du premier camion chargé de cadavres, celui où se trouvait aussi celui de Max Reingold.

— A l'abattoir, dit le chef. Vous les déchargerez à l'abattoir. »

Les camions avec les morts partirent vers l'abattoir communal le long du mur. Lentement. Le terrain était glissant. Les roues du camion pouvaient déraper. Les chauffeurs faisaient attention.

De la ville, se dirigeant vers Jilava d'autres camions chargés d'hommes vivants croisaient les camions de morts.

Cela dura toute la nuit. Des camions pleins de

vivants arrivaient dans les bois. Et des camions de morts repartaient vers l'abattoir.

On les déchargeait dans la cour cimentée les uns sur les autres, jusqu'à ce que la cour fût remplie de cadavres. Vers trois heures du matin, un commandant vint passer l'inspection. Il regarda les cadavres des juifs entassés dans la cour de l'abattoir. Il rit.

« Qui est-ce qui a donné l'ordre de les transporter ici? demanda-t-il.

— Ordre supérieur », répondirent les jeunes qui montaient la garde.

« Pourquoi ici? Il aurait été plus normal de les conduire à la morgue ou au cimetière », se demanda le chef. Personne ne savait d'où émanait l'ordre.

« Puisqu'ils sont ici. déshabillez-les entièrement », dit le chef.

Des équipes furent constituées. Les morts furent déshabillés. On les laissa nus, sur le sol. Le spectacle était macabre mais personne ne le remarquait. Les jeunes gens étaient occupés à dévêtir les cadavres.

« Est-ce qu'on les pend aux crochets? » questionna une voix.

On souleva les cadavres et on les suspendit aux crochets. Mais il y avait plus de cadavres que de crocs. On tuait seulement quelques centaines de bêtes et maintenant il y avait quelques milliers de juifs. Quelques centaines de juifs seulement furent suspendus aux crochets destinés aux bêtes abattues. Sur le ventre, la poitrine et le dos de chacun on opposa un cachet ainsi qu'il était coutumier de le faire pour les bêtes tuées selon le rite juif. *Kasher*. Et les cadavres qui étaient à terre furent marqués aussi pour montrer qu'ils étaient juifs.

XXV

Le samedi matin, après la nuit de révolution, le général Roshu appela Pillat pour lui donner des ordres.

« Passe à l'ambassade d'Allemagne. Fais savoir au baron Killinger que nous avons étouffé la révolte. Il y a plusieurs milliers d'assassinés. Les criminels, Aurel Popesco en tête, habillés en uniforme d'officiers allemands, ont pu se cacher en Allemagne. Je demande à l'ambassadeur de me les livrer, mis aux fers, afin que je les juge. Aux fers. Avec ou sans les uniformes allemands procurés par l'ambassade. »

Pillat prenait des notes. Il avait passé une nuit blanche. Il était las.

« En sortant de l'ambassade, passe à l'abattoir communal. Il y a des milliers de cadavres de juifs. Tu vas les identifier. Rédige des procès-verbaux. Prends des photos. Filme cette barbarie afin d'avoir des preuves contre les criminels. Ensuite tu rendras les morts aux familles pour les enterrer selon leur loi, comme il convient. »

Pierre Pillat se rendit à l'ambassade où il transmit le message. De là, à l'abattoir.

Les rues environnantes étaient pleines de monde. Les gendarmes ne laissaient approcher personne. Pierre Pillat regarda les cadavres nus empilés les uns sur les autres dans la cour cimentée. Les autres étaient suspendus aux crochets sur quatre rangs.

« Descendez les cadavres. Photographiez-les rapidement et descendez-les. »

Il examina le premier mort. C'était un homme de cinquante ans environ. Nu. Portant trois cachets sur la poitrine, sur le ventre et sur le dos.

« Nous avons commencé les identifications », dit l'officier de gendarmerie.

Il regardait aussi les cadavres et montra celui que Pillat examinait.

« Celui-ci, par exemple, l'a été facilement. »

L'officier prit le dossier.

« Il avait dans son portefeuille un billet de seconde classe pour Constantza, un billet pour embarquer sur l'*Adassa* à destination de Tel-Aviv, l'autorisation de quitter le pays. Tous les papiers étaient en règle. Il devait partir, et il a abouti ici. La vie est étrange. Il s'appelle Max Reingold. »

Pillat, pétrifié, regardait le cadavre. Il y a dans la vie des émotions qui vous rendent aveugle, sourd, qui vous changent en roche. Ainsi était devenu Pierre Pillat et il regardait toujours Max Reingold pendu au crochet de l'abattoir, nu. avec les cachets sur la peau.

« Pouvons-nous le rendre à la famille? demanda l'officier de gendarmerie. Puisqu'il a été identifié nous rédigerons le procès-verbal et nous rendrons le mort à la famille. Si vous l'autorisez. »

Pillat n'entendit que ces mots : « Si vous l'autorisez. » Il regarda le cadavre.

« Nous autorisez-vous à le rendre à sa famille? » répéta l'officier.

Pillat baissa la tête en signe d'assentiment et dit :

« Je demanderai l'envoi d'un autre magistrat. Je suis trop fatigué. Je n'ai pas dormi de la nuit. »

Ensuite il quitta l'abattoir. Il titubait.

XXVI

Rebecca, Esther et Eddy Thall arrivèrent à Constantza à midi. Il y avait du soleil. La mer était bleue.

« Nous allons d'abord voir les bateaux », dit Eddy Thall.

Les trois femmes descendirent au port. Il n'y avait que des vaisseaux de guerre. Parmi eux, les deux petits bateaux fraîchement peints en gris. On apercevait les noms en lettres noires : près de l'*Adassa* il y avait l'*Euxin*.

Eddy Thall sentit son cœur battre avec force. C'étaient leurs navires. Le lendemain matin elles allaient embarquer, partir vers Israël. Elles n'eurent pas la permission d'entrer dans le port. Mais elles regardèrent longtemps, de loin, les équipes de matelots chargeant des caisses sur l'*Adassa* et sur l'*Euxin*. Elles savaient que leurs bagages devaient être chargés sur l'*Adassa*.

« N'oubliez pas le conseil de Max, dit Rebecca. Nous déjeunons et nous nous reposons ensuite. Le voyage sera long. Israël est loin. Nous devons être reposées. »

Les trois femmes auraient voulu regarder encore leurs navires mais elles retournèrent à l'hôtel. Elles déjeunèrent et essayèrent de dormir. Par la fenêtre elles regardèrent le port. *Adassa* et *Euxin* étaient petits. C'étaient de vieux navires réparés sur lesquels quinze cents juifs devaient embarquer. Les équipages étaient formés de juifs afin de permettre à un plus grand nombre de partir. Les capitaines aussi étaient juifs. Le soir, Eddy Thall, accompagnée d'Esther et de Rebecca, descendit de nouveau au port.

Elles contemplèrent les navires, comme toute la foule. Ensuite elles se rendirent à la gare pour attendre Max. Elles avaient deux heures d'avance et se promenèrent sur le quai. Le train arriva enfin, bondé. Les trois femmes regardèrent chaque passager venant de Bucarest. Max n'y était pas.

« Max n'a jamais manqué le train, déclara Rebecca. Depuis vingt-quatre ans que nous sommes mariés il

a toujours été exact. Il a dû arriver mais nous ne
l'avons pas vu »

Les trois femmes retournèrent à l'hôtel. Max Reingold n'était pas arrivé. Rebecca voulu téléphoner à
Bucarest.

« Les communications téléphoniques avec la capitale
sont interrompues, fit savoir la poste. Il y a la révolution à Bucarest. »

Rebecca s'informa des trains suivants.

« Aucun train ne quitte Bucarest cette nuit, mais
demain les communications reprendront régulièrement. »

Les femmes reprirent courage. Il était trois heures
du matin. Elles regagnèrent l'hôtel où elles attendirent
le jour. A l'aube, Rebecca était à la gare. Le tableau
des renseignements annonçait l'arrivée du prochain
train en provenance de Bucarest pour sept heures.

De nouveau elles se rendirent au port. Les juifs, en
longues files, attendaient de monter sur le pont des
bateaux. Les machines étaient sous pression. Tout le
monde était bouleversé. On parlait du pogrom de
Bucarest. Il y avait aussi l'émotion du départ. Quatre
passagers manquaient, parmi lesquels Max Reingold,
l'organisateur du voyage. Les familles des absents
étaient désespérées. A midi les haut-parleurs annoncèrent :

« L'*Adassa* étant le plus ancien doit naviguer lentement. Il quittera le port à midi. L'*Euxin* attendra
le train de cinq heures afin d'embarquer les absents.
Ensuite il rejoindra l'*Adassa* au large. »

« C'est parfait, dit Rebecca. C'est une bonne solution. » Elle se tourna vers Eddy Thall. « Tous nos
bagages sont sur l'*Adassa*. Partons. Vous restez sur
l'*Euxin* et vous voyagez avec Max. Dites-lui qu'il ne
nous est rien arrivé, qu'il ne soit pas inquiet. Nous
prendrons soin de vos valises. Ce serait dommage de
laisser Max seul. Dans la soirée nos navires vont

se rencontrer au large et nous serons de nouveau ensemble. »

Eddy Thall descendit. Elle agita son mouchoir pendant que l'*Adassa* se détachait lentement du rivage. Tous pleuraient et faisaient des signes d'adieu.

L'*Euxin* attendit le train de Bucarest. A cinq heures Eddy Thall était sur le quai de la gare. Max Reingold n'était pas là. Aucun des quatre absents n'était arrivé.

Les journaux, la radio donnaient des nouvelles effrayantes du pogrom de Bucarest. Eddy Thall avait peur. Elle retourna sur l'*Euxin*. L'inquiétude y régnait. Les machines avaient eu des défaillances. « L'*Euxin* ne part pas ce soir », annoncèrent les haut-parleurs. Eddy Thall dormit dans un hamac, sur le pont. Toute la nuit et toute la journée du lendemain on travailla à réparer les machines. Les quatre absents n'étaient toujours pas arrivés.

A l'aube, nouvelle annonce : L'*Adassa* a fait naufrage. L'*Euxin* ne part plus. Par ordre du gouvernement, aucun navire transportant des juifs ne peut quitter le port. »

XXVII

Rebecca et Esther regardaient la mer où elles guettaient l'apparition de l'*Euxin*. La mer était démontée et les vagues hautes. Les passagers se réfugiaient dans les cabines. La femme de Max Reingold restait sur le pont. Esther avait le mal de mer comme beaucoup d'autres passagers.

Huit cents juifs avaient embarqué sur l'*Adassa*. Ils étaient entassés les uns contre les autres. Les malades ne pouvaient pas s'étendre car il y avait trop de monde dans les cabines et il était impossible de se tenir sur le pont battu maintenant par les vagues. L'*Adassa* craquait et avançait lentement. Vers neuf heures du soir un vieillard mourut et cela fit augmenter la panique. Les passagers accusaient le capitaine de ne pas savoir maintenir l'ordre, de manquer d'expérience. Il y avait beaucoup de médecins sur l'*Adassa* mais qui ne pouvaient rien contre le mal de mer. A minuit il y eut encore un décès. On déposait les morts sur le pont. Le capitaine avait aussi le mal de mer et c'est le second, un ingénieur en constructions électriques, qui dirigeait les manœuvres. C'était un homme énergique, jeune. Il donna l'ordre de jeter les deux cadavres à la mer et exhorta les passagers au calme.

« Demain matin nous serons à Istamboul. Les malades seront hospitalisés. Nous organiserons le voyage d'une autre manière. Il y a trop de passagers. »

L'ordre paraissait établi mais la tempête augmentait. Vers deux heures du matin, l'*Adassa* craquait, prêt à se disloquer, battu par des vagues aussi hautes que lui. On avait enfermé les passagers. Alors une femme devint folle. Pour l'isoler il fallut libérer une cabine. Les cris démoralisaient les passagers. Les enfants pleuraient.

Avant le jour une des machines resta en panne. La tempête augmentait. Serrés les uns contre les autres, les juifs priaient, d'autres se plaignaient, d'autres maudissaient les organisateurs du voyage. Le nouveau capitaine de l'*Adassa* lança un S.O.S.

« Celui qui résistera jusqu'au jour est sauvé, annonça le capitaine. Economisez vos forces. Affermissez votre moral. Nous aurons du secours bientôt. »

Du pont, l'eau pénétrait dans les cabines. Des équipes spéciales pour vider l'eau se formèrent mais le rendement était faible et la tourmente grossissait.

« Celui qui provoquera la panique sera isolé, annonça le haut-parleur. Bientôt nous aurons du secours. Le poste de radio lance sans arrêt des S.O.S. L'*Adassa* n'a pas d'avaries mais la tempête est trop forte. Gardez votre calme. »

Vers cinq heures du matin, la voix qui dans le mégaphone exhortait au calme, éclata victorieuse : « Nous sommes sauvés. La rive n'est pas loin. L'*Adassa* a tenu le coup, bien qu'avec une seule machine. Nous approchons de la terre. »

Les juifs, malades de peur, de désespoir, de mal de mer, croyaient voir, les yeux fermés, la terre. Ce n'était pas la Terre promise. Mais c'était une terre et l'espoir du sauvetage éclata comme un incendie. Les hommes commencèrent à chanter des cantiques, des hymnes de louanges au Tout-Puissant.

« Deux canots de sauvetage approchent, annonça le mégaphone. Gardez le calme. »

La seconde machine de l'*Adassa* fonctionnait mais fatiguée. La tempête ne s'était pas apaisée. Seulement il y avait l'espérance qui avait vaincu la fatigue et le mal de mer. Deux chaloupes blanches approchèrent l'*Adassa* avant le lever du jour. Elles transportaient la police et les autorités du port.

« Quelle est la nationalité du navire? demanda une voix par le haut-parleur.

— Nous partons vers la Palestine, répondit le capitaine de l'*Adassa*. Nous avons une panne de moteur. Nous sommes trop nombreux. Malades. La panique règne.

— Quelle est la nationalité du navire? répéta la voix venant de la chaloupe blanche.

— Nous sommes des réfugiés juifs, dit le capitaine.

— Un remorqueur viendra bientôt. Gardez votre calme. Quels papiers possède le navire?

— Prenez une partie des passagers dans vos canots, cria le capitaine de l'*Adassa*. Evacuez les malades. En attendant le remorqueur, l'*Adassa* avancera seul, lentement.

« — Y a-t-il des épidémies à bord? questionna le fonctionnaire.

— Nous sommes tous souffrants. Mal de mer, mais les vieillards, les femmes et les enfants doivent être évacués. Ils ne peuvent plus résister.

— Gardez votre calme, dit le fonctionnaire. Bientôt vous recevrez des secours. Vous dites qu'il n'y a pas d'avaries. Alors du calme. »

Les deux chaloupes disparurent en fendant les vagues énergiquement.

En même temps que le soleil, deux vedettes rapides firent leur apparition, amenant des hommes et des femmes du service médical. Ils montèrent sur le pont de l'*Adassa;* ils pénétrèrent dans les cabines où ils distribuèrent du rhum, des cigarettes, de la citronnade. Ils avaient des coffres métalliques peints en blanc, avec des médicaments. Chaque passager fut interrogé. Cela dura toute la matinée.

L'*Adassa* avançait péniblement. La terre n'était pas si proche qu'on l'avait dit pendant la nuit. Maintenant pourtant on n'était pas loin de la côte.

A midi, une embarcation avec des journalistes et des représentants des grandes puissances fit son apparition. Ses occupants montèrent à leur tour sur le pont. Le sort de l'*Adassa* était déjà connu. On parlait de la barbarie nazie qui avait jeté à la mer huit cents juifs sur un navire minuscule, tout juste bon à en transporter cent, manquant d'équipage et de moyens de sauvetage.

Les femmes en uniformes blancs offrirent aux passagers de l'*Adassa* des ceintures de sauvetage qu'elles les obligèrent de ceindre, et vérifièrent si elles étaient bien attachées.

Chaque passager reçut ensuite une lampe qui fut fixée sur la poitrine à l'aide d'une courroie.

« Ce sont les moyens modernes de sauvetage, dit un monsieur en blanc. Si le naufrage a lieu la nuit,

même avec une ceinture, le passager ne peut pas être
repêché dans l'obscurité. Les ceintures modernes comprennent une petite lampe électrique; de cette manière les bateaux de sauvetage voient les naufragés
et peuvent les secourir.

— A quelle heure arrive le remorqueur pour nous
conduire à la côte? demanda le capitaine. Nous
sommes tellement entassés et les vagues...

— C'est le crime le plus odieux que j'ai vu de ma
vie », dit un monsieur élégant.

C'était un Anglais. Il était bouleversé. Il tremblait
de colère.

« Laisser huit cents hommes quitter le port em-
barqués sur un navire pourri, petit, sans machines,
sans moyens de sauvetage... Mais c'est les assassiner!
C'est un assassinat en masse. Un tel navire, qui ne
respecte aucune loi internationale de navigation, qui
ne possède pas d'équipage qualifié, pas de capitaine...
Le gouvernement roumain sera appelé devant les tribunaux internationaux .pour ce crime monstrueux
contre l'humanité. »

Le corps long et mince de l'Anglais tremblait de
fureur. Un rabbin s'approcha et demanda :

« Combien de temps met-on ordinairement pour
aller de Turquie en Palestine?

— Avez-vous des papiers en règle pour entrer en
Palestine? questionna l'Anglais.

— Nous sommes juifs, dit le vieillard. Les juifs
n'ont pas besoin de papiers pour aller dans leur pays
et la Palestine est le pays des juifs. »

L'Anglais le regarda dans les yeux. Le retour des
juifs en Palestine était contraire aux intérêts du Grand
Empire britannique. La question posée par le vieillard était une provocation. L'Anglais changea de sujet
de conversation.

« Les peuples comme la Roumanie ne sont pas capables de se gouverner seuls. Les pays capables encore

d'une telle barbarie doivent être placés sous protectorat. C'est la mission des grands peuples civilisés que de contrôler les nations barbares.

— *Ganz richtig*[1] », dit un autre monsieur. C'était un blond, des Services allemands de la presse. « C'est le devoir des peuples cultivés et civilisés.

— Je ne voudrais pas mourir avant d'avoir touché la Terre promise, ne serait-ce que du bout de mon pied », dit un homme portant une grande barbe.

Il avait les larmes aux yeux. L'Anglais regarda ailleurs.

Il avait les yeux fixés sur une femme qui tenait un enfant blond dans ses bras.

« Ne pourriez-vous pas le prendre dans votre canot? demanda la femme. Je ne peux pas sauver l'enfant si j'attends le remorqueur. Il sera trop tard.

— Adressez-vous aux fonctionnaires des services compétents, qui seuls peuvent prendre des dispositions. Je suis un observateur neutre. J'ai pour mission d'observer les faits et d'alerter le monde civilisé à la suite de cette barbarie sans précédent.

— Prenez au moins l'enfant dans votre canot, dit la femme. Seulement l'enfant. »

Et elle tendit l'enfant blond enveloppé de langes blancs.

L'Anglais ouvrit l'appareil photographique et prit un cliché de la femme qui lui tendait le bébé dans ses bras implorants.

« Votre photo, madame, montrera au monde occidental ce qui arrive si l'on accorde l'indépendance à certains peuples qui n'ont pas encore dépassé le stade de la barbarie. L'opinion publique anglaise et américaine sera profondément émue, profondément, profondément. Je m'en porte garant. »

Le monsieur grand et blond se détourna. Il photo-

· Très juste.

graphia d'autres passagers; il photographia le pont.
Ensuite il descendit scandalisé et seul, dans son canot
et repartit vers la côte. Jusqu'au soir on apporta des
vivres, des médicaments. Des vedettes rapides arrivaient sans cesse, avec des journalistes, des diplomates,
des médecins. Tous étaient d'accord pour trouver cette
barbarie sans précédent.

« Vous serez secourus bientôt », dit le fonctionnaire
des douanes.

Des avions surveillaient les mouvements de l'*Adassa*.
La tempête était toujours aussi violente. Maintenant
il faisait noir. Tous attendaient les remorqueurs qui
devaient les évacuer. Sur le pont les lumières étaient
allumées.

A cet instant on entendit comme l'explosion d'une
bombe. Les passagers sursautèrent. Il y eut quelques
minutes de panique. Ensuite l'*Adassa* s'enfonça rapidement, sans que personne s'y attende. D'un seul coup.

En quelques secondes seulement l'*Adassa* avait disparu de la surface de la mer.

La plupart des passagers n'avaient pas pu sauter
à l'eau mais ils avaient les ceintures de sauvetage
données par les grandes organisations internationales.
Et les passagers juifs ne coulèrent pas avec l'épave
de l'*Adassa*. Ils restèrent à la surface.

Le destin qui leur avait interdit d'atteindre la Terre
promise de la Palestine, la terre du premier rivage,
leur interdisait màintenant d'atteindre la terre au
fond de la mer. La terre était défendue aux naufragés
de l'*Adassa*. N'importe quelle terre. Même celle qui
est permise aux noyés. Ils devaient surnager loin de la
terre.

Les naufragés de l'*Adassa* étaient les seuls noyés
qui faisaient exception à la règle générale. Ils n'allaient pas au fond parce qu'ils avaient tous les ceintures de sauvetage, don des grandes nations civilisées.

Les femmes, les enfants, les hommes morts flottaient maintenant sur la mer avec leurs lampes allumées sur la poitrine.

Lorsque les navires de sauvetage arrivèrent, on ne trouva que des cadavres flottant sur les vagues de la mer Noire, avec des bouées et des lumières sur la poitrine.

Les équipages procédèrent, comme il sied dans un monde civilisé et cultivé, au repêchage des cadavres et à leur installation dans les canots.

« Pourquoi leur avoir donné des lampes et des ceintures? demanda un matelot bulgare. Au mois de janvier, dans la mer Noire, tout naufragé meurt en tombant à l'eau à cause de la trop grande différence de température entre le corps humain et la mer. Le naufragé meurt subitement en arrivant dans l'eau. C'est ridicule de leur avoir donné des ceintures. Par-dessus le marché on leur a donné des lanternes! Pour que les morts flottent sur les vagues avec les lanternes allumées! »

Avant d'installer les cadavres dans les canots, les matelots éteignaient les petites lampes que les morts portaient sur leur poitrine. Aucun des naufragés n'avait oublié d'allumer la sienne.

XXVIII

Les juifs de l'*Euxin* n'avaient plus la permission de quitter Constantza. Une caserne fut aménagée à leur usage avec des lits et une cuisine. On leur dit d'attendre. Certains voulurent retourner à Bucarest. Mais cela aussi était interdit.

Les interrogatoires commencèrent. Eddy Thall fut parmi les premières appelées.

« Vous n'avez plus le droit de rentrer en Roumanie », lui dit l'officier qui dirigeait l'enquête.

Il lui tendit un papier. Eddy Thall reconnut sa signature.

« Vous avez fait une déclaration par laquelle vous renonciez à la nationalité roumaine, dit l'officier. Personne ne vous y a obligée. Maintenant vous n'êtes plus citoyenne roumaine et vous ne pouvez plus retourner en Roumanie.

— Je voulais partir avec l'*Euxin*.

— L'*Euxin*, c'est une affaire classée. On ne peut pas embarquer tant de gens sur un bateau pourri. Ce serait de la barbarie de vous laisser partir ainsi. Vous devez trouver une autre solution. A la rigueur vous pourriez faire une demande pour solliciter à nouveau la nationalité roumaine. Légalement, vous n'êtes plus citoyenne roumaine. C'est dramatique, mais c'est ainsi. Pensez à une autre solution. Une solution *légale,* bien entendu! »

Eddy Thall se taisait. Elle connaissait cette situation. Elle n'avait plus la permission de partir et il lui était interdit de rester.

« Personnellement, dit l'officier, je vois deux solutions. Ou bien vous demandez un visa d'entrée dans un autre pays, ou bien vous présentez une nouvelle demande de naturalisation. De deux choses l'une. Pour laquelle vous décidez-vous?

— Je pars pour la Russie, dit Eddy Thall. Une convention récente permet aux citoyens roumains de Bessarabie de passer en Russie s'ils le désirent. »

L'officier eut un rire ironique.

« Vous êtes communiste? »

Eddy Thall serra les lèvres et ne répondit pas.

« Le convoi pour la Russie part demain. Vous pouvez partir. C'est facile d'aller en Russie. »

Eddy Thall quitta le bureau. Elle regarda la mer. Le lendemain elle allait partir pour la Russie avec

quelques centaines de juifs. Elle n'avait plus de bagages à préparer parce que toutes ses valises avaient
sombré avec l'*Adassa*.

Elle s'assit et se prit la tête entre les mains. Pour
la première fois elle pensa à ce camarade de Pierre
Pillat, à ce Boris Bodnar qui s'était enfui en Russie
parce qu'il avait échoué à son examen.

« Aujourd'hui je fais comme lui, se dit-elle. Je pars
pour les mêmes motifs. Etant enfant, il avait crevé
l'œil de son frère. Il était considéré par tout le monde
comme un dégénéré qu'on devait éliminer de la société. Et moi, bien que je n'aie crevé l'œil de personne,
uniquement parce que je suis juive, je suis considérée
comme une dégénérée que la société doit éliminer.
Et comme Boris je n'ai pas d'endroit où aller. Je dois
m'enfuir en Russie. Que deviennent les juifs là-bas?
Nul ne le sait. »

Eddy Thall pleurait. La première partie de sa vie
de juive avait pris fin; le premier livre des juifs. Et
elle pleurait sur elle-même, sur sa vie, les yeux au
loin, en regardant la mer.

LE LIVRE DU DÉSERT

1

« Nous sommes à la frontière du désert », dit le jeune
homme au manteau de cuir et foulard rouge assis près
du chauffeur du camion.

Ses yeux scrutaient avec curiosité l'étendue infinie
de sable. D'autres camions venaient derrière, remplis
d'étudiants et d'étudiantes. Les roues enfonçaient dans
le sable brûlant. Les jeunes regardaient le désert. Le
sable transporté par le vent frappait le manteau de
cuir du garçon à foulard rouge, les vêtements de coutil
des autres et la tôle brûlante des camions.

« On aperçoit les baraques. »

L'homme au manteau de cuir tourna la tête. Il
suivit du regard le bras tendu de la jeune fille qui
désignait trois monticules couleur de cendre. Les
camions ralentirent la vitesse de leurs moteurs brûlants, ensuite ils se dirigèrent lentement vers la droite,
les roues enfoncées toujours dans le sable. On distinguait les baraques construites de fraîche date.

Les étudiants les dévoraient du regard. Les camions
s'arrêtèrent contre les trois baraques en planches de
sapin et on descendit. Les filles ouvrirent les portes.
Il n'y avait pas de serrures. A l'intérieur il n'y avait
rien en dehors des parquets, des murs et des plafonds

de planches, rien qu'une odeur lourde de bois qui sèche.

Le désert avait commencé à les sécher avec violence et il extirpait les derniers restes de vie, du bois de ces abris contre le sable. Tout autour il n'y avait que du sable gris. Comme le vent en charriait des nuages, les yeux étaient rouges et on voyait comme à travers un tamis. Pour les défendre contre la chaleur et le sable, les chauffeurs couvraient les roues et les capots avec des toiles de tente.

Vingt jeunes — garçons et filles — se trouvaient maintenant devant les baraquements. Ils étaient descendus des cars et regardaient tout, comme à travers un voile.

« Ne débarquez pas le matériel », ordonna celui qui portait le manteau de cuir et le foulard rouge. C'était le chef, Boris Bodnariuk. Il grimpa sur le seuil de la baraque centrale, les jeunes firent cercle autour de lui tournant le dos au vent.

« Je sais que vous avez tous faim et soif », dit Boris Bodnariuk. Il regarda les camions alignés devant les baraques. « Toutefois, avant de nous mettre à l'ouvrage, je vais vous dire quelques mots. Nous vivons un moment exceptionnel. Devant nous s'étendent quelques dizaines de millions d'hectares de désert. C'est le Kara Koun, qui mesure cinquante-trois millions d'hectares. Plus loin, Kizil Koun qui en a vingt millions. La Patrie soviétique étudie depuis longtemps le projet de résurrection des terres mortes, des déserts de sable. Les plans sont terminés. Nous sommes la première équipe d'étudiants des universités soviétiques qui pénétrons dans le désert. Nous sommes l'avant-garde de cette Grande Offensive qui doit ressusciter la terre morte du désert, en transformer le climat, changer la direction et l'intensité des vents, changer le cours des eaux. C'est l'œuvre de construction la plus gigantesque de l'Histoire.

« Grâce aux Soviets nous ---- ces vingt — qui sommes ici, à peine descendus de nos camions, nous avons la possibilité de poser la première pierre sur le désert brûlant.

« Cette activité, c'est ce que peut rêver et désirer le plus sur la Terre un homme jeune. Crions donc notre reconnaissance à la Patrie soviétique qui nous accorde cette faveur. »

Un tonnerre d'applaudissements éclata. Nul ne pensait plus à l'eau, bien que les lèvres de tous fussent sèches. Et tous, malgré leurs lèvres sèches se mirent à chanter *Le Chant des forêts* de Dimitri Chostakovich. Boris Bodnariuk fit un signe de la main. Le chant de la forêt du désert cessa.

« Camarades! Il y a encore autre chose. » Boris Bodnariuk regarda la montre de son poignet. « Il est cinq heures de l'après-midi. Il y a quinze ans exactement, à la même heure, j'ai posé pour la première fois le pied sur la terre des Soviets. Je m'appelais alors Boris Bodnar. Cet anniversaire est significatif, instructif. »

La main de Boris Bodnariuk montra le désert.

« Vous savez tous que ce désert, comme tous les déserts de sable n'est pas l'œuvre de la nature. Le désert c'est l'œuvre de l'homme. Les sociétés barbares qui se succédèrent sur la surface de la terre avant l'ère communiste ont détruit la végétation, les sources, les plantations. Elles le faisaient par ignorance, par soif de gain. Dépouillée de ses parures, la terre mourut. Elle devint désert. Le sable s'est étendu comme une plaie. Le désert est le produit de la gourmandise barbare de ceux qui ont dirigé les sociétés anticommunistes depuis l'apparition de l'homme sur la terre jusqu'à la Grande Révolution d'octobre.

« Aussi loin que le regard peut porter on ne voit rien sur cette terre tuée par l'homme. Aucun être vivant, aucune plante, aucune parcelle de vie. Tout est mort. Du sable. Le ciel a pris une teinte mortelle. L'éclat du soleil, de la lune, des étoiles est mort. Les astres brûlent sans vie. Le vent sec est arrivé, charriant des millions de tonnes de sable, hurlant comme un loup affamé. La biographie de ce désert, camarades, est ma biographie, à moi, Boris Bodnariuk, et celle de tout enfant qui naît dans un pays capitaliste.

« Camarades, je n'ai pas comme vous la chance d'être né dans le pays des Soviets, mais dans un pays bourgeois. Dès ma plus tendre enfance, ma mère, mon père, mes voisins, le prêtre et tous les membres de la société bourgeoise où j'avais vu le jour, commencèrent à détruire en moi la vie, comme les Sociétés anti-communistes gourmandes et cruelles ont dépouillé et piétiné cette terre jusqu'à la transformer en désert.

« A quinze ans, j'étais comme elle, un jeune mort. Alors j'ai traversé le Dniestr et j'ai touché le sol soviétique. Lorsque je suis arrivé ici, je n'avais aucune foi, aucune illusion, aucune soif de vivre, aucun désir. En moi, tout était mort, tout ce qui fait la vie d'un homme. Tout ce qui fait la vie d'une terre est mort dans le désert qui nous environne. La Société bourgeoise m'avait dépouillé de croyances, d'illusions, des sentiments de solidarité humaine, de tout. Lorsque j'ai posé le pied sur la terre soviétique il y a quinze ans, à cinq heures de l'après-midi, je ne connaissais que la peur, la terreur et la solitude. C'est tout ce que j'apportais de la Société bourgeoise. C'est tout ce que je possédais.

« Ma vie a commencé il y a seulement quinze ans. Les Soviets m'ont donné un idéal, ils m'ont donné une foi, ils m'ont donné la chance de vivre pour quelque chose. Et avant tout, ils m'ont donné le sentiment de solidarité, de communauté, de fraternité. Dans les pays bourgeois je n'avais connu qu'une solitude désolante, pareille à la désolation de ce désert

de soixante millions d'hectares, une solitude plus
grande que celle de ce désert. »

Boris Bodnariuk se pencha. Il prit une poignée de
sable devant la baraque. Il la serra dans sa main avec
force. Il sentait le sable rêche. Il pensait à sa mère
qui le battait chaque jour, le laissant couvert de sang.
Il pensait à ses condisciples qui cachaient leurs yeux
sur son passage et qui lui criaient : « Criminel. » Il
pensait à son village natal, à la maison paternelle où
tous souhaitaient sa mort. Les yeux de Boris Bodnariuk étaient humides de larmes. Il serra la terre morte
dans sa main et continua.

« En serrant dans mes mains cette terre morte et
en embrassant de mon regard ce désert jusqu'à l'horizon, je jure devant vous, et je vous prie de faire aussi
le serment avec moi, que nous ramènerons à la vie
cette terre morte qui fait partie du corps de la Patrie
soviétique. Ma passion n'existe pas seulement parce que
je suis le fils adoptif de ce sol, mais parce que plus
que vous je sais ce que signifie être mort, piétiné,
assassiné par la barbarie des hommes, et parce que
je sais aussi ce que veut dire : être ramené à la vie
par quelqu'un. Je connais la mort et la résurrection. »

Le discours de Boris Bodnariuk se termina dans
les applaudissements, dans la cadence des chants à la
gloire du changement du climat et de la culture du
désert. Il était heureux. Et lorsque la camarade Natacha Olt vint à lui et l'embrassa, le visage de Boris
Bodnariuk était mouillé de larmes.

II

Le lendemain du débarquement dans le désert, le
groupe de Boris Bodnariuk était en pleine activité.

Les étudiants étaient divisés en équipes suivant leur spécialité; on attendait l'arrivée d'autres équipes. Dans les trois baraques et dans les tentes environnantes on avait installé les postes de T.S.F., et les appareils destinés à mesurer l'intensité et la direction du vent, l'humidité, la température, les distances. Les sections d'archéologie et de culture avaient installé les laboratoires de recherches et d'observations continues du sol et des plantes. Les sections vétérinaires et horticoles étaient aussi à l'œuvre. Boris Bodnariuk travaillait dans la baraque du centre avec Natacha Olt, la secrétaire, et Vladimir Kanayan, le chef politique de la région, un Mongol. En dehors de Kanayan, il n'y avait que des étudiants. Boris Bodnariuk sortit sur le pas de la porte, là où la veille il avait tenu son discours. Il sonna le rassemblement. Les jeunes se réunirent de nouveau autour de lui.

« Camarades! Vous représentez toutes les branches de l'activité scientifique et vous avez tous fait un stage spécial à l'Académie de culture des déserts. Il n'y a donc pas de raison que je vous donne des instructions techniques que vous avez déjà reçues directement des grands savants soviétiques qui dirigent votre œuvre. Pourtant je dois vous dire encore quelque chose qui doit vous guider dans votre activité. *Les premiers êtres vivants qui apparaîtront dans le désert sont l'espion, le traître et le saboteur.* »

La voix de Boris Bodnariuk n'était plus celle de la veille, quand ses paroles étaient pleines de l'ardeur de la passion, de l'illusion et du rêve. Maintenant elle était rude, autoritaire.

« Camarades chimistes, zoologues, agronomes, astronomes, météorologues, ingénieurs, camarades de toutes les spécialités, n'oubliez à aucun moment que dans notre grande œuvre de culture du désert et de changement de climat le premier être qui fera son apparition c'est L'ENNEMI DE LA PATRIE. Là où apparaissent les Soviets, c'est-à-dire la vie, apparaît aussi l'ennemi de la vie, le parasite. Soyez vigilants, ouvrez l'œil. Détruisez immédiatement cette bête immonde, l'ennemi de la patrie. Si vous ne faites pas attention, vous devenez coupables envers la patrie et tout notre travail constructif est miné. Notre devise est : détecter et exterminer l'ennemi de la patrie. Probablement est-il déjà arrivé dans le désert, peut-être même avant nous. »

Boris Bodnariuk regarda les figures attentives de ses camarades subalternes.

« Ce parasite criminel surgit partout. Vous connaissez le cas de notre camarade de la section horticole de Leningrad et sa négligence criminelle...

« Parmi les huit cents graines et boutures de plantes désertiques envoyées par nos collaborateurs soviétiques des déserts de l'Amérique du Sud afin de les expérimenter ici, se trouvait un arbuste du Brésil qui certainement, aurait pu réussir. Notre camarade horticulteur en planta quelques boutures dans les serres de l'Université et emballa les autres à l'intention des steppes. Mais il avait agi de manière négligente, partant criminelle. Par bonheur, un camarade de laboratoire, qui n'avait pas oublié que « l'ennemi de la patrie « se cache partout », a analysé au microscope les racines de l'arbuste. Il savait que l'ennemi des Soviets pouvait se cacher même parmi les racines d'un arbrisseau et, effectivement, la bête immonde s'y trouvait. Une bande de réactionnaires du Brésil, trotzkystes sans aucun doute, avait déposé entre les racines des plantes destinées à la Russie la larve d'une fourmi rouge. Cette fourmi n'aurait pas seulement détruit les arbustes du Brésil, mais aussi toute la végétation environnante. Grâce à la vigilance de notre camarade, la fourmi rouge a été détruite, les saboteurs et leurs complices pris, la catastrophe évitée. Je vous avertis : ne soyez pas négligents. Les ennemis de la patrie, les saboteurs, les espions, les traîtres voudront pénétrer dans la steppe cachés dans les racines des plantes, dans les graines, dans chaque objet.

« Le devoir de tout communiste est de découvrir cette vermine et de l'exterminer. Au travail, mais faites attention. Il est aussi important de détruire l'ennemi que de construire. La destruction de l'ennemi est peut-être plus importante encore. Et maintenant, travaillons... »

III

Le troisième jour eut lieu la séance plénière du groupe. Les jeunes souffraient à cause du climat mais ils dissimulaient la fatigue et la maladie. Boris Bodnariuk présidait, ayant à sa droite Natacha Olt qui rédigeait le procès-verbal des séances. Au fond, visage olivâtre et pommettes obliques, se tenait Vladimir Kanayan. Boris Bodnariuk n'avait pas encore trente ans. Il avait terminé ses études à l'Académie rouge, section du terrorisme, qui l'avait préparé à la lutte en pays étranger. Il avait passé les dernières années à la section « Culture du désert ». Pour lui, la tactique communiste était claire. Il était maintenant dans les rangs des ingénieurs constructeurs d'hommes et non pas parmi les mystiques, peu nombreux chez les Soviets. Il savait que la jeunesse devait être intéressée à des plans gigantesques, il savait que la jeunesse éprouve le besoin quotidien d'un mythe, d'une croyance *qui s'adresse à son besoin d'aventure, à la fantaisie, au sentiment de sacrifice.* Chaque jeune rêve d'être un héros et il faut lui donner l'occasion de *voir que le parti lui offre dans son labeur quotidien cette possibilité de le devenir.*

L'activité la plus aride, du fait même de cette aridité, peut alimenter cette soif de la jeunesse : devenir un héros, accomplir des faits surhumains, être celui qui n'a encore jamais eu son pareil. A cause de cela, Boris Bodnariuk avait décidé que chaque matin les chefs de section devaient résumer les progrès réalisés dans le cadre du grand plan de changement du climat grâce aux bras et à l'ingéniosité de chaque personne présente.

Le rapport ne devait comprendre qu'exceptionnellement plus de dix phrases. Il présenterait le but poursuivi et le progrès réalisé. En termes clairs, d'une précision mathématique. Ce serait leur seule musique du matin et elle leur montrerait dans quel concert géant ils étaient intégrés.

Il semblait à Boris Bodnariuk qu'il était un chef d'orchestre. Son regard se posa sur le chef de la section des constructions hydrauliques d'irrigation et navigation.

« Mon équipe est une de celles qui travaillent à la construction du réseau de canaux navigables. Le but final : relier entre elles six mers : la Caspienne, la mer d'Azov, la mer Noire, la mer Blanche, la mer Aral et la Baltique. Grâce à ce système de canaux, Moscou deviendra un port sur six mers. » (Il y eut des applaudissements.)

« Le canal Turkmène sera le plus long du monde : 1100 kilomètres. Il sera terminé en sept ans. Le canal de Panama, construit par les bourgeois, mesure seulement 84 kilomètres et on y a travaillé pendant trente-quatre ans. Vient ensuite le canal Volga-Don. Les millions d'hectares de la terre morte du désert seront transformés en jardins grâce à l'apparition de ces canaux. Pour les réaliser, nous utiliserons ici dans le désert cinq millions de mètres cubes de pierre. Les eaux de l'Amour-Daria coulent déjà sur le sable. Bientôt, pas loin d'ici, là où il n'y a pas une seule goutte d'eau navigueront des bateaux qui sillonneront six

mers, battant pavillon soviétique. Ils traverseront le
désert. Notre équipe commencera sous peu la construction d'une route et d'une voie ferrée longue de
80 kilomètres qui reliera la dernière gare à notre chantier. Nous amènerons donc ici — dans quelques mois
— de l'eau pour nos camarades et pour les plantations. »

Boris Bodnariuk dirigea son regard vers un autre
jeune :

« La section météorologique et hydraulique possé-
dera, dans la zone de plantation du pont de verdure
qui nous reliera à la première gare, une escadrille
d'avions qui provoquera chaque soir une pluie arti-
ficielle sur une étendue de plus de cent hectares. Nous
attendons les avions dans une semaine. »

A un signe de Bodnariuk, une jeune fille se leva.
Elle appartenait à la section de botanique. Elle lut
le nom des graines et des plantes à utiliser.

« Suivant les plantations en pleine terre les avions
attachés à notre section jetteront les graines. En six
mois, nous aurons couvert avec huit mille variétés
de plantes une superficie de deux cents hectares. Il
n'existe pas de plus vaste expérience depuis l'apparition de l'homme sur la terre. »

Une autre jeune fille se leva :

« En même temps que la transformation de l'humidité, la force du vent sera tempérée. Bientôt le vent
pourra être complètement dirigé. Nous pourrons forcer
les nuages venant du nord à laisser tomber sur le désert
l'eau dont ils sont porteurs. Ma section tiendra le
Comité central au courant des pressions atmosphé-
riques et des trous d'air qui pourront être comblés
grâce au changement de la direction du vent. Je laisse
la parole à ma camarade de la section astronomique. »

L'astronome, une jeune fille longue et brune, continua :

« Dès maintenant, nous pouvons vous annoncer que

grâce à nous, dans cette partie des Soviets qui est aussi vaste que l'Angleterre entière, la couleur du ciel sera changée. D'après nos recherches, en même temps que la transformation du climat, le ciel deviendra bleu comme le ciel de l'Ukraine. Les étoiles brilleront avec plus d'intensité; le soleil aura une teinte plus dorée et les nuages jaunes visibles à l'œil nu disparaîtront autour du soleil et de la lune. Les nuits auront une luminosité de vingt-cinq pour cent supérieure à celle des régions voisines. Ce changement de la couleur du ciel, de l'éclat du soleil et de la lune et des étoiles, de la couleur des nuits, est possible grâce aux Soviets et à notre Grand Chef. »

Les applaudissements éclatèrent, la lecture des rapports avait vivifié les regards. Boris Bodnariuk savait que maintenant le concert matinal pouvait prendre fin. Avec cette ration d'enthousiasme, le climat et l'ardeur du désert devenaient supportables. Son regard s'arrêta cependant à Kanayan.

« Il existe quelques milliers d'indigènes vivant à l'état nomade dans le désert. Ils doivent être intéressés à notre activité, ce sont les seuls citoyens soviétiques ne bénéficiant pas des dons du régime. Le camarade Kanayan est invité à nous dire comment ces indigènes pourraient être découverts et intégrés à notre œuvre de construction. »

Les yeux de Kanayan étaient petits, noirs et ne cillèrent pas. Seules ses lèvres remuèrent :

« Il existe des nomades dans le désert, mais ils ne peuvent pas être comptés, ni rencontrés. Ils sont comme le sable. Ils vont, ils viennent et ne peuvent pas être distingués du sable.

— La section politique mettra à votre disposition quelques avions de reconnaissance. »

Kanayan ne répondit pas.

« En combien de temps pensez-vous que nous pourrons effectuer le recensement des nomades?

— Je suis communiste depuis mon enfance. Mon père aussi était communiste, mais il est difficile de pénétrer dans le désert. Le Grand Lénine a conquis la Russie entière, rapidement, mais il lui a fallu sept ans pour arriver de Moscou à mon village. ici à quatre-vingts kilomètres. Les Soviets ne sont arrivés à la frontière du désert qu'en 1925, mais pour aller plus loin, dans le désert même, je ne sais pas combien de temps il faut, mais c'est difficile, c'est tout ce que je sais. »

Boris Bodnariuk sourit.

« Camarades, je voudrais que la déclaration du camarade Kanayan vous serve de leçon. Elle vous démontre combien bas furent mis ces hommes sous les régimes anticommunistes. Ces nomades souffrent de la soif, de la faim et mènent dans cet enfer de sable une existence dont aucune bête ne voudrait. Et pourtant ce sont des hommes, et des hommes soviétiques. Ils sont tellement terrorisés, effrayés et tellement diminués en tant qu'hommes, qu'ils n'ont même plus le courage de regarder l'avenir. Nous leur apportons l'eau, des abris, un climat meilleur, une condition plus humaine. Et ils ont peur. Peur. Ce sont les créations de la société anticommuniste. Elle a fait de l'homme un animal tellement craintif qu'il préfère être abattu plutôt que de renoncer à sa misère, pour une vie meilleure. Nous les aiderons, malgré eux. Celui qui aime les hommes, camarades, doit leur faire du bien et ne pas craindre les changements. Notre mission est de donner aux générations futures un climat sain. une terre productive, une société juste. Et pour le bien de l'humanité nous forcerons ces quelques milliers d'hommes, à devenir nos collaborateurs. C'est le suprême sentiment d'humanité. En dehors des Soviets, aucune religion n'a connu un tel amour des hommes. Nous faisons de ces nomades, nos collaborateurs malgré eux, pour leur bien et celui de leur descendance. Les Soviets sont créés sur la base de la solidarité humaine. »

Bodnariuk se leva :
« Au travail, pour le bien de l'humanité », dit-il.
Kanayan était debout, immobile.

IV

Boris Bodnariuk organisa le travail sur les chantiers.
Ensuite il partit en avion, pour Moscou. Il reçut de
nouvelles instructions. Et maintenant il était à Kichinev, récemment annexée à la Russie.

Il devait y recruter et faire transporter dans le désert
quelques centaines de mille de réfugiés, qui y travail-
leraient à la transformation du climat.

« Ce n'est pas la première fois que les juifs font
l'expérience du désert, dit Boris Bodnariuk. Au cours
de l'histoire, les juifs se sont déjà trouvés dans les
plaines de sable. »

Boris Bodnariuk voulait revoir le Collège royal d'où
il avait été chassé en habits d'opprobre, les boutons
arrachés, quinze ans plus tôt. Derrière lui, au bureau,
se tenait le colonel Novirok, chargé des questions de
réfugiés. Novirok était un homme gras, passif.

« Ces centaines de milliers de juifs, ces *desperados*
viennent demander asile aux Soviets pour ne pas être
brûlés comme des rats dans les fours crématoires des
fascistes. Ils sont antifascistes par crainte de la mort et
des camps de concentration, mais ils sont aussi anticommunistes. Le fait qu'ils viennent en Russie ne
signifie rien. Les juifs viennent en Russie parce qu'ils
ne peuvent pas aller ailleurs. Les démocraties ne les
reçoivent pas, sauf s'ils ont un compte en banque.
C'est ainsi que procède la Suisse. D'autres pays sont
trop éloignés, mais nous ne pouvons que les garder
en quarantaine parce qu'ils sont anticommunistes.

« Le Kremlin a accepté mon plan. La place des juifs est dans le désert. La Russie possède des millions d'hectares de sable. »

Le colonel Novirok préparait les listes et les dossiers des milliers de réfugiés qui dès le lendemain devaient être chargés dans des wagons fermés et transportés vers les chantiers où l'on travaillait à la transformation du climat et à la culture du désert. Boris Bodnariuk dit :

« Vous avez appris, en physique, qu'un atome d'hydrogène reste un atome d'hydrogène dans n'importe quelle molécule où il se trouve. Un individu est la création de la société où il est né. Il reste ce qu'il est comme l'atome reste ce qu'il est dans n'importe quelle société où vous le transplantez. C'est une loi de fer. Conformément au plan, je peux modifier dans le désert la couleur du ciel, la direction du vent et le niveau des mers, mais je sais que je ne peux pas modifier la nature de l'individu à moins de l'exterminer. Moïse le savait bien. C'est pourquoi il est resté quarante ans dans le désert avant d'essayer de créer le nouvel empire d'Israël. Il est resté dans le désert afin que meure la génération dont il n'avait plus besoin. Et c'est seulement après, avec les jeunes, qu'il se mit à construire. C'est du romantisme politique de croire que nous pouvons changer les individus d'origine bourgeoise en communistes. Comme c'est du romantisme de la part d'un bourgeois de croire qu'il pourra jamais changer un communiste en bourgeois. C'est stupide. La science sociale n'a pas encore découvert le secret de la « transmutation » de l'individu. Nous devons attendre encore une génération. Les individus — je le répète — sont comme les atomes, leur vie n'est pas isolée et on ne peut pas changer leur nature. Ils sont le produit des sociétés. Tous les individus qui viennent de pays bourgeois sont bourgeois — même s'ils sont juifs et antifascistes. Ils seront

donc conduits dans le désert. Là ils mourront. Et là
ils ne pourront pas contaminer leur entourage, par
leurs microbes spirituels et politiques. Dans le désert
ils seront comme dans une étuve. Nous leur rendons
aussi service, car malgré leur volonté, nous les inté-
grons à une grande œuvre. Nous faisons le plus grand
bien à l'humanité et aux générations futures qui béné-
ficieront de leur travail forcé. Pour eux c'est une
chance inespérée, autre que celle de mourir dans les
camps nazis où ils meurent inutilement. Tandis qu'avec
nous, ils ont tout de même cette chance. Qu'avez-vous
fait jusqu'à présent des juifs venus des pays bourgeois?

— De la rééducation, dit le colonel Novirok.

— Celui qui a ordonné la rééducation est coupable
de romantisme politique, dit Bodnariuk. Nous avons
fait l'expérience de la rééducation au début de la
Révolution avec les paysans, les officiers tzaristes, les
prêtres. Ce fut un échec total. Un individu qui vient
de l'Occident doit être isolé, mis au travail ou exterminé. Il est pourri. Pourri. Comprenez-vous? »

Boris Bodnariuk regardait la ville. Au-dessus des
toits s'élevaient les coupoles des églises comme autant
de doigts montrant le ciel. Il se retourna.

« Lorsque j'aurai mené à bien le plan de transformation du climat j'aurai encore une rêve à réaliser.
Participer à la transformation de l'Occident en un
désert de cendres. Voir tomber en flammes, l'une après
l'autre, les métropoles, avec leurs murailles et leurs
cathédrales médiévales. Participer à la campagne des
tracteurs soviétiques qui viendront labourer la terre
brûlée de l'Europe. Nous y planterons des forêts. Nous
y construirons de nouvelles villes, des usines, mais
d'abord nous laisserons cette terre brûler longtemps.
Complètement. Afin de voir d'Odessa les flammes de
Londres, de Berlin, de Paris. Les flammes qui dévorent
l'Occident entier et qui doivent détruire les microbes

et toutes les traces de cette société occidentale qui a maintenu l'humanité dans l'obscurité pendant deux mille ans, sous le signe de la Croix. Dans l'oppression, la terreur et la peur, sous le signe de la Croix. Vous ne voudriez pas voir ce spectacle? »

Novirok regardait fixement les yeux de Bodnariuk. Il ne disait rien. Le colonel Novirok savait que si les idées de Boris Bodnariuk étaient adoptées par les Soviets, il pouvait dire « oui » sans crainte. Mais si demain le gouvernement soviétique considérait les idées de Bodnariuk comme prématurées ou n'étant pas d'actualité, tous ceux qui auraient répondu « oui » courraient un danger. Il valait mieux se taire, ne dire ni oui, ni non, mais surtout ne pas dire « peut-être », car cela pourrait être interprété comme oui *et* comme non. La question vitale était de garder le silence et de regarder, d'un regard ni neutre ni équivoque, d'un regard qui ne voulait dire ni oui, ni non, d'un regard semblable à celui des vaches ou des bœufs. C'était une attitude sûre. C'était l'attitude du colonel Novirok.

Et tout le peuple soviétique, lui aussi, s'efforçait d'avoir ce regard.

V

A Kichinev, Boris Bodnariuk visita les camps de juifs, réfugiés en Russie. D'après les rapports il calcula le nombre de ceux qui arrivaient journellement. Il demanda leur envoi hebdomadaire au désert. Lorsqu'ils passèrent devant l'ancien Collège royal, le colonel Novirok montra la chapelle.

« Elle est transformée en théâtre, dit-il. Une troupe de réfugiés devait donner des représentations en langue roumaine. »

Boris Bodnariuk et le colonel Novirok pénétrèrent dans l'église. Un homme et quelques femmes y travaillaient. A la place de l'autel, il y avait une scène. Le rideau était fait d'habits du culte dont on avait arraché les icônes et les croix, jetées maintenant à terre. Boris Bodnariuk avançait, les mains dans les poches. Les anges des icônes regardaient de leurs yeux bleus les bottes rutilantes de l'homme au manteau de cuir qui les foulait aux pieds. Saint Nicolas, les archanges Michel et Gabriel, le saint apôtre Pierre, peints à l'huile sur les murs, regardaient fixement le foulard rouge qui entourait le cou de Bodnariuk. Il avançait vers la scène. Une jeune fille déclamait en roumain.

« Ce n'est pas de l'art soviétique », cria Bodnariuk en désignant du doigt les décors.

La jeune fille qui déclamait se tut.

« Le décor représente l'eau du Prut qui sépare la patrie des Soviets du monde bourgeois », répondit un jeune homme. C'était le peintre de la troupe. « La rive bourgeoise est pauvre, travaillée par les esclaves. La rive soviétique est couverte de fleurs, prospère.

— Quelle est la signification des peupliers peints sur le rivage soviétique ? demanda Boris Bodnariuk.

— Les peupliers contribuent à rendre l'atmosphère poétique du pays des Soviets, répondit le peintre. Pour nous, artistes réfugiés, le rivage soviétique du fleuve de frontière est le rivage de la liberté. »

Le peintre, l'artiste sur la scène, le colonel Novirok, les artistes dans la salle regardaient, effrayés, Boris Bodnariuk. Ils sentaient qu'il était un haut fonctionnaire soviétique. De lui dépendait le sort du théâtre. Les saints, les anges, la mère du Seigneur, les archanges, regardaient aussi Boris Bodnariuk mais leurs yeux étaient calmes. Ils savaient que leur sort dans cette église était déjà arrêté. Ils seraient recouverts d'une nouvelle couche de peinture, de ciment et de sentences du parti communiste et c'est pourquoi ils ne craignaient rien.

« Dans cette pièce, dit le peintre, nous racontons comment nous, la troupe du théâtre Eddy Thall, de Bucarest, avons fui la terreur fasciste pour chercher asile dans le pays libre des Soviets. C'est une histoire authentique.

— Lorsque vous avez atteint le rivage soviétique, vous n'avez pas remarqué d'usine, ni de fabrique? Pourquoi représentez-vous l'eau du Prut traversant des herbes folles et des terrains incultes?

— J'ai essayé de rendre l'atmosphère idyllique du pays soviétique, dit le peintre.

— L'eau d'une rivière qui passe entre les saules et' les herbes sauvages est-elle plus poétique que lorsqu'elle fait tourner les roues d'une usine électrique qui inonde tout le littoral de sa lumière? demanda Bodnariuk. Y a-t-il plus de poésie dans un saule et deux vaches que dans une usine qui distribue la lumière à des dizaines de villages, à des milliers de maisons où vivent des citoyens soviétiques? Une vache est-elle plus poétique qu'une usine hydraulique? Un saule plus poétique qu'un tracteur?

— Il était dans notre intention de manifester notre reconnaissance envers les Soviets qui nous ont accordé asile », dit le peintre. (Il tremblait.) « J'ai tout idéalisé, sur la rive soviétique.

— Vous manifestez votre reconnaissance envers les Soviets en invitant les spectateurs à tourner le dos à toutes les réalisations sociales et à regarder un terrain inculte sur lequel paissent des bœufs et des moutons? Vous invitez les spectateurs à tourner le dos à l'usine, au travail, au progrès et aux réalisations sociales et vous dites que c'est là votre reconnaissance envers les Soviets? Au pays des Soviets, cela s'appelle crime de sabotage artistique, et cela se punit comme les autres crimes.

— Je dis *mea culpa*, dit le peintre. Nous referons les décors entièrement. Voulez-vous entendre une scène dite par notre grande artiste Eddy Thall? »

En costume national, Eddy Thall récitait. C'était sa propre histoire. Elle racontait comment on avait fermé son théâtre, réquisitionné sa maison, comment Tinka Neva avait été congédiée, comment Lidia Petrovici avait été brûlée. la mort de Milostiva Debora Paternik et de tant de millions d'êtres. Elle racontait ses tentatives d'émigrer en Palestine avec d'autres compagnons tout en sachant que là-bas, en Terre Sainte, ils seraient immédiatement arrêtés et internés par les Anglais. Ils voulaient émigrer par désespoir, mais le bateau *Adassa* avait sombré en mer Noire, avec sa cargaison de juifs. Les survivants se tournèrent alors vers la Russie et la Russie les avait accueillis comme elle accueillait tous les persécutés.

« Pourquoi portez-vous ce costume? demanda brusquement Boris Bodnariuk.

— C'est le costume de la République soviétique moldave, dit le peintre.

— Une citoyenne soviétique ne porte pas un tel costume, dit Bodnariuk, car c'est celui d'une société rétrograde. Ce costume national, c'est le costume d'une femme-esclave. Avec lui, une femme ne peut pas travailler. Dans ce costume, la femme est mise aux fers aussi bien à l'usine qu'au sport, qu'au repos. Les artistes soviétiques paraissent en scène habillés de façon à inspirer les citoyennes soviétiques dans le choix des vêtements. Vous suggérez aux spectatrices des costumes d'esclaves que vous baptisez nationaux.

— Nous les changerons, dit le peintre. *Mea culpa.* »

Eddy Thall recommença à réciter, mais elle tremblait d'effroi. Boris Bodnariuk l'arrêta :

— Que raconte l'artiste? demanda-t-il.

— C'est le moment où les réfugiés découvrent le peuple libre des Soviets, dont ils ne savaient rien

parce que la propagande bourgeoise cachait la vérité
sur la Russie.

— Dans les pays bourgeois, il existe des millions de
communistes morts en martyrs pour avoir raconté à
leurs concitoyens la vérité sur les Soviets. Ne pas
s'en souvenir signifie nier la lutte et falsifier l'Histoire. L'artiste qui falsifie l'Histoire est coupable de
crime. »

Boris Bodnariuk se dirigea vers la porte. Avec ses
bottes noires il marchait sur les croix brodées, sur les
icônes d'émail et de velours jetées par terre.

« Il n'y a pas de possibilité de rééducation pour
les bourgeois, dit-il. Vous les enverrez dans le désert
avec le premier convoi. Vous y enverrez les autres à
mesure qu'ils arrivent. Des convois hebdomadaires.
L'homme de la bourgeoisie ne peut pas être rééduqué.
Si nous croyons le contraire nous nous rendons coupables du crime de romantisme politique. »

VI

Le premier convoi de juifs était arrivé dans le désert.
Ils furent installés dans des tentes et ils travaillaient à
la construction de la voie ferrée qui reliait la dernière
gare au chantier. A la séance du matin — quelques
jours après l'arrivée des prisonniers et leur installation
dans les camps, Boris Bodnariuk dit :

« Il existe actuellement quelques milliers d'ouvriers
d'origine bourgeoise qui travaillent à la construction
de la conduite d'eau, de la voie ferrée et de la route
qui relient notre chantier à la terre fertile. Il est formellement interdit de prendre contact avec eux. Leur
nombre augmentera de semaine en semaine et nous

disposerons pour nos travaux d'une immense main-d'œuvre. »

Boris Bodnariuk fit un signe en direction de la fille de la section géologique. C'était le début du concert du matin. La jeune fille se mit debout et récita :

« Cette terre, où nous sommes, contient, d'après nos vérifications, d'importants gisements pétrolifères. En dehors du pétrole nous cherchons encore dans le sous-sol certains minerais et du charbon. L'existence des gisements de gaz naturel est certaine. Les travaux d'exploitation de ces richesses souterraines du désert commenceront bientôt et nous pouvons assurer nos camarades que dans un très bref délai, à la place du sable d'aujourd'hui, surgiront de grandes villes industrielles avec des usines, des raffineries de pétrole, des fabriques de produits chimiques. Tout cela est possible grâce à la coordination des efforts dans le plan soviétique de culture du désert et de transformation du climat. »

Les applaudissements crépitèrent. Lorsqu'ils furent calmés, sur un signe de Boris Bodnariuk le chef de la section de chimie se leva.

« Les plantes semées par nos camarades des autres sections ont été examinées et étudiées dans les laboratoires de chimie. Nous pouvons affirmer dès maintenant que certains produits chimiques qui manquent ou qui sont très rares sur le marché seront fournis par les plantations du désert. De sorte que nous aurons ici de grandes usines de produits chimiques. Voici quelques exemples : *Runex Humenobepalus* est une plante extrêmement riche en tanin. Elle produit aussi un antibiotique d'une grande efficacité dans le traitement de la tuberculose. Une espèce d'*Agave* donne de l'alcool et une fibre végétale très chère sur le marché; *Larrea Divaricata,* une plante à feuillage toujours vert, contient une matière première d'une extrême importance pour l'industrie chimique. Par la culture du désert, la chimie trouve un stock de matières premières qu'aucune terre ne pourrait fournir. Nous avons identifié plus de cinq cents plantes qui nous sont fort précieuses. Nous sommes en mesure d'affirmer que le désert sera la ferme des laboratoires et des usines de produits chimiques de demain. »

Bodnariuk désigna le camarade de la section des légumes :

« Le désert peut produire, d'après nos expériences, 12 kilos de pommes de terre au mètre carré, un chou peut atteindre 5 kilos, un oignon cultivé ici pèsera 380 grammes. La terre morte réserve des surprises immenses à la section du jardinage. Nous attendons d'importants résultats dans l'avenir. »

Un autre jeune se leva. C'était la section hygiène :

« Les camps de prisonniers installés à une distance de cinquante kilomètres du chantier peuvent devenir une source d'infection pour tout le désert. A cause de leur origine bourgeoise, les ouvriers sont d'une constitution débile. La mortalité est grande. Le désert n'est pas un endroit où l'on puisse construire des cimetières. Le vent découvre facilement les tombeaux. Les microbes peuvent être transplantés à plusieurs centaines de kilomètres et peuvent devenir un danger d'infection de l'air et déclencher des épidémies à mille kilomètres d'ici. J'ai donc demandé que les cadavres soient incinérés et non pas enterrés, parce que les tombes sont susceptibles d'être démolies par le vent. »

Boris Bodnariuk sourit. Il regarda le chef de la police. Ensuite il fit un signe et la secrétaire Natacha Olt se leva. Elle prit un papier et lut :

« Le camarade de la section d'hygiène a fait une communication intéressante. Le Bureau central pour la culture du désert, composé de grands savants soviétiques, a résolu depuis longtemps le problème posé par la construction des cimetières dans le désert. Il est vrai que les tombes ne sont pas possibles dans le sable, les cadavres étant en danger d'être découverts, mais l'incinération est une erreur.

« Le Comité central pour la culture des déserts de sable des Soviets a pris une décision géniale. La camarade de la section « Plantation d'arbres fruitiers » vous en fera la communication. »

Une autre jeune fille se leva :

« Le problème des cadavres humains dans le désert a été résolu de la manière suivante. Les morts seront enterrés à une profondeur de 60 centimètres le long de la conduite d'eau, à une distance de 5 mètres l'un de l'autre. Sur chaque cadavre il sera déposé une couche de terre argileuse de 10 centimètres pour le fixer. On plantera ensuite, sous le contrôle de la section des plantations, un arbre fruitier qui sera arrosé avec 5 litres d'eau, chaque soir, le temps nécessaire à l'arbre pour prendre racine et au cadavre décomposé pour fixer le terrain. De cette manière, nous l'avons établi par des expériences répétées effectuées par nos camarades dans d'autres secteurs du désert, le sable est consolidé et la tombe ne peut plus être découverte. Les avantages de ce procédé sont multiples : la conduite d'eau, la voie ferrée, la route ayant des arbres plantés de chaque côté seront abritées du vent et du sable comme par deux rideaux. On crée ensuite un pont de verdure, qui contribue à la consolidation du terrain environnant et peut mener à l'extension latérale de la plantation. La conduite d'eau se trouvant à l'ombre sous les arbres n'est plus exposée à l'ardeur du soleil. Les arbres donneront des fruits. Le Bureau central a vérifié qu'un arbre fruitier planté dans un cimetière, sur un cadavre, produit deux fois plus de fruits que les autres arbres. Ceci sur une période de cinq ans, le temps que dure la décomposition du cadavre. La qualité des fruits récoltés sur ces arbres plantés sur un cadavre est incomparablement meilleure. Les cerises, par exemple, sont plus charnues et plus sucrées. Le procédé a été d'ailleurs utilisé dès les temps les plus anciens. C'est à cause de cela que tous les cimetières ruraux possèdent des arbres sur les tombes. Grâce aux Soviets, ce procédé a été intégré dans un plan, et il sera utilisé sur une échelle géante ici, dans le désert, sur notre chantier. »

Boris Bodnariuk sourit :

« Les Soviets n'oublient jamais rien. Pas même les cadavres du désert. Tout est étudié. »

Il sourit à nouveau et leva la séance.

VII

Un camion fit son apparition sur le chantier de construction de la conduite d'eau et de la voie ferrée. C'était une inspection inopinée. Boris Bodnariuk descendit, suivi de Natacha, du chef des plantations, du chef politique, du médecin et trois autres jeunes. Le dernier qui descendit du camion fut Vladimir Kanayan.

On ordonna la plantation des arbres et l'inhumation quotidienne des morts de la journée. Pendant que Boris Bodnariuk examinait les travaux de terrassement le long desquels on avait creusé vingt-sept fosses rectangulaires profondes de soixante centimètres, vingt-sept captives, en haillons, portant comme autant de torches vingt-sept plants d'acacias, sortirent d'une tente gardée par des sentinelles.

« Nous plantons des acacias parce qu'ils prennent plus facilement en terrain sablonneux. Dans quatorze mois ils seront greffés et transformés en arbres fruitiers. »

De la même tente d'où les femmes étaient sorties, portant comme des torches les arbustes desséchés, sortirent sur deux rangs des prisonniers mâles portant à deux les

cadavres des morts du jour qu'ils déposèrent sur le
sable près de chaque fosse. Boris Bodnariuk ne
regarda pas les morts nus. Les cadavres étaient face
contre terre afin qu'on ne vît pas leur sexe. A un signe
du chef des plantations, deux hommes empoignèrent
chaque cadavre par la tête et par les pieds et le jetèrent
dans la fosse. On apporta ensuite, dans des brouettes,
de la terre jaune. Le chef d'équipe vérifia si on avait
jeté exactement dix centimètres de terre argileuse sur
chaque mort. On amena les arbustes et attentivement
on planta un acacia sur la poitrine de chaque cadavre.
Les opérations étaient effectuées par les hommes. Les
femmes regardaient. Tout se passa dans le calme jusqu'au moment où apparurent, portés sur de grandes
roues, cinq tonneaux d'eau. A ce moment les yeux
des prisonniers s'allumèrent. C'était la soif. Au fur et
à mesure que les tonneaux approchaient de la file
d'arbustes nouvellement plantés. les yeux des prisonniers, hommes et femmes, devenaient plus grands, plus
brillants. On sentait que chacun serrait les poings
pour ne pas se jeter sur les tonneaux d'eau. Les
langues desséchées passaient nerveusement sur les
lèvres brûlées par la soif. Lorsqu'on versa l'eau sur le
sable, les yeux des prisonniers brûlaient comme chez
les hallucinés. Mais en même temps que l'eau qui coulait sur le sable, ils voyaient les baïonnettes des sentinelles alignées contre les tonneaux.

« Les seules infractions à signaler sont les vols d'eau.
Chaque tonneau doit être gardé nuit et jour par un
effectif double », dit le chef politique.

Bodnariuk regardait l'eau glisser sur le sable. Il ne
répondit rien. Natacha s'était éloignée du chantier dès
l'arrivée des morts. Il lui était impossible de rester.
Elle tournait le dos à la cérémonie de la plantation
sur cadavres. Au loin, elle entendit une voix connue.
Elle tourna la tête. Vladimir Kanayan parlait à une
prisonnière.

« Personne n'a le droit d'entrer en contact avec les ouvriers du chantier », voulut crier Natacha, mais la voix de Kanayan lui parvenait, claire :

« Pour cinq pièces d'or, je vous conduis en Israël. J'ai effectué jusqu'à présent quatre transports. C'est la chose la plus simple du monde. Par ici, par l'Irak, Israël est proche et ça ne coûte pas cher. Cinq pièces d'or. Il y a des équipes d'indigènes qui vous passent en Irak chaque nuit. Cette nuit même si vous voulez. »

La femme à qui parlait Kanayan était grande, belle, maigre. Elle écoutait et ne disait rien. Natacha s'approcha doucement toujours en tournant le dos.

On entendit la voix de la femme, une voix chantante, parlant un mauvais russe, à peine intelligible :

« Nous garantissez-vous de nous conduire de l'autre côté de la frontière une fois l'argent donné? Aurons-nous la certitude que vous ne nous tuerez pas? »

De nouveau la voix de Kanayan se fit entendre :

« Quand vous allez chez le médecin, dit-il, la seule chose que vous vous demandez, c'est s'il est bon médecin. C'est tout. Après, vous êtes entre ses mains et vous ne pouvez plus contrôler ce qu'il va vous faire. Une fois entre ses mains, c'est une question de confiance. Chez le médecin, il n'y a pas de garanties. Avec les nomades qui dirigent les transports vers Israël c'est la même chose. Le principal c'est d'être persuadé qu'ils connaissent le désert. Et ils le connaissent. Le reste c'est une question de confiance. »

La femme réfléchissait.

« Demain, après minuit, des hommes viendront ici prendre les juifs qui auront cinq pièces d'or. Ils vous rejoindront sur l'emplacement des tombes d'aujourd'hui. Ils arriveront en rampant, n'ayez pas peur, demain il n'y aura pas de lune. Et que personne ne vienne avec moins de cinq pièces. Les nomades sont des gens en qui vous pouvez avoir confiance. Ce ne sont pas des Soviétiques, aucun. »

Eddy Thall regarda Kanayan dans les yeux. Il la regarda aussi et sourit.

On entendit la voix de Bodnariuk tout près :

« Celui qui vit seulement dans le présent est un barbare ou un traître. L'homme doit vivre aussi dans l'avenir et il ne peut le faire qu'intégré à un plan. Le plan est la seule chance réelle de l'homme. L'avenir peut être conquis, non pas individuellement mais par la collectivité et seulement conformément au plan. Les hommes qui vivent aujourd'hui dans le désert souffrent de la soif. C'est le présent. Mais ils souffrent de soif afin que les générations futures aient de l'eau sur cette terre. Grâce à notre plan les hommes de l'avenir ne connaîtront plus la soif ni la sécheresse. Nous enterrerons sous ces plantations quelques centaines de milliers d'hommes pour sauver des millions d'hommes dans l'avenir. Existe-t-il un plus grand sentiment d'humanité? Un plus grand amour des hommes? »

Le camion démarra. Natacha se mordait les lèvres et n'osait pas regarder Kanayan.

« Ce soir je dirai à Boris Bodnariuk ce que j'ai entendu. Il les prendra en flagrant délit... *C'est le premier être vivant qui apparaît dans le désert.* » Elle regarda Kanayan avec dégoût et pensa que les Soviets avaient raison de chercher l'ennemi du peuple dans le sable, dans les racines et dans les tombes des morts, car il est partout.

VIII

Un camion rempli de sentinelles attendait devant les baraques. Autour de lui se tenaient des officiers de police à larges galons.

Joyeux, Boris Bodnariuk leur souhaita la bienvenue dans le désert. Il semblait les connaître. Il commença à leur raconter la plantation des arbres sur les cadavres, le long de la conduite d'eau. Les officiers regardaient leurs montres. Bodnariuk pénétra avec eux dans le bureau du chantier. Natacha et Vladimir Kanayan apportèrent des chaises. La secrétaire était pâle, elle se pencha et chuchota à l'oreille de Bodnariuk :

« Je dois vous faire une communication d'une importance capitale. »

Elle voulait répéter mot à mot la conversation entre Kanayan et la prisonnière. Ses yeux fixaient les galons des officiers étrangers.

« Les communications importantes seront faites ultérieurement. Laissez-nous seuls », ordonna un des officiers.

Boris Bodnariuk fit signe à Natacha Olt de sortir.

« C'est une question extrêmement grave », dit l'officier qui avait renvoyé Natacha. (Il était debout devant la fenêtre.) « Nos organismes de sécurité des frontières ont arrêté le deuxième groupe de prisonniers évadés de votre secteur. »

Les six officiers regardaient fixement Boris Bodnariuk. A travers les parois en planches, Natacha Olt écoutait la conversation de la pièce voisine. Et toujours à travers les parois en planches, mais derrière la baraque, Vladimir Kanayan écoutait aussi.

« Il existe une organisation qui transporte les prisonniers à l'étranger. »

Les six officiers étaient assis sur des chaises. L'un d'eux écrivait le procès-verbal, les autres regardaient Boris Bodnariuk.

« Les morts du camp de travail sont utilisés dans les plantations, dit Bodnariuk. On a découvert que le nombre des arbres, donc des tombes, est inférieur au

nombre des prisonniers décédés. J'ai rapporté ce fait
en temps voulu. Il manque cinq tombes et j'ai même
fait connaître mes hypothèses.

— Nous demandons à les entendre. »

Boris Bodnariuk souriait. Il regardait les six officiers assis en face de lui. Ils essuyaient la sueur qui
mouillait leur front. Ils avaient soif. Ils étaient fatigués.

« Nous enterrons les morts le long de la conduite
d'eau et plantons dessus un arbuste afin de constituer
un pont de verdure. Non seulement les cadavres des
prisonniers décédés, mais encore les cadavres d'animaux. Les prisonniers ont sûrement soustrait les cadavres de cinq chevaux, ânes ou mulets afin de les
manger. C'est une déduction logique. Pour vérifier s'il
s'agit de cadavres d'hommes ou d'animaux il faudrait
contrôler environ quatre cents tombes. Cela veut dire
que nous devrions sacrifier quatre cents arbres. Nous
nous sommes opposés à cette opération. Chaque arbre
planté nous coûte cinq litres d'eau par jour. J'ai la certitude que ce sont des cadavres d'animaux et non pas
des cadavres de prisonniers. »

Bodnariuk continua :

« Les prisonniers ne peuvent pas circuler. Pour s'enfuir vers l'Ouest, ils devraient traverser plusieurs cor-
dons de barbelés. Toute tentative d'évasion vers l'Ouest
est à éliminer. Vers l'Est ou vers le Sud c'est mille
kilomètres de désert de sable. C'est la meilleure des
sentinelles. Aucun oiseau n'a le courage de le traverser, ses ailes brûleraient. Le désert est une sentinelle d'une parfaite sûreté.

— En matière de police, rien n'est sûr, dit un autre
officier. Chaque collaborateur doit être contrôlé nuit
et jour.

— C'est absurde de suspecter le désert de sable. Il
ne se laisse traverser par personne. Sortez et essayez de
marcher vers l'Est ou vers le Sud. Vous ne réussirez

pas à faire seulement deux kilomètres. Vous serez dés-
hydratés. Rôtis.

— Tous les évadés de votre chantier l'ont traversé.
Ils ont fait des déclarations complètes. En cette matière tout est clair. Nous sommes venus pour avoir les
complices, ceux qui leur ont donné l'autorisation de
traverser la zone interdite.

Le colonel tira hors de sa poche quelques laissez-
passer. Ces laissez-passer ne pouvaient être délivrés que
par Bodnariuk. Il les regardait.

« Nous voulons les complices de votre bureau qui
ont donné aux bandits ces papiers. »

Les yeux de tous les officiers étaient fixés sur Bod-
nariuk. Ils observaient chaque muscle de son visage.
A ce moment, Natacha Olt se leva dans la pièce voisine.
Elle devait dire la vérité, car elle seule la connaissait.
L'ennemi du peuple, la vipère qui devait être exterminée,
l'organisateur des évasions, c'était Vladimir Kanayan.

Elle se dirigea vers la porte; elle préparait les phrases
de sa dénonciation.

A la fenêtre de la baraque, Vladimir Kanayan suivait chaque geste de Natacha. Et lorsqu'elle posa la
main sur la poignée de la porte, il visa le décolleté
blanc de la secrétaire et déchargea son revolver trois
fois de suite.

Il jeta ensuite le revolver par la fenêtre, aux pieds
de Natacha Olt, et, avant qu'elle se fût écroulée, il
était déjà de l'autre côté de la baraque à écouter la
conversation. Mais il n'y avait plus de conversation. Il
y avait des chaises qui tombaient, des portes qui cla-
quaient, des bruits de bottes. Sur le dos de Vladimir
Kanayan coulaient des gouttes de sueur froides comme
le métal, mais sa figure était impassible. Son corps
immobile.

Les officiers étrangers envahirent la chambre de Natacha. Ils la trouvèrent morte. Ils regardèrent le revolver, le sang, le décolleté troué.

« La première criminelle a fait des aveux complets, cria le colonel. Il n'existe pas d'aveu plus complet, plus spontané fait par un coupable. »

Vladimir Kanayan était changé en bloc de pierre. Il entendit la voix du colonel :

« Vous êtes arrêté pour enquête, Boris Bodnariuk. »

Kanayan se leva. A travers la fenêtre ouverte il vit le grand front de Boris Bodnariuk, il vit sa stature frêle d'intellectuel. Il vit comment un jeune officier le tenait par derrière, comment un autre lui tenait les mains, comment le troisième officier enchaînait les mains blanches de Bodnariuk. Et il se tenait debout. Droit. Immobile, une statue de cire.

Un officier enlevait les papiers des tiroirs.

« Morts aux traîtres et à ceux qui ne les découvrent pas », dit Boris Bodnariuk.

Il se parlait à lui-même, il semblait chuchoter, ses mots sifflaient.

« Je n'ai pas eu le bonheur de tuer celle qui a trahi, mais je veux faire mon devoir envers les Soviets, en tuant ceux qui n'ont pas découvert la trahison, bien qu'elle se soit tramée près de moi, sous mon patronnage. Celui qui ne voit pas l'ennemi des Soviets n'est pas un homme soviétique, un aveugle ne peut pas être communiste, non, Boris Bodnariuk, non, Bodnariuk...

Les poings de Boris Bodnariuk se serrèrent, ils semblaient devenir plus grands, immenses; on aurait dit qu'ils ne pouvaient plus tenir dans les menottes. Et dans son cerveau, semblable à ses poings qui gonflaient, le crime qu'il avait commis, — *ne pas avoir découvert les traîtres qui travaillaient à ses côtés,* — prenait des proportions effrayantes. Bodnariuk savait qu'il existe des crimes auxquels on ne peut pas survivre. Il serra les poings, ses dents grincèrent, ses bras se levèrent tout à coup avec une telle énergie et une telle décision, que rien n'aurait pu les retenir. Les bras aux poings serrés, enflés, enchaînés s'élevèrent le long de sa poi-

trine de toute la force des muscles et de toute la force
de l'esprit et les menottes frappèrent son front avec
une telle puissance que le regard chavira. En cette
fraction de seconde, ses yeux ne virent plus qu'une
infinité d'étoiles vertes, toutes petites, une multitude.
Ensuite, les étoiles devinrent rouges comme le sang qui
coulait de son front. Il sentit une chaleur remplir sa
bouche, pendant quelques instants son visage perçut le
plancher de bois. Il y eut une obscurité violette et
puis rien. Rien.

« Chargez-le dans le camion, ordonna le colonel.
(Il parlait avec haine.) Même après avoir accompli son
crime, un communiste doit travailler pour le parti,
en démasquant les autres complices. Bodnariuk a abandonné son devoir. Cette mort se nomme désertion. Ce
n'est pas la mort, mais un crime — un crime de désertion. »

IX

Après le départ du camion il resta sur le seuil de la
baraque seulement une trace de sang. C'était le sang
de Boris Bodnariuk. C'est tout ce qu'il laissait derrière lui : un filet de sang. Jusqu'alors, depuis l'âge
de trois ans, il n'avait laissé partout que des filets de
sang derrière lui, mais jusqu'à l'arrivée du camion
c'était le sang des autres. Maintenant il laissait son
propre sang. Dès le lendemain, les mesures de police
furent renforcées, on enterra Natacha sous un arbuste
comme les autres cadavres de prisonniers ou d'animaux qui mouraient sur le chantier. Chaque soir on
continua à enterrer les morts le long de la conduite
d'eau. Les avions venaient maintenant et jetaient des
graines sur le sable deux fois par semaine. Vladimir

Kanayan assistait les jeunes dans leurs recherches. Un jour, il rencontra Eddy Thall, la belle prisonnière, qui fit signe qu'elle avait les cinq pièces d'or.

Vladimir Kanayan haussa les épaules. Maintenant, le désert était trop bien gardé. On ne pouvait plus s'évader.

Plusieurs mois plus tard, une caravane de camions apparut. Les prisonniers furent mis en colonnes sur deux rangs et sortis du désert, pas par Moïse, mais par des gardiens soviétiques. Le plan de changement du climat et de culture du désert fut suspendu.

La guerre était déclarée. La main-d'œuvre devait être utilisée ailleurs.

Les baraques furent démontées. Le vent arriva ensuite avec les avalanches de sable et effaça les traces des Soviets. De nouveau, c'était le sable et le soleil qui brûlait tout, même les cadavres. Bodnariuk avait laissé du sang. Le plan des Soviets laissait des cadavres. Vladimir Kanayan restait de nouveau seul, avec la sécheresse, avec la fournaise, avec le sable.

« Moi, je savais qu'ils ne pourraient pas changer le désert en jardin. Même si la guerre n'était pas venue, ils n'auraient pas pu réussir. Pour réussir, ils devaient planter sur des cadavres. Et personne ne peut tuer tant de gens pour couvrir le désert de tombes. Même avec des machines, l'homme ne peut pas tuer tant d'hommes. Seul Dieu le peut. »

Avant de quitter le désert, Vladimir Kanayan mit le feu à la plantation. Il y avait plusieurs milliers d'arbres. Ils brûlèrent rapidement. Kanayan pensa :

« Si les Soviets gagnent la guerre, ils vont revenir. Et ils recommenceront à planter sur des tombes. Il est juste que les arbustes aient brûlé, pour ne plus retrouver les morts. Les morts doivent être libres. Les morts doivent rester en dehors du Plan. »

LE LIVRE
DE LA VICTOIRE
(I)

I

La guerre continuait, les troupes allemandes avançaient en Russie. Des millions d'esclaves étaient dirigés, dans des camions encadrés par des sentinelles vers l'Oural. pour travailler dans les industries d'armement soviétiques. C'était une terre glacée, et aussi loin que les yeux pouvaient voir il n'y avait que des parcs de barbelés, des montagnes de minerai, des rails, des cheminées d'usines.

« Tu travailleras au bureau », dit le gardien.

Il fit signe à Eddy Thall de sortir du rang des prisonnières et lui montra un balai. Ils étaient dans le bureau où les hommes étaient enregistrés avant d'aller travailler dans les mines, sous terre.

Eddy Thall commença à ramasser, avec le balai, la terre qui tombait des chaussures des esclaves. Ils étaient tous étrangers. Ils s'étaient tous enfuis par peur des Allemands et ils avaient tous été arrêtés par les Soviets et envoyés aux travaux forcés. De leur patrie, il ne leur restait que cette terre collée à leurs chaussures. C'était la terre de l'Europe entière. Eddy Thall la ramassait en la regardant à travers ses larmes.

A midi, le gardien qui procédait à l'enregistrement

quitta son bureau. Il posa la main sur l'épaule d'Eddy
Thall, une main lourde, qui sentait la sueur et le
tabac. Eddy recula, mais il lui sourit et lui tendit une
clef.

« Nettoie la chambre voisine. C'est la mienne. »

Il mit sa casquette.

« C'est une grande chance pour une prisonnière
d'être affectée au bureau. »

Ensuite il s'en alla.

Eddy Thall entra seule dans la chambre. C'était une
pièce aux parois de planches, avec un lit de camp,
des photos découpées dans les journaux et collées aux
murs, un poêle de fonte. Elle balaya rapidement, ferma
la porte et revint dans le bureau. Par la fenêtre on
apercevait des femmes transportant des traverses en
fer sur leurs épaules.

« Je m'appelle Ivan », dit le gardien qui était revenu.

De nouveau il posa sa main sur l'épaule d'Eddy
Thall, mais elle recula. Le gardien se laissa tomber
sur une chaise. Il avait toujours sa casquette sur la
tête. Il s'était brusquement attristé. Il ne disait plus
rien, ses gros yeux étaient devenus sombres tout d'un
coup. Son front osseux était triste. La mélancolie
s'était abattue sur ses épaules à insigne, on aurait
dit que ses gros os étaient amollis par la tristesse. Tout
son être était assombri. Il regardait à terre comme un
homme qui va tomber.

Il se leva avec des mouvements lents, endormis. Il
ouvrit tout grand la porte de la chambre voisine, la
chambre au lit de camp.

« Entre », dit-il.

Lorsqu'il vit qu'Eddy Thall ne bougeait pas, il
tendit vers elle sa main comme une griffe. Il l'empoigna par la poitrine avec force et la poussa dans la
chambre au lit de camp. Il ferma la porte à clef. Il n'y
avait qu'elle et lui. Il la regardait.

« Pourquoi ne voulais-tu pas entrer? » demanda-t-il.

Eddy Thall restait au milieu de la pièce. Elle leva
les yeux et vit les poings serrés d'Ivan, son visage
chevalin, ses grosses lèvres brûlées, ses joues mal rasées.

Il tira une cigarette et l'alluma. Son corps géant
s'appuyait contre la porte.

« Tu préfères aller dans les mines et travailler quatorze heures, avec le pic, plutôt que de rester avec
moi? »

Ivan mordit sa cigarette.

« Toutes les étrangères qui portent des robes comme
la tienne, qui sont frisées, qui ont la peau blanche,
préfèrent aller sous terre, dans les mines, plutôt que
de rester au bureau avec moi, dit-il. Je veux savoir
pourquoi. Je veux la vérité. Réponds-moi et je ne te
ferai rien. »

Eddy Thall se taisait.

« Si tu ne réponds pas, je te ferai sortir la langue
en même temps que le souffle. »

Il continuait à mordre sa cigarette avec ses grandes
dents de cheval.

« Si tu me dis la vérité, je te laisse partir, dit-il,
je te promets de t'aider. Je veux savoir pourquoi les
bourgeoises préfèrent rester quatorze heures dans les
mines plutôt que de vivre avec moi.

— Laissez-moi partir, s'il vous plaît », supplia Eddy
Thall.

La main d'Ivan se leva. Il voulut se maîtriser mais
les muscles de son bras étaient trop tendus. Les
muscles d'Ivan étaient comme des arcs tendus par la
haine. Il laissa son poing frapper de toute sa force la
poitrine d'Eddy Thall. C'était un poing capable de
renverser un bœuf, un poing capable de tuer un cheval. Eddy s'écroula, mais auparavant elle entendit la
voix d'Ivan, bouillant de colère.

« Est-ce que je suis plus laid que les mines? criait-il. Est-ce que je suis plus effrayant que les mines? »

Eddy Thall n'entendait plus sa voix. Elle ressemtait le coup dans le sein gauche. Ses côtes semblaient avoir quitté leur place et elle se souvint des craquements du bateau dans le port de Constantza, la nuit de la tempête. Elle se sentait sombrer, et avait l'impression que ce n'était pas Ivan qui l'avait frappée, mais l'homme au manteau de cuir et foulard rouge, celui qui avait crié à Kichinev et dans le désert.

Maintenant, Eddy Thall n'était plus à Constantza sur le navire qui sombrait, elle était de nouveau dans le désert de sable.

Tout brûlait autour d'elle. Le ciel, le sable, sa propre chair. Tout. Après, le désert lui-même fondit. Il ne restait plus qu'une lumière qui surgissait de ses poumons et descendait le long de son menton, une lumière chaude qui coulait sur ses lèvres, sur ses seins, sur son corps jusqu'à la ceinture, une lumière chaude comme un onguent. Le corps d'Eddy Thall cessa de se débattre. Au moment où son sang avait jailli de ses poumons meurtris, de ses veines éclatées, et avait commencé à couler sur ses lèvres, ses joues, ses seins, sous la chemise, tout cessa d'exister.

Eddy sentait contre elle une présence chaude et caressante. C'était son sang, sur sa poitrine, une caresse amicale, chaude, tendre, la caresse de son propre sang. Il s'enroulait sous ses mains petites et blanches d'un mouvement félin, souple comme un chat et glissait doux comme une caresse maternelle. Son corps ne sentait plus la peur. Ce fut le début du calme, de l'apaisement. Tout fondait à la flamme brûlante de son sang, et Eddy Thall voulut tendre la main pour le toucher, mais le sang s'éloignait d'elle.

« Je ne voulais pas te faire du mal, dit Ivan, je ne suis pas un méchant homme. »

II

Eddy Thall ouvrit les yeux. Elle reconnut les cloisons en planches et les photos découpées dans les journaux. Elle reconnut le lit de camp sur lequel elle était
étendue maintenant, des compresses sur la tête. Elle
se souvint d'avoir été battue et de s'être écroulée,
en sang, mais elle ne savait pas quand cela était arrivé.
La veille peut-être. A travers les petites fenêtres elle
apercevait les parcs de barbelés, les tas de minerais
et de charbon. Elle les voyait à travers les larmes. Elle
regarda ensuite, la cuvette, le poêle en fonte, le plancher qu'elle avait balayé. La porte s'ouvrit et Ivan
entra. Eddy Thall ne voulait pas le voir et ferma les
yeux. Elle l'entendit s'approcher sans bruit et s'age-
nouiller près du lit.

« Pardonne-moi », dit-il. C'était sa voix, elle la reconnaissait, mais ce n'était plus une voix dure.
« Toutes les bourgeoises préfèrent rester dans les
mines, plutôt que de vivre avec moi. Seules, les pay-
sannes acceptent. Pourquoi les bourgeoises ne veulent-
elles pas? C'est à cause de ça que j'ai perdu mon sang-
froid. Je voulais savoir une fois pour toutes la vérité.
Je voulais seulement savoir pourquoi les belles femmes
de la bourgeoisie me fuient? Si tu me l'avais dit, je
t'aurais laissée partir, je ne t'aurais pas frappée. »

Eddy Thall écoutait, les yeux fermés.

« Suis-je donc si laid? Je t'ai fait peur? Pourquoi
voulais-tu partir? » continua-t-il.

Elle se taisait.

Il était toujours à genoux près du lit :

« Si tu savais comme tu es belle, dit-il. Jamais je
n'ai vu une femme aussi belle que toi. »

Les larmes coulaient des yeux fermés d'Eddy Thall.
Elles glissaient le long de son menton, sur son cou, vers
les oreilles. La main d'Ivan essuya une larme sur le
cou. C'était la main qui l'avait frappée la veille,
la même main grande et lourde, mais qui ne griffait
plus.

« Pardonne-moi de t'avoir frappée. Je ne te battrai
plus jamais. Hier je t'ai soulevée de terre dans mes
bras. Je t'ai posée sur mon lit. Tu es légère comme
un duvet. J'ai soulevé beaucoup de femmes dans mes
bras mais tu es différente. Tu es comme les anges, on
dirait que tu n'as pas de poids. J'ai fait venir l'infirmière du dispensaire. J'avais peur de te voir mourir.
Nous t'avons soignée tous les deux. Tu étais toute
couverte de sang. Nous avons dû te déshabiller complètement. Je n'ai jamais vu une fille aussi belle —
aussi belle qu'une photo de journal. Tes seins, tes
hanches, tes jambes, tout est comme une écume blanche.
Tes aisselles, tes bras sont semblables à ceux des nouveau-
nés, on n'ose pas les toucher, de peur de les briser. »

Eddy Thall regarda la tête chevaline d'Ivan.

« Toute la nuit j'ai veillé près de toi », dit-il.

Ensuite il se leva. Il prépara du thé et tendit un
verre à Eddy Thall.

« L'infirmière a dit que tu avais les poumons malades, continua Ivan. Je suis content de ne pas t'avoir
laissé descendre dans les mines. Les malades des poumons y meurent en quelques semaines. »

Ivan mit sa casquette.

« Tu me permets de regarder tes pieds? Seulement
le bout de tes pieds. Ils sont si beaux. »

Il souleva la couverture. Eddy Thall ramena ses
pieds sous elle, avec crainte, mais Ivan les avait vus,
et il était heureux. Il sortit, sa tête de cheval illu-
minée par la joie.

De nouveau, Eddy Thall resta seule. Personne
n'avait jamais regardé ses pieds avec une telle admi-

ration que le géant qui venait de quitter la chambre.
Eddy Thall était honteuse à l'idée que l'homme qui
s'était prosterné à ses pieds comme devant une chose
sainte était le gardien qui l'avait battue la veille. Et
pourtant son admiration lui faisait du bien. Il l'aimait, et aucune femme ne reste indifférente lorsqu'elle
est aimée et divinisée, même si l'homme qui l'aime est
une brute.

Pendant quelques instants, Eddy Thall oublia qu'elle
était déportée dans l'Oural, qu'elle était envoyée dans
les mines, elle oublia qu'elle venait du désert, qu'elle
avait été battue jusqu'au sang la veille. Elle avait tout
oublié. Et tout lui paraissait d'importance secondaire.
Le principal était qu'un homme se fût prosterné devant ses pieds brûlants de fièvre. La Terre promise
que cherche une femme n'est pas une terre, mais
l'instant où un homme l'aimera plus que tout au
monde. Mais lorsqu'elle se souvint d'Ivan, Eddy Thall
eut honte. Elle se sentit envahie par l'effroi et le
dégoût.

III

Boris Bodnariuk était à l'hôpital. Non seulement
le parti ne le considérait pas coupable mais il avait
reçu des éloges officiels pour son activité concernant
la fertilisation du désert et le changement du climat.
Son front brisé par les menottes guérissait. Il y restait
seulement une cicatrice, un fragment de peau morte
en forme de feuille.

Boris Bodnariuk attendait à l'hôpital l'approbation
de sa demande de départ pour le front. La majorité
des blessés était constituée par de jeunes officiers de
l'aviation rouge, les premiers héros de la lutte contre
l'Allemagne.

« L'individu ne peut pas vivre en dehors du parti »,
dit Boris Bodnariuk. Il se trouvait sur la terrasse du
sanatorium avec un jeune sous-officier aviateur, Anatole Barsov, blessé près de Kiev. « Un individu qui se
sépare du parti court au déséquilibre ou à la mort.
Pour un communiste il n'existe pas de vie possible
hors du parti. Hors du parti, un communiste se trouve
dans le vide. »

Le sous-officier aviateur Anatole Barsov écoutait
avec attention. Tout le monde à l'hôpital écoutait
attentivement les paroles de Boris Bodnariuk, le héros
qui avait essayé de transformer le climat.

« Le plus grand malheur qui puisse arriver à un
communiste, c'est d'être rejeté par le parti et obligé
de vivre dans un monde bourgeois. »

Un infirmier appela Boris Bodnariuk à la direction.
L'aviateur Anatole Barsov l'attendit sur la terrasse
mais Bodnariuk ne revint pas.

Dans le cabinet du directeur, deux généraux étaient
venus de Moscou pour le voir, et tous trois étaient
maintenant en train de parler.

Dans la cour de l'hôpital, l'auto portant les insignes
du grand quartier général de l'armée rouge attendait
Boris Bodnariuk qui devait partir cette nuit même.

IV

Les généraux soviétiques serrèrent la main de Boris
Bodnariuk. Ils regardaient la cicatrice jaune qu'il avait
au milieu du front et son vêtement de cuir, passé sur
son pyjama.

« La patrie soviétique traverse des moments très
difficiles », dit un des généraux.

C'était un vieux militaire de Budieny.

« Les troupes fascistes avancent maintenant en direction de Moscou. Elles ont conquis l'Ukraine. La patrie fait appel à tous les éléments d'élite. Nous venons vous inviter à Moscou, en vue d'une mission digne de vous. Vous avez fait des miracles dans la steppe. Malheureusement nous avons dû interrompre les travaux et consacrer toutes nos forces aux industries de guerre, mais après la victoire nous reprendrons notre activité et nos plans de transformation du climat et culture du désert. » Boris Bodnariuk rougit, ému. Son rêve, aller au front, se réalisait.

« Le commandant de l'Armée Rouge a l'intention de vous nommer général, dit le vieillard, dès que vous serez complètement rétabli, et de vous confier une mission des plus importantes. »

Boris Bodnariuk entendit un seul mot « général ». Il revit en imagination, comme dans un film, toute sa vie depuis l'accident d'Angelo : le Collège, les habits de recalé, la traversée du Dniestr à la nage, l'Académie de Moscou, le désert, les plantations sur sable, Natacha, l'hôpital, Anatole Barsov... Et maintenant, devant lui, ces deux généraux qui venaient à l'hôpital pour lui dire : « Le commandement de l'Armée Rouge veut vous élever au grade de général. »

« L'état-major désire aller vite, dit le vieillard. Les Allemands avancent furieusement. Nous avons projeté la réorganisation complète de l'Armée Rouge. Je veux dire : la réorganisation de l'Armée Rouge derrière les lignes ennemies. Si vous vous sentez guéri, nous vous offrons le poste de commandant de toutes les armées soviétiques derrière le front. A Moscou vous aurez d'autres détails. Pendant le voyage, vous devrez établir un plan. Qu'il soit prêt à votre arrivée à Moscou. Vous devez passer les lignes ennemies et constituer une autre armée rouge. Au début, ce sera une armée de partisans, ensuite une armée régulière. Le principal, c'est d'aboutir à la victoire, le plus rapidement possible. Pensez aussi à l'endroit où vous voudrez établir votre quartier général, — Bucarest, Varsovie, où il vous plaira. Nous vous laissons toute liberté. Habillez-vous et tracez votre plan. »

V

Un mois plus tard, Boris Bodnariuk débarquait en gare de Bucarest. Il était général, mais général sans uniforme. Il était le commandant suprême de l'armée soviétique derrière les Allemands, mais cette armée n'existait pas. C'est lui qui devait la créer. Les affiches de la gare annonçaient la présence des troupes allemandes aux portes de Moscou. Boris sourit.

« Si les Allemands détruisent l'armée soviétique régulière, ils auront à lutter avec l'armée clandestine, celle que je créerai. »

Il se dirigea vers l'hôtel. Le lendemain, il revêtit un uniforme de capitaine roumain et se mit en devoir d'établir son plan d'organisation d'une armée secrète.

Dès le début, il ne rencontra que des obstacles. Sa mission paraissait impossible à réaliser. Il parcourut les pays voisins. Il pénétra dans tous les groupements. Sa mission semblait vouée à l'échec. Sur les vingt millions d'habitants formant la population de la Roumanie, huit cents seulement étaient membres du parti communiste. Ces huit cents étaient étroitement surveillés. On ne pouvait pas travailler avec eux. En Hongrie, en Bulgarie, en Tchécoslovaquie, c'était la même chose. Le seul groupe communiste homogène se trouvait dans les montagnes serbes. C'étaient les communistes du maréchal des Slaves du Sud. On ne pouvait pas collaborer avec lui non plus. C'était un orgueilleux. Pendant plusieurs mois l'activité de Boris

Bodnariuk se résuma à quelques actes de sabotage et à quelques centaines de radiogrammes chiffrés contenant des nouvelles de piètre importance.

*

Boris Bodnariuk monta dans sa chambre comme chaque soir. Il était près de minuit. Il voulait transmettre un radiogramme. Il commençait à monter l'appareil émetteur lorsqu'il entendit sonner l'alerte. Il mit rapidement sa tunique et sortit dans la rue. Il voulait juger des effets du bombardement. D'habitude, les bombes jetées par l'aviation soviétique n'explosaient pas. Bodnariuk entra dans un bar. Il demanda un café. Il écoutait le vrombissement des avions essayant de deviner les objectifs visés. C'étaient des avions soviétiques. Les clients regardaient l'uniforme de capitaine de Bodnariuk et plaisantaient sur les bombes russes qui ne faisaient jamais explosion. Bodnariuk tourna la tête. Il vit une vieille femme ivre qui tenait à la main une petite lampe de poche. Elle voulut sortir mais on l'en empêcha. Il était défendu de circuler pendant les bombardements. La femme ne voulut rien entendre. Elle poussa un juron et sortit dans la rue.

« C'est une domestique, dit le patron. Elle habite à côté, à vingt mètres d'ici. »

Il voulait l'excuser vis-à-vis de Boris, qui était la seule autorité de l'établissement, parce qu'en temps de guerre tout officier est considéré comme une autorité.

« C'est une vieille alcoolique, continua le patron, une malheureuse, elle était bonne chez une artiste juive. L'artiste est partie et la vieille n'a jamais voulu se louer chez un autre maître. Maintenant elle boit ses économies, voilà. »

Boris Bodnariuk écoutait le récit du cafetier sans

aucun intérêt. C'était une histoire comme il y en a
tant...

On entendit tomber une bombe quelque part. Les
vitres tremblèrent. D'autres bombes tombèrent plus
près, une maison s'effondra et brûla. On entendit des
motocyclettes et les voitures des pompiers. Elles s'arrêtèrent juste devant le bar. Les clients descendirent
dans la cave. Boris Bodnariuk pensa à son poste émetteur et sortit. Il se glissa le long du mur. La maison
était en face, mais elle était cernée par des soldats et
des policiers.

Les agents n'étaient pas encore entrés dans la maison. Le cœur de Bodnariuk battait.

« Je suis peut-être découvert », pensa-t-il. Au même
instant une bombe tomba sur l'immeuble de six étages
où il habitait. Les étages supérieurs s'écroulèrent.
Bodnariuk s'appuya contre le mur. On entendait des
cris, la fumée sortait, la maison brûlait. Les gens se
précipitèrent dans la rue. Bodnariuk était immobile,
le dos au mur. Il pensait uniquement à son poste
émetteur. Si l'incendie n'éclatait pas et si l'appartement
n'était pas détruit, le poste pouvait tomber entre les
mains ennemies, mais il ne pouvait rien voir à cause
de l'obscurité. On ne pouvait discerner que des cris
et des bousculades.

VI

La foule qui bougeait dans l'obscurité cria :
« On a pris des espions soviétiques. »

Bodnariuk sentit la sueur perler sur son front. Il
se colla davantage au mur, dans le noir. Il avait caché
l'appareil de radio dans sa chambre, dans un mur.
Si l'appareil était découvert, l'activité clandestine de

Bodnariuk derrière l'ennemi prenait fin. Il serait arrêté et fusillé.

Boris Bodnariuk se mêla à la foule. Un cordon de police était établi devant l'entrée. Les sirènes sonnaient la fin de l'alerte. Les équipes de sauvetage descendirent une vieille femme sur une civière. Boris Bodnariuk se trouvait au centre de la foule qui, le voyant en uniforme d'officier, lui faisait place. Sans le vouloir, Bodnariuk se trouvait maintenant devant les policiers et près de la civière sur laquelle gisait la vieille. Un magistrat militaire en costume bleu marine parut. C'était un procureur. L'agent fit son rapport.

« Aussitôt après le début de l'alerte, on nous a fait savoir qu'une personne faisait des signaux à l'aide d'une lampe électrique, sur le toit de l'immeuble. Nous nous sommes rendus sur les lieux. Entre-temps, des bombes tombèrent sur l'immeuble. La personne qui faisait des signes a été trouvée morte dans les décombres, sur la terrasse de la maison. Elle tenait sa lampe à la main. »

Le policier montra la vieille sur la civière.

« Cela ne fait aucun doute. C'est d'elle qu'il s'agit. Nous l'identifierons. »

Le concierge de l'immeuble bombardé se fraya un passage parmi la foule.

Il regarda la femme morte.

« C'est Tinka Neva, dit-il, Tinka, je la reconnais. C'est la locataire de la mansarde. »

Boris Bodnariuk regarda aussi le visage de la femme. C'était la vieille qu'il avait vue au bar au début de l'alerte.

« C'était la domestique d'une famille juive, la famille Thall. Après le départ des juifs, Tinka habitait une mansarde. Elle était devenue alcoolique. C'est Tinka Neva. Oui. C'est elle. »

Les lampes des policiers éclairaient le visage aux rides profondes de la vieille bonne.

« Je ne la savais pas communiste », dit le concierge.

Il ne serait venu à l'idée de personne que Tinka était communiste. On la croyait une personne comme il faut, une ivrogne, mais rien de plus.

Boris Bodnariuk regarda le procureur militaire.

Sa figure ne lui était pas inconnue. Il l'avait déjà vu. Il se souvint du Collège royal. Le procureur militaire était son ancien condisciple Pierre Pillat. Boris Bodnariuk s'éloigna, se mêlant de nouveau à la foule. Tout le monde parlait de Tinka Neva, l'espionne communiste. Bodnariuk écoutait des bribes de conversation.

« Si elle n'avait pas été espionne communiste, elle n'aurait pas eu tant d'argent pour boire à longueur de journée. »

Une autre voix confirmait :

« A chaque alerte, Tinka Neva montait sur le toit avec sa lampe. J'avais déjà remarqué la grosseur anormale de la lampe. C'était pour faire des signaux aux avions soviétiques. »

Boris Bodnariuk grava dans sa mémoire le nom de Tinka Neva, qu'il entendait pour la première fois. Il connaissait le nom véritable de chaque agent soviétique de Bucarest. Il n'existait pas de Tinka Neva, mais la foule ne parlait que d'elle.

« C'est pour ça que Tinka Neva ne voulait plus se placer après le départ d'Eddy Thall, elle faisait de l'espionnage. »

Boris Bodnariuk regarda le cadavre de Tinka Neva que l'on chargeait dans une ambulance. Le procureur Pierre Pillat s'adressa au policier :

« Tinka était peut-être une espionne soviétique, mais il ne s'agit peut-être aussi que d'une lubie de la part d'une femme âgée et alcoolique. J'ai connu Tinka Neva. Personnellement, je ne pense pas que c'était un agent soviétique. Nous tâcherons de faire la lumière. Nous ordonnerons une enquête. » Bodnariuk monta dans sa chambre. Tout était en ordre. Seules les

chambres de l'aile nord avaient été détruites. Chez
lui, les murs étaient intacts. L'appareil émetteur était
à sa place dans sa cachette murale. L'argent était à sa
place ainsi que tous les papiers. Boris Bodnariuk défit
son col. Pendant un instant il pensa à son camarade
de lycée, à Pierre Pillat, maintenant procureur militaire. Il pensa à Tinka Neva et à la foule qui commentait les faits. Devant ses yeux surgit, éclairé par les
lampes des agents, le visage pâle de la vieille morte,
un visage de femme qui travaille. Avec beaucoup de
rides. Une tête à cheveux blancs couverts d'un mouchoir noué sous le menton.

« C'est la figure classique de la vieille prolétaire,
se dit Boris Bodnariuk. Même si elle est montée sur la
terrasse avec sa lampe allumée par inconscience ou
parce qu'elle était ivre, son acte prend une valeur. De
ce simple fait on peut créer une légende. »

Bodnariuk pensa à son activité clandestine, à l'inertie
des masses, à l'indolence des travailleurs.

« Les masses de l'Europe ont besoin de héros pour
se mettre en mouvement, pour être entraînées, comme
les barques ont besoin de voiles. »

Bodnariuk commença la rédaction de son rapport.
Il employait le style officiel. Il parlait des prolétaires
opprimés par la bourgeoisie fasciste de l'Europe, de
l'Armée Rouge attendue pour libérer les travailleurs.
*Une vieille prolétaire, Tinka Neva, en chômage depuis
longtemps et qui habitait à Bucarest, rue Apolodor
numéro 165, surgit de la nuit de ses souffrances sur les
toits de la ville comme sur une barricade, pour adresser
des signaux aux avions rouges libérateurs. Sur le toit
du plus haut immeuble elle trouva la mort, mais elle
montre la vigueur avec laquelle sait lutter la classe
ouvrière dans les régimes bourgeois et fascistes. Elle sert
d'exemple aux travailleurs du monde entier. Tinka
Neva est l'héroïne, la martyre, le symbole de la classe
ouvrière.*

Boris Bodnariuk écrivit longtemps. C'était le rapport le plus long qu'il eût rédigé depuis qu'il luttait dans la clandestinité. Dehors, il faisait jour, Bodnariuk revêtit son uniforme et descendit dans la rue. Il parla au concierge, aux voisins. Ils étaient tous enclins à croire que Tinka Neva était un agent soviétique, — autrement, elle ne serait pas montée sur les toits faire des signaux aux avions ennemis. Boris Bodnariuk était heureux. La légende de Tinka Neva était destinée à durer. Il en expédia le texte par le courrier qui partait pour Ankara et, de là, pour Moscou.

Quarante-huit heures plus tard, tous les journaux du monde consacraient des colonnes entières à la lutte héroïque de la prolétaire Tinka Neva, qui, à elle seule, avait mené la guerre contre le nazisme, le fascisme, et tous les ennemis, pour la liberté.

Grâce à l'Agence Tass et aux journaux américains, « Tinka Neva » était devenue, dans la semaine, le nom le plus familier aux auditeurs de T.S.F. Elle était citée dans tous les articles qui parlaient de lutte et de liberté. Tinka Neva était devenue le drapeau des nations alliées.

VII

Pendant que le monde civilisé de l'Occident parlait de Tinka Neva comme d'un symbole de la liberté, pendant que les compositeurs de musique, les auteurs d'articles de journaux se servaient de son nom comme d'une sainte relique et que les magazines illustrés offraient des sommes fabuleuses pour une photo de l'héroïne antifasciste morte au-dessus de la ville, sur les barricades du plus haut étage, le corps de Tinka Neva se trouvait à la morgue de Bucarest.

On la déshabilla, on examina sa peau, ses cheveux, ses ongles. Ensuite, le corps de Tinka Neva fut découpé en petits morceaux sur la table d'autopsie. On examina attentivement son foie, son cœur, son cerveau et ses poumons.

On sortit ses viscères; un à un, on les pesa. Ils furent bouillis, colorés et dissous dans des éprouvettes et des cornues. Le troisième jour après sa mort, Tinka Neva était toujours nue, découpée, dans la salle d'autopsie, elle qui toute sa vie avait eu horreur des papiers et des autorités. Elle, qui ne s'était jamais pesée pendant les soixante années de son existence, était maintenant pesée, morceau par morceau. On pesa son foie, on pesa son cerveau et son cœur mort. On examina tout ce qu'elle avait dans l'estomac, dans les intestins et dans la vessie. On établit ce qu'elle avait mangé, ce qu'elle avait bu. Et cependant que son corps, mort, était dépouillé de tout ce qu'il avait de caché, son nom était prononcé par tous les postes de radio dans toutes les langues de la Terre. Son nom était écrit et porté au loin, partout. Si elle avait vécu, Tinka Neva serait morte cent fois de honte, voyant qu'il lui arrivait une si indécente aventure.

Mais Tinka Neva ne savait rien de ce qui se passait sur terre. Elle était morte. Après sa mort elle chercha avec assurance la porte du paradis, où se tient saint Pierre, les clefs à la main. Pendant toute sa vie, Tinka Neva avait cru passionnément au Ciel, à l'enfer et à l'existence de saint Pierre. C'est à cause de cela qu'elle le chercha après sa mort. Elle ne connaissait que saint Pierre. Et si elle le trouvait dans l'autre vie et si le saint lui demandait : « Tinka Neva, quelle idée vous est venue de monter, sur les toits, vous, femme âgée, avec une lampe allumée pendant l'alerte? », Tinka Neva répondrait : « Je n'étais pas sur le toit, j'étais sur la terrasse. Pour entrer dans ma cellule de la mansarde, je devais traverser la terrasse qui dominait l'immeuble. Une vieille femme se dirige mal dans l'obscurité, voilà pourquoi j'avais une lampe. Mais je ne m'imaginais pas que juste à ce moment-là, les aviateurs dans les nuages me regardaient. — Tu n'avais pas bu ? » A cette question Tinka Neva aurait baissé la tête. Et elle aurait répondu : « Si je n'avais pas bu, je n'aurais pas allumé la lampe. » Et elle aurait ajouté : « J'ai bu par chagrin, saint Pierre. Après le départ de ma maîtresse, Mlle Eddy Thall, j'ai eu tant de peine, que j'ai bu et j'ai pleuré chaque jour, mais je n'ai pas bu par débauche, saint Pierre, j'ai bu par chagrin, pas par débauche, non... »

Alors saint Pierre, si Tinka Neva le rencontrait dans l'autre vie tel qu'elle se l'imaginait, mettrait sa main paternelle sur son épaule et la ferait passer dans le rang des pauvres en esprit, avec les brebis, les lapereaux et les colombes, avec les âmes des premiers morts et de tous ceux qui furent purs, car s'il existe un paradis, il est fait pour eux. Et Tinka Neva obtiendrait la rémission de son péché, qui fit que deux personnes trouvèrent la mort, écrasées cette nuit-là, dans le bombardement de Bucarest.

VIII

Eddy Thall ne guérissait pas, mais elle avait maintenant un lit pour souffrir. Ivan couchait dans le bureau. Il était devenu son infirmier et souffrait comme pour une sœur lorsque le sang jailli des poumons grignotés par la tuberculose rougissait les oreillers. Si le gardien Ivan avait déclaré Eddy malade, elle n'aurait pas été envoyée dans les mines, mais transférée à l'infirmerie du camp. Et personne ne sortait vivant de la baraque de l'infirmerie. Chaque jour on emmenait des dizaines de cadavres nus, glacés, et on les jetait dans les fosses communes. Ivan continuait à déclarer Eddy Thall femme de ménage, domiciliée au bureau, et attendait le jour de la Victoire. Il apportait les nouvelles concernant le développement de la guerre.

« Les troupes soviétiques ont pris Bucarest », dit-il un jour.

Eddy Thall se mit à pleurer de joie. C'était un grand événement, cette entrée des Soviétiques dans Bucarest. Mais la Victoire n'était pas venue. Il restait d'autres pays à conquérir. Pourtant les prisonniers des mines reprirent courage. Les corps des milliers de juifs qui travaillaient sur cette terre glacée, transportant les charges, poussant les wagonnets de minerais, ou bien chargeant des traverses, se redressèrent. Chaque juif des mines avait la conscience d'être un soldat luttant aux côtés des cinquante-deux nations, pour la Victoire et la Liberté. Chacun d'eux encourageait son corps, vieilli, dévoré par les abcès et les poux, décharné par la faim et le froid, comme on encourage un cheval pendant une course désespérée en lui disant : un peu, encore un peu... Mais les corps étaient lourds à porter.

Une nuit, Eddy Thall rêva de Tinka Neva. Ensuite de Lidia Petrovici et de Milostiva Debora Paternik. Elles quittaient leurs tombes. La terre s'ouvrait, les couvercles des cercueils se soulevaient et les juifs en sortaient pour fêter la victoire. Esther et Rebecca Reingold s'élevaient des vagues de la mer Noire en robe de fête. Sur une scène, comme dans les icônes, se tenaient Churchill, Roosevelt et Staline. Ils souriaient aux martyrs qui surgissaient des entrailles de la terre, des vagues de la mer et des cendres, et ils les félicitaient d'avoir contribué à la Victoire. Churchill fumait un cigare et Roosevelt portait une cravate d'or. Ils étaient assis, tels des dieux sur des trônes de lumière et disaient aux juifs qu'ils avaient bien résisté dans les mines, dans les prisons, dans les déserts de sable et dans les cachettes. C'était un beau rêve, Eddy Thall aurait voulu qu'il dure éternellement, mais la voix d'Ivan la réveilla :

« La Victoire est arrivée! cria-t-il. Nous avons reçu l'ordre de laisser les étrangers retourner dans leurs patries. Chaque étranger doit présenter une demande, et ensuite il peut rentrer chez lui. »

Eddy Thall éclata en sanglots.

« La Victoire, dit-elle... Je savais que ce jour viendrait. Je l'avais trop désiré. Des millions d'hommes l'avaient trop désiré pour qu'il n'arrive pas. Et le voici arrivé. La Victoire... »

Elle voulut se lever.

« Je porterai ta requête », dit Ivan.

Il la supplia de garder le lit.

« Je veux donner de mes mains ma demande de retour dans mon foyer, dit Eddy Thall en pleurant. Laisse-moi m'habiller et porter toute seule ma requête. »

Ivan sortit.

Eddy Thall se dirigea vers la petite glace pendue au mur et dont Ivan se servait pour se raser. Elle s'y regarda. Elle y aperçut des fils blancs, une quantité de fils blancs. Ses cheveux avaient perdu leur brillant. Ils étaient tristes. « Chez les femmes qui souffrent, ce sont d'abord les cheveux qui meurent », pensa Eddy Thall. Ils deviennent foncés, tristes, ternes. Les femmes gaies ont une chevelure vivante, chargée de lumière. Dans la souffrance, cet éclat meurt. Peu à peu la chevelure devient mate, sans vie, comme un tissu de laine ou de coton.

Eddy Thall vit dans la petite glace d'Ivan que ses cheveux étaient morts :

« Je savais que j'avais des cheveux blancs, mais je ne m'en connaissais pas tant. »

*

Elle peignait ses cheveux gris, rares, morts, avec le peigne d'Ivan.

« Quand je pourrai me faire coiffer, mes cheveux reprendront vie. »

Elle regarda ensuite ses yeux. Ils étaient exactement comme autrefois mais ils avaient perdu leur lumière. Le regard sans éclat semblait mort. C'était la même Eddy Thall, celle qui, autrefois, faisait du théâtre, mais ce n'était plus son regard. Chez les femmes qui souffrent, l'éclat des yeux se meurt et leur regard devient précis, net, sobre comme la terre. Les yeux des femmes qui ont souffert deviennent comme une terre dont les fleurs sont séchées, où l'herbe est morte et les sources taries, une terre glacée.

Tels étaient maintenant les yeux d'Eddy Thall, les mêmes qu'autrefois, mais leur éclat était éteint. Eddy Thall pensa à l'article qu'elle avait lu dans *la Pravda*. On disait que six millions de juifs avaient été incinérés dans les camps allemands. Elle se trouvait parmi les privilégiés, car elle était encore en vie le jour de la Victoire. Ses yeux manquaient d'éclat, mais ils vivaient; douze millions d'yeux avaient été brûlés ou avaient pourri et ne verraient pas la Victoire. En dehors de ces douze millions d'yeux juifs, il y en avait d'autres. Les yeux noirs des Grecs, les beaux yeux des Françaises, les yeux bleus des Norvégiennes, des Danoises, des Hollandaises, les yeux ardents des Italiennes, tant d'autres qui avaient pourri, qui avaient brûlé, qui ne verraient pas la Victoire. Eddy Thall était reconnaissante envers le sort. Même avec des regards morts, elle pouvait voir le jour de la Libération.

Elle découvrit alors les cernes qui entouraient ses yeux. Des cernes couleur d'encre. « Quand l'œil meurt, se dit-elle, il se cache au fond de l'orbite comme dans une caverne. » Ses orbites étaient maintenant comme deux tombes ouvertes au fond desquelles étaient en-

terrés les globes de ses yeux. Son front était couvert
de rides. Elle voulut le lisser mais les plis en étaient
profonds, comme creusés au couteau. Il y avait aussi
les pattes d'oies et les rides du coin des lèvres et celles
du menton, les plus nombreuses. Il y avait aussi les
rides de son cou.

Eddy Thall leva la tête. A ce moment elle eut un
accès de toux et des gouttes se sang fleurirent son
mouchoir comme des pétales rouges, mais elle n'eut
pas peur. La tuberculose peut se guérir. Le principal
c'est que le jour de la Victoire soit arrivé. Elle pensa
aux montagnes de Roumanie, avec leurs forêts de
sapins. A travers la vitre on apercevait les parcs de
barbelés et les grands tas de minerai; une prisonnière
criait, frappée par un gardien. Eddy Thall voulut
mettre sa robe. Elle examina sa poitrine, ses seins
étaient mous, tristes, pendants, comme de vieux fruits
sur une branche. Elle se massa les épaules. Les clavicules étaient saillantes. Son corps semblait accroché
aux clavicules comme une robe sur un cintre trop
grand.

Eddy Thall mit une grossière chemise militaire, elle
pensa à ses combinaisons de soie, courtes, mousseuses.
Elle mit des bas de laine et une grosse jupe. Elle ne
savait même plus où elle l'avait eue. Les habits étaient
laids. Elle regarda son visage. Un peu de rouge sur ses
lèvres violacées aurait tout changé.

Ivan apporta un papier et un porte-plume pour la
demande de rapatriement. Eddy s'étendit sur le lit;
se vêtir l'avait fatiguée. Ivan avait écrit la pétition et
la lisait. Eddy Thall écouta les derniers mots : « Je
vous prie de bien vouloir approuver mon rapatriement
en Roumanie. » Elle leva la main et signa lentement
« Eddy Thall. » C'était la même écriture. Elle pensait
qu'elle avait possédé un stylo. Jamais encore elle n'y
avait pensé. Il avait disparu à Kichinev. Elle se souvint
aussi d'autres objets qui lui avaient appartenu, d'un

petit poudrier en argent, de son sac à main. Toutes
ces choses étaient comme autant de morceaux de sa
chair. Dans sa fuite, elle les avait toutes laissées dans
les camps, ou perdues comme une biche poursuivie
laisse des lambeaux de sa propre chair. Mais comme
les biches, talonnée par la peur et préoccupée de sa
course, elle ne s'en était même pas aperçue. Elle n'en
avait pas ressenti de douleur. Maintenant seulement
elle pensait aux choses qu'elle avait abandonnées partout avec les gouttes de son sang et les morceaux de
sa chair. Eddy Thall se souvint des ciseaux à ongles,
du peigne incrusté d'argent, de son dé à coudre, de
sa lime à ongles, de tout. Elle n'avait même plus de
brosse à dents. Jusqu'à présent elle n'avait pas remarqué la disparition de ces objets. Dans les situations
graves, dans les moments dangereux, on ne s'aperçoit
pas que l'on égare quelque chose. Pour la première
fois elle se rendait compte qu'il ne lui restait plus rien,
qu'elle avait tout perdu.

Eddy Thall se leva, appuyée sur le bras d'Ivan elle
se dirigea vers le bureau pour remettre sa pétition le
plus vite possible.

Devant la baraque, des centaines de personnes
joyeuses attendaient pour remettre leur pétition. Il
n'y avait que des jeunes. Les mines avaient opéré la
sélection des esclaves. Les vieillards et les malades
étaient morts depuis longtemps. Seuls, restaient les
jeunes et les forts. Eddy Thall toussa, mais elle pensa :

« Moi aussi, je suis forte, moi aussi j'ai résisté. » Elle
continua à tousser et serra dans ses mains la pétition
où elle avait écrit : « Je vous prie de bien vouloir approuver ma demande de rapatriement en Roumanie... »

IX

Des mois passèrent. Un jour on reçut l'ordre de
laisser partir uniquement les citoyens d'origine polonaise. Il n'y aurait pas d'autres rapatriements. Toutes
les demandes furent annulées. Les autres prisonniers
devaient rester en U.R.S.S.

D'abord Eddy Thall ne voulait pas le croire, ensuite
elle voulut protester. A la fin elle s'écroula sur son lit
en toussant et en pleurant. Et elle demandait aux murs,
à elle-même, à Ivan, car elle ne pouvait le demander
à personne d'autre :

« Combien de temps va-t-on nous garder encore ici?
Combien de temps vais-je rester encore?

— Ce serait un grand bonheur, si tu pouvais rester
ici, répondit Ivan en pesant ses mots. La situation ne
serait pas grave si tu pouvais rester encore ici. Je pars
demain, continua-t-il. Je suis affecté à un camp en
Sibérie. Nous autres, les gardiens, nous sommes comme
les soldats, nous devons aller où nous sommes envoyés.

— Va où tu voudras! cria Eddy Thall. Moi, je veux
savoir combien de temps on va me garder encore ici.
Rien d'autre. Rien.

— C'est la chambre du gardien du bureau, dit Ivan.
Demain il arrive un nouveau gardien. Moi, je pars. »

Eddy Thall le regarda, épouvantée.

« Il y a des questions plus importantes que le rapatriement, dit Ivan. Mon successeur va emménager demain. Que vas-tu faire? »

Ivan se leva et mit sa casquette.

« Si tu vas dans les mines, tu meurs, dit-il. Dans
quelques semaines tu seras morte. Morte. Voilà la
situation. »

Ivan attendit une réponse.

« Veux-tu que je parle à mon successeur pour qu'il te garde encore ici?... » Ce qu'il avait à dire était pénible, mais il devait tout dire. « Je peux lui parler, oui, je le peux, mais il faut me comprendre. Il va coucher dans cette chambre. Il ne dormira pas dans le bureau, comme moi. Dis-moi, que veux-tu faire? Voilà la situation. »

Eddy Thall se leva. Elle n'avait plus le vertige. Elle n'était plus fatiguée. La fièvre avait disparu. Elle s'habilla en hâte.

« Que décides-tu? » demanda Ivan.

Elle continuait à s'habiller rapidement, comme lorsqu'un incendie éclate.

« Veux-tu rester avec lui, ou vas-tu dans les mines? As-tu choisi? »

Eddy Thall se planta devant lui, les lèvres serrées, le visage crispé.

« La mort », dit-elle.

Ensuite, elle serra de nouveau les lèvres et les dents et disparut, laissant la porte grande ouverte, laissant Ivan, les murs avec leurs photos de journal, le lit de camp et le mot prononcé avec des lèvres crispées « la mort »...

X

Eddy Thall courait parmi les poteaux entourés de barbelés, par-dessus des traverses. Le vent glacé lui coupait la respiration comme un couteau. Elle ne pensait plus à rien. Elle courait et appuyait ses mains sur sa poitrine. Ensuite elle tomba sur un tas de suie gelée et se mit à tousser. Elle resta sans bouger, n'attendant plus rien.

Quelqu'un lui toucha l'épaule, et l'appela par son nom. Ensuite les bras la soulevèrent et l'emmenèrent.

« Pourquoi pleurez-vous? »

Elle ouvrit les yeux. Elle était dans une baraque en planches, étendue sur un lit de camp. Deux hommes se tenaient près d'elle, deux prisonniers. C'était le médecin et le fourrier.

Ils étaient dans la baraque de l'administration.

« Pourquoi pleurez-vous?

— Parce que je suis juive, dit Eddy Thall, et elle pleura de plus belle.

— Nous aussi nous sommes juifs.

— Pourquoi m'envoie-t-on dans les mines après la Victoire? A quoi bon la mort des millions d'hommes si les esclaves ne sont pas libérés le jour de la Victoire? Pourquoi Churchill a-t-il bu du champagne devant les photographes?...

— Calmez-vous, nous serons libérés, dit le médecin.

— On ne peut pas rendre la liberté à des cadavres, cria Eddy Thall.

— Je vais vous faire une piqûre, dit le médecin prisonnier, cela vous calmera. »

La proposition d'Ivan, de devenir la maîtresse du nouveau gardien, lui revint à l'esprit. Elle serra son front dans ses poings et se précipita vers la porte.

« Je ne veux pas de piqûre, je ne veux pas être foulée aux pieds, humiliée, battue. Pourquoi me faire une piqûre? Je ne veux pas être souillée. A quoi bon une piqûre? »

Eddy Thall s'écroula dans une quinte de toux, la bouche remplie de sang. L'unique chaleur qu'elle sentait, c'était la chaleur de son propre sang... Le médecin prisonnier lui fit la piqûre. Elle ouvrit les yeux. Alors elle comprit qu'en dehors de son sang, il existait autre chose de chaud dans l'esclavage, le sang de ses frères et sœurs de race.

« Nous avons une organisation qui s'occupe du

sauvetage de nos coreligionnaires des autres pays, dit
le médecin. Seuls les juifs polonais ont la permission
de retourner dans leur patrie. Le convoi aura lieu dans
quelques jours. Nous pouvons emmener nos femmes
avec nous.

— Voulez-vous contracter un mariage de pure forme
avec un juif polonais, afin de pouvoir partir d'ici? »

Eddy Thall le regardait avec de grands yeux.

« Des centaines de juives, roumaines, bulgares, hon-
groises, de toutes les nationalités, pourront de cette
manière quitter les mines. Mon ami Isaac Salomon est
célibataire. Vous ferez un mariage blanc. Et vous partirez. Etes-vous d'accord?

— Voulez-vous répéter? dit Eddy Thall.

— C'est une simple formalité, afin de pouvoir quitter
ces lieux. Chaque juif polonais arrache ainsi une core-
ligionnaire au travail des mines. Etes-vous d'accord? »

Les yeux d'Eddy Thall se remplirent de larmes.

« Pourquoi pleurez-vous encore?

— Il y a si longtemps que personne ne m'a demandé
si j'étais d'accord. C'est la première fois, depuis des
années, que cela m'arrive! Chacun faisait de moi ce
qu'il voulait sans me demander mon avis. On ne
demande jamais aux esclaves s'ils sont d'accord. Si
quelqu'un me pose cette question, c'est que je ne suis
plus une esclave. Je suis d'accord, d'accord, d'accord. »

XI

Eddy Thall épousa Isaac Salomon et s'installa dans
la baraque des Polonais. Elle était maintenant citoyenne polonaise et attendait le rapatriement.

Au moment où il avait été déporté en Russie, il y
a cinq ans, Isaac Salomon était étudiant. C'était un

jeune homme blond, sentimental, qui avait gardé dans les camps russes la fraîcheur de son adolescence.

Lui, Eddy Thall et des milliers de Polonais étaient transportés chaque mois d'un camp à l'autre. Ils se rapprochaient de la Pologne mais le rapatriement tardait. Ils attendaient. Le mariage de pure forme était devenu, pendant ces mois d'attente dans les camps russes, un mariage d'amour. Mais ce ne fut pas le rapatriement qui arriva. Ce fut un enfant. Eddy Thall devint mère. Ils appelèrent leur fillette Orly, un nom traduit de l'hébreu et qui signifie « Ma lumière ». Dans leur vie d'attente, Orly était pour eux une lumière. Lorsque Orly eut quatre mois, les convois des Polonais qui avaient vécu six ans dans les mines soviétiques arrivèrent dans la patrie. Eddy Thall serrait Orly dans ses bras et pleurait de joie, comme les autres Polonais, lorsque le sol de la patrie fut atteint.

Les prisonniers, en rentrant chez eux, avaient oublié toutes les souffrances passées. Eddy Thall oublia les siennes.

« C'est un grand privilège que d'être Polonaise », se dit-elle.

Les autres étaient restés dans les mines soviétiques. Elle descendit à Varsovie chez des parents, avec Orly et son mari.

*

A la tombée de la nuit, ils se retrouvèrent dans une chambre petite et pauvre. Malgré tout, c'était la première nuit depuis des années qu'ils passaient ailleurs que dans une baraque, dans une chambre, et sans voir de sentinelles à leur porte.

« Ne dites à personne que vous êtes juifs, conseilla la tante de Salomon. Soyez très prudents. »

Sur la table on avait posé un réchaud à alcool pour faire du thé. Orly dormait. Dans la chambre, le lit où ils allaient passer leur première nuit de liberté depuis la victoire paraissait bien petit, mais c'était un lit d'hommes libres et non pas un lit de prisonniers.

« Chaque matin, on trouve des juifs assassinés pendant la nuit, dans les rues, dans les cours, partout, d'un bout à l'autre de la Pologne. »

La tante d'Isaac Salomon versa le thé. Elle avait les larmes aux yeux, mais elle était résignée.

« Soyez prudents, dit-elle, très prudents.

— N'a-t-on pas exterminé les fascistes? demanda Isaac Salomon. Que fait le gouvernement?

— La Pologne est un pays crucifié. Quand les nazis sont partis ils ne laissèrent que des ruines. A chaque pas il y avait des tombes. Pauvre Pologne! Un cimetière dévasté d'un bout à l'autre, dans lequel entrèrent les Russes. Et ceux-là prirent ce qui restait : les voies de chemin de fer, la jeunesse, les fourneaux dans les cuisines... Tout. Pauvre Pologne.

— Pourquoi le gouvernement laisse-t-il assassiner les juifs?

— Soyez prudents, dit la vieille dame. C'est très dangereux, très. »

Isaac Salomon se leva. Il laissa la tasse de thé. Il savait qu'en Pologne c'était la pauvreté. Que les Russes pillaient ce que les Allemands avaient laissé, mais il ne pouvait pas comprendre qu'on tue les juifs dans les rues. Il y avait des ministres juifs, des officiers juifs, les chefs politiques étaient juifs. Le gouvernement devait protéger les juifs.

« Les Polonais affamés, pourchassés pour être déportés en Russie, se cachent. Les forêts sont pleines de leurs cachettes. Ils ont abandonné leurs maisons, tout et ils se sauvent. Les fugitifs sortent la nuit comme les loups affamés et se jettent sur les juifs, parce qu'ils savent que le gouvernement imposé par les Russes est juif, que les chefs de camp sont juifs. Ils croient que les juifs détiennent le pouvoir et commettent les crimes. Mais au lieu de se venger sur les

Russes, les gens se vengent sur les juifs, parce que c'est
plus facile. Vous voyez qu'il y a du danger et que vous
devez être prudents. »

Orly criait dans son sommeil.

De grosses larmes glissaient sur les joues de la tante
d'Isaac Salomon et tombaient dans la tasse de thé.

« Vous avez la peur des fascistes dans les veines,
dit Isaac Salomon. Vous avez peur même de votre
ombre. Vous exagérez. Nous verrons demain. Je pense
que toutes les bandes de fascistes ou de S.S. n'ont pas
été liquidées. N'oublions pas que la Victoire existe.
Nous avons un gouvernement de marionnettes pro-
soviétiques, mais ce n'est pas un gouvernement fasciste. Le reste, c'est de l'exagération. »

Isaac Salomon et Eddy Thall découvrirent le petit
corps d'Orly. Ses joues fraîches étaient rouges. Son
corps brûlait. Isaac posa l'oreille sur le corps rose et
écouta les battements du cœur de la fillette. Ensuite
il dit à Eddy Thall :

« Orly a seulement quatre mois. C'est naturel qu'elle
soit fatiguée par un tel voyage et qu'elle pleure en
dormant, qu'elle soit brûlante. Mais elle n'a pas de
fièvre, elle n'a rien. Si tu veux nous chercherons un
thermomètre. »

Eddy serrait Orly sur son cœur, et la câlinait avec
des mots roumains, l'appelant « Luminitza », ma petite
lumière. Orly pleurait. Ses joues étaient comme des
roses rouges. Eddy et sa fille, sa lumière, restèrent
seules pendant qu'Isaac Salomon et sa tante cherchaient le thermomètre dans la maison, mais Isaac
revint content.

« Il y a un médecin dans l'immeuble, au sixième,
dit-il. Montons, il prendra sa température et il exa-
minera Orly, notre lumière. Tu verras qu'elle n'a rien,
qu'elle est seulement fatiguée. C'est tout, montons. »

Isaac Salomon grimpa au sixième en tenant une
bougie et en faisant attention au vent qui soufflait et

qui aurait pu l'éteindre. Eddy Thall suivait, portant
Orly dans ses bras. L'escalier était étroit. Un jeune
homme ouvrit la porte de la mansarde.

« Je suis le médecin, dit-il. Entrez et excusez ma
pauvreté. »

Il fit entrer Eddy Thall avec Orly et Isaac Salomon
dans une petite chambre. Il n'y avait pas de lit, mais
seulement des couvertures étendues à même le parquet, dans un coin. Toujours sur le parquet, des piles
de livres, des flacons de médicaments, une lampe à
pétrole. C'était un jeune médecin. Les cheveux blonds
tombaient sur de grands yeux brûlants de fièvre. Il
paraissait souffrant.

« Excusez l'absence de chaises », dit-il.

Il regarda Eddy Thall, l'enfant et Isaac Salomon,
afin de deviner lequel des trois était malade. Il s'ex-
cusa de nouveau :

« Je regrette de ne pas avoir même une chaise.
Pas une seule. Excusez-moi, mais ce n'est pas ma
faute. Le gouvernement a pris ma maison, mes meubles,
mon cabinet de consultation, mes livres, tout, absolument tout, dès mon retour de captivité. J'ai été jeté
à la rue en deux heures. »

Le docteur prit Orly dans ses bras. Il la déshabilla
et la déposa sur les piles de livres comme sur une
table. Il l'examina attentivement. Il prit son pouls
et posa le thermomètre.

« Je n'ai pas les médicaments dont elle a besoin,
dit-il, mais ce n'est pas grave. Non, pas grave du tout.
Demain tout ira bien. »

Il recouvrit le petit corps d'Orly. Ensuite il retroussa
ses manches et se mit en devoir de désinfecter la seringue à la flamme de la petite lampe.

« A mon retour d'Allemagne, après la Victoire, on
m'a dit : « Les Allemands ont tué tous les anti-fascistes.
« Seuls les collaborateurs sont restés en vie. » Comprenez-vous? »

La main pâle du docteur tremblait au-dessus de la flamme qui désinfectait les instruments.

« Le fait d'être en vie constituait un crime. Et, parce que je suis revenu après quatre ans de captivité, on a pris ma maison, mon cabinet, mes livres, tout, tout, tout. Le gouvernement judéo-soviétique de la Pologne prétend que tout Polonais qui n'a pas été exterminé par les nazis est un fasciste qui doit être supprimé. Je suis donc condamné à être exterminé. C'est de la simple logique judéo-soviétique, mais maintenant que nous en avons fini avec les fascistes, nous autres Polonais, nous devons unir nos forces pour continuer notre lutte contre les juifs et les bolchevistes. »

Le docteur essuya son front. Il avait de la fièvre. Il était dévoré par la maladie, la haine, la soif de vengeance.

« Je suis tuberculeux au dernier degré, mais je ne veux pas mourir avant d'avoir tué de ma propre main, au moins un de ces assassins judéo-soviétiques de la patrie polonaise. Je veux leur ôter le souffle de ma propre main... »

Orly pleurait. Les mains blêmes du docteur tremblaient. Elles s'approchèrent tendres, caressantes, du corps d'Orly.

« Moi aussi j'avais rêvé naguère d'avoir un enfant. Un enfant est une lumière dans la vie d'un homme. (Il regardait Orly paternellement.) Comment s'appelle ce petit ange? demanda-t-il.

— Orly », dit Eddy Thall pendant que le médecin la dévisageait

Ses grands yeux fiévreux s'attardèrent ensuite sur Isaac Salomon.

« Orly, dit-il, un beau nom, Orly, un très beau nom. »

La main du docteur ne tremblait plus. Avec assurance elle caressa la peau de l'enfant. Son front était ruisselant de sueur, mais sa main ne tremblait plus.

L'accent russe d'Eddy Thall, la physionomie d'Isaac
Salomon, le nom d'Orly suffisaient. Il avait affaire à
des juifs. Il en était convaincu maintenant. Il fit la
piqûre, vidant la seringue d'une main sûre.

« D'ici demain *tout rentrera dans l'ordre,* dit-il. Vous
reviendrez encore demain. Pourtant je pense que ce
sera inutile. »

Eddy Thall sourit à l'idée qu'Orly serait guérie le
lendemain et qu'elle n'aurait plus besoin de médecin.

Le docteur accepta la cigarette offerte par Isaac
Salomon et continua à le regarder attentivement. Il
était sûr maintenant. Il ne s'était pas trompé. C'était
bien des juifs qu'il avait devant lui.

« Vous me réglerez mes honoraires demain, dit-il,
car demain *vous viendrez me chercher* encore. »

Il garda la porte ouverte jusqu'à ce que le bruit des
pas d'Eddy Thall et d'Isaac Salomon se fût évanoui
définitivement.

XII

Au cours de la nuit, Eddy Thall se réveilla plusieurs
fois pour jeter un coup d'œil sur Orly endormie.
La respiration de l'enfant était douce et régulière.

« Je t'avais bien dit qu'elle n'avait rien de grave »,
dit Isaac Salomon. Il embrassa sa femme. « Nous
aurons une belle vie, nous serons heureux. C'est la
première fois depuis 1939 que je reviens dans mon
pays et que je dors dans une vraie maison, chez des
parents. Dans ma ville, chez mes parents. »

La Victoire reconnue officiellement depuis longtemps
arrivait enfin pour eux aussi. C'était si bon de pouvoir
dormir, après la Victoire, libre, parmi les siens. C'était
un sommeil auquel on pouvait s'abandonner en toute
sécurité

Lorsqu'elle se réveilla, Eddy Thall aperçut Isaac debout, serrant sa fillette contre lui.

« Orly n'est plus, cria Isaac, Orly est morte. »

La porte était ouverte. La tante d'Isaac Salomon parut, ensuite arrivèrent le concierge, les voisins. On transporta Eddy à l'hôpital. La maison était pleine de gens. Il y avait aussi des policiers en civil et des policiers en uniforme. Isaac Salomon répétait les paroles du docteur et criait que sa fille avait été assassinée.

« Ça ne tient pas debout de porter de pareilles accusations, dit le chef de la police. Ce serait le crime le plus odieux. Jamais pareille barbarie n'a eu lieu à Varsovie. L'hypothèse d'une piqûre mortelle ne se pose même pas. D'ailleurs l'autopsie nous donnera des renseignements précis.

— Nous effectuerons une descente sur les lieux », dirent les policiers.

Ils prirent les noms d'Eddy Thall, d'Isaac Salomon et dressèrent un procès-verbal de la mort d'Orly. Ils notèrent les déclarations du concierge et des voisins.

Ils aidèrent Isaac à gravir les six étages qu'il avait déjà gravis dans la nuit avec sa femme et sa fillette. La porte de la mansarde n'était pas fermée à clef. Les policiers la laissèrent grande ouverte. La chambre du médecin était vide. On ne trouva que des murs, des parquets nus. Salomon les regarda à travers les larmes. Il avait le vertige. Les policiers le soutenaient.

« C'est ici que nous sommes venus. »

Il essayait de reconnaître les murs, la fenêtre, la place où il s'était tenu debout.

« C'était aussi vide que maintenant?

— Il y avait quelques objets, dit Isaac Salomon. Des livres, des médicaments, des couvertures, une lampe...

— Comment aurait-il pu partir sans que vous l'entendiez? demanda au concierge un policier, un jeune homme plein d'assurance

— Vous voyez bien que c'est possible, dit le concierge. Moi, je n'ai rien entendu.

— Nous publierons sa photo dans tous les journaux. C'est peut-être un terroriste ou un S.S. Le fait qu'il se soit enfui prouve qu'il n'avait pas la conscience tranquille. Sa disparition est un début de preuve...

— Où est Eddy? demanda Isaac Salomon. Je veux voir Eddy. Au moins elle...

— Vous pouvez être sûr que nous mettrons la main sur cet individu

— C'est trop tard, dit Salomon, Orly est morte. Elle était notre lumière et maintenant elle s'est éteinte.

— Le rôle de la justice est d'appréhender les assassins et nous le ferons, dit le policier.

— Où est Eddy? demanda Isaac Salomon. Je veux voir Eddy. »

Et pour la première fois de sa vie, il pleura.

Depuis 1939 il avait enduré avec fermeté toutes les souffrances et toutes les humiliations, maintenant il n'en avait plus la force.

« Je voudrais voir Eddy », supplia-t-il.

Trois jours après, Isaac Salomon et Eddy Thall partirent de nouveau vers l'Ouest, les mains vides et plus brisés que jamais. Ils quittaient la Pologne. L'Occident ne pouvait pas leur rendre Orly, ni le sang perdu par Eddy Thall. L'Occident ne pouvait pas guérir leurs anciennes plaies, mais il pouvait les laisser vivre avec leurs plaies, avec leur souffrance, avec les traces de coups. En Pologne, ce n'était plus possible, et pourtant ils ne demandaient pas davantage.

LE LIVRE
DE LA VICTOIRE
(II)

I

Le jour de la Victoire signifia pour Pierre Pillat l'occupation de Bucarest par les troupes soviétiques. Les
soldats russes se ruèrent dans les maisons. Les habitants se cachèrent dans les caves, dans les greniers.
D'autres essayèrent de s'enfuir. Les femmes furent
violées, les magasins pillés, les habitants abattus dans
les rues.

Pillat essaya de sauver sa vie et celle de sa future
femme, une fille de paysans, qui avait suivi pendant
quelques années des cours dans un lycée. Elle l'accompagna dans ses cachettes et ils attendirent ensemble
que l'effervescence des premiers jours de la Victoire
ait pris fin pour pouvoir remonter à la lumière. Ils
s'étaient cachés, comme tout être qui voit sa vie en
danger. Une semaine plus tard Marie et Pierre Pillat
sortirent dans la rue. Ils voulaient acheter du pain.
Devant les boulangeries, les gens apeurés sortis de
leurs cachettes attendaient en longues files, mais seules
les personnes possédant une carte d'identité légalisée
par la police avaient le droit d'acheter du pain.

Devant les commissariats d'autres files attendaient.

Sur les murs on avait affiché les listes des personnes
recherchées par la police. Ces listes étaient longues.
L'agent refusa d'apposer le cachet sur la carte de
Pierre Pillat. « La magistrature bourgeoise dont il
faisait partie était suspendue, maintenant la justice
était rendue par les tribunaux du peuple. »

Pillat regretta de ne pas pouvoir acheter du pain.
Ils avaient terriblement faim.

« Tu n'as rien fait de mal, dit Marie. Pourquoi ne
veulent-ils pas légaliser ta carte? »

Pillat lui serra tendrement la main et voulut quitter
le local de la police, mais la porte était fermée. On
les poussa dans une pièce voisine. C'était le bureau
où l'on vérifiait les papiers des personnes auxquelles on
avait refusé le droit d'acheter des aliments.

L'atmosphère était lourde. On chercha le nom de
Pillat sur les listes des criminels politiques. On ne l'y
trouva pas. Le fonctionnaire barra d'une diagonale
rouge la carte de Pillat et la lui rendit.

« Dès que nous sortirons d'ici, nous trouverons du
pain, murmura Pillat à l'oreille de Marie. Je ven-
drai ma montre. »

Il se dirigea vers la porte. Le fonctionnaire l'arrêta.

« Les personnes sans profession n'ont pas le droit
de posséder un logement dans la capitale. Vous êtes
obligés d'évacuer votre appartement et d'en remettre
les clefs au bureau des réquisitions, d'ici six heures du
soir. »

Pillat songea que depuis la Victoire ils habitaient
dans la cave. Personne n'avait le courage de vivre dans
un appartement parce que chaque nuit on était attaqué par les Russes. Les appartements étaient devenus
dangereux.

« J'ai compris », dit-il, en se dirigeant de nouveau
vers la sortie, mais de nouveau il fut arrêté par le
fonctionnaire.

« Vous ne devez emporter aucun objet de votre logement. Sinon vous êtes coupable de détournement de biens appartenant à la communauté. »

Pillat savait que sa maison avait été pillée plusieurs fois par les soldats russes et que tout ce qui n'avait pas été pillé avait été détruit. Il n'y avait plus rien à prendre.

« J'ai compris, dit-il, croyant que tout était enfin terminé.

— Il y a encore une chose. Les personnes n'ayant aucune occupation sont frappées d'interdiction de séjour dans un rayon de soixante kilomètres autour de la capitale.

— Je m'éloignerai de la capitale », dit Pillat.

Il serra la main de Marie et pensa qu'ils iraient tous les deux à Piatra, chez ses beaux-parents.

« Grâce à l'armée soviétique, dit l'employé, la Roumanie est devenue un Etat socialiste dont chaque citoyen est obligé de travailler.

— Je chercherai du travail, dit Pillat. Je sais bien que dans un Etat socialiste chacun doit travailler.

— Le gouvernement protège les citoyens contre le chômage. La diagonale rouge constitue un avantage. Tout agent de la force publique, grâce à cette diagonale rouge sur votre carte d'identité, vous protégera contre le chômage et vous enverra dans un des grands centres socialistes de travail, au cas où vous n'auriez rien trouvé vous-même. Vous pouvez partir, maintenant. »

Pillat et Marie sortirent. La crainte d'être arrêtés les étreignait.

« Partons pour Piatra, dit-il. Quittons le plus rapidement la capitale. »

A ce moment quelqu'un posa la main sur l'épaule de Pillat. Celui-ci se vit déjà arrêté et la peur le paralysa.

« N'ayez pas peur. C'est moi, Motok. Je voudrais vous dire deux mots. »

Le *Schaffner* Motok emmena Marie et Pierre Pillat à quelques mètres de la file de gens qui attendaient, affamés et craintifs, devant le commissariat.

Daniel Motok, sans cravate, avait juste sa chemise et son pantalon. Il était défiguré, son œil droit portait des traces de coups.

« Le jour de la Victoire j'ai été arrêté par les cheminots communistes. Ils m'ont torturé jusqu'à ce matin. Je suis content de vous avoir retrouvé pour vous faire mes adieux. Je pars. »

Pillat aurait voulu retenir encore la main de son ami, mais Motok la retira, il fit de rapides adieux à Marie.

« Si je reste encore, ils vont me tuer, dit-il. Je connais quatre langues, je trouverai peut-être du travail en Europe occidentale. Que Dieu vous garde. »

Le *Schaffner* Motok pleurait. Il se faufila dans la foule, avec ses habits tachés de sang caillé et les pieds nus dans des sandales. Il était voûté, méconnaissable. Les tortures endurées l'avaient complètement changé.

« Dans quel état il est, ce pauvre Motok! Pauvre homme. Et dire qu'il n'y a que sept jours depuis la Victoire... »

Sur la place, devant la police, les haut-parleurs diffusaient un discours, Pillat chercha du regard la silhouette de Motok mais celui-ci avait disparu. Le discours arrivait strident à ses oreilles :

« Tinka Neva symbolise l'héroïne prolétarienne. Jusqu'à soixante ans elle a vécu cloîtrée par sa patronne dans une cuisine pas plus grande qu'une cellule, sans air, sans lumière. A soixante ans, la prolétaire qui sommeillait en elle s'éveilla, prête à la lutte. Elle monta sur les toits les plus élevés de la ville et de sa lampe elle indiqua le chemin de la Victoire aux aviateurs soviétiques. Elle trouva la mort sur les plus hautes barricades...

— Partons, Marie, dit Pillat. Les Soviets veulent

peupler le monde de légendes et tuer les hommes. Tinka
Neva était une brave femme. Ce n'était pas la Sor-
cière qui se promenait la nuit sur les toits. Celle-ci est
une fiction que les Russes veulent substituer aux gens
qu'ils suppriment. Viens, Marie. Viens. »

Quelques heures plus tard Pierre et Marie se rendirent à la gare. Apeurés ils montèrent dans le train
qui partait pour les montagnes moldaves. Ils pensaient
à Motok. Son image les accompagnait dans leur voyage.
Sur les quais, d'autres haut-parleurs racontaient l'histoire de Tinka Neva.

« Pauvre Motok, dit Pillat. Heureusement, nous
avons un endroit pour nous abriter. »

Serrés dans un coin du wagon, ils se tenaient par les
mains et pensaient à Piatra. C'était un village d'une
centaine de toits, dans les montagnes du Néamtz.
C'était le pays de Marie.

II

Après la Victoire, Boris Bodnariuk demanda à être
de nouveau affecté aux travaux de changement du climat et de culture du désert, mais sa demande ne fut pas
agréée. Les Soviets avaient besoin de lui en Roumanie,
pour transformer ce pays en une république socialiste.
Cette action s'avérait difficile. Il n'y avait pas de cadres,
il n'y avait personne pour exécuter les ordres.

Boris Bodnariuk était décidé à aller sur les lieux,
de localité en localité, afin d'organiser l'administration
communiste. Avant de quitter le bureau, la secrétaire
lui remit une lettre personnelle.

« Elle émane d'un moine qui s'appelle Angelo et
qui prétend être votre frère de sang. Il y a joint une
photographie.

— Nous, les communistes, nous n'avons pas de frères de sang, cria Boris. Nos frères, ce sont les travailleurs du monde entier. »

Il ne regarda même pas la photo de son frère, auquel il avait crevé un œil à l'âge de trois ans. Angelo lui faisait savoir qu'il était moine, qu'il priait pour lui et remerciait le Seigneur d'avoir gardé Boris en vie.

Bodnariuk mit la carte de la Roumanie dans la poche de son manteau de cuir et serra le foulard rouge autour de son cou.

Quelques jours plus tard, accompagné d'un chef local, il foulait de ses bottes noires la terre humide d'un village du nord de la Moldavie.

*

« Serghéï Severin, comment s'appelle ce village? » demanda Bodnariuk.

Severin était un Russe né en Roumanie, grand, à tête ronde. Les bottes de Bodnariuk évitaient les flaques de la boue du chemin. Serghéï Severin marchait avec ses bottes au milieu des flaques et de la boue, sans les éviter, directement, à la manière des animaux.

« C'est le village de Piatra », dit Severin.

Il laissa Bodnariuk entrer seul dans la cour de la mairie. Tous les paysans étaient présents. Ils se tenaient de chaque côté de la route, leurs bonnets à la main, courbés devant l'homme à manteau de cuir, à foulard rouge et bottes noires qui avançait sans les regarder. Bodnariuk entra dans la mairie. Il s'assit sur la chaise en bois devant la table recouverte d'un papier bleu, le bureau du maire. Par la fenêtre on apercevait les maisons blotties parmi les arbres et les files de paysans qui attendaient immobiles sous la pluie.

Boris Bodnariuk les regarda, plein de haine. La paysannerie constituait un obstacle dans la réalisation

de l'Etat communiste. Sur les murs on avait fixé des
photos découpées dans les journaux. Bodnariuk regarda
haineux le portrait du maréchal des Slaves du Sud. Ce
maréchal de partisans avait un chien qu'il aimait.
Tout communiste qui a une passion, même pour un
chien, est un homme vulnérable.

Boris vit arriver les paysans, leurs chapeaux à la
main. Ils s'installèrent sur les bancs en face de lui, les
mains sur les genoux, les regards braqués sur lui dans
l'attente des enfants au début de l'année scolaire.

« Les listes des habitants », ordonna Boris.

Il feuilleta rapidement le cahier sur lequel on avait
écrit : *Piatra, département de Néamtz, cent cinquante
habitants.* Sur les feuilles quadrillées étaient inscrits
les noms, prénoms et âges de chaque citoyen de Piatra.

« Où sont les listes par catégories? » demanda Bodnariuk.

Le maire se leva. Il avait les cheveux mouillés parce
qu'il avait attendu Boris sous la pluie.

« Nous n'avons personne dans la première catégorie.
Nous n'avons pas de fermier, ni capitaliste, ni gros
propriétaire. La première catégorie n'existe pas à
Piatra. »

Boris Bodnariuk était mécontent. Dans ses tournées,
il avait l'habitude de faire venir devant les villageois
réunis un grand propriétaire qu'il humiliait publique-
ment.

Ensuite, il ordonnait la confiscation de ses biens
qu'il partageait entre les paysans. De cette manière,
la masse amorphe du village était mise en mouvement
et la haine de classe était déclenchée.

« La liste des citoyens appartenant à la deuxième
catégorie, ordonna-t-il.

— Nous n'avons personne dans la deuxième catégorie non plus, dit le maire. Font partie de la deuxième
catégorie ceux qui possèdent plus de cinq hectares.
Personne n'a autant de terre à Piatra. »

Sur leurs bancs, les paysans étaient heureux que dans leur village il n'existât ni fermier, ni riche. Ils attendaient des éloges de la part de l'homme à manteau de cuir et au front barré d'une cicatrice.

« A la deuxième catégorie appartiennent les meuniers, les aubergistes, les anciens gendarmes, tous ceux qui ont exploité le peuple sous les régimes bourgeois.

— Le gendarme n'était pas du village, dit le maire. Il a disparu à la Victoire. Nous n'avons même pas de meunier à Piatra, parce qu'il n'y a pas de moulin. Nous sommes un village pauvre. Nous portons notre maïs et notre blé dans d'autres villages. Le café se trouve dans le pays voisin. »

La voix de Bodnariuk devint dure. Il voulait découvrir les ennemis du peuple.

« Donnez-moi la liste des anciens membres des partis bourgeois et des anciens maires.

— Nous avons eu le même maire pendant vingt ans. Il est mort. Nous l'avons enterré, il y a trois semaines, que Dieu ait son âme. »

Dans le désert de sable, Bodnariuk avait dû lutter afin de conquérir et ressusciter la terre morte, centimètre par centimètre. Le travail d'un chef communiste dans un village roumain est bien plus pénible que la culture du désert. Comme les autres villages roumains, Piatra restait inerte et l'inertie est le plus grand ennemi du progrès. Il y a trois mille ans que les paysans roumains opposent cette force d'inertie. Pour les mettre en mouvement, le chef communiste devait enfoncer le poignard jusqu'à l'os. Ils étaient comme le sable mort du désert, on n'y pouvait rien planter. Bodnariuk regarda avec haine les paysans assis sur les bancs en face de lui, leurs mains reposant sur leurs genoux. Il feuilleta à nouveau le cahier. *Première catégorie : fermiers : néant. Deuxième catégorie : Paysans riches : néant. Anciens serviteurs des partis bourgeois : néant.*

Anciens exploiteurs du peuple : cafetiers, meuniers, gendarmes : néant. Instituteurs : néant. Victimes des partis bourgeois : néant. Personnes ayant effectué des voyages à l'étranger : néant. Personnes ayant de la famille à l'étranger : néant.

Piatra ne possédait aucun nom capable de susciter la haine et la révolte, capable de sortir le village de son inertie. Une feuille volante seulement portait : *Prêtre : Thomas Skobaï* et, entre parenthèses : *Aveugle et âgé de soixante-dix-huit ans.* Ensuite : *Nouveaux venus dans le village : Pierre Pillat, ancien juge, marié, membre du parti communiste local.*

Le front et les yeux de Bodnariuk s'éclairèrent. Il était content. Il savait qu'il suffisait d'une allumette pour mettre le feu à une maison. Un seul coupable suffisait pour incendier un village. Boris Bodnariuk avait dans le regard la joie du policier qui trouve, après des semaines d'enquête et des nuits d'insomnie, une empreinte digitale sur un miroir, sur un verre ou sur la poignée d'une porte. Cette empreinte suffisait à faire la lumière autour d'un crime et à conduire à l'arrestation des assassins.

Il pensa aux instructions transmises à chaque chef de district : *Dressez des listes portant le nom et la profession de chaque citoyen; classez la population en catégories sociales; poursuivez et accusez les classes supérieures; dressez des casiers et des fiches d'accusation pour chaque personne appartenant aux deux premières catégories.*

Bodnariuk avait recommandé de bien fouiller le passé de chaque citoyen appartenant aux catégories incriminées car tout homme peut être accusé de quelque faute. Quel est le fermier qui dans sa vie n'a pas giflé un domestique, le bourgeois qui n'a pas bousculé un peu sa cuisinière ou le propriétaire qui n'a jamais écrasé avec sa voiture le chien d'un pauvre homme? Tous ces faits devaient être découverts et transformés en accusations de classe. N'importe quel maire a pu commettre une injustice, et n'importe quel meunier est un spéculateur parce qu'il se fait payer sur la récolte des paysans. Ce sont des injustices sociales. Tout prêtre est un profiteur de la classe ouvrière du fait qu'il n'a pas d'activité politique. Il a une existence de parasite. Tout cela devait servir dans les procès intentés aux oppresseurs afin d'aboutir à leur déportation ou à leur extermination.

Les procès étaient une école nécessaire à la création de l'esprit combatif des classes.

Bodnariuk vit par la fenêtre les files de paysans qui attendaient immobiles sous la pluie, comme autant de statues d'argile. Il y avait quatre mois depuis la victoire et pourtant il n'avait rien accompli. Chaque village se considérait comme une famille. Cette masse amorphe qu'était un village devait être dynamitée, brisée, divisée en catégories.

« Vous allez apprendre à dynamiter un village, dit Bodnariuk, doucement, à Serghëi Severin. Employez la même technique dans les autres communes de votre district. Ce n'est pas difficile. »

*

Bodnariuk regarda Pierre Pillat avec insistance. Pillat avait essayé de l'approcher dès sa descente de voiture. Il aurait voulu lui parler. Il le salua, mais Bodnariuk fit semblant de ne pas le voir. Même lorsque Pillat se fut installé au premier rang, parmi les paysans, Bodnariuk l'ignora. Mais en ce moment il le regardait fixement, dans les yeux.

« Nous avons été camarades de classe au Collège royal de Kichinev », dit Bodnariuk.

Pillat se leva. Il avait, près de lui, Marie, sa femme. Un paysan râblé aux yeux vifs se tenait aux côtés de

Marie. C'était son père, Ion Kostaky. Il était ému et considérait comme un honneur insigne le fait que son gendre fût l'ami d'un si grand personnage.

Pierre Pillat aurait voulu dire combien cette rencontre le réjouissait, il aurait voulu dire à Boris Bodnar — qui s'appelait maintenant Boris Bodnariuk — combien vivaces étaient restés dans sa mémoire le souvenir de leur séparation, les cigarettes fumées pendant la récréation, la photo de·l'élève du conservatoire Eddy Thall...

« Je t'ai cherché longtemps », dit Pillat.

Boris Bodnariuk quitta son manteau de cuir. Il portait une tunique kaki et un ceinturon avec un revolver. Il défit son ceinturon, et posa son revolver sur la table, ainsi que son foulard rouge. Pillat attendait qu'il ait fini.

« Je suis marié à Piatra. dit-il. (Marie se leva et salua.) Voici mon beau-père. (Il présenta Ion Kostaky.) Mon beau-père possède encore une maison près de la sienne. C'est moi qui l'habite. Nous faisons de l'agriculture ensemble... »

Les paysans souriaient et leur cœur battait de joie comme à l'église, le jour de Pâques, lorsqu'on chante *Le Christ est ressuscité*. Car c'était un grand bonheur de voir quelqu'un parler humainement avec ce Boris Bodnariuk qui ressemblait à un homme de pierre dont personne ne pouvait approcher. Et voici que toute crainte disparaissait. Pillat lui parlait comme à un homme de chair. Les paysans pensaient que grâce à cette amitié, le village de Piatra pourrait recevoir des semences, des secours d'argent et du bois pour réparer les ponts détruits.

« Tu ne fais pas exception à la règle, dit Boris Bodnariuk, s'adressant à Pillat. Tu as agi comme tous les bourgeois réactionnaires. A la victoire tu es venu te cacher dans un village. Je tiens à t'avertir que pour les réactionnaires il n'y a de place nulle part, et encore

moins dans les villages. Il n'y a de place nulle part
pour les ennemis du peuple. »

Les paysans allongèrent le cou. Ils croyaient avoir
mal entendu.

« Je combats pour la justice du peuple », continua
Boris Bodnariuk.

Il regardait maintenant les paysans.

« Je ne veux pas trahir les travailleurs des campagnes et en voici une preuve. J'ai été le camarade de
cet homme. Il est devenu un intellectuel bourgeois,
il a servi la classe des oppresseurs, comme tous les
intellectuels bourgeois. Il doit donc subir sa punition.
Le fait d'avoir été mon camarade, n'a aucune importance. Je ne vais pas trahir la paysannerie roumaine
pour un ancien condisciple, devenu un valet des capitalistes. Je vous promets de l'exclure du village. »

Les paysans n'applaudirent pas. Ils ne voulaient
pas d'une pareille justice. Ils ne voulaient pas qu'il
arrive du mal à Pillat.

« Mon gendre n'est pas réactionnaire, dit Ion Kostaky, serrant les poings. Si vous soutenez que mon
gendre est réactionnaire, vous vous trompez. Moi, je
le connais.

— Je porte à votre connaissance, dit le maire, que
Pierre Pillat a été le premier inscrit au parti communiste. Il nous a conseillé de nous incrire aussi. Ce n'est
pas un réactionnaire. Il tient les registres du parti à
Piatra. Chaque soir nous avons une réunion ici à la
mairie. Le camarade Pillat est notre lumière. »

Bodnariuk se taisait. Son silence était lourd et mena-
çant. On entendait la pluie et le chuchotement du
vent. Chaque paysan entendait battre son cœur. Bodnariuk se taisait toujours.

Il savait que son silence torturait les paysans et il
voulait prolonger cette torture. Puis il dit clairement :

« Camarades paysans, le devoir des chefs du parti
est de vous rendre justice et de vous défendre. Nous

en savons plus long que vous. Vous n'êtes que de
pauvres paysans à peine débarrassés des chaînes de
l'esclavage. Vous ne savez pas encore vous défendre.
Le premier devoir du gouvernement populaire est de
vous *protéger*. Tous les réactionnaires, les spéculateurs,
les espions et les traîtres poursuivis par la justice,
viennent se cacher dans les campagnes, comme des
loups revêtus de peaux de moutons. Camarades paysans, le gouvernement ne permettra pas que l'on vous
trompe. Il vous protégera. Ces réactionnaires sont des
loups et non pas des moutons, comme vous seriez tentés
de le croire. Nous les démasquerons tous, nous les
dépiauterons. Tout bourgeois est un loup qui s'est
nourri en suçant le sang des paysans. Pillat est aussi
un loup. le gouvernement vous défendra contre tous
les loups. »

Boris Bodnariuk se leva. Les paysans se taisaient.
Marie pleurait doucement.

« Prenez des jeunes et constituez des gardes populaires. Armez-les. Enseignez-leur la haine. Qu'ils sèment
la haine dans les villages. Sans haine il est impossible
de faire bouger les masses. Tant que les paysans n'ont
pas appris à haïr, on ne peut pas compter sur eux
comme éléments constructifs de l'Etat communiste.
Il faut le plus de violence possible. Si nous n'excitons
pas les villages, jamais les Soviets n'y pénétreront, les
villages resteront dans le même état qu'il y a trois
mille ans et la victoire de l'Armée Rouge n'aura servi
de rien. Semez la haine. La haine, vous comprenez,
Serghéï Severin? La haine dans chaque village. »

III

Après la visite et les menaces de Boris Bodnariuk, les habitants de Piatra s'attendaient à des événements graves, mais il ne se passa rien. Le calme revint. Seul Sergheï Severin parcourait parfois les ruelles du village à motocyclette, en auto ou à cheval, et se rendait à la mairie. Le Russe Severin ne dérangea personne. Il avait réuni douze jeunes paysans et leur avait fourni des vêtements et des armes. Il leur apprenait à tirer à la mitraillette ou au revolver et leur tenait des discours, mais rien de plus. La vie du village s'écoulait, tranquille. Les douze jeunes étaient logés dans un local près de la mairie. Les paysans savaient qu'ils rendaient compte à Severin de tout ce qui se passait dans le pays, mais les habitants de Piatra n'avaient rien à cacher.

Par les jeunes qui constituaient la garde, Severin savait qui s'était disputé avec sa femme, qui était allé à l'église ou à la ville, qui était souffrant. Mais ce n'étaient pas des secrets. Le Russe Sergheï Severin pouvait s'intéresser à ces choses-là, à condition de laisser les gens en paix. Et il les laissait; même Pierre Pillat se sentait tranquillisé. Sa peur avait disparu.

« Père Kostaky, dit-il, si les Soviets nous laissent tranquilles, nous n'avons rien contre eux. Même le saint apôtre Matthieu nous dit au chapitre v, verset 25 : « Accorde-toi avec ton adversaire pendant qu'il « chemine avec toi... de peur qu'il te jette en prison. »

« Nous sommes obligés de vivre avec les Soviets parce que les Russes ont conquis la Roumanie avec des fusils sur lesquels il y avait écrit *Made in U. S. A.*, avec des balles anglaises et la bénédiction de l'Eglise.

Cinquante-deux nations, parmi les plus civilisées de la Terre, ont conduit les Russes jusqu'à Piatra. Lorsque les Russes ont occupé la Roumanie, les cloches de toutes les cathédrales de l'Occident carillonnèrent, à Londres comme à Paris, à New York comme à Lisbonne, pour fêter l'événement. On disait que la victoire de la Croix et de la liberté étaient assurées sur la terre.

— C'est ça, la liberté? » dit Ion Kostaky, et il cracha. Il prit son chapeau et toute la famille se dirigea vers la mairie. On célébrait l'anniversaire de la mort héroïque de Tinka Neva. Le village entier était présent. Avant de prendre place sur les bancs, Ion Kostaky, sa femme Iléana, Pierre et Marie Pillat baisèrent la main du prêtre Thomas Skobaï. Le prêtre était aveugle, mais il les avait reconnus et appelait chacun par son nom. Ses yeux étaient tournés vers la scène pavoisée, garnie de portraits et de verdure, mais il ne la voyait pas. Quarante ans plus tôt, pendant la nuit de la Résurrection, quelqu'un avait oublié un cierge allumé dans l'église de Piatra, et l'église avait pris feu. Les paysans, le prêtre Thomas Skobaï en tête, accoururent pour éteindre l'incendie. L'église était bâtie sur une colline. Il était environ trois heures du matin. Pendant qu'il grimpait vers l'église, le prêtre Thomas avait perdu la vue. Depuis cette nuit de Pâques, il ne voyait qu'une église brûlant sur le sommet d'une colline et rien d'autre. Le lendemain, le prêtre aveugle dit la messe sur les cendres brûlantes. Le village avait reconstruit l'église. Le métropolite, apprenant que le prêtre était aveugle, avait voulu le remplacer, mais lorsqu'il l'entendit officier, il l'embrassa et ne parla plus jamais de remplacement.

Le prêtre Thomas Skobaï regardait Severin monter sur la scène, mais il ne voyait qu'une église en flammes. Severin se mit à parler de Tinka Neva. Il parlait un mauvais roumain. Les paysans pensaient à leurs champs, le prêtre Thomas Skobaï regardait brûler son église.

Severin dit :

« Des criminels politiques sont cachés à Piatra. Nous devons les exterminer. »

Les paysans ne pensèrent plus à leurs champs, ni à leurs maisons. Ils se sentaient pris de peur et regardèrent Pierre Pillat.

« Il ne s'agit pas de criminels connus, dit Severin. Ceux-là, nous pouvons les prendre n'importe quand. Maintenant, que la Victoire de la classe ouvrière est acquise, nous devons démasquer ceux qui se cachent. Je demande aux ennemis du peuple de se lever immédiatement. »

Les paysans pâlirent. Leurs cœurs devenaient tout petits, serrés. Personne ne bougeait.

« Lève-toi, Marie Kostaky, pour que le peuple te regarde, ordonna Sergheï Severin.

— Je ne suis pas une criminelle », dit Marie.

Elle se tenait droite. Pierre lui serrait la main.

« Tu as commis des crimes monstrueux contre le peuple, dit Severin, mais ton tour viendra plus tard. Nous devons démasquer un autre ennemi du peuple : Ion Kostaky. »

Ion Kostaky se leva, mais on aurait dit que toute la fureur et l'indignation du peuple s'étaient levées avec lui. Kostaky serrait les poings, serrait les dents. Il aurait voulu que sa parole fût une pierre pour frapper le front du Russe qui avait osé dire que lui, Ion Kostaky, était un criminel.

« Ion Kostaky, dit Severin, je t'accuse devant le peuple d'être un fasciste. Avant d'être pendu, tourne la tête pour que les paysans puissent voir à quoi ressemble un ennemi du peuple. »

Kostaky avait perdu l'usage de la parole. Il serrait les dents. Les paysans serraient les poings.

Severin prit une feuille de papier et lut :

« — Le 14 août 1943 à 14 heures, deux officiers
« S. S. se présentèrent au domicile de Ion Kostaky
« pour comploter avec lui contre le peuple. Ces fas-
« cistes ont été condamnés par un tribunal soviétique
« et pendus sur la place Rouge de Kiev. »

Serghēï Severin tendit aux paysans une photo. On y
voyait deux Allemands pendus. Les habitants de
Piatra regardèrent la photo et se la passèrent de main
en main épouvantés. On ne distinguait pas les visages
des officiers, mais seulement leurs corps bottés, avec
les cous tordus suspendus à la corde. Le prêtre Thomas
Skobaï prit aussi la photo, sans voir les pendus. Il avait
devant les yeux les flammes dévorant son église.

« Ces deux criminels que vous voyez ici ont déclaré
devant les tribunaux soviétiques avoir tué de leurs
propres mains une telle quantité de gens, qu'il leur
était impossible de se souvenir du nombre exact de
leurs victimes, dit Severin. Ces deux criminels sont les
amis et les chefs du fasciste Ion Kostaky. Ils venaient
dans la maison de Kostaky, lui parlaient. Pour qu'on
ne les vît pas, ils tiraient les rideaux, mais le peuple
voit et entend tout. »

Le visage d'Ion Kostaky, le visage des paysans
devinrent terreux. Jamais pareille épouvante ne s'était
abattue sur le village de Piatra.

« Regarde la photo, Ion Kostaky, et réponds devant
le peuple : reconnais-tu ces deux fascistes avec lesquels tu t'es mis à table pour comploter? »

Kostaky regardait la photographie des Allemands
pendus.

« Je ne les connais pas, dit-il. On ne voit même
pas leurs visages. Comment voulez-vous que je les
reconnaisse? Mais je sais que je ne suis pas fasciste et
que je n'ai parlé avec personne, rien d'autre... De ma
vie je n'ai parlé à un Allemand », dit Kostaky.

Au même instant, un fait auquel il n'avait pas
attaché d'importance lui vint à l'esprit.

« Une seule fois, continua-t-il, j'ai donné un seau
d'eau pour qu'ils se débarbouillent, et un pot de lait,
à deux Allemands qui avaient arrêté leur voiture
devant la maison et qui voulaient acheter quelque
chose à manger.

— Tu ne les reconnais pas sur cette photo? demanda
Severin. Ce sont pourtant tes amis, ceux qui ont
incendié les villages russes, qui ont violé les femmes
en Ukraine, qui ont poignardé tant de paysans qu'ils
ne peuvent même plus en indiquer le nombre. Dis aux
paysans pourquoi tu avais fermé les rideaux lorsqu'ils
étaient chez toi, et qu'avez-vous comploté pendant que
tu leur offrais à manger?

— Je ne sais pas si les rideaux étaient tirés ou non,
dit Kostaky. Au mois d'août, il fait chaud, et toutes
les maisons ont les rideaux fermés.

— Mensonge! cria Severin. Le tribunal du peuple
te forcera à dire la vérité. Pendant que tu complotais
avec les Allemands, tous rideaux tirés, l'œil du peuple
te voyait, l'oreille du peuple t'entendait. Voilà pourquoi tu es sur la liste noire. Le jour du jugement est
arrivé et c'est aujourd'hui. »

Ion Kostaky s'assit. Severin dit :

« Camarades paysans, Ion Kostaky, l'agent fasciste,
recevra sa punition. Pierre Pillat, valet bourgeois,
recevra la sienne. Marie Kostaky, qui terrorisait
les filles pauvres, sera punie. Soyez sûrs que le gouvernement communiste ne laissera personne im-
puni. »

Marie qui avait entendu les accusations portées
contre son père et contre son mari ne pouvait plus
entendre dire qu'elle, Marie, était une terroriste. Elle
se leva comme une flèche :

« Je ne suis pas une terroriste, cria-t-elle. Qui ai-je
terrorisé?

— Que la citoyenne Sanda Apostol se lève et qu'elle
raconte aux villageois comment elle a été maltraitée

jusqu'au sang par la fille du fasciste Kostaky », ordonna Severin.

Sanda Apostol se leva.

« Ne crains rien, camarade Sanda, dit Severin. Tu es la fille d'un paysan pauvre. Les pauvres sont maintenant au pouvoir. Le gouvernement les protège. Dis-nous comment tu as été battue et défigurée par la fille du fasciste Kostaky.

— Je ne m'en souviens plus, dit Sanda Apostol. On était enfants, on s'amusait.

— Et maintenant tu as une cicatrice sur le visage, dit Serghëi Severin. Accuse à haute et intelligible voix, parce que le jour de la justice populaire est arrivé. N'aie pas peur. Maintenant c'est vous, le peuple, qui détenez le pouvoir et vous devez démasquer toutes les turpitudes dont vous avez été victimes. Raconte comment on t'a maltraitée. En commémoration de la mort héroïque de Tinka Neva, dans tous les villages de la Roumanie démocratique commence la campagne destinée à démasquer les réactionnaires, les fascistes et les oppresseurs du peuple. Nous continuerons à les démasquer chaque jour et nous les pendrons ensuite le long des routes.

— Je vous ai dit que c'était par jeu, dit Sanda Apostol.

— Tu nous raconteras à la prochaine séance comment on t'a maltraitée, parce que maintenant je vois que tu as peur. »

La commémoration de la mort de Tinka Neva prit fin sur ces paroles. Les paysans restèrent immobiles. Après le départ de Severin ils levèrent leurs regards vers le prêtre Thomas Skobaï. Ils attendaient un signe de lui, mais il continuait à contempler la même image, son église brûlant, et ne disait rien.

Les paysans prirent le chemin de leurs maisons. Ils menèrent les bêtes à l'abreuvoir et rentrèrent chez eux plus tôt que de coutume. La peur avait envahi

leurs âmes. C'était la première fois que les paysans de
Piatra avaient vraiment peur. Ils se disaient que si
les communistes savaient que des enfants avaient joué
ensemble quinze ans plus tôt et que Sanda Apostol
était tombée et s'était blessée au visage en s'amusant
avec Marie Kostaky, alors les communistes savaient
tout, absolument tout. Les paysans, pleins de crainte,
éteignirent leurs lampes à pétrole. Ensuite, ils s'endormirent avec la sensation que quelqu'un écoutait aux
portes, épiait leur sommeil à travers la fenêtre, les
espionnait, regardant à travers les murs, les plafonds,
les portes cadenassées. Ils sentaient qu'un œil les
surveillait dans l'obscurité. Sous leurs couvertures, les
paysans faisaient leur prière avec épouvante, avec terreur, car c'était le commencement de la Terreur.

IV

Les habitants de Piatra se réveillèrent le lendemain
de très bonne heure, mais aucun d'entre eux ne s'éloigna de sa maison. Ils cherchaient du travail dans leurs
propres cours. Ils étaient tout yeux, tout oreilles. Ils
guettaient le bruit de la motocyclette de Severin arrivant dans le village.

Severin fit son apparition comme d'habitude, il traversa le village et se rendit à la mairie. Les paysans ne
savaient pas quelle serait leur attitude, mais ils attendaient, vigilants. Ils ne voulaient pas se laisser prendre
par surprise, et ils attendaient l'arrivée des gardes
venus pour arrêter Ion Kostaky, Pillat ou d'autres
encore. La panique augmentait de plus en plus. Jusqu'à midi, Serghéï Severin resta tranquille. Il parla
aux gardes, comme d'habitude, et fit l'instruction des
jeunes.

A midi, Pierre Pillat n'eut plus la force d'attendre.
« Boris Bodnariuk est en ville, à Molda, dit-il à
Ion Kostaky. Je vais chez lui. Je veux lui parler, ouver-
tement, d'homme à homme. »

Ion Kostaky attela les chevaux à la voiture, mais il
ne voulut pas laisser Pillat partir seul. Il monta près
de lui et ils se mirent en route ensemble pour Molda.

« Je dois acheter des clous et des planches, dit Kostaky, je veux réparer la clôture. Je t'accompagne. C'est
tout. »

Deux gardes attendaient sur la route à la sortie du
village. Ils arrêtèrent la voiture et leur demandèrent
où ils allaient. Ils procédaient ainsi avec tout paysan
quittant la commune. Ensuite ils les laissèrent partir.

« Je ne veux pas m'abaisser, dit Pillat, mais je vais
le prier de nous laisser en paix. Nous avons été camarades d'école. Il doit m'entendre. Je fais bien? » Kostaky fit oui de la tête et fouetta les chevaux.

Une fois en ville, Kostaky partit acheter des clous et
des planches pour réparer sa clôture, pendant que
Pierre se rendait chez Bodnariuk, dans un bureau de
la préfecture.

« Boris, je te demande une chose qui n'empiète pas
sur ton autorité de chef communiste. *Je veux* devenir
un bon membre du parti. Je veux m'intégrer au parti
en toute sincérité. Laisse-moi le temps de te le prouver
par des actes. Je veux devenir un élément utile à la
communauté et au parti. Regarde-moi dans les yeux
et tu verras que je suis sincère, très sincère.

— Tu es sincère, dit Bodnariuk, mais tu me
demandes l'impossible.

— Si je le désire sincèrement et si je dirige tous
mes efforts dans ce sens, crois-tu que je ne pourrais
pas devenir un bon communiste? demanda Pillat.

— Non, tu ne le peux pas, dit Bodnariuk. (Il souriait.) Souviens-toi des leçons d'instruction religieuse
au Collège royal : « Il est plus facile à un chameau

« de passer par le trou d'une aiguille qu'à un riche
« d'entrer dans le Royaume des Cieux... » Personne
n'a songé à accuser le christianisme de cruauté parce
qu'il élimine les riches. Un bourgeois intellectuel ne
peut pas devenir communiste.

— Le riche peut devenir pauvre, s'il renonce à ses
biens, dit Pierre Pillat. Il n'est pas éliminé irrévoca-
blement. Mais il doit renoncer à tout. J'ai renoncé à
tout, Boris. Laisse-moi travailler avec vous, coude à
coude. Je veux devenir communiste. Aide-moi.

— Comment peux-tu renier tes origines bourgeoises?
Tu as beau faire, tu es un intellectuel bourgeois. Maintenant le peuple détient le pouvoir, et la première
mission d'un peuple au pouvoir est d'éliminer et de
punir la classe bourgeoise. Tu dois subir le châtiment.

— Pour être puni, il faut être accusé de quelque
chose, dit Pillat. Que peux-tu me reprocher?

— Dans la révolution communiste, nous ignorons
l'individu, dit Bodnariuk. La société n'est pas composée d'individus mais de classes. *Individuellement* tu
n'as rien sur la conscience, mais la classe bourgeoise
est criminelle et nous punissons ta classe. Tu en fais
partie. Tu as profité avec elle, tu seras puni avec elle.
C'est simple. »

Boris prit son manteau de cuir et mit son foulard
rouge.

« Je te demande — exceptionnellement — une
faveur. Permets-moi de m'intégrer à la masse prolétarienne. Tu ne seras pas déçu.

— Tu me demandes une chose impossible, dit Bodnariuk. Si je permets cela, je commets une trahison
vis-à-vis du peuple et du parti. J'ai pour mission
d'exclure les membres des classes supérieures de chaque
ville ou village, comme le dentiste doit arracher les
dents gâtées. Tout bourgeois est un danger d'infection
pour le parti. La société a ses lois d'hygiène politique
et c'est au nom de ces lois que tu dois être éliminé.

Vous, les intellectuels bourgeois, si sûrs de vous lorsqu'il s'agit de saisir des subtilités, comment ne comprenez-vous pas ces règles, tellement simples? »

L'entrevue avait pris fin, Bodnariuk laissa partir
Pierre Pillat sans lui tendre la main. Devant la préfecture, Ion Kostaky attendait avec sa voiture remplie de planches... Pillat monta à ses côtés sans dire un
mot. Kostaky comprit que le voyage à la ville avait été
inutile.

<h1 style="text-align:center">V</h1>

Le soir même, Ion Kostaky se mit en devoir de
réparer sa clôture. Il sentait la nécessité d'avoir une
clôture solide. Tous les paysans de Piatra avaient
réparé les serrures de leurs portes. Pillat bêchait le
jardin devant la maison. Marie l'aidait. Au milieu du
jardin il avait dessiné un cœur fait avec des mottes
de gazon. Il bêchait rapidement. Son front ruisselait
de sueur.

« Quand cesserez-vous vos provocations, Pillat? »

Il leva la tête. Sergheï Severin entouré de gardes
se tenait devant la porte. Pillat laissa tomber sa bêche.
Il croyait qu'on venait l'arrêter. Severin entra dans la
cour.

« Je croyais que vous vouliez vraiment être des
nôtres », dit Severin.

Il cligna de l'œil en direction des gardes, et les six
miliciens portant des chaussures cloutées jetèrent leurs
armes sur la terre fraîchement bêchée. Ils se ruèrent
sur les mottes de gazon rangées en forme de cœur et
les arrachèrent en les piétinant.

Pillat ne comprenait pas. Il voyait les gardes prendre
les mottes et les broyer avec leurs souliers à clous.

« Vous, les bourgeois, vous prenez les communistes pour des imbéciles, mais nous savons ce que nous voulons savoir et ce que veut faire notre ennemi. Dans quel but avez-vous tracé au milieu de votre jardin un cœur de verdure grand comme une affiche et visible de la rue?

— Personne ne nous a dit qu'il était défendu de planter des fleurs en forme de cœur, dit Marie.

— Le cœur est le symbole de la propriété individuelle, dit Serghëi Severin. Le jour de notre offensive pour collectiviser les terres, vous avez immédiatement dessiné ce cœur au milieu de votre jardin afin de protester contre la collectivisation des terrains de Piatra.

— Je vous jure que jamais il ne m'est venu à l'idée...

— Nous avons intercepté l'ordre chiffré adressé par les réactionnaires à leurs agents d'ici. On leur enjoint de s'opposer à notre plan de collectivisation des terres, en dessinant de grands cœurs verts au centre de leurs jardins, en signe de protestation, dit Serghëi Severin. Nous surveillons tous les mouvements. Vous avez beau vous démener. La contre-révolution ne triomphera pas. »

Les gardes avaient détruit le cœur. Ils regardaient Severin et riaient.

Sur un signe du Russe, les six hommes se jetèrent sur Ion Kostaky, et lui arrachèrent la hache des mains. Les autres apportèrent une cognée, une pioche. En une seconde, la clôture agencée par Kostaky fut démolie. Les planches craquaient; on arracha les poteaux de chêne. Les maisons de Ion Kostaky et de Pierre Pillat n'étaient plus entourées, maintenant.

Les planches furent jetées dans la rue. piétinées. brisées.

Les jeunes avaient terminé leur travail de destruction. Ils secouèrent leurs mains, ils jetèrent les outils à terre et reprirent leurs armes.

« Qui vous a donné l'ordre de fortifier cette enceinte? demanda Severin.

— Elle était abîmée, c'était normal que je la répare, dit Kostaky. Vous nous défendez maintenant de réparer les haies? »

Il était furieux.

« Nous avons intercepté l'ordre transmis aux agents réactionnaires leur enjoignant de construire des enceintes hautes et solides afin de pouvoir se cacher et résister de façon passive contre le plan de collectivisation des terres. »

Serghéï Severin se mit à réciter les phrases du bulletin d'instructions reçu de Boris Bodnariuk :

« — Les enceintes sont une création de la société « féodale, elles sont une création du monde individua- « liste et l'image architecturale de la société féodale. « Les magnats, les grands propriétaires ont créé les « murs élevés, les portes bardées de fer, afin de pou- « voir s'isoler. Le communisme a créé une vie com- « mune. Le communisme unit les hommes, il ne les « sépare pas. Les clôtures qui séparent les camarades « n'ont pas de place entre les individus d'une com- « munauté. Voilà pourquoi la réaction mondiale a « ordonné à ses agents de Roumanie la réparation « urgente des haies et clôtures... » Cette campagne des clôtures et des cœurs verts dans les jardins a débuté en même temps que le lancement de notre plan collectiviste.

— Nous n'avions pas d'intention cachée, dit Pillat. Non, vraiment pas.

— Je vous convoquerai tous les trois devant le conseil du village afin de faire des déclarations complètes, et de nous dire d'où émanent les ordres. Il faudra dénoncer les agents, les chefs, tout le réseau du complot. »

VI

Trois jours s'étaient écoulés depuis la destruction du
cœur vert et de la clôture et Pillat remerciait le Ciel
de ne pas avoir été convoqué et interrogé sur son
activité antirévolutionnaire. Il pensait avoir enfin la
paix. Le fait d'être tous les jours dans sa cour et d'entrer tous les soirs dans sa maison — deux petites
pièces blanchies à la chaux, — près de Marie, était
pour lui une joie. La présence de ses beaux-parents,
Iléana et Kostaky dans la même cour, à deux pas,
était une autre joie.

Le travail de la terre devenait aussi une source
d'apaisement. Il découvrait des joies dans le moindre
fait : dans la chaleur du soleil, la fraîcheur de l'eau,
dans le bleu du ciel, dans toute chose.

Chaque fois qu'il entendait vrombir la motocyclette
de Serghëi Severin, Pillat rentrait chez lui, comme en
ce moment, mais cette fois la motocyclette s'arrêta.
Il n'y avait plus de clôture et on pouvait tout voir de
la rue.

« Pourquoi vous cachez-vous, Pierre Pillat? cria
Serghëi Severin. Personne ne peut se cacher des
Soviets. »

Severin entra dans le jardin suivi de trois gardes.

« Je vois que vous avez un chien, dit Severin, regardant le chien assis devant la maison.

— C'est un chien perdu. Il est arrivé dans ma cour
il y a environ trois semaines.

— Même les chiens reconnaissent les maisons des
réactionnaires, dit Severin. Le fait d'avoir un chien
veut dire que vous avez trop à manger, que tu manges
trop bien. C'est vrai?

— Un chien se nourrit de restes, d'os. Le plus pauvre mortel peut nourrir un chien.

— D'après les statistiques dressées par le camarade Boris Bodnariuk, dit Severin, il existe en Roumanie à l'heure actuelle trente millions de chats et de chiens. Chaque chef de famille doit partager sa nourriture et celle de ses enfants avec un chien et un chat. Une immense quantité d'aliments est engloutie en Roumanie par ces trente millions de bouches inutiles. Seul un régime d'oppression du peuple et de la classe ouvrière pouvait sacrifier la nourriture des travailleurs au profit des chiens et des chats. Cela suffit à mettre en évidence la barbarie des classes bourgeoises. Sans parler des maladies transmises par ces animaux parasites. Le gouvernement a décidé leur extermination. On fermera les gueules de ces trente millions de chiens et de chats et on distribuera leur nourriture à ceux qui en manquent. Au moment où le gouvernement prend cette décision capitale, vous vous procurez un chien. Quelle est l'explication de votre geste? Vous n'allez tout de même pas soutenir que c'est une coïncidence? »

Marie, Iléana et Ion Kostaky, quelques voisins écoutaient la nouvelle accusation.

« Un des plaisirs sadiques des oppresseurs d'hier, dit Severin, était de voir mourir de faim les enfants des travailleurs, pendant que leur nourriture était jetée aux chiens et aux chats. Il y a longtemps que l'U. R. S. S. a décidé la suppression des animaux inutiles. Une société qui garde des animaux parasites est rétrograde et décadente. Nous imiterons l'exemple de la Russie. Nous laverons la honte infligée au peuple. La peau de ces bêtes sera utilisée dans l'industrie. Leur graisse sera transformée en savon à l'usage du peuple. La Russie nous a fourni des machines en vue de cette nouvelle industrie. »

Serghéï Severin fit un signe en direction des gardes.

Quatre jeunes épaulèrent vivement et visèrent le
chien. C'était à qui tirerait le premier. Les détonations
se mêlèrent aux plaintes du chien qui se débattait sur
la terre bêchée du jardin. Le sang gicla sur les murs
de la maison de Pillat et sur la terre sèche de son
jardin. Les gardes continuaient à tirer dans le corps
criblé de balles.

Marie et Iléana Kostaky se bouchèrent les yeux et
les oreilles et rentrèrent dans la maison pour ne plus
voir le chien et ne plus entendre la plainte de mort
de l'animal et la fusillade.

Pillat éprouva un profond sentiment de culpabilité.
Il avait assisté à la scène, pétrifié, sans faire un geste.
Il n'aurait pas pu sauver la vie de son chien, mais il
aurait pu avoir un geste de protestation. Il n'en avait
rien fait et cela ressemblait à une trahison. Le chien
n'avait jamais trahi l'homme et l'homme trahissait
maintenant les chiens et les chats.

Severin fit signe à Ion Kostaky et à Pillat d'approcher.

« Prenez le chien et transportez-le à la mairie,
ordonna-t-il. Il y en aura d'autres. Une fois là-bas vous
attendrez, on vous apprendra à les écorcher. »

Les jeunes chargèrent leurs armes pour continuer la
razzia d'extermination des chiens et des chats de
Piatra. Les femmes cachées dans les maisons priaient
et imploraient le secours de la Vierge. Lorsque Ion
Kostaky fut près du chien, Severin le frappa de sa
botte dans le dos.

« Plus vite, ordonna-t-il. Ça te dégoûte? Le chien
est l'ami des métayers et des boyards. Il a vécu chez
vous, dans votre maison et maintenant il vous
dégoûte? »

Kostaky voulut se retourner, un second coup de
botte le fit se pencher sur la bête morte.

« Mets-le sur tes épaules », ordonna Severin.

Kostaky empoigna le chien des deux mains par les

pattes de devant et le chargea sur ses épaules. Le sang coulait le long de son dos. Le corps était encore chaud comme celui d'un chien vivant.

A travers la vitre Severin aperçut Marie et Iléana. Kostaky leur fit signe d'approcher.

« Vous allez tenir le chien par la queue », dit-il.

Marie et Iléana pleuraient mais elles se soumirent.

« A la mairie, en avant », tria Severin.

Les gardes ricanaient, les enfants pleuraient.

Pendant que Ion Kostaky sortait dans la rue portant la bête morte sur ses épaules, suivi de sa femme et de sa fille qui tenaient le chien par la queue, les paysans grinçaient des dents.

« Suivez-les, dit Severin à Pierre Pillat. A partir d'aujourd'hui, tous les réactionnaires travailleront à écorcher les chiens et les chats. C'est une occupation qui leur convient... »

VII

Les gardes continuèrent à abattre les chiens et les chats de Piatra, tard dans la soirée. Les paysans encadrés de baïonnettes amenaient les animaux dans la cour de la mairie où ils devaient les écorcher.

Rentré chez lui, Ion Kostaky sentait encore l'odeur du sang qui imprégnait ses vêtements, sa peau, sa mémoire. Ni lui, ni Pillat, ni les femmes ne pensèrent au repas. Ils restaient dans l'obscurité et cherchaient une solution. Iléana priait.

Les fenêtres étaient ouvertes pour chasser l'odeur, mais l'odeur de la viande chaude de chien et de chat morts avait pénétré même dans les murs. Une ombre surgit à la fenêtre. Kostaky tressaillit. Son voisin, Nicolas Vornik, était dans la cour.

« On va nous déporter cette nuit », dit Vornik.

Il entra dans la maison. Sa tête était tuméfiée, sa chemise déchirée. Il était couvert de sang.

« N'allume pas, dit-il. Il vaut mieux parler dans l'obscurité. Ils m'ont appelé ce matin à la mairie. Ils m'ont enfermé dans une cave et m'ont roué de coups jusqu'à maintenant, sans arrêt. Regardez, ils m'ont rompu les os. »

Vornik tremblait comme un animal pourchassé.

« J'ai entendu le Russe lire l'ordre qu'il venait de recevoir. Sept habitants de Piatra seront arrêtés cette nuit, à trois heures et déportés. Toi, Kostaky, tu es sur la liste, et ta fille Marie, et Pillat, ton gendre. Il y a encore moi et tes cousins. Sept, en tout. »

Ion Kostaky dit aux femmes de sortir. Il resta avec Vornik et Pillat.

« Raconte encore une fois, dit-il.

— Cette nuit à trois heures, les gardes viendront nous arrêter, dit Vornik. Je l'ai entendu de mes oreilles. J'étais dans la pièce voisine. C'est tout ce que je sais, mais je suis venu te le dire pour qu'on tienne conseil. »

Il s'assit sur une chaise et se mit la tête dans les mains. Kostaky sortit. Il demanda à Iléana de préparer le repas.

« Cette nuit, nous ne dormirons pas chez nous », dit-il.

Il s'adressa ensuite à sa fille :

« Tu viens avec nous, ma fille. »

De nouveau, Ion Kostaky s'arrêta devant Vornik :

« Nous irons dans les bois, dit-il. La tourmente finira par passer. Dans quelques jours nous reviendrons chez nous. »

Pierre et Marie Pillat faisaient leurs préparatifs. Vornik rentra chez lui. On avertit les cousins de Kostaky. Iléana prépara les provisions.

A l'instant où sa décision était arrêtée, Ion Kostaky sentit la gravité de l'acte qu'il allait accomplir.

Il sortit dans la cour. Il embrassa du regard les
arbres, le jardin, les murs de sa maison, les toits. Il
entra dans l'écurie et caressa les bêtes.

« Je ne pars pas. J'aime mieux me faire tuer dans
ma cour. Je ne pars pas. »

Il flatta les naseaux du cheval. Il changea d'avis.

« Si, je partirai pour une nuit seulement, mais je
reviendrai, oui, je reviendrai. Une nuit seulement,
pour qu'ils ne me trouvent pas. »

« Tu crois vraiment qu'ils vont nous arrêter? demanda Kostaky.

— Il est plus prudent de ne pas coucher à la maison
répondit Pillat.

— C'est plus prudent, dit Kostaky, plus prudent »,
et ses yeux se mouillèrent.

Kostaky se tenait debout sur le seuil de la maison.
Il respira profondément comme s'il avait voulu aspirer
tout le ciel de son village. Comme pour l'emporter
avec lui. S'il avait pu, en même temps que l'air, il
aurait voulu emporter dans ses poumons la maison,
la cour, les bêtes. Tout.

« Iléana, va chercher le prêtre Thomas Skobay, dit-il.
Qu'il vienne tout de suite pour dire une prière. »

Après le départ d'Iléana, Kostaky regarda la maison
d'en face où Pierre et Marie Pillat faisaient leurs préparatifs de voyage, mais l'oreille guettait le bruit signa-
lant l'approche des gardes.

« Je prendrai juste un casse-croûte, pensa Kostaky,
puisque je vais revenir bientôt. Il est impossible qu'ils
viennent nous arrêter. D'abord, pourquoi nous arrêter? »

Ion Kostaky retourna près de ses bêtes et les caressa.
Ses cousins arrivèrent. Tout le monde restait dans
l'obscurité. Le prêtre arriva aussi et en dernier lieu
Vornik. Ils emportaient tous de la nourriture et des
haches.

« Ne pleure plus, dit Kostaky à Iléana. S'il ne se
passe rien cette nuit, nous serons de retour demain »

Kostaky s'adressa à Vornik :

« Réponds, Vornik. Es-tu sûr d'avoir bien compris qu'ils venaient nous arrêter? Ou bien tu as rêvé?

— C'est pour cette nuit à trois heures », répéta Vornik.

Sa femme lui avait bandé la tête. Il avait une autre chemise. Seul le pantalon était couvert de sang parce qu'il n'avait pas eu le temps d'en changer.

« Père, priez pour nous. Une prière très courte pour des hommes en péril. Une prière pour les temps difficiles, rien de plus. »

Le prêtre dit ses prières dans l'obscurité. Il les connaissait par cœur. Les paysans étaient agenouillés. Dehors il commençait à pleuvoir. Minuit était proche. De temps en pas temps les éclairs illuminaient la salle de Ion Kostaky et l'on pouvait apercevoir alors la haute stature, le grand front, la barbe et les cheveux blancs du prêtre qui priait. On distinguait les six paysans à genoux et Marie appuyée contre sa mère. Cela dura une seconde et de nouveau l'obscurité envahissait tout. On n'entendait plus que la pluie et la voix à sonorités de violoncelle du prêtre.

« Partons », dit Kostaky.

Il était plus facile de s'en aller brusquement. Pour ne plus entendre pleurer Iléana et ne pas se rendre compte qu'il partait.

« Dès que la pluie s'arrêtera, tu reconduiras le père Skobay chez lui, dit Kostaky. Et tu m'attendras. Je crois que demain nous serons de retour. Tu prendras soin de la maison. S'ils me demandent tu leur diras que je suis parti chercher du bois. »

Les paysans soulevèrent leurs sacs. Ils baisèrent la main du prêtre et dirent adieu à Iléana; enfin ils partirent.

Lorsque le dernier passa le seuil, Iléana se mit à gémir. Elle pleurait avec plus de désespoir que s'il y avait un mort et elle priait.

Le prêtre Thomas Skobay savait que le bien comme le mal sont envoyés par Dieu et pourtant la tristesse de cette fuite des paysans l'avait accablé. Quand les paysans s'en vont, abandonnant leurs maisons, une tristesse bien plus grande que celle causée par la mort d'un homme envahit tout. Leurs maisons sombrent dans l'obscurité.

Le prêtre pensait, comme dans une prière, ou dans un poème :

« Si le paysan abandonne sa terre, le grain de blé qu'il a semé s'attriste car personne ne reviendra moissonner les épis.

« Le départ du laboureur attriste l'herbe qu'il ne fauchera plus.

« La vache, le bœuf sont tristes, et le cheval aussi parce qu'ils attendaient l'eau et la nourriture.

« Si le laboureur s'en va, les oiseaux du ciel sont tristes, car ils ne pourront plus picorer les grains dans les sillons.

« La pluie qui mouille les champs s'attriste ainsi que les nuits rafraîchissantes.

« Si le paysan abandonne son champ et son village l'univers entier s'attriste. L'univers entier... »

Une tristesse semblable était descendue sur le village de Piatra après la fuite des sept hommes, à travers les jardins.

VIII

Pendant que Ion Kostaky et les autres fuyards se dirigeaient vers les bois, le Russe Serghei Severin et ses gardes procédaient dans les locaux de la mairie à une répétition générale en vue des arrestations, conformément aux instructions reçues.

« L'exécution du plan de déportation des réaction-

naires commence à Piatra, dit Severin. Vous devez en
être fiers. Demain, le camarade Boris Bodnariuk viendra se rendre compte de la marche de l'opération. »

Les gardes avaient l'équipement complet, manteaux,
casques, carabines. Sergheï Severin lut encore une fois
les instructions d'une voix forte.

« L'arrestation des gens inscrits sur les listes de
déportation aura lieu entre deux et quatre heures du
matin. L'opération doit se dérouler rapidement. Les
agents s'introduiront dans les maisons sans faire de
bruit, afin de ne pas attirer l'attention des voisins.
Les prisonniers seront conduits discrètement hors de
la localité. L'utilisation des armes à feu n'est pas
recommandée. Employez la ruse afin de faire sortir
les déportés de chez eux, sans leur dire qu'ils sont
arrêtés. »

Sergheï Severin donna l'ordre de départ. Les gardes
sortirent. La lumière resta allumée à la mairie. Il
pleuvait. Severin marchait devant, suivi par douze
jeunes. Devant la maison de Pierre Pillat ils s'arrêtèrent.

« Vous approchez de la maison, l'un derrière l'autre,
à un pas d'intervalle, ordonna Severin. Cernez la maison, nous devons les prendre par surprise. »

Les gardes obéirent. Devant chaque fenêtre se tenait
un homme armé, afin d'empêcher Marie et Pierre Pillat
de s'enfuir. Sergheï Severin écouta à la porte. On
entendait des pleurs de femme à l'intérieur.

« Attention », dit-il, à voix basse et il ouvrit la
porte.

Il éclaira la pièce avec sa lampe électrique. Iléana
était agenouillée et pleurait devant l'icône. Le prêtre
Skobay était assis, les mains sur les genoux. Il ne
voyait pas le faisceau lumineux parce que les flammes
de son église incendiée, plus puissantes que la flamme
de la lampe électrique du Russe, lui emplissaient les
yeux.

Sur le seuil de la porte, Severin éclaira attentivement le prêtre, puis Iléana, qui pleurait de plus en plus fort et continuait de prier.

Il examina les murs, le lit.

« Où sont les autres? demanda-t-il.

— Partis, répondit Iléana.

— Il n'y a pas de complot sans pope, dit Serghéï Severin. Où sont les fascistes? Quand sont-ils partis et dans quelle direction? »

Le prêtre n'était pas sur la liste des déportés, mais il était passé de lui-même dans le camp des suspects. Serghéï enchaîna les mains décharnées du prêtre.

« Quand et où se sont-ils enfuis? demanda à nouveau Severin.

— Ils sont partis, il y a une heure. Où? Je n'en sais rien. Un seul le sait.

— Qui? demanda Serghéï Severin.

— Dieu, dit le prêtre. Lui seul le sait. »

Serghéï Severin ne pouvait pas interroger ce témoin. Il ne pouvait pas L'arrêter, ni Le mettre aux fers, Lui.

De son poing il frappa le visage amaigri du prêtre.

« Je te torturerai, jusqu'à ce que tu me dises où ils sont partis. Parce que tu le sais », dit Severin.

Des gouttes de sang glissaient sur la barbe blanche de Thomas Skobay.

Les gardes fouillèrent la maison. Ils cherchèrent partout. Iléana fut enchaînée aussi. Trois gardes entrèrent dans la maison d'Ion Kostaky mais ils n'y trouvèrent personne.

Severin se souvint que Boris Bodnariuk devait venir le lendemain pour voir si tout avait bien marché. La fuite de Pillat, de Kostaky et de Marie le faisait écumer de rage. De nouveau il frappa le prêtre, lui demandant où se trouvaient les fuyards, mais le prêtre ne répondit plus. Il recevait les coups, toutes ses pensées tendues vers Dieu et le regard vers son église en flammes.

« Deux gardes conduiront les prisonniers à la mairie. Vous les enfermerez dans la cave », dit Severin.

Il renversa par mégarde la lampe à pétrole qui se trouvait sur la table. Les flammes jaillirent avec une rapidité foudroyante. Les gardes cherchèrent des seaux d'eau.

« Conduisez le pope et la vieille à la mairie, ordonna encore Severin. Ne touchez pas au feu. Laissez brûler. »

Pendant qu'Iléana et le prêtre étaient dirigés vers la mairie sous escorte, les flammes sortaient par la fenêtre. La maison de Pillat était construite en bois, comme toutes les maisons de Piatra. Le feu s'étendit rapidement.

« Attrapons les autres. Nous mettrons la main sur les disparus plus tard. »

Severin s'apprêtait à quitter la cour de Pillat. Mais il trouva devant lui, dans la rue, tous les paysans réunis. Ils avaient vu l'incendie et étaient arrivés tous en hâte, hommes, femmes, enfants.

A la lumière des flammes qui dévoraient la maison, Sergheï Severin vit la foule; un groupe de paysans portant des seaux passa près de lui, sans le regarder, et se dirigea vers la maison en feu.

« Que personne n'approche », cria le Russe.

Les paysans porteurs de seaux s'arrêtèrent. Tous les regards étaient braqués sur Severin et sur les gardes armés qui l'entouraient. A la lueur de l'incendie on voyait comme en plein jour.

« Dans cette maison, il y a eu un complot fasciste », cria Severin.

La pluie tombait doucement. Les paysans attendaient, leurs seaux d'eau à la main, les yeux pleins de colère.

« Je fais appel aux paysans pour nous aider à capturer les conspirateurs » dit Severin.

Il se rendait compte que la masse humaine bouillonnait de fureur.

« Eteignons d'abord le feu, dit une femme. On s'occupera des conspirateurs après, on aura tout le temps.

— La maison doit brûler, dit Severin. C'est un nid de fascistes.

— La maison n'a pas comploté, cria la femme. Pourquoi la laisser brûler? »

On sentait la chaleur des flammes jusque dans la rue.

Les paysans approchèrent lentement, Severin braqua sa carabine sur la foule, les gardes en firent autant. Les paysans s'arrêtèrent. Ils reculèrent de quelques pas.

« Vous voulez fusiller vos propres mères, chiens de communistes, hurla un paysan à l'adresse des jeunes gardes qui attendaient, les armes dirigées vers la foule.

— Si vous êtes pour le peuple, pourquoi laissez-vous brûler la maison et les choses qui sont dedans? Pourquoi ne les donnez-vous pas aux paysans? cria une femme.

— La maison et tout ce qu'elle contient ont été infectés par les fascistes, cria Severin. Le premier qui s'approche du feu sera fusillé. Le gouvernement populaire donnera aux paysans des maisons et des meubles, mais tout ce qui est contaminé doit brûler. Nous savons que le peuple a besoin de tables, de chaises, d'effets, mais ici tout est infecté, tout doit brûler. »

Les flammes léchaient le toit. La chaleur était intense. Les paysans reculaient. Severin comprit que le feu était son allié. Le feu géant tenait les paysans à distance. D'ailleurs les seaux d'eau n'auraient plus suffi pour l'éteindre. L'incendie avait tout embrasé. Il ne resterait plus que des cendres.

« Paysans, en même temps que cette maison, brûle aussi le microbe de la conspiration. Le souvenir honteux des criminels brûle. Le microbe du crime politique doit brûler. Là où les fascistes ont habité, il y a des taches, du sang du peuple. Ne les approchez pas. »

Les paysans de Piatra regardaient le feu. Personne n'écoutait les paroles de Severin. Ils regardaient l'incendie et les armes qui les visaient.

« J'ordonne aux paysans de me suivre pour capturer les criminels. Personne ne doit rentrer chez soi, Tous derrière moi. »

Severin prit la route. Il aperçut une ombre devant lui, cachée parmi les arbres. Il fit feu. Les gardes tirèrent aussi. Ils envahirent le jardin et avancèrent parmi les arbres humides. Les gardes criaient :

« Les criminels sont ici! Attrapez-les! »

Ils couraient vers la colline à travers les jardins et les vergers. La foule suivait à distance. Les paysans ne venaient pas pour arrêter les criminels, mais seulement poussés par la curiosité. Chemin faisant, ils vidaient leurs seaux d'eau et continuaient à suivre Severin et les gardes.

IX

Les sept fuyards atteignirent le sommet de la colline. Ils s'éloignaient avec peine comme s'ils avaient eu du plomb aux pieds. Ils s'arrêtèrent pour regarder le village. Au même moment ils virent une maison qui brûlait. Les flammes touchaient le ciel. Chacun pensa à sa maison, essayant de deviner dans l'obscurité à qui appartenait celle qui brûlait.

« C'est ma maison », dit Kostaky.

Il tremblait. Des gouttes de sueur coulaient sur son front. Il quitta sa musette et la donna à Marie. Ensuite il se dirigea en courant vers le village, vers sa maison en flammes. Les autres voulurent le retenir, ils l'appelèrent, mais en vain. Kostaky courait vers sa maison. Il regardait les flammes et courait. Les autres lui

emboîtèrent le pas. Marie tomba. Pillat s'arrêta pour
l'aider à se relever. Pendant ce temps Kostaky s'était
éloigné. Il avait disparu dans la nuit. Il traversa les
jardins. Maintenant il pouvait bien voir. C'était la
maison de Pillat qui brûlait. Il marcha encore plus
vite. Quand il fut plus près, il vit que les flammes
avaient dévoré la toiture. Les paysans étaient massés
devant la maison et regardaient. Personne n'essayait
d'éteindre l'incendie.

« Ce n'est pas possible! cria Kostaky. Ce n'est pas
possible! Le village entier voit brûler ma maison et
personne ne s'approche pour l'éteindre! »

Kostaky s'essuya les yeux. Il ne pouvait pas croire
ce qu'il voyait. « Même si c'est la maison d'un ennemi
qui brûle on court pour l'éteindre, on se jette au feu
pour tout sauver. Je ne suis l'ennemi de personne! »
Et cependant, les paysans, ses amis, laissaient brûler
sa maison.

Kostaky enjamba une haie, pour arriver plus vite,
mais au même instant il entendit siffler des balles
autour de lui. Les gardes populaires avaient ouvert
le feu; on tirait sur Kostaky. Il entendit ensuite des
voix jeunes crier :

« Le criminel est devant nous! Qu'on l'attrape! »

Et les gardes d'abord, les paysans ensuite, tous les
paysans de Piatra accouraient à travers les jardins,
vers Kostaky. Les gardes lui tiraient dessus.

« C'est moi, le criminel? se demanda Kostaky. Les
paysans de Piatra crient que je suis un criminel? »

Une balle siffla dans le feuillage du noyer voisin.
Kostaky sentit une brûlure dans la poitrine, au-dessus
du cœur. Une sorte de torpeur envahit son corps. Il
se laissa glisser mollement sur l'herbe mouillée. Ses
oreilles qui avaient entendu clairement les hurlements
des paysans qui le poursuivaient en criant : « C'est lui,
l'assassin », n'entendaient plus rien.

Les oreilles de Ion Kostaky entendaient seulement

un grondement, comme le grondement d'une hélice,
qui venait de son cerveau en s'affaiblissant de plus en
plus.

Kostaky se demandait :

« C'est moi, le criminel? C'est moi, que le village
poursuit? C'est moi, qu'on veut fusiller? »

A ce moment, le corps de Kostaky tomba à terre,
dans la boue. Il se débattait. Ion Kostaky voulait
savoir si c'est bien après lui que tout le village courait
en criant : « Voici le criminel! » Ion Kostaky voulait
savoir pourquoi les paysans de Piatra avaient laissé
brûler sa maison. Il voulait savoir pourquoi le village
était parti à sa recherche, à travers les jardins comme
s'il avait été véritablement un assassin. C'était son
unique pensée, pendant que son corps se débattait.
Kostaky sentait fuir ses forces avec son sang. Il était
étendu dans la boue, la joue droite contre la terre
détrempée. La fraîcheur de la terre lui faisait du bien.
La terre était comme un pansement sur la joue droite
de Kostaky. Il sentait ce pansement couvrir sa poitrine, son épaule. Son corps luttait, se débattait comme
pour s'enfoncer davantage dans la terre rafraîchis-
sante et bonne. C'était la terre de Piatra, la terre de
son village, une terre qui avait une odeur saine et
fraîche. La terre modelait la forme du visage et des
tempes de Kostaky comme si elle voulait ne jamais
les oublier. La terre avait modelé et gardé l'empreinte
de la tête de Ion Kostaky, de son épaule, de son œil,
de son menton. Les empreintes étaient creusées dans
le sol mélangé de sang. La terre ne voulait pas l'oublier. Elle voulait garder imprimées profondément les
formes de ce corps qui se débattait. Et Kostaky s'éva-
nouit, toutes ses pensées tendues vers sa maison qui
brûlait et pour laquelle personne n'avait bougé pour
l'éteindre, ses pensées tendues vers les paysans qui
couraient au-devant de lui en criant : « Voilà le criminel », et ce fut tout.

X

Lorsqu'il se réveilla, Ion Kostaky se souvint de la prière du prêtre Thomas Skobay, de leur départ à tous les sept, de la halte sur le sommet de la colline, de la maison qui brûlait, de son retour précipité par les jardins. Ceci était vrai. Ensuite, il se souvint des gardes qui lui tiraient dessus et des paysans qui le poursuivaient en criant : « Voilà l'assassin! »

« Ça ne peut pas être vrai, se dit-il. Ça, je l'ai rêvé. »

Il sentit sa blessure, la blessure était vraie. Il pensait à sa maison incendiée et que personne ne voulait éteindre.

« Ça n'est pas vrai, ça ne peut pas être vrai, je l'ai rêvé. »

Il se traîna sur l'herbe, dans l'obscurité. Il rampait. Il vit sa maison, mais celle de Marie n'existait plus. Il n'y avait que des cendres à la place.

« La blessure est vraie. L'incendie de ma maison est vrai. » Il s'attrista : « Alors, tout est vrai. C'est vrai que les paysans me couraient après et criaient : « Voilà « le criminel. » C'est vrai. Tout. Ça ne peut pas être vrai et ça l'est pourtant. »

Kostaky réfléchit un moment.

« Les paysans de Piatra ont brûlé la maison de Marie et m'ont donné la chasse pour me tuer. Ils criaient que j'étais un criminel. »

Kostaky fit demi-tour en rampant et se dirigea vers la forêt. Toutes ses plaies étaient ouvertes et saignaient, mais c'est la plaie de son cœur qui saignait le plus.

Une pensée effleura son esprit.

« Où peut être Marie? Et Pierre? Où est Vornik? Et

mes cousins? Que devient Iléana? » Ion Kostaky se
traînait vers la forêt en rampant. Il ne voulait plus
rentrer dans le village qui avait brûlé sa maison et qui
l'avait pourchassé pour le tuer.

Le jour se levait. Kostaky continuait à ramper vers
la forêt.

*

A Piatra, les paysans qui n'avaient pas dormi de la
nuit, virent paraître la voiture de Boris Bodnariuk.
Avec ses bottes noires, son manteau de cuir et son
foulard rouge, il pénétra dans la mairie sans un regard
pour les paysans et sans répondre aux saluts.

Il écouta calmement le rapport de Serghëi Severin.
Boris Bodnariuk ne paraissait pas fâché de ce qui
était arrivé au cours de la nuit.

« Les fuyards reviendront, dit-il, et nous les prendrons à leur retour. Les paysans reviennent toujours
dans leurs villages. Les paysans sont les animaux les
plus idiots de l'univers. Ils sont les esclaves de leur
terre, ils ne peuvent pas vivre loin d'elle.

— Voulez-vous interroger le prêtre? demanda Severin.

— Non.

— Et Iléana Kostaky?

— Envoyez-les à la prison de Molda. Ils seront
condamnés pour aide à l'ennemi. Ils mourront en
prison. »

Les paysans virent le prêtre Thomas Skobay et
Iléana Kostaky sortir de la mairie escortés par deux
gardes. Ils avaient des menottes et se dirigeaient à
pied en direction de la ville.

Le prêtre marchait la tête haute, parce qu'il ne
voyait rien, ni à droite, ni à gauche. Près de lui Iléana
se lamentait, car, semblable au prêtre qui n'avait
devant les yeux que son église, elle n'avait devant les
yeux que Ion Kostaky, Marie et Pierre. Elle était

femme. De tout ce qui existait sur terre, Iléana Kostaky ne voyait que sa maison, son mari, et ses enfants.
Le prêtre aveugle qui l'accompagnait ne voyait que
la maison du Seigneur et elle, la femme, ne voyait
que sa propre maison. Le prêtre aveugle pouvait
emporter avec lui, en prison, la maison du Père, et personne ne pouvait la lui arracher. Chaque pas éloignait
Iléana Kostaky de la sienne. A cause de cela, son
départ du village lui faisait mal comme une blessure
infligée à son propre corps. Ses chaînes étaient lourdes.

Derrière leurs fenêtres, les paysans regardaient, épouvantés. Les femmes pleuraient. Dans l'espace d'une
nuit et d'un matin, trois paysans avaient disparu de
Piatra et d'autres s'étaient enfuis on ne savait où,
dans les bois.

Disparu, Ion Kostaky. Disparus Iléana Kostaky
et le prêtre Thomas Skobay qu'on avait emmenés
enchaînés. Disparus dans les bois, Marie et Pierre
Pillat.

« Vous laisserez votre motocyclette à votre successeur, dit Boris Bodnariuk en quittant la mairie, parce
que vous, camarade Serghéï Severin, vous n'en aurez
plus besoin. Dans notre patrie, on vous confiera des
tâches plus simples, un travail moins compliqué, car
vous n'avez pas réussi à effectuer les déportations. »

Et les paysans virent partir aussi Serghéï Severin
sans la moto.

Cette nuit-là, les enfants de Piatra pleurèrent en
dormant.

Tard dans la soirée, un chat parut, venant on ne
savait d'où. Il arriva sur l'emplacement de l'ancienne
maison de Pierre et de Marie Pillat. Il s'arrêta un
instant, mais les cendres étaient brûlantes et le chat,
qui avait échappé au massacre par on ne sait quel
miracle, disparut dans la nuit.

LE LIVRE
DE LA VICTOIRE
(III)

I

PIERRE PILLAT chercha Kostaky toute la nuit. Il ne le
trouva pas. Il était seul avec Marie. Le deuxième soir,
ils quittèrent peureusement les bois. Marie entra dans
la première maison de Piatra. C'était une maison
isolée, située à la limite du village. Là, habitait une
de ses cousines.

Pillat attendait, caché dans le verger, Marie revint
en sanglotant.

« On a arrêté maman, dit-elle. On l'a emmenée
enchaînée, avec le prêtre Skobay, notre maison a
brûlé. On ne sait rien de papa. »

La terreur régnait dans le village. Tout le monde
avait peur, une peur mortelle, et tout le monde voulait partir.

Marie et Pillat retournèrent dans les bois. Pendant
quelques jours, ils restèrent à proximité du village.
Ils voulurent y aller une fois encore, mais chaque
route était gardée par les Russes. On n'avait pas de
nouvelles de Kostaky, ni des autres fugitifs.

Les soldats russes commencèrent à explorer les bois.
Chaque jour il y avait de nouveaux fuyards. Marie et
Pierre Pillat s'enfonçaient de plus en plus dans les
montagnes avec leurs compagnons d'exode.

Quelques semaines plus tard, ils rencontrèrent des
fuyards hongrois, ensuite des polonais, des ukrainiens.

des allemands. Les fuyards appartenaient à toutes les
nationalités, à tous les âges, à toutes les classes
sociales, mais le motif de leur retraite était le même
pour tous : la peur des Russes. Pendant la nuit, ils
descendaient dans les villages pour chercher de la
nourriture et ils continuaient à s'enfoncer de plus en
plus dans les profondeurs de la forêt. Une nuit, ils rencontrèrent des Américains dans des petites voitures
kaki, des *Jeeps.* Ils étaient dans un village bavarois.

Les Américains s'emparèrent du groupe de fugitifs
qui étaient descendus chercher leur nourriture. et les
conduisirent dans une école.

Marie voulut leur raconter comment sa mère avait
été arrêtée, comment son père avait disparu, comment
leur maison avait été brûlée, la clôture détruite, le
chien abattu, mais les Américains connaissaient tout
cela. Des centaines de personnes descendaient chaque
jour des forêts et racontaient comment avaient été tués
leur père, leur mère, leur maison incendiée ou les
voisins abattus. Tout le monde racontait les mêmes
histoires. C'étaient des choses connues, banales, des
choses qui arrivaient tous les jours...

Marie s'étendit sur un banc de bois. Elle était
fatiguée. Pierre causait avec un réfugié yougoslave.

« Nous passerons seulement une nuit ici, dit le Yougoslave. Demain les Américains nous diviseront en
catégories. »

L'homme était habillé comme les autres réfugiés. Il
portait un uniforme militaire transformé en vêtement
civil sali par la boue. Mais il était différent des autres.
C'était un intellectuel. Ses yeux usés par la lecture, le
rêve, les inquiétudes. étaient semblables à des pipes
brûlées. Il raconta à Pillat qu'il s'appelait Ante Petrovici, qu'il était docteur en droit et docteur ès mathématiques. A son tour Pillat raconta leur exode à travers la Hongrie, la Tchécoslovaquie, l'Autriche.

« Nous ignorions que nous étions en zone américaine. Nous étions venus chercher à manger. A ce moment-là, nous avons vu les *Jeeps* et les Américains. C'est la première nuit que nous pourrons dormir sans craindre d'être arrêtés par les Russes. C'est un grand bonheur. »

Le docteur Ante Petrovici se dirigea vers la fenêtre. Il regardait au loin quatre bâtiments en pierre, à cinq étages : les casernes entourées de barbelés. Elles étaient éclairées par des projecteurs, comme les monuments historiques à l'occasion des fêtes nationales.

« C'est le camp des criminels de guerre », dit Ante Petrovici.

Marie s'attendrit. Le mot « criminel de guerre » la faisait penser à son père. A Piatra, les Russes disaient que Ion Kostaky était un criminel de guerre. Pillat un criminel de guerre. Tous ceux qu'elle aimait étaient des criminels de guerre.

Pour Marie, ces mots étaient maintenant synonymes d'honnête homme, de victime, synonymes des mots « parents », « aimé », « père », « époux ». Elle aussi avait été traitée par Serghëi Severin de criminelle de guerre.

« Je ne suis pas un héros, dit Ante Petrovici à Pillat, qui le regardait boiter du pied droit. C'est une infirmité congénitale. »

Il souleva son pied et montra la semelle de sa grosse chaussure.

« Chaque homme possède une voûte sous la plante du pied, un espace vide, la voûte plantaire. Elle manque à mon pied droit, et à cause de cela, en marchant, je touche la terre de toute la plante du pied et je parais avoir une jambe plus courte que l'autre. Je boite. Je me pose parfois la question : Suis-je un véritable infirme? Tout homme à qui il manque un bras, une jambe, un œil, est un infirme. Et moi, je suis un infirme parce qu'il me manque... un vide de quelques millimètres sous la plante du pied. »

A travers la vitre on voyait défiler des tanks, des *jeeps* remplies de soldats, des policiers armés de mitraillettes.

« Cette absence de la voûte plantaire est permanente et pourtant je ne boite pas toujours, dit Ante Petrovici. Si j'ai des ennuis, je boite vraiment. Si mon cœur est en paix, je ne boite presque plus. L'état d'esprit produit plus d'effet que l'absence de voûte plantaire. »

Dehors, on entendit un bruit de fusillade, on lançait des fusées. Un haut-parleur transmettait des ordres.

Ante Petrovici s'approcha de la fenêtre. En ce moment, il boitait très fort, bien plus qu'auparavant.

« Dans la baraque du centre sont logés des prisonniers russes, dit Petrovici. Les Américains veulent les livrer à l'U. R. S. S. Les prisonniers refusent. Ils ont menacé de se suicider. Maintenant les Américains cernent la baraque pour les livrer de force. »

Marie se mit debout. Elle regardait la baraque éclairée par les projecteurs. Elle écoutait Ante Petrovici raconter que les prisonniers — au nombre de deux cents environ — s'étaient barricadés il y avait quelques heures.

Une patrouille américaine vint près de la fenêtre et les menaça de ses armes. Pierre Pillat, Marie et Ante Petrovici comprirent qu'ils n'avaient pas la permission de regarder. Ils s'allongèrent sur des bancs. Ils écoutaient le grondement des tanks américains qui cernaient le camp. Ils regardèrent les casernes éclairées. Ils pensaient aux prisonniers qui voulaient se suicider plutôt que d'être livrés de force aux Soviets.

« Il est facile de mourir en exil, dit Ante Petrovici. Même s'ils se suicident ou s'ils sont tués par les sentinelles américaines, ces prisonniers ne souffriront pas tant que lors de leur première mort. Vous vous souvenez des vers des *Tristes* d'Ovide :

Cum patriam amisi tum me periisse putato,
Et prior, et gravior mors fuit illa mihi [1].

« Ma première mort et la plus atroce fut de quitter
ma patrie... »

La baraque centrale commença à brûler, jetant une
fumée épaisse. Marie cacha ses yeux. Même cette nuit,
la première où ils échappaient à la peur des Russes,
elle ne pouvait dormir. Des hommes brûlaient vifs à
quelques pas de là.

II

« Nous préférons mourir plutôt que de nous rendre
aux Soviets. Les Soviets nous pendront aux arbres,
le long des routes de notre patrie. Moi, le général des
partisans Grisha Costak et tous mes hommes, nous
avons lutté pendant quatre ans pour la Victoire et
pour la patrie russe. Si nous avons commis une faute,
pendez-nous, vous les Américains. Nous, les partisans
russes, nous avons été vos compagnons d'armes pendant toute la guerre. Pendant quatre ans, tous vos
journaux n'ont parlé que de la bravoure du général
Grisha Costak. Pourquoi voulez-vous me faire pendre
le jour de la Victoire?

— Si vous êtes un héros, pourquoi craindre de rentrer en U. R. S. S.? » demanda le commandant du
camp.

Il regarda sa montre. Il était chargé du transport
des citoyens soviétiques et ceux-ci s'étaient barricadés

1. OVIDE, *Tristia*, 3e Elégie, 53-54.

dans leurs locaux, sous le commandement du général Costak et ne voulaient plus les quitter.

« Un Américain qui s'est battu héroïquement n'a pas peur de revenir dans sa patrie, dit le commandant. S'il a peur, c'est qu'il a trahi ou bien il a quelque chose sur la conscience.

— Vous, les Américains, vous ne comprenez rien à rien, dit le général Costak, furieux. Combien de fois ne vous ai-je pas dit que l'Amérique n'est pas la Russie et que la Russie n'est pas l'Amérique? Vos lois n'ont rien de commun avec les lois soviétiques. Toi, capitaine, à quoi te sert ta tête si tu ne peux pas comprendre une chose si simple? Je vais tout te raconter encore une fois, depuis le commencement. Ecoute : moi, le général Grisha Costak, et mes hommes, nous avons combattu héroïquement jusqu'au moment où nous avons été faits prisonniers par les Allemands. Nous nous sommes trouvés pris dans un feu d'artillerie et nous avons tous été blessés. Nous étions presque morts. C'est ainsi que les Allemands ont pu nous capturer. »

Le général montra la cicatrice de ses blessures, sur la tête, sur son cou. Il ouvrit sa chemise et montra les cicatrices qui couvraient sa poitrine massive.

« Quand les Allemands se sont emparés de nous, nous étions blessés, sans connaissance. Tu sais qu'un soldat soviétique ne doit pas être prisonnier. Le soldat soviétique doit mourir, mais il ne doit pas être fait prisonnier; mais à ce moment-là nous avions perdu connaissance, et nous ne pouvions pas nous suicider. Le paragraphe 193 du Code pénal soviétique et le décret 270 de l'an 1942 attaché à ce paragraphe stipulent clairement que tout soldat tombant vivant entre les mains de l'ennemi est un traître. Les traîtres sont pendus. Voilà ce qui est écrit à l'article 14 du Règlement concernant les fautes militaires, mentionné dans l'Encyclopédie soviétique sous le numéro 289. Suivant

les lois et coutumes soviétiques nous devons être
pendus. Seulement, nous avons lutté pendant quatre
ans pour nettoyer le pays des Allemands, et non pas
pour être pendus après leur départ, le jour de la Victoire. Nous n'avons pas libéré notre patrie pour y
être pendus ensuite.

Le capitaine américain s'ennuyait.

« Je ne suis pas là pour ça, dit-il. (Il regarda sa
montre et alluma une Lucky Strike.) Je suis chargé
de vous livrer aux Soviets. Un point, c'est tout.

— Vous ne pouvez pas faire ça, dit le général Costak. Vous pouvez livrer aux Soviets nos cadavres. Mais
vous devez nous tuer d'abord. Je ne pense tout de
même pas que l'Amérique veuille tuer les partisans
russes qui ont combattu à ses côtés pendant toute la
durée de la guerre?

— Je ne fais pas de politique, dit l'Américain. Je
dois vous conduire à la frontière comme j'ai l'ordre de
le faire pour vous remettre aux Soviets. Le reste ne
m'intéresse pas. Si vous vous y opposez, je vous
embarque de force. »

Un soldat américain au casque de M. P. avec gants
blancs, guêtres blanches, ceinture blanche, matraque
blanche, poussa légèrement Costak de sa matraque.

« *Let's go* [1], ordonna le soldat.

— L'Amérique ne peut pas tuer ses frères d'armes,
les partisans, dit Costak, ou bien le Ciel lui tomberait
sur la tête...

— *Let's go* », cria le soldat ganté de blanc.

Costak, le chef des partisans, se laissa pousser
dehors et conduire vers la baraque des prisonniers
russes.

1. Allons-nous-en.

III

Le général Grisha Costak retourna dans sa baraque escorté par les sentinelles. Sa dernière intervention auprès du commandant américain avait échoué. Le général Costak bomba le torse. Il avait une poitrine large, sur laquelle un tank aurait pu passer. Il remplit d'air sa poitrine, comme pour l'attaque à la baïonnette, mais il ne s'agissait plus d'attaques à la baïonnette maintenant. Aux fenêtres, les deux cents partisans prisonniers le regardaient avancer escorté par les soldats à guêtres blanches, gants blancs et ceinturons blancs, chaussés de souliers à semelles de crêpe. Costak marchait fièrement, sa chemise ouverte. Tout le monde attendait le résultat de l'intervention.

« Les Américains sont décidés de remettre les partisans entre les mains des Soviets. Je leur ai dit que, moi vivant, ils ne me livreront pas. Je résiste, que ceux qui veulent rester avec moi, restent. Nous allons barricader les portes. »

Le général Costak riait.

« Nous résisterons dans la baraque, ici, comme nous avons résisté dans les forêts de notre Russie bien-aimée, dit Costak. Cette résistance ne nous conduira pas à la victoire, mais à la mort, mais qui la craint parmi nous? »

La cour du camp était pleine de soldats américains habillés de pantalons qui leur serraient les fesses, casqués et armés de mitraillettes.

« A la guerre, jamais ces garçons n'auraient pu nous nous vaincre », dit Costak.

Il soupira. Il demanda si quelqu'un voulait partir, mais on ne trouva pas un seul partisan pour accepter le départ.

Ils étaient tous décidés à résister. Costak était fier de ses hommes. Il donna l'ordre de barricader les portes.

Les tanks firent leur apparition dans la cour du camp. Un haut-parleur annonça :

« Les prisonniers sont invités à sortir dans la cour pour l'appel et le départ.

— Les Américains n'ont pas encore compris que nous ne voulons pas nous laisser emmener », dit Costak. (Il était furieux.) « Je leur ai dit il y a quelques minutes que nous ne voulons pas nous laisser livrer aux Soviets mais ils ne comprennent pas. Ils ne comprennent rien. »

Le haut-parleur continuait à répéter son ordre. Une compagnie de policiers arriva et cerna le bâtiment. Ils voulurent forcer la porte, mais elle était barricadée.

Les soldats américains ne pénétraient jamais chez les prisonniers autrement qu'en groupe et sans armes, de crainte que les détenus les leur prennent. Maintenant, ils voulaient y aller armés.

Costak se retira au cinquième étage. Il était à la fenêtre. Son adjoint lui rendait compte de tout ce qui se passait dans la cour, comme il avait l'habitude de le faire sur le champ de bataille :

« L'effectif américain est de deux compagnies environ. Armes légères. Automatiques. Grenades à main. Pistolets. »

Les deux cents prisonniers entendaient les Américains démolir la porte d'entrée.

« Des bombes lacrymogènes au premier étage, rapporta l'adjoint. Il n'y a plus personne au premier étage. »

L'adjoint sortit la tête par la fenêtre. Il se croyait de nouveau sur le champ de bataille. Il regardait les Américains avancer prudemment.

« Que tout le monde monte au dernier étage,

ordonna Costak. Attendez couchés sur le plancher.
N'approchez pas des fenêtres. »

Les canons des tanks, les mitraillettes des soldats
américains visaient les fenêtres de la baraque. On
attendait l'ordre d'ouvrir le feu. Les haut-parleurs
continuaient à égrener leurs instructions.

« Les détenus doivent se rendre. Autrement nous
tirons. »

Costak demanda encore une fois lesquels de ses
hommes voulaient se rendre. L'ordre passa de bouche
en bouche. Nul ne voulut descendre.

Les Américains progressaient au premier étage. Le
général Costak était tenu au courant de leur avance
et on lui signalait chaque marche qu'ils escaladaient.
Il voulut fumer une cigarette mais il n'y avait pas un
seul brin de tabac dans toute la baraque.

Maintenant, les soldats américains enfonçaient les
portes des étages inférieurs. Ils utilisaient les explosifs,
comme pour le siège d'une forteresse.

Costak posa sa joue contre le plancher. Sur le front
russe, lorsqu'il perdait le contact avec le commandement suprême de l'Armée Rouge et lorsqu'il devait
prendre seul une décision importante, Costak agissait
de la même manière. L'oreille collée au sol et écou-
tant ce que lui ordonnait la terre.

« Je suis heureux qu'aucun de mes hommes n'ait
voulu se rendre et que tous préfèrent mourir. Dommage pourtant de ne pas avoir été tués par les Allemands plutôt que de nous faire tuer par nos alliés
après la Victoire... »

Il posa de nouveau son oreille contre le plancher.
Les hommes lui connaissaient cette habitude. C'était
son attitude dans les moments difficiles du combat.

« Les partisans luttent sous le commandement
suprême de la terre natale, disait toujours Costak.
Nous devons écouter les ordres de la terre de notre
patrie et nous devons les exécuter. »

Le front de Costak s'était assombri.

« Mon oreille n'entend plus rien, dit-il. La voix de la Terre russe, de notre commandant suprême, de notre Père, ne peut plus transmettre les ordres. On n'entend plus les ordres de notre patrie. »

En échange, on entendait les explosions des étages d'en dessous, la voix des haut-parleurs et le grondement des tanks arrivant dans la cour du camp.

« La Terre russe est loin. On n'entend plus ses ordres », dit Costak.

Il n'y avait qu'une terre étrangère qui ne parlait pas des paysans russes ni de leur lutte pour défendre leurs champs. C'était une terre parlant une langue étrangère.

« Ils sont arrivés au quatrième étage », dit un partisan.

Costak se mit debout. Il y eut un commencement de de panique. La porte donnant sur le couloir du cinquième céda, quelques hommes furent faits prisonniers. On éleva de nouvelles barricades. L'adjoint qui regardait par la fenêtre annonça :

« Environ vingt camarades ont été conduits dans la cour, avec des couvertures sur la tête.

— Debout », commanda Costak.

Il regarda par la fenêtre. Il vit les hommes emmenés la tête dans des couvertures, encadrés de baïonnettes et chargés dans des camions. Les prisonniers se débattaient, engoncés dans leurs couvertures.

« Ça ne doit pas nous arriver », dit Costak.

Il monta debout sur le rebord de la fenêtre. Il regarda les soldats et les tanks dans la cour du camp et cria :

« Tirez ! »

Le général Costak déchira sa chemise et mit sa poitrine à nu, montrant aux Américains où il fallait viser. Les gueules des canons sur les tanks, les mitrailleuses et les armes automatiques étaient **braquées** sur la poitrine de Costak. Il se tenait dans l'embrasure de la fenêtre, énorme, trop grand pour ce cadre.

« Tirez! cria-t-il. Tirez sur le général Costak! Avec mes hommes, j'ai lutté pour délivrer la Terre russe des occupants; pour laisser cette terre aux paysans afin qu'ils puissent en tirer leur pain. Nous n'avons pas combattu pour voir les paysans pendus le jour de la Victoire. Tirez, tirez, frères d'armes d'Amérique. »

Costak se frappa la poitrine avec les poings. Il avait des poings immenses, capables de démolir un mur, mais la poitrine de Costak ne pouvait pas être démolie par ses poings géants. Elle était trop forte.

« Vous voulez me capturer vivant? demanda-t-il, regardant les armes braquées sur lui. Pourquoi ne tirez-vous pas? Vous ne m'aurez pas vivant. »

Le général Costak regarda la terre durcie, piétinée par les prisonniers. Il aurait voulu se jeter par la fenêtre, s'anéantir, mais ç'aurait été trop facile. Ses hommes le regardaient. Ils étaient debout, l'un contre l'autre, crispés.

« Déchirez vos vêtements », ordonna Costak.

Il arracha sa chemise et son pantalon et les mit en pièces. Il déchira ensuite les morceaux avec les dents. Il enleva son caleçon et le déchira en petits morceaux. Il était toujours dans l'embrasure de la fenêtre. Pendant ce temps les hommes de Costak arrachaient leurs chemises, leurs vêtements, les déchirant avec leurs dents, avec leurs mains, avec fureur et acharnement, comme s'ils déchiraient l'ennemi.

En quelques instants tous les hommes du général Costak furent nus. Avec leurs grands os, leurs corps velus, leurs poitrines semblables à des falaises.

Ils avaient tous des corps comme des tanks, et comme les tanks on les aurait crus blindés.

Ils serraient leurs poings géants et grinçaient des dents.

« Qu'ils nous livrent nus aux Soviets, dit Costak.

Il faut que la honte des Américains soit complète. »

Les Américains jetèrent des grenades et des bombes lacrymogènes. Maintenant ils étaient près des partisans, au dernier étage. Ils n'avaient abattu personne. Ils n'avaient pas tiré un seul coup de fusil. Ils voulaient capturer les hommes vivants.

Les hommes nus construisaient toujours des barricades.

« Montez sur le toit, ordonna Costak, le plus haut possible. »

Les partisans étaient maintenant dans le grenier et sur les toits de la caserne. Ils apparaissaient là-haut, éclairés par les projecteurs américains, comme les statues les soirs de fête nationale.

« Allumez », commanda Costak.

Les habits et le linge déchirés en morceaux prirent feu. Les flammes jaillirent de partout, du cinquième étage, du grenier, du toit. La fumée était suffocante. Les Américains battirent en retraite, mais ils mirent des masques et montèrent de nouveau. Entre-temps les flammes . dévoraient la toiture, le grenier. Elles sortaient par les fenêtres du cinquième étage. Les partisans étaient sur les toits.

« Que celui qui ne brûle pas se coupe les veines pour ne pas tomber vivant entre les mains de nos frères d'armes d'Outre-Océan! Le général Costak, votre commandant du steppe et de la forêt russe, se coupe les veines et vous dit adieu, camarades héros! »

Costak serra dans ses grands doigts la lame sur laquelle il y avait *Made in U.S.A.* et coupa les veines de son bras gauche. Le sang jaillit de son corps, audessus des flammes et de la fumée, comme une fontaine rouge. Des autres corps jaillirent d'autres fontaines de sang ruisselant sur le feu de la baraque incendiée. Les corps commençaient à brûler encore vivants. Les plafonds s'écroulaient. La chair brûlée vive, le sang et le feu se mélangeaient.

Le plus grand regret de Grisha Costak, le général de partisans, était de mourir sans avoir revu la terre de l'Ukraine et sans voir ses camarades. Bien qu'ils fussent à ses côtés, l'un contre l'autre, dans leur agonie, il ne les distinguait pas, aveuglé par la fumée et par les flammes. Leurs regards se croisaient à travers l'obscurité, la fumée, le sang et les flammes, comme les épées se croisent pour une prestation de serment.

Leurs corps nus brûlaient et ils ne pouvaient pas se voir, les uns, les autres. Le seul qui les voyait était Dieu. Dieu voyait tout.

Le commandant américain du camp regardait par la fenêtre la baraque incendiée.

« *Strange men, the partisans*[1], dit-il. Ils ne peuvent comprendre qu'il existe une convention. Moi, j'ai fait mon devoir. Je leur ai expliqué que le gouvernement des Etats-Unis a signé une convention avec l'U. R. S. S., selon laquelle il devait livrer après la Victoire tous les citoyens soviétiques. C'est stupide de protester, du moment qu'il existe une convention entre nos gouvernements. *Strange men, the partisans...* »

IV

Marie se réveilla le lendemain sur son banc de bois, la tête sur le sac de voyage et les yeux rouges. Elle s'était endormie tard, vers le jour, après que l'incendie de la caserne fut éteint, après la retraite des tanks munis de haut-parleurs.

Les Américains avaient travaillé toute la nuit. Tout était calme maintenant. La fenêtre ouverte laissait pénétrer une odeur de cendres brûlées; une odeur

---

1. « *Quels hommes étranges, les partisans.* »

de chair brûlée flottant dans les airs, une odeur qui imprégnait les chairs, les cheveux et les vêtements des fugitifs.

« C'est votre première nuit en Occident? demanda Ante Petrovici. Pour une première nuit, vous avez eu vraiment un beau spectacle.

— A-t-on sauvé les prisonniers? demanda Marie.

— Quelques-uns peut-être, dit Ante Petrovici. Après minuit, les Américains ont amené des pompes à incendie géantes. Ils ont des machines formidables. Les prisonniers qui n'ont pas été brûlés ont été faits sûrement... prisonniers une seconde fois. Ils seront envoyés à l'hôpital pour guérir leurs blessures. Une fois les brûlures guéries, ils seront livrés aux Soviets pour qu'on les pende! Les Américains sont civilisés. Ils ne vont pas livrer aux Russes, pour être pendus, des prisonniers blessés. Auparavant, ils vont les guérir à coups de pénicilline. Les Américains guérissent tout par la pénicilline. Ensuite ils remettent les captifs aux Soviets qui les pendront. C'est un spectacle courant. Des milliers de citoyens soviétiques sont ainsi livrés aux Russes pour être pendus. Quelques-uns réussissent à s'enfuir et reviennent en Occident. Les Américains les arrêtent une seconde, une troisième fois, jusqu'à ce qu'ils ne reviennent plus. »

Marie pleurait, elle songeait aux hommes brûlés vifs.

« Brûler des hommes n'est pas nouveau, dit Ante Petrovici. Avant de s'écrouler, toute société commence par brûler des hommes. Au Moyen Age, l'Université de Coïmbre brûlait de temps en temps un homme, afin d'éviter les tremblements de terre. Elle le brûlait vif, à petit feu. Après avoir adopté ce système, la société médiévale sombra.

« Les nazis brûlaient les juifs dans des fours crématoires afin de créer un ordre nouveau dans le monde. Ma femme aussi a été brûlée dans ces fours. Immédiatement le national-socialisme s'effondra. Lorsqu'une société brûle les vivants pour sauvegarder l'ordre, sa déchéance commence. C'est le symptôme de la fin. C'est son chant du cygne. Cette nuit, les démocrates extrémistes ont brûlé les prisonniers dans la baraque d'en face pour sauvegarder les bonnes relations entre les gouvernements des Etats-Unis et des Soviets... »

Un civil entra dans la salle. Il offrit aux réfugiés du café et du pain blanc. Ensuite il les appela pour inscrire leurs noms. Les réfugiés furent divisés en deux catégories, ceux qui étaient sous la protection des Etats-Unis et ceux qui ne l'étaient point. Tout dépendait de leur nationalité. La première catégorie était transportée en camion. Marie et Pierre Pillat faisaient partie de la seconde qui devait aller à pied.

Marie avait les pieds enflés à cause de la marche. Elle regarda le docteur Ante Petrovici monter dans le camion.

« Je serai à Stuttgart, dit-il, dans le camp de réfugiés. Venez me voir. »

Il aurait voulu céder sa place à Marie, mais elle faisait partie de ceux qui allaient à pied.

En s'éloignant, Ante Petrovici leur fit signe et sa main semblait montrer la baraque où des prisonniers avaient été brûlés pour la consolidation des relations entre les Soviets et les Etats-Unis.

« C'est notre premier jour de liberté, dit Pierre Pillat. Pour les millions d'hommes des territoires occupés par les Soviets, l'Occident représente une seonde chance. C'est une terre d'asile. Remercions le Ciel de nous avoir accordé cette seconde chance qu'est la terre de l'Occident. »

LE LIVRE
DES HUMILIATIONS
(I)

PIERRE et Marie Pillat regardèrent longtemps le camion dans lequel Ante Petrovici et les autres réfugiés des nations alliées étaient partis. Ils étaient seuls, tous les deux, dans un pays étranger où ils n'avaient jamais mis les pieds et où ils ne connaissaient personne. La peur les étreignit. Ils n'avaient pas d'argent, pas de maison.

« Nous avons eu tort de quitter les bois, dit Pillat. Où pouvons-nous aller maintenant? Qu'allons-nous faire ici? »

Il mit ses mains dans ses poches.

Il y trouva deux billets de cent marks. Il savait d'où ils lui venaient. Le docteur Ante Petrovici les lui avait glissés dans la poche avant son départ. L'argent lui redonna du courage. Ils prirent le chemin de la gare et consultèrent la carte. La ville la plus connue et la plus proche était Heidelberg. Ils montèrent dans le train.

« Heidelberg est un centre intellectuel, dit Pillat. J'y trouverai du travail à l'Université, peut-être dans une bibliothèque, peu importe. »

Ils parlèrent ensuite d'Ante Petrovici. Ils étaient pleins de courage. En descendant à Heidelberg ils avaient une foule de projets d'avenir. Ils s'arrêtèrent sur les bords du Neckar. On y construisait un pont.

« Je vais m'engager comme ouvrier ici, dit Pillat. Aujourd'hui même. Nous n'avons pas une minute à perdre. Pour le reste nous verrons plus tard. »

Il laissa Marie assise sur un banc et descendit sur le chantier au bord de l'eau. C'était l'après-midi.

« Nous avons besoin d'ouvriers, dit le chef de chantier. Chez nous on paie bien. En plus du salaire vous aurez une soupe chaude et des cigarettes. Vous pouvez venir dès demain matin. »

Pillat était heureux. Il se disait qu'il avait eu de la chance.

« Il suffit de m'apporter seulement une autorisation de séjour à Heidelberg. C'est tout. Après, je vous embauche. »

Pillat remercia et courut vers Marie pour lui faire part de la grande nouvelle.

« Viens. Nous allons chercher l'autorisation de séjour, dit-il. L'Office du logement est tout près. »

Marie souleva de nouveau le sac de voyage.

Ils attendirent quelques instants, avant d'être reçus par le chef du bureau. On leur offrit des sièges avec beaucoup de politesse. De nouveau ils se sentaient intégrés dans la vie.

« Vous aurez votre autorisation de séjour immédiatement, dit le chef, mais il faut me fournir la preuve que vous avez du travail.

— J'ai parlé au chef de chantier du pont, dit Pillat. Il m'embauche aussitôt l'autorisation de séjour obtenue.

— Il faut d'abord la preuve que vous travaillez, dit le fonctionnaire.

— Du travail, j'en ai trouvé, on peut même me

donner un certificat. Je vous l'apporte dans dix minutes, dit Pillat.

— Il m'est impossible de délivrer l'autorisation de séjour sans certificat de travail. »

Le fonctionnaire du bureau des logements était un réfugié de l'Allemagne occupée par les Russes. Il connaissait la fatigue et le désespoir de Pillat et de Marie.

« Vous ne pouvez pas trouver du travail sans autorisation de séjour, dit-il, mais sans certificat de travail on ne donne pas d'autorisation de séjour, ni carte d'alimentation, ni chambre, rien.

— On nous interdit donc d'habiter ici à Heidelberg?

— Théoriquement, on ne vous l'interdit pas, mais pratiquement c'est impossible. Pourquoi n'essayez-vous pas dans d'autres villes? Heidelberg est surpeuplé. On ne donne du travail qu'à ceux qui y habitent. En tout cas, dès que vous m'apporterez la preuve que vous travaillez, je vous accorderai l'autorisation d'y séjourner.

— Je vais faire encore un essai sur le chantier », dit Pillat.

Il descendit de nouveau les bords du Neckar. Il laissa Marie sur un banc.

Le chef des ouvriers du pont n'était pas là. Pillat l'attendit dans la baraque en bois.

Marie était lasse. En l'absence de Pillat, elle appuya sa tête contre le dossier du banc. De la main droite, elle serrait les poignées du sac de voyage posé près d'elle, pour qu'on ne le lui vole pas. Elle s'assoupit. Marie sentit une main lui toucher l'épaule. Elle tressaillit et voulut se lever mais la main la tenait serrée.

C'étaient des policiers allemands, à gants de cuir, bottes de cuir et revolvers dans des étuis de cuir. Un des policiers prit le sac de Marie et le jeta dans un camion. Puis ils l'empoignèrent par le bras et la pous-

sèrent aussi dans le camion. Marie voulut appeler
Pierre, elle regarda sur le chantier mais le camion
démarra. Marie se mit à crier. La main gantée de cuir
lui ferma la bouche. Marie voulut mordre pour pouvoir crier mais la main du policier était dure comme
du fer. Il y avait encore d'autres femmes. Elles étaient
jeunes, blondes et avaient des lèvres rouges. Elles
regardaient Marie avec curiosité. Marie sentait le
poids de la main non seulement sur sa bouche, mais
sur tout son corps. Elle sentait la main gantée peser
sur tout son corps mais elle la sentait peser surtout
sur ses seins.

Le camion s'arrêta dans une cour. Les policiers
conduisirent les femmes dans une pièce vide. Marie
sanglotait.

« C'est la première fois que tu viens à l'hôpital?
demanda une femme.

— C'est un hôpital ici? (Marie essuya ses larmes.)
Pourquoi nous a-t-on conduites à l'hôpital?

— Si tu n'as rien on va te relâcher. »

Marie se tenait contre les deux sacs de voyage. Ils
contenaient tout leur avoir. Les sacs avaient l'odeur
de leurs corps. Ils leur avaient servi d'oreiller pendant
des mois. Maintenant, Marie les serrait dans ses bras
et pleurait. Elle pensait à ce que dirait son mari en ne
la trouvant plus sur le banc. Elle aurait voulu sup-
plier qu'on la laissât partir, mais il n'y avait personne.
Le service était terminé. Toute la nuit elle serra les
sacs dans ses bras et pleura.

Le lendemain matin, les femmes furent conduites
au bain en rang par deux.

« Ne pleure plus, cria une femme près de Marie.
Moi, j'ai deux enfants seuls à la maison et je ne pleure
pas, sois forte.

— Pourquoi sommes-nous arrêtées? demanda Marie.

— Nous ne sommes pas arrêtées. C'est seulement
une rafle. Tu n'as jamais été prise dans une rafle?

— Non, dit Marie. Pourquoi être prise dans une rafle?

— Toutes les femmes le sont. C'est normal, pour qu'elles ne contaminent pas les soldats américains. Toute femme dans la rue peut contaminer les soldats. J'ai été prise déjà quatre fois dans des rafles. Et toi, jamais? Pourquoi? »

Marie se sentait presque coupable de n'avoir jamais été emmenée dans une rafle.

« Je n'habite pas la ville », dit Marie.

Elles étaient maintenant dans une salle du premier étage.

« Si tu restes en ville tu viendras souvent ici. La seconde fois tu ne pleureras plus. »

Après la douche, les femmes furent conduites dans un couloir. Elles étaient introduites une à une dans la salle de visites. Marie entendit crier son nom. Elle entra dans une pièce où deux hommes en blouses blanches examinaient une femme nue étendue sur la table blanche.

Les hommes avaient des gants de caoutchouc. Ils paraissaient mécontents.

« Pourquoi n'es-tu pas déshabillée? cria l'un d'eux. (Il avait une voix dure, comme Marie n'en avait jamais entendu.) Déshabille-toi. »

Marie aurait plus volontiers supportée d'être battue plutôt que d'entendre cet ordre. Elle sentit la main de l'infirmière sur son épaule. Ensuite une autre main. Deux infirmières la déshabillaient et la grondaient. Elles criaient. Marie ferma les yeux et se fit lourde. Mais les infirmières la soulevèrent et l'étendirent sur la table. Marie était nue. Elle commença à crier et à se débattre de toutes ses forces. Les mains étrangères l'immobilisaient. Marie serrait les jambes, se débattait, criait. Les hommes se fâchèrent. D'autres femmes arrivèrent. Marie luttait contre une foule de mains. Ensuite elle sentit un nuage froid descendre sur son

visage. Elle ne se défendit plus. Son corps se soumit à
la volonté des mains étrangères. Lorsqu'elle quitta la
table d'examen elle eut l'impression de se réveiller. Elle
essaya de se couvrir pour ne pas être nue devant ces
hommes inconnus. Mais en essayant de voiler sa
nudité, ses mains trouvèrent des épines à la place de
la toison fine et douce comme des fils de soie. On
l'avait rasée. A la place des fils soyeux il n'y avait que
des pointes qui piquaient la paume des mains. Marie
s'habilla, désespérée.

« Tu peux partir », dit l'infirmière.

Elle prit les sacs et se dirigea la tête basse vers la
porte. Les sacs lui paraissaient lourds comme des
pierres de meule. A chaque pas elle sentait les minus-
cules aiguilles. Les sanglots lui serraient la gorge. Il
lui semblait qu'on voyait à travers sa robe et sa chemise qu'elle était rasée. Marie se sentait la femme la
plus humiliée de la terre.

Elle aurait voulu implorer du secours, mais elle ne
savait pas qui implorer. Elle n'était même plus capable
de penser à Pierre. Marie se dirigeait vers le Neckar
comme une automate. Elle avait envie de se jeter à
l'eau. Les piquants s'enfonçaient dans ses chairs comme
des épines.

« Où étais-tu? demanda Pierre. Je t'ai cherchée
toute la nuit. Où étais-tu? »

Le ton était âpre.

« Je ne peux pas te le dire, Pierre. (Elle se mit à
pleurer, elle sentait les aiguilles.) J'aime mieux mourir
que de te le dire. »

Pierre lui prit la main.

« Je retourne à Piatra, dit-elle, je ne veux plus
rester ici. »

II

Pierre et Marie Pillat quittèrent Heidelberg. Ils n'avaient pas le droit d'habiter la ville. Ils prirent le train pour Stuttgart. Ante Petrovici les reçut comme de vieux amis. Ils avaient été ensemble l'espace d'une nuit, mais il est des rencontres qui comptent plus qu'une vie passée côte à côte.

Petrovici leur donna du pain, des conserves et des cigarettes. L'Organisation internationale des réfugiés alliés leur fournissait nourriture et logement. Malgré cela, le docteur Ante Petrovici boitait fort, ce qui voulait dire qu'il était malheureux et que son âme était troublée.

« Dans aucune ville de l'Allemagne vous ne pourrez obtenir une autorisation de séjour sans produire un certificat de travail, dit-il, et vous ne pourrez pas avoir de travail sans autorisation de séjour. C'est un cercle vicieux. Pratiquement, le séjour ici vous est interdit, mais vous n'avez pas davantage la permission de partir. Chaque mètre de la frontière allemande est gardé par des tanks. On a fermé les frontières par des fils de fer barbelés. Il vous reste la possibilité d'habiter dans les airs. Dommage que les hommes ne puissent pas vivre d'air et dans l'air. »

Marie mordait dans le pain offert par Ante Petrovici.

« Pour qu'il lui soit permis de vivre, l'Occident a vendu aux Soviets la moitié de l'Europe. Les hommes de ces pays vendus aux Russes s'enfuient vers l'Occident pour échapper à la mort et à la terreur.

« L'Occident est la seconde chance de chaque habitant des pays occupés par les Russes. Les fugitifs de tous ces pays traversent l'Allemagne et en Allemagne ils sont arrêtés et enfermés dans des camps de concentration. Ils ne peuvent plus sortir d'ici.

— Croyez-vous qu'il n'existe pas d'issue? demanda Marie. Nous ne demandons pas grand-chose. Nous voulons seulement travailler. C'est tout. Je sais bien que nous ne pouvons plus avoir nos maisons et la vie d'autrefois. mais qu'on nous laisse vivre n'importe comment.

— Je ne suis pas prophète, dit Ante Petrovici. mais je pense qu'il n'y a pas d'issue. L'Europe n'existe plus. Il n'y a plus que l'Amérique et la Russie qui se sont partagé l'Europe. Les deux, l'U.R.S.S. et les U. S. A., veulent imposer leur mode de vie au globe entier. Et pour cela elles veulent supprimer l'individu. La Russie extermine des millions d'êtres vivants. Des classes sociales entières. L'Amérique ne les extermine pas. Elle offre ces hommes aux Russes pour qu'ils les exterminent. Comme les professeurs de Coïmbre, elle croit pouvoir éviter la catastrophe en brûlant régulièrement, à petit feu, un certain nombre d'hommes. Elle a brûlé des prisonniers russes sous nos yeux, afin d'éviter un conflit diplomatique avec les Soviets. Elle a offert aux Soviets la Lithuanie, la Lettonie et l'Esthonie afin d'éviter un conflit politique avec le gouvernement soviétique. Elle a sacrifié la Pologne avec ses hommes et ses animaux pour éviter une mésentente avec la Russie. Après quoi, elle a sacrifié la Roumanie et les hommes qui y habitaient; elle a sacrifié la Tchécoslovaquie, la Hongrie, une à une. »

Marie pleurait doucement.

« Le danger est devenu si grand pour chacun, pour chaque classe, chaque peuple qu'il est douloureux de se leurrer soi-même. Le temps ne laisse nul répit, ne connaît point d'arrêt, nul détour ni abandon astucieux n'est possible. Seuls. des rêveurs peuvent croire à des détours.

« L'optimisme est de la lâcheté. Nous sommes nés dans cette époque et nous devons suivre courageusement le chemin tracé, il n'y en a point d'autre. Le devoir exige de persister dans la situation même perdue et sans espoir. Patienter comme ce soldat romain dont les ossements ont été trouvés devant une porte de Pompéi et qui mourut, sa relève ayant été oubliée lors de l'éruption du Vésuve.

« Cette fin honorable est la seule qu'il n'est pas possible de prendre à l'homme.

— Les principaux organes du corps humain, le cœur, les poumons fonctionnent automatiquement, dit Pillat. La soif de vivre et l'espoir sont automatiques aussi. L'acceptation de la mort est un mensonge littéraire. Le soldat romain de Spengler [1] qui attend que la lave vienne l'engloutir est une création fausse, invraisemblable. Quand les Russes ont commencé à nous envahir comme des torrents de lave et quand nous avons compris qu'ils voulaient nous exterminer, nous nous sommes enfuis. C'est le geste naturel de l'homme devant le danger de mort. Nous avons eu le privilège d'échapper à la lave brûlante qui nous tombait dessus, aux Soviets, et nous essaierons de nous sortir aussi de cette chaudière qu'est l'Allemagne. En faisant abstraction de ce que vous pensez en tant qu'homme, n'essaierez-vous pas de sauver votre vie, de sortir d'ici? Répondez sincèrement, docteur Petrovici.

— Moi aussi, j'essaie », répondit Ante Petrovici.

Sur sa table il montra les petites bouteilles d'encre, les gommes, les cachets.

« J'essaie moi aussi de sortir par la seule porte qui existe, en émigrant. Les pays d'outre-Atlantique envoient en Allemagne des commissions de marchands pour choisir de la main-d'œuvre parmi les centaines

1. Oswald SPENGLER, *l'Homme et la technique* (*der Mensch und die Technik*, C. H. Becksche Verlag, Munich).

de milliers de réfugiés. Ils choisissent les hommes comme les bêtes et ne retiennent que la marchandise de première qualité. Ils veulent des hommes jeunes. J'ai dépassé la limite de la jeunesse. Je dois falsifier mon acte de naissance. C'est ce que je fais. Je suis infirme. Il me manque quelques millimètres de vide sous la plante du pied droit. Je suis plus petit qu'un homme de première qualité, qui doit mesurer au moins 1 m 60. Je suis musulman. Un homme de première qualité doit être chrétien. Je vais réparer tout cela. Je vais faire des faux. Je vais me débattre. Mais la vraie difficulté est autre. La difficulté est de me séparer de la tombe de l'Europe. L'Europe est morte. Comme tous les intellectuels d'origine bourgeoise, j'ai le culte des tombes. Il m'est pénible de me séparer d'elle. L'Europe a commencé à mourir en même temps que la création des camps de concentration nazis.

« Elle est morte avec chaque prisonnier brûlé par les nazis, elle est morte un peu avec l'incinération de ma femme Lidia, mais l'Europe a rendu son dernier soupir à Torgau. Là, se trouve la tombe de l'Europe. C'est une petite ville sur les bords de l'Elbe où les armées russes et américaines se sont rencontrées en 1945. Là, devant le cadavre de l'Europe, les soldats soviétiques et les soldats américains se sont embrassés et ont bu du whisky et de la vodka. Le banquet funèbre de l'Europe a été arrosé de boissons étrangères, non européennes, vodka et whisky. De même que, vous et votre femme, vous ne vous sentirez à l'aise nulle part ailleurs que dans le village de Piatra, en Roumanie, moi non plus, je ne me sentirai à l'aise qu'en Europe. A cause de tout cela, je considère cette chance qu'on m'offre ailleurs et pour laquelle je lutte et je falsifie des actes, comme un chance de seconde main. L'exil hors de mon pays a été le prologue à l'exil hors de l'Europe... »

Un homme élégant, portant une serviette de cuir, entra dans la chambre. Il serra la main d'Ante Petrovici et salua froidement Marie et Pierre.

« Je viens d'être nommé conseiller politique, pour les questions balkaniques auprès du commandement américain en Europe.

— Toutes mes félicitations », dit Ante Petrovici.

Ensuite il le présenta à Marie et à Pillat.

« Un de vos compatriotes, monsieur Aurel Popesco.

— Très heureux, dit Popesco, je suis très heureux de vous connaître » et il quitta rapidement la chambre, mais sur le seuil il se retourna.

« La Commission canadienne arrive demain, docteur, dit-il, et le recrutement des émigrés commence à huit heures du matin. Si vous voulez vous présenter, levez-vous de bonne heure.

— Aurel Popesco fait partie d'une catégorie privilégiée de citoyens, dit Petrovici. Il possède une carte de « victime du fascisme » et c'est pour cela qu'il a été nommé auprès du commandement américain. Il était un des chefs du mouvement fasciste en Roumanie. Vous avez dû le connaître. Il a commis toute une série de crimes et de barbaries. Il a dû se réfugier en Allemagne. Les Allemands l'ont enfermé à Buchenwald avec les autres fascistes qui s'étaient enfuis de Roumanie. Les Américains ont délivré tous les prisonniers de Buchenwald et leur ont délivré les cartes de « Victimes du fascisme ». Dans cette catégorie se trouvent les détenus pour *excès* de fascisme. C'est le cas d'Aurel Popesco. »

Ante Petrovici interrompit sa phrase et s'adressa à Pillat :

« Vous devez vous présenter sans faute, demain, devant la Commission canadienne, dit-il. Je ne peux pas y aller, je n'ai pas encore fabriqué mes papiers. Je le regrette parce que je ne sais pas quand viendra la commission suivante, mais vous devez vous pré-

senter. Vous coucherez ici et demain je vous y conduirai. »

III

Le lendemain matin à sept heures Pillat et sa femme
prirent place dans la file de gens qui attendaient devant
la Commission canadienne. Les candidats formaient
une masse grise d'hommes désespérés, de tous les âges
et de toutes les nationalités. Ils n'avaient tous qu'un
même rêve, devenir bûcherons au Canada.

C'étaient des hommes qui avaient eu naguère leur
maison, leur profession, leur famille, comme tant
d'autres hommes. Le jour de la Victoire leurs patries
avaient été envahies par les Soviets et ils avaient été
obligés de s'enfuir et d'abandonner maisons, animaux,
familles, tout. Maintenant, ils constituaient le prolétariat le plus authentique du monde. Et il y en avait
ainsi sur les routes plus de cent millions. Les regards
à terre, ils attendaient la chance de partir au Canada,
mais c'était difficile. Parmi les millions de prolétaires
qui s'offraient, les Canadiens choisissaient les meilleurs.

A neuf heures les voitures de la Commission firent
leur apparition, larges et grasses comme des vaches;
elles se mouvaient en beuglant de tous leurs klaxons
à travers la masse grise qui attendait.

L'appel des candidats commença sur-le-champ. On
les faisait venir par équipes de dix. En entrant dans
le bureau, Pillat sentit une odeur d'eau de Cologne,
de tabac parfumé et de savon. C'était un signe du
parfait état de ces marchands. Les trois Canadiens
regardaient chaque candidat attentivement, depuis la
plante des pieds jusqu'au sommet de la tête comme on
examine un cheval à vendre. Les marchands payaient
le transport de chaque émigré.

« Votre nationalité?

— Je suis Roumain », dit Pierre Pillat.

La Commission canadienne, comme les autres commissions, préférait les races nordiques. Les hommes du
Nord sont plus robustes et plus patients. Ils ne se
révoltent pas et vivent plus longtemps.

« Votre profession? » demanda le marchand.

Il continuait à examiner Pillat.

« Ancien magistrat », dit Pillat.

Il sentait que cela ne plaisait pas à la Commission.
Tout le monde le regardait d'un air mécontent.

« Au suivant », dit le marchand du centre.

Il fit signe à Pillat de sortir.

« Vous ne m'acceptez pas? demanda Pillat.

— Nous avons fini avec vous, dit sévèrement le
Canadien, mécontent de la question.

— Je désire savoir si je suis accepté ou non.

— Nous ne vous acceptons pas, répondit le Canadien. Non.

— Quel défaut me trouvez-vous?

— Nous ne prenons pas d'intellectuels, dit le marchand. Vous pouvez partir. »

Le mot « intellectuel » avait été prononcé avec haine,
avec férocité.

« Croyez-vous qu'un intellectuel ne peut pas abattre
des arbres au Canada? » demanda Pillat.

Sa voix devenait implorante.

« Soyez bons et acceptez-moi, aussi. Je vous en
supplie.

— Non, dit le marchand.

— Que reprochez-vous aux intellectuels? Nous pouvons effectuer les mêmes travaux que les autres.

— Vous ne le pouvez pas, dit le marchand. Les
intellectuels ne peuvent pas travailler. Les intellectuels n'ont pas de muscles. Vous pouvez partir. Vous
êtes refusé. »

Pillat sortit. Il n'avait plus de question à poser. Il

était édifié. Il quitta le bureau de la Commission sans se rendre compte par où il passait. Il sortit par une autre porte. Marie l'attendait dans la rue. Elle s'élança vers lui, rose de bonheur. Elle l'embrassa et se pendit à son cou.

« Je suis acceptée, dit-elle. Nous étions dix candidates. Je suis la seule acceptée. »

Marie serrait Pillat dans ses bras. Elle était heureuse comme elle ne l'avait plus été depuis leur fuite de Piatra. Mais dans son enthousiasme elle eut la sensation que les épaules, le visage, le cou de son mari étaient froids, pétrifiés, morts.

« Ils ne t'ont pas accepté? demanda-t-elle effrayée.

— Non, dit-il. Ils ne veulent pas d'intellectuels. Les intellectuels manquent de muscles. »

IV

Pendant que Pierre Pillat et Marie s'éloignaient du bâtiment de la Commission, dans le bureau des Canadiens pénétra un nouveau groupe de dix, parmi lesquels se trouvait un homme robuste, d'un certain âge. Il entra dans le bureau, ému mais marchant d'un pas ferme. Il s'inclina devant les trois Canadiens comme il avait l'habitude de s'incliner devant le prêtre de son village.

« Votre nationalité? » demanda le marchand canadien.

Le paysan aux yeux noirs eut une seconde d'hésitation. Ensuite il dit :

« Je m'appelle Ion Kostaky, je suis Roumain. j'ai quarante ans. je suis laboureur et en dehors de ça je ne sais plus un seul mot d'allemand. »

Kostaky récitait ses mots nettement, en allemand,

sans aucune faute, comme s'il avait dit des vers. Il
regardait les trois messieurs en face de lui pour voir
ce qu'ils allaient décider. Il attendait comme au jugement dernier.

Tous les trois se mirent à rire.

« Où avez-vous appris ces mots? demanda celui du
centre.

Ion Kostaky voulut deviner le sens de la question,
mais il ne réussit pas. Néanmoins, il voyait que les
messieurs du bureau le regardaient attentivement et
sans animosité. Il était obligé de répondre. Il avala et de
nouveau il récita la seule réponse qu'il connaisait :

« Je m'appelle Ion Kostaky, je suis Roumain, j'ai
quarante ans, je suis laboureur et en dehors de ça je
ne sais plus un seul mot d'allemand.

— Bravo! crièrent les marchands. Bravo, parfait. (Ils
riaient aux éclats.) C'est un futur citoyen d'élite du
Canada. Vous êtes accepté. »

Ion Kostaky les regardait. Il voyait leur joie, mais
ne comprenait pas ce qu'ils disaient.

« *Du Kanadian, verstanden* [1]? » demanda le président.

Kostaky vit le doigt du marchand tendu vers lui et
entendit le mot « Canadien ». Il comprit qu'il était
accepté. Il remercia Dieu en pensée. Il s'inclina ensuite
devant la Commission comme il s'inclinait autrefois devant le prêtre Thomas Skobay de Piatra, et voulut partir.

Le secrétaire de la Commission le prit par les
épaules et lui expliqua :

« Vous nous êtes très sympathique. Vous mangerez
et coucherez ici. Ensuite vous partirez avec ces messieurs pour le Canada. En attendant, vous êtes engagé
par la Commission. »

Kostaky fut conduit dans la cuisine de la Commision
canadienne. On lui servit à manger. On lui donna des

1. « *Tu es Canadien, compris?* » (N. du Tr.).

cigarettes. Il lui semblait avoir vaincu toutes les difficultés. Mais au lieu de luire de bonheur, ses yeux se
remplirent de larmes.

Iléana, la maison de Piatra, Marie sa fille, Pierre.
Tous étaient présents à sa mémoire. Sans village, sans
maison, sans famille il n'y avait plus de joie. Kostaky
ne put pas manger. Il regarda par la fenêtre à travers
des larmes. Il aurait voulu voir son village, sa maison,
ses bêtes, tous les siens, mais seuls des étrangers passaient devant la fenêtre, rien que des étrangers.

V

Tous les réfugiés se rencontraient en Allemagne,
quel que fût leur point de départ.

Pierre Pillat rencontra Motok. Le *Schaffner* était
vêtu avec élégance, il avait une montre en or, une
serviette de cuir et fumait des cigarettes américaines.
Avec Aurel Popesco, MM. Salomon et Varlaam, il
faisait du marché noir. Pourtant il voulait partir.

En Allemagne on peut mourir de faim ou on peut
faire du marché noir et aller ensuite en prison. A
cause de cela Motok se présenta en même temps que
Marie, Varlaam, Pierre Pillat et Ante Petrovici devant
la Commission australienne qui venait d'arriver à
Stuttgart.

Le docteur Ante Petrovici faisait comme d'habitude
le réquisitoire des temps actuels :

« L'Europe est le plus dénaturé des continents, dit-il.
L'Europe vend ses citoyens, au mètre et au kilo, aux
autres continents. Toutes ces commissions qui viennent
d'arriver ne nous prennent qu'au mètre et au kilo.
Rien d'autre ne les intéresse dans la nature humaine
sauf le poids et la taille. »

Ils furent invités à compléter les formulaires du

Story of life [1]. Ensuite ils furent introduits dans une salle immense remplie d'appareils médicaux, où ils devaient être mesurés, pesés, examinés. Les femmes se trouvaient d'un côté, les hommes de l'autre.

L'examen des candidats à l'émigration débuta comme dans une clinique.

« Ne posez pas vos feuilles par terre, dit poliment une infirmière anglaise, il y a des microbes. »

Ante Petrovici tenait sa feuille avec ses dents et se déshabillait. Tous les candidats étaient maintenant nus devant les trois infirmières blondes avec des cheveux couleur de thé, et devant les appareils blancs. Pardessus ces appareils devant lesquels ils attendaient nus, les réfugiés entrevoyaient la terre d'Australie comme une terre promise.

« Serrez de toutes vos forces », dit une infirmière.

Ante Petrovici prit dans la main droite un appareil en forme de poignée de sabre et serra.

L'infirmière rit :

« Vous n'avez jamais mesuré votre force musculaire? » demanda-t-elle à Ante Petrovici.

Ensuite, elle donna l'appareil à Pillat qui le serra aussi de toutes ses forces. Le chemin de l'Australie passait par cet appareil.

Après l'évaluation de la force musculaire, les dix hommes nus furent piqués au bout de l'index avec un instrument pas plus grand qu'une fourchette à dessert. On prit à chacun une goutte de sang qui fut déposée sur des petits carrés de verre.

On ne pouvait pas aller en Australie sans que chacun donne une goutte de sang.

Ante Petrovici grelottait. Il était épouvanté. Pillat regardait les carrés de verre étiquetés et alignés sur la table blanche et portant les gouttes de son sang et celui de ses compagnons.

---

1. L'équivalent du *curriculum vitæ* européen.

L'infirmière s'approcha tenant une seringue.

« Ça ne fait pas mal », dit-elle.

Ensuite, elle tira du sang de la veine du bras droit de chaque candidat. Le sang était déposé dans des éprouvettes étiquetées.

Il y eut encore une épreuve. On invitait poliment les réfugiés à souffler dans un tube en caoutchouc relié à un appareil en forme de bock à lavements. Il mesurait la capacité pulmonaire.

Après ce fut l'épreuve décisive pour Ante Petrovici. Il était pâle en arrivant sous la toise. Pillat observa comment Ante Petrovici creusait son ventre et se haussait sur la pointe des pieds.

« Tenez-vous normalement », ordonna l'infirmière.

Ante Petrovici rentrait son ventre et s'élevait sur la pointe des pieds de plus en plus. Il devait gagner quelques centimètres et faisait des efforts pour s'allonger.

L'infirmière nota à haute voix la taille d'Ante Petrovici. Il devint radieux. Il avait gagné.

« Il ne me fallait que deux centimètres, chuchota-t-il à Pillat, seulement deux. Je les ai gagnés. »

Il était rayonnant de joie. On pesa les candidats et on les conduisit un à un derrière un paravent de toile noire où se trouvait l'appareil à rayons X. C'était le seul appareil noir de toute la pièce. Pillat, Motok, Ante Petrovici défilèrent devant lui. Ils sentirent les gants de caoutchouc du docteur leur toucher les épaules, ensuite la plaque froide sur la poitrine. Tout se passait dans l'obscurité. Deux minutes pour chacun. C'était le tour du lieutenant Varlaam. C'était le seul sportif parmi tous les candidats. Son corps était athlétique, bronzé.

« Combien de temps êtes-vous resté à l'hôpital? » demanda le médecin.

Il examinait, aux rayons X, les poumons du lieutenant Varlaam.

« Je n'ai jamais été à l'hôpital », dit Varlaam en quittant le paravent de toile noire.

Le médecin examina la peau de sa poitrine et arrêta son doigt sur une cicatrice.

« Vous avez été blessé là, dit-il. Pourquoi soutenez-vous n'avoir jamais été à l'hôpital?

— Je n'ai jamais été à l'hôpital, dit Varlaam. Ce que vous voyez là, c'est une éraflure. Je suis pilote. Un jour j'ai été atteint par un éclat mais je n'ai pas été blessé. Ma tunique a pris feu et j'ai été juste égratigné. On m'a fait un petit pansement avec du coton et de la teinture d'iode et le lendemain je suis reparti en mission. Où avez-vous pris que j'ai été blessé?

— Vous avez un corps étranger dans les poumons, dit le médecin. Dans la même région que la cicatrice, ce doit être un fragment d'éclat.

— Si j'avais un éclat dans la poitrine, dit Varlaam ironique, j'aurais dû le sentir entrer. Je pense que tout homme doit s'apercevoir quand un éclat pénètre dans ses poumons.

— Je vais vous faire une radiographie et vous verrez de vos propres yeux. »

De nouveau Varlaam fut conduit derrière le paravent de toile noire. On photographia ses poumons. Les autres réfugiés s'habillaient.

« Habillez-vous aussi », dit le docteur.

Lorsque Varlaam fut prêt, la radio de ses poumons était développée. Le docteur la regardait près de la fenêtre.

« Si j'avais eu un éclat dans les poumons je n'aurais pas pu accomplir mille missions au-dessus des lignes ennemies, en Russie, et je n'aurais pas pu recevoir une demi-douzaine de décorations, dit Varlaam furieux.

— Regardez vous-même », dit le médecin.

Il tenait le cliché et le plaça devant la fenêtre.

C'était la photo des poumons du pilote Varlaam. Il regarda la plaque et vit des ombres. Cela ne l'intéressait pas.

« Vous voyez ce point noir, de la taille d'un pois? C'est le corps étranger. Et il est dans vos poumons.

— Si vraiment j'ai un bout d'éclat dans les poumons, dit Varlaam, cela n'a pour moi aucune importance du moment qu'il ne me gêne pas. Ce corps étranger ne m'a pas empêché d'effectuer pendant deux ans, de nuit comme de jour, des vols au-dessus de l'ennemi. Ce corps étranger ne m'a pas empêché de manger, de dormir, de danser. Je suis en parfaite santé. Du moment que l'éclat ne me dérange pas, il n'a aucune importance. J'ai volé avec lui à des milliers de mètres d'altitude à travers les barrages d'artillerie et je ne l'ai pas senti. Si j'ai pu devenir, avec ce pois de métal, un as de l'aviation, je pense que je peux devenir avec lui berger, agriculteur ou balayeur de trottoirs en Australie, car je suppose que vous ne réservez pas d'autres *jobs* aux réfugiés?

— Nous n'acceptons que des émigrants ayant des poumons parfaitement nets.

— Il serait souhaitable que tous les Australiens aient des poumons aussi nets que les miens », dit Varlaam.

Il boutonna rageusement sa tunique transformée en habit civil.

Varlaam quitta la salle d'examen sans dire au revoir. Il claqua la porte.

« Nous aurions pu lui donner une chance, dit le médecin. L'opération n'est pas compliquée. »

Il regardait la photographie des poumons.

« S'il avait voulu suivre mon conseil on l'aurait opéré et il se serait présenté de nouveau, mais avec de telles manières... »

Les réfugiés étaient habillés. Ils furent de nouveau conduits derrière le paravent noir. Il y avait un autre médecin qui examinait les dents aux rayons X. C'était un examen rapide.

« Vous avez besoin d'une radiographie, dit le dentiste, à Ante Petrovici. Que cela ne vous paraisse pas curieux. En Australie nous avons un standard de vie que vous ne connaissez pas en Europe. Peut-être l'Europe nous est-elle supérieure au point de vue culturel, mais en ce qui concerne le standard de vie, nous sommes bien plus avancés. C'est d'ailleurs normal. Nous sommes un continent jeune. »

Le docteur parlait derrière le paravent noir pendant qu'il photographiait la denture d'Ante Petrovici.

« Nos sciences sociales sont à jour, non pas comme chez vous en Europe. Par exemple, nous avons une hygiène sociale et une eugénique modernes. Nous avons résolu le problème racial mais nous l'avons résolu de façon scientifique parce qu'en Australie il existe un esprit scientifique. Grâce à lui, nous aurons en Australie, dans quelques années, une race véritablement supérieure. Nous réalisons cette race supérieure par la surveillance scientifique des mariages, des croisements des races et de l'émigration, donc par une voie pacifique et scientifique. Nous ne résolvons pas le problème racial comme vous en Europe, par la barbarie hitlérienne, c'est-à-dire par l'incinération des juifs, des tziganes et des races inférieures. Nous traitons les races inférieures par des moyens scientifiques. nous ne les brûlons pas. Le problème racial existe du point de vue scientifique, mais nous ne le résolvons pas dans des camps de concentration. Nous l'étudions dans des laboratoires et les bureaux. Nous y apportons une solution humaine. »

Ante Petrovici aurait voulu se boucher les oreilles. Depuis l'incinération de son ancienne femme Lidia Petrovici il ne pouvait plus supporter d'entendre des discussions sur les races supérieures et inférieures. Depuis que Milan Paternik avait tué, au nom de ces

principes, sa propre mère ainsi que huit cents Serbes et
juifs, il ne pouvait plus entendre parler du problème
des races — même si la solution du problème était
pacifique.

Ante Petrovici se sentait malade purement et
simplement rien qu'en entendant prononcer le mot
« race ».

Au nom de ce mot, Lidia avait été brûlée. Le corps
de Lidia qui avait dormi près de lui, les doigts de
Lidia qui avaient tremblé sur le violon avaient été
brûlés au nom de ce mot. Ante Petrovici avait le cœur
soulevé lorsqu'il entendait le mot « race », qui signifiait pour lui four crématoire, assassinat. Dans la
bouche de l'Australien il voulait dire croisement des
hommes comme celui des bêtes.

Ante Petrovici aurait voulu s'évader de cette salle.

Le médecin plaça le cliché devant la fenêtre :

« Venez regarder votre denture, dit-il, avec ironie.
Regardez bien. Ce sont vos dents. »

Ante Petrovici s'approcha. Il regarda l'image de
son crâne. Il sentit un goût amer emplir sa bouche.
Personne n'aime qu'on lui montre son crâne et qu'on
lui dise que c'est sa tête. Parce que sur la photographie il y avait les os de sa tête, son crâne exactement
comme un crâne de mort.

« Vous voyez vos dents? » dit le médecin.

Il éclaira mieux la radio du crâne d'Ante Petrovici.
On y voyait les os noirs, sans chairs, les dents. les
maxillaires comme chez les morts.

« Vous voyez votre tête? » demanda encore le
médecin.

Ante Petrovici était pâle.

« Vous la voyez, n'est-ce pas? Eh bien, vous ne
pouvez pas entrer en Australie avec une tête pareille. »

Ante Petrovici n'avait rien à répondre.

Ensuite, il se dit qu'il valait mieux tenter encore
quelque chose.

« Je vais soigner mes dents, dit-il. Voyez-vous, tant d'événements ont déferlé sur nous, les Européens.

— Pour l'instant, votre émigration est impossible. Absolument impossible. Par principe, nous n'acceptons pas d'émigrants avec les dents réparées, mais vous pouvez toujours tenter votre chance après les avoir soignées. Nous n'acceptons pas les bridges. L'Australie ne reçoit pas d'émigrants avec bridge. Regardez, vous avez besoin d'un bridge. C'est impossible, impossible.

— J'ai passé toutes les autres épreuves », dit Ante Petrovici.

Il mettait sa cravate comme s'il avait voulu s'étrangler tant son humiliation était grande.

« L'épreuve des dents est essentielle, dit le dentiste. Absolument essentielle. Je ne sais pas comment ça se passe chez vous, en Europe, mais en Australie la denture a un rôle primordial. Primordial, dans le vrai sens du mot. »

Ante Petrovici était ahuri de ce qui lui arrivait, de ce qu'il entendait :

« Même si j'étais un homme de grande valeur, ce qui n'est pas le cas, dit-il... si j'étais, par exemple, Michel-Ange ou Gœthe, me refuseriez-vous la nationalité australienne parce qu'il me manque quelques dents ? Je vous pose la question par pure curiosité, uniquement par curiosité. Parce que si c'est ainsi, nous frisons le ridicule. Je veux dire qu'il peut exister des qualités supérieures dans une personne humaine, des qualités qui pourraient compenser l'absence de quelques dents, mettons, des qualités morales, intellectuelles, artistiques. Il existe des dons qu'un homme peut avoir — et de grands dons — comme les dons spirituels, un grand talent qui puisse valoir quelques dents.

— Rien ne peut égaler et remplacer une bonne denture, dit le médecin. Les dernières recherches scientifiques sont précises. Lorsque nous nous occupons de l'émigration nous nous guidons uniquement d'après des principes scientifiques. Vous parlez de qualités morales? Toutes passent par la bouche. Toute la morale. Comprenez-vous? Et par une mauvaise bouche, il ne passe que du mauvais. Les mauvaises dents donnent une mauvaise digestion. La mauvaise digestion donne une puissance de travail amoindrie, de l'irascibilité. Cela mène au mécontentement, le mécontentement conduit aux conflits, à la perte du contrat de travail par exemple. Le contrat de travail perdu conduit au chômage. Le chômage implique la pauvreté et la révolte. La voie est ouverte vers le crime, vers l'anarchie, vers la conspiration politique. Si vous demandez pourquoi, la réponse est catégorique : parce qu'il vous manque des dents. Un Etat dont les citoyens ont de mauvaises dents est un Etat perdu intellectuellement, moralement, économiquement. Je vous dis tout cela de façon sommaire, mais la question a été fort bien étudiée. »

Il y eut un silence. Le médecin tenait toujours la radiographie du crâne d'Ante Petrovici.

Tout le monde se taisait : Motok, Pillat, Petrovici.

« Pour l'instant vous ne pouvez pas émigrer. Nous vous refusons. »

Pillat prit Ante Petrovici par le bras. Ils sortirent dans la rue. Marie était devant la porte. Elle attendait, cachant un sourire de contentement. Elle avait peur que son mari ne fût pas accepté, comme cela s'était passé chez les Canadiens.

« Admis? » demanda-t-elle.

Elle avait peur de la réponse, elle la supposait négative.

Pillat hocha la tête affirmativement.

Marie s'élança et l'embrassa.

« Moi aussi, je suis admise », dit elle.

Pillat était immobile comme une statue, il ne répondit pas à son baiser.

« Que mon échec ne vous gêne pas, dit Ante Petrovici. Il est normal de vous réjouir de votre succès. »

VI

Avant son départ pour l'Australie, Pierre Pillat se
rendit à la Croix-Rouge de Francfort.

« Nous émigrons en Australie, dit Pillat. Nous
embarquons dans quelques semaines. Avant de partir
nous voudrions savoir s'il n'existe pas en Allemagne
un réfugié roumain du nom de Ion Kostaky. C'est le
père de ma femme. La Croix-Rouge possède le nom de
tous les réfugiés. S'il n'est pas arrivé en Allemagne,
c'est qu'il est mort ou arrêté par les Russes. »

Marie et Pillat attendirent debout.

« Il n'y a plus d'espoir que vous revoyez jamais
Ion Kostaky, dit l'employé. Pourquoi ne l'avez-vous
pas cherché plus tôt? Ion Kostaky a émigré au Canada
il y a quinze jours. »

Le fonctionnaire lut la fiche qui portait le nom, le
lieu de naissance, l'âge et la profession de Ion Kostaky. Il demanda ensuite si c'était bien celui qu'ils
cherchaient.

« C'est papa », dit Marie, en pleurant.

Ils se dirigèrent à pied vers la gare. Le train pour
Stuttgart venait de partir.

Le train suivant n'était que le lendemain matin.
Ils s'assirent sur un banc, décidés à passer la nuit dans
la salle d'attente. Ils avaient des remords de ne pas
avoir cherché Kostaky plus tôt. Au-dessus de leurs
têtes il y avait une affiche : *La gare ferme à dix heures.*
Il est défendu aux voyageurs de rester dans la salle
d'attente ou sur les quais A côté, une autre affiche

disait : *Toute personne circulant dans les rues aprè,
onze heures sera abattue sans sommation.*

Ils se levèrent avec leurs sacs sur le dos. Les hôtels
n'existaient plus. Toutes les maisons avaient été bombardées. Quelqu'un leur signala l'existence d'un
bunker [1] en face de la gare, où ils pourraient coucher.
Ils pénétrèrent dans les décombres. Dans la cave, il
y avait des lits en planches, qu'on pouvait louer à la
nuit. Harassés, ils s'allongèrent posant leurs têtes sur
les sacs. Marie pleurait en se disant qu'elle ne reverrait
plus son père. Ensuite elle pensa à l'enfant qu'elle
attendait.

« Tu sais, j'ai trouvé un nom pour notre enfant,
dit Pierre Pillat. Si c'est une petite fille, nous l'appelle-
rons Doïna-Australia, Doïna parce que c'est le nom
d'un chant roumain d'exil et de mélancolie, et Austra-
lia à cause de notre nouvelle patrie. »

Marie se réjouit à l'idée qu'ils seraient bientôt en
Australie et que son enfant naîtrait dans une patrie
et non sur les chemins de l'exil.

Ils s'endormirent, les pensées remplies du nom de
Doïna-Australia.

Lorsqu'ils se réveillèrent, la lumière pénétrait dans
la cave par le soupirail dépourvu de vitre au-dessus
du lit. La robe que Marie avait suspendue à la tête
de son lit pour qu'elle ne se froisse pas ne s'y trouvait
plus. Elle avait disparu, et les souliers aussi.

Il n'y avait plus personne dans le *bunker*. Toutes
les pièces étaient vides. Ils ne pouvaient se plaindre à
personne du vol de leurs vêtements.

Pillat vida les sacs-à-dos. Il y trouva une paire de
gros souliers de l'armée. Marie les chaussa. Lorsqu'elle
vit ses pieds dans les souliers géants, elle éclata en
gros sanglots. Elle avait seulement sa combinaison.
Pillat vida le sac de Marie. Il y trouva un paquet mou.

1. Abri.

C'était une robe en voile blanc. Il la déplia, étonné.

« C'est la robe de mariée de maman, dit Marie. Je l'ai emportée quand nous sommes partis. Je pensais que... »

Elle était mariée civilement. Dans le pays on ne célébrait plus de mariages religieux. Marie avait pris cette robe espérant qu'un jour elle se marierait à l'église.

« Mets cette robe, dit Pillat. Tu la remonteras avec la ceinture, elle sera un peu plus courte. »

Marie refusa, mais elle fut obligée de mettre la robe de mariée parce qu'il n'y avait pas d'autre solution. Avec les gros souliers de son mari aux pieds, en toilette de mariée et portant un sac-à-dos, elle quitta l'abri en pleurant. Pourtant, dans la rue, personne ne se retourna pour la regarder. Personne ne s'étonnait plus de rien.

Ils allèrent à la police. Le commissaire les écouta.

« Je peux vous délivrer une attestation comme quoi vous avez déposé une plainte pour vol, dit-il. Avec ce papier vous vous présenterez au *Kleidungsamt* [7] et vous demanderez des bons pour une robe. Remerciez le Ciel qu'on vous ait seulement volé les vêtements. Une autre fois n'allez plus dans un *bunker*. Chaque nuit on trouve des gens assassinés dans les caves près de la gare. »

Le Service de l'habillement était à côté. Le fonctionnaire leur offrit des chaises et les écouta avec la même attention. Ensuite, il leur demanda leur autorisation de séjour.

« Nous avons un papier qui atteste que nous devons émigrer et un autre qui atteste que nous avons été pillés, dit Pillat.

— Nous ne pouvons pas délivrer de bons de vêtements sans autorisation de séjour, dit l'employé.

---

1. Service de l'habillement.

— C'est un cas exceptionnel, dit Pierre **Pillat**. Regardez. Ma femme ne peut pas voyager en robe de mariée et chaussures militaires. Je laisse cela à votre appréciation. Je vous prie de faire une exception en sa faveur. En dehors de cette robe, elle ne possède rien.

— Vis-à-vis des règlements, votre femme est nue. dit l'employé. La robe de mariée n'est pas considérée comme un objet d'habillement. Devant moi, c'est-à-dire devant la loi, madame est nue, absolument nue et malgré tout nous ne pouvons pas lui délivrer un bon d'achat pour une robe. Il nous faut un certificat de séjour. »

Pillat songea que pour avoir une autorisation de séjour il fallait avoir du travail, pour avoir du travail il fallait une autorisation de séjour et maintenant...

Toute insistance était vaine. Une heure plus tard, Marie monta dans le train pour Stuttgart en robe de mariée, chaussures militaires et les yeux rouges. Son unique consolation était que personne dans le train ne la regardait. Nul n'avait remarqué la robe de mariée parce que les hommes ne se regardaient plus entre eux. Plus rien ne paraissait extraordinaire. Et c'était bien la chose la plus extraordinaire entre toutes : que rien ne paraissait plus extraordinaire.

VII

Une commission argentine arriva à Stuttgart pendant l'absence de Pillat. Tous ceux qui avaient été refusés par les commissions précédentes tentèrent de nouveau leur chance. Dans la file d'hommes couleur de cendres se trouvaient, l'un près de l'autre, le *Schaffner* Daniel Motok, l'aviateur Varlaam et le doc-

teur Ante Petrovici, qui tenait sous son bras tous les
faux papiers qu'il s'était fabriqués.

Lorsqu'ils furent introduits dans le bureau, les
réfugiés regardèrent avec étonnement : la Commission
argentine ne possédait ni bascule, ni appareil pour
mesurer la force musculaire, ni appareils pour photo-
graphier le crâne et les poumons des candidats. Il n'y
avait aucune espèce d'appareils.

Devant la table rectangulaire étaient assis deux
hommes et une femme vêtue de noir, avec une grande
croix d'or à son cou. C'est la femme qui présidait. Elle
paraissait d'origine espagnole. Elle était brune, sévère
et portait des cheveux tirés sur les tempes. Sa robe
noire avait un col montant.

« Quelle est votre profession? demanda à Motok la
femme à robe noire et croix d'or.

— Fonctionnaire des chemins de fer, répondit-il.

— Quelle sorte de fonctionnaire?

— Contrôleur de wagons-lits, dit Motok, je connais
quatre langues. J'ai douze ans de pratique.

— Pour le moment nous engageons uniquement des
gens ayant un métier manuel, mécaniciens, menui-
siers, métallurgistes, constructeurs, dit la présidente.
Plus tard, nous engagerons d'autres professions. Ne
perdez pas l'espoir. Croyez en Dieu. Il éprouve les
hommes, mais vous vaincrez par le Seigneur. Il n'y a
que le Seigneur qui accorde la Victoire. »

Motok voyait les yeux de la femme blindés d'une
lumière froide comme le verre. Il leva la tête et rencontra les yeux du Christ sur le Crucifix. Jésus aurait
voulu retenir le *Schaffner* Motok. Il aurait voulu le
laisser parler, mais la présidente ordonna :

« Au suivant. »

Elle fit signe à Varlaam d'avancer et lui demanda
quelle était sa profession.

« Pilote, dit Varlaam.

— Nous avons assez de pilotes. Tous les pilotes des

pays vaincus se sont réfugiés en Argentine. Pour le
moment nous n'embauchons que des mécaniciens
d'aviation. Dommage que vous ne soyez pas mécani-
cien. »

C'était le tour d'Ante Petrovici.

« Je suis maître horloger d'Iéna. »

Il posa sur la table le diplôme en parchemin signé
par le président de la corporation des horlogers de
Thuringe et par douze autres maîtres horlogers. Il y
était écrit en lettres d'or que la corporation des horlogers de Thuringe acceptait dans son sein avec le titre
de maître horloger le docteur en droit et ès mathématiques, Ante Petrovici.

La femme sourit, maternelle, à Petrovici.

« Quand j'étais étudiant, dit-il, j'ai fait trois ans
d'apprentissage chez un horloger d'Iéna. C'était une
coutume chez les étudiants d'alors d'apprendre aussi
un métier manuel. L'année où j'ai obtenu mon doc-
torat en droit et mathématiques, j'ai obtenu aussi le
diplôme de maître horloger. J'ai dû en trente minutes
démonter et remonter une montre de poche. Les
épreuves pour l'obtention de ce diplôme ont été difficiles.

— Et c'est le plus important, dit la présidente. L'Argentine a besoin de maîtres horlogers. Présentez-vous
maintenant à l'examen médical. Je suis sûre que vous
êtes en parfaite santé. Un homme qui possède un
métier manuel est un homme sain de corps. »

Ante Petrovici pensait :

« Voilà ma chance : le diplôme de maître horloger,
un diplôme que j'ai voulu obtenir « par sport » quand
j'étais jeune. L'Argentine ne m'aurait accepté ni
comme docteur en droit, ni comme docteur ès mathématiques, ni en tant que fonctionnaire possédant une
longue expérience administrative. Ce que l'Argentine
a trouvé de mieux en moi, c'est le maître horloger.
J'avais oublié cet aspect de ma personne; l'horloger

dans le docteur en droit et le docteur en mathématiques Ante Petrovici. Voilà la seule chose qui a gardé
du prix : l'horloger. »

La femme sous le crucifix rédigeait le billet d'ad-
mission à la visite médicale.

« Voilà ce que je suis resté en dernière instance,
se dit Ante Petrovici. Un individu qui va réparer des
montres dans le Nouveau Monde. Un individu qui
changera les ressorts des montres, qui remplacera les
verres cassés des montres de poche et des montres-
bracelets, qui réparera les coucous des pendules et les
sonneries des réveils argentins, chez les hommes du
Nouveau Monde. C'est ce que le Nouveau Monde a
trouvé de meilleur en moi.

« Bravo! docteur Ante Petrovici. C'est la seule
chose que demande le Nouveau Monde : un horloger.
Heureusement que tu es au moins horloger, autrement
tu mourrais. Car c'est le Nouveau Monde qui dirige
l'Univers et le Nouveau Monde ne demande pas des
intellectuels mais des horlogers. C'est ainsi. La seule
chose que l'Europe offre encore à ses fils, c'est de nous
vendre au mètre, au kilo, de nous vendre poumon par
poumon, centimètre par centimètre au Nouveau
Monde. Et le Nouveau Monde choisit en nous ce qu'il
aime le mieux. En moi, le Nouveau Monde a choisi
l'horloger.

— Vous êtes catholique, bien entendu? dit la femme
qui était sous le crucifix.

— Catholique, affirma Ante Petrovici. Je suis catholique, bien entendu. »

Ante Petrovici avala de la salive. Il étouffait. Il
allongea le cou. Il paraissait chercher un peu plus haut
l'air respirable.

Derrière la Commission, le Christ sculpté dans le
bois du crucifix semblait se tordre non de douleur
mais de pitié pour Ante Petrovici, qui était obligé de
mentir. Ante était né en Bosnie. Sous l'occupation

turque, la population de Bosnie avait été forcée sous menace de mort, d'embrasser la religion musulmane. Le grand-père d'Ante Petrovici abjura la religion chrétienne de peur d'être décapité, et se fit musulman. Voilà pourquoi Ante Petrovici n'était pas né chrétien mais musulman, comme tous les habitants de la Bosnie.

« Nous n'acceptons que les catholiques », dit la présidente.

Elle regarda le certificat de baptême dans le Christ qu'Ante Petrovici avait fabriqué de ses propres mains pour avoir la permission de réparer des montres en Argentine.

« Vous passerez la visite médicale, dit la femme, et vous reviendrez ensuite ici. L'âge limite est de quarante ans. Vous ne paraissez pas davantage. Je pense que vous n'avez pas d'infirmités? »

Elle examina les actes. Ils étaient tous faux. Ante Petrovici avait bien plus de quarante ans.

« C'est parfait, dit-elle. Voyez le médecin et vous pourrez vous considérer comme Argentin. »

Ante Petrovici pensa aux quelques centimètres qui manquaient à sa taille, mais il savait maintenant comment il devait creuser le ventre et se hausser sur la pointe des pieds sous la toise.

Il pensait aux dents qui lui manquaient, à son pied droit qui était plat et qui n'avait pas de voûte plantaire.

Il était blême.

« Des bons ouvriers, des bons catholiques et des hommes sains. Voilà ce que cherche l'Argentine. Vous réunissez toutes les conditions », dit la présidente.

Ante Petrovici cherchait encore en haut l'air respirable. Il suffoquait. Plus haut, l'air devait être plus pur.

Il leva la tête. Sur son crucifix, Jésus regardait les yeux d'Ante Petrovici et semblait lui dire :

« Dieu vient en aide à ceux qui n'ont pas de voûte plantaire à leur pied droit. Et à ceux qui mesurent moins de 1 m 60. Ne crains rien, docteur Ante Petrovici, parce que tu es musulman, Dieu aide les musulmans. Jésus est à tes côtés, même si mon Eglise te repousse. »

Ante Petrovici sortit sans boiter. Il marchait comme s'il n'avait pas eu une jambe plus courte que l'autre. Jésus soutenait le bras d'Ante Petrovici pour que la femme à croix d'or ne le voie pas boiter.

VIII

A son retour de la Commission argentine Ante Petrovici trouva Pillat dans sa chambre. Marie était vêtue de la robe en voile blanc. Ils étaient revenus humiliés de Francfort. Ils lui racontèrent l'émigration de Ion Kostaky et le vol de leurs vêtements. Ante Petrovici pensait à la Commission argentine et aux faux qu'il avait été obligé de faire. Il prit un biscuit.

« Je vais vous trouver une robe et des souliers, dit-il. Attendez-moi ici. »

Ante Petrovici sortit et se dirigea vers la colline qui dominait la ville de Stuttgart. Il boitait fort.

Le quartier de la colline était le seul qui n'avait pas été bombardé.

Les villas blanches avaient été réquisitionnées par les Américains et offertes aux juifs qui avaient survécu aux camps de concentration. C'était le nouveau ghetto.

Par lui passait journellement, depuis la Victoire, des millions et des millions de marks. Chaque boîte de conserves américaines, aussitôt sortie du magasin, passait par le ghetto avant d'aboutir au marché noir

Toutes les œuvres d'art, tout l'or, toutes les choses de prix de l'Allemagne passaient par le ghetto avant d'être embarquées pour les Etats-Unis d'Amérique.

Chaque cigarette qui sortait de la poche du soldat américain passait par le ghetto avant d'arriver entre les doigts d'un civil.

Rien n'y manquait. Il y avait des hommes qui devenaient millionnaires en quelques jours. Le ghetto était prospère. On y trouvait des fourrures, des objets d'art, des aliments, des fruits exotiques, des cigarettes. Il y avait de tout. La seule chose que les juifs du ghetto n'avaient pas le droit de posséder, c'était des dollars.

La police militaire venait régulièrement, faisait des rafles, confisquait les dollars, et les millionnaires devenaient en quelques minutes aussi pauvres qu'au sortir des camps de concentration.

Ante Petrovici pénétra dans la maison de Mrs. Salomon. Il ne savait pas que Mrs. Salomon s'était appelée autrefois Eddy Thall, ni qu'elle avait été une amie de Lidia, qu'elle venait de l'Oural, qu'elle avait travaillé au plan de transformation du climat de l'U.R.S.S. et que sa petite fille Orly avait été tuée à Varsovie. Personne ne connaissait rien de Mrs. Salomon et d'Isaac Salomon. Sauf qu'ils étaient des victimes du fascisme et que Mrs. Salomon était une des femmes les plus riches du ghetto de Stuttgart.

« Je viens vous demander une robe, dit Ante Petrovici. Ce n'est pas pour une maîtresse. C'est pour la femme d'un ami qui a été pillée et n'a plus rien pour s'habiller. »

Mrs. Salomon ouvrit une valise et tendit deux robes usagées à Ante Petrovici. Dans la chambre de Mrs. Salomon il n'y avait qu'un lit, deux chaises, une table en bois et quantité de valises empilées les unes sur les autres.

« J'ai été accepté pour l'émigration en Argentine », dit Ante Petrovici.

Mrs. Salomon lui montra la photo d'une ferme qu'elle avait accrochée au-dessus de son lit.

« Moi aussi j'émigre, dit-elle. C'est la ferme que nous venons d'acheter au Canada. Nous espérons partir dans quelques semaines. »

La ferme avait deux étages et des dépendances vastes, comme des hangars.

« Isaac est en voyage d'affaires, dit Mrs. Salomon Il rentre demain soir avec le reste de l'argent dont nous avons besoin pour le Canada. C'est son dernier voyage d'affaires. Ensuite nous partons. Nous aurons enfin une vie tranquille. »

Ante Petrovici savait que Motok était parti avec Isaac Salomon pour vendre clandestinement en zone soviétique quelques camions de marchandises.

S'ils n'étaient pas pris, ils reviendraient riches. Il voulut partir. Mrs. Salomon l'arrêta.

« Aurel Popesco va venir bientôt. Tenez-moi compagnie », dit-elle.

Mrs. Salomon commença à parler de la ferme du Canada. Elle regardait la photo. Elle était vêtue avec élégance. Elle avait un collier de perles et des bracelets et des bagues serties de pierres précieuses. Ses escarpins avaient le tour de l'empeigne et les talons incrustés de perles dorées, selon la mode américaine.

« Je suis aussi impatiente de quitter les Américains que je l'étais autrefois quand je voulais m'évader des camps de concentration, dit Mrs. Salomon.

« Les Américains ont lutté pour la libération des juifs des camps de concentration et pour la destruction de l'antisémitisme. La Victoire est arrivée. Nous sommes ici, dans ce ghetto privilégié. Nous recevons gratuitement nourriture et logement. Nous sommes libres de faire ce que nous voulons. Nous pouvons devenir millionnaires, mais au moment où nous avons amassé de l'argent, les Américains arrivent et le confisquent. Isaac a été riche tant de fois! Mais chaque fois, la police militaire est venue et nous a pris jusqu'au dernier sou. Et ce n'est pas tout, au moment où le dollar aboutit entre les mains d'un juif, il perd toute sa valeur.

« Nous, les juifs, nous ne pouvons pas payer un voyage à l'étranger, nous ne pouvons pas acheter une maison parce qu'ils nous est défendu de payer en dollars. Tout ce que nous pouvons faire de notre argent, c'est l'enterrer.

« Pourtant, je crois que nous en avons fini avec cette histoire hallucinante. Nous partageons tout ce que nous avons, moitié, moitié, avec un Américain qui va transférer notre avoir au Canada. D'ici quelques semaines nous serons loin de ce ghetto privilégié. »

Aurel Popesco entra dans la chambre accompagné par le lieutenant aviateur Varlaam. Mrs. Salomon cacha la photographie de la ferme. Elle regarda le nouveau venu et reconnut immédiatement Varlaam.

C'était le même officier qui était venu à Bucarest prendre son appartement réquisitionné en vertu des lois raciales. Mrs. Salomon le regarda fixement dans les yeux, mais il ne la reconnut pas.

« Je crois que nous nous sommes déjà vus », dit Mrs. Salomon.

Varlaam examina les escarpins, la robe, le collier, le visage, les rides sur le front et les cheveux teints. Il ne se souvenait pas de l'avoir jamais vue.

« Je suis sûre que nous nous sommes déjà rencontrés », dit Mrs. Salomon, mais elle n'insista plus.

Elle pensa : « J'ai donc vieilli au point d'être méconnaissable? » Une immense tristesse envahit son âme.

« Je ne pense pas que nous nous soyons déjà vus. dit Varlaam. J'ai pourtant une excellente mémoire.

— Ça ne fait rien, dit Mrs. Salomon. Parlons affaires. Notre ami commun, Aurel Popesco, m'a dit que vous avez essayé d'émigrer, mais que vous avez été refusé par toutes les commissions. Je peux vous offrir une

chance. La chance de redevenir aviateur. Vous passez
un contrat avec l'Etat d'Israël. Vous entrez dans
l'aviation d'Israël avec le grade que vous avez, c'est-
à-dire lieutenant pilote. Avec le salaire entier, plus
vos frais de missions. Le contrat est valable pour toute
la durée de la guerre entre Israël et les Arabes. »

Mrs. Salomon expliqua à Varlaam qu'on ne pouvait
pas trouver de meilleure affaire.

« Au lieu de rester ici, en Allemagne, marchand
clandestin de beurre et de cigarettes, avec la perspective journalière d'aller en prison avec les voyous, il
vaudrait mieux être combattant. Du point de vue
moral, c'est une grande chose que de combattre pour
défendre la Terre sainte de Palestine. »

Varlaam pensait aux perspectives qu'il avait. Tous
les pays d'outre-Océan avaient refusé de l'embaucher
comme scieur de bois, vacher, ou balayeur.

« J'accepte, dit-il.

— Il ne suffit pas d'accepter, dit Mrs. Salomon. Vous
devez partir immédiatement, dès demain.

— Rien ne me retient ici », dit-il.

Mrs. Salomon expliqua à Varlaam qu'il y avait
quelques petites formalités à accomplir. Il devait
passer au bureau militaire d'en face pour signer son
engagement, pour y être photographié et afin qu'on
prenne ses mesures pour l'uniforme.

« Vous partez d'ici en uniforme d'officier de l'Etat
d'Israël, dit Mrs. Salomon. Mais vous ne serez pas
enrôlé sous votre nom.

— Est-il vraiment nécessaire de changer de nom?
demanda Varlaam.

— Vous devez prendre un nom hébreu, du moment
que vous endossez l'uniforme d'officier de l'Etat d'Israël, dit-elle. Nous allons vous en chercher un. Aime-
riez-vous David? C'est un nom de combattant. Ensuite
Ozias. C'est beau de vous appeler David Ozias, pilote
dans l'aviation d'Israël. »

Mrs. Salomon tendit cinq cents dollars à Varlaam, lui disant que ce n'était qu'un acompte. Avant son départ, il recevrait le salaire d'un mois, en dollars.

« Vous connaissez les taux actuels en Bourse? demanda Mrs. Salomon. Du point de vue du change. c'est pour vous une affaire extraordinaire.

« A l'heure actuelle, une personne humaine ne vaut rien à la Bourse de Moscou : zéro franc. A New York, un être humain ne vaut guère plus de zéro non plus. Les commissions qui achètent des hommes ici en Allemagne pour le compte des pays d'outre-Atlantique donnent un prix dérisoire pour un homme ou pour une femme. Moins que le prix d'un billet de troisième classe sur un bateau. Voilà pourquoi ils achètent en Allemagne les hommes au mètre et au kilo et les transportent dans des bateaux à bestiaux. Avant de partir vous recevrez plus de deux mille dollars. C'est à la Bourse de Tel-Aviv que la valeur de l'individu est la plus haute. Je pense que ce phénomène s'explique par le fait qu'Israël est un Etat religieux. Dans un tel Etat, la personne humaine garde encore sa valeur et Israël est le seul Etat religieux du monde. »

Varlaam voulut partir.

« Regardez-moi attentivement encore une fois, et dites si vous ne me reconnaissez pas. »

Varlaam regarda les cheveux teints, blancs à la racine, les rides autour des yeux, les sourcils teints. le cou entouré de perles et dit :

« Je ne vous ai jamais rencontrée, Mrs. Salomon. »

Mrs. Salomon sentait les larmes remplir ses yeux en le reconduisant.

« N'oubliez pas votre nom. Vous vous appelez David Ozias », dit-elle.

Cependant elle pensait : « J'ai donc tellement, tellement vieilli? »

*

Aurel Popesco se mit à parler politique selon son habitude.

« Dans quelques jours se tiendra la Conférence des Etats européens occupés par les Russes. J'ai fait savoir aux Américains qu'à cette Conférence se prépare le plus important événement politique de ces temps. Les chefs communistes de l'Europe orientale veulent se séparer de la Russie et créer une Fédération des Etats communistes danubiens. A la tête de cette Fédération on élira le maréchal des Slaves du Sud. Moscou a eu connaissance de ce plan. Elle a confié à Boris Bodnariuk la mission d'assassiner le maréchal des Slaves du Sud. Simultanément, les troupes rouges seront massées sur les bords de la Méditerranée. Il est à supposer que l'armée avancera en Italie. Par cette information, je mets les Américains en garde et je ne sauve pas seulement l'Italie et le Vatican, mais toute la Civilisation occidentale. Grâce à mon information, l'armée américaine est avertie de l'existence du plan de l'avance russe. C'est à moi, et à mon ami Milan Paternik que revient le mérite de sauver l'Occident de l'invasion russe.

— Vous passez votre temps à sauver la civilisation et à tuer des hommes, dit Ante Petrovici. Vous tuez des hommes pour sauvegarder la civilisation, la culture, l'Eglise? Sauvez un homme, et le fait sera plus insigne que de sauver l'humanité. Car il n'existe pas d'humanité, il n'existe que des hommes, des hommes vivants, Aurel Popesco! »

Ante Petrovici remercia de nouveau Mrs. Salomon pour les robes, et s'en alla boitant plus fort que jamais.

IX

Aurel Popesco voulut expliquer à Mrs. Salomon comment les chefs communistes des pays occupés par les Russes voulaient se rebeller contre Moscou, le maréchal des Slaves du Sud en tête, comment les Soviets allaient assassiner le maréchal des Slaves du Sud et profiter de cette occasion pour avancer en Europe occidentale.

Mrs. Salomon pensait à sa ferme du Canada. Elle regarda par la fenêtre et aperçut Varlaam sortant du bureau militaire.

« La politique ne m'intéresse pas », dit-elle.

Ensuite elle invita Aurel Popesco à descendre. C'était le crépuscule. Touts les juifs étaient dans la rue, devant leurs maisons. Dans tous les ghettos et dans tous les quartiers juifs on peut observer le même phénomène. Quand le soir tombe, les juifs quittent leurs maisons. Ils ne peuvent pas aller se coucher après le repas du soir. Ils descendent dans la rue, pour voir et entendre ce qui se passe. C'est une espèce de peur qu'ils ont dans le sang. Avant de rentrer chez eux, avant de cadenasser leurs portes et de se coucher ils vont dant la rue et se renseignent, sur la Bourse, la politique ou la marche des mouvements antisémites. Ils questionnent sur tout, afin de savoir, suivant le cas, s'ils peuvent se coucher, ou s'ils doivent veiller toute la nuit.

Ils calculent et se demandent si rien ne va leur arriver dans la nuit qui vient, s'ils peuvent se coucher, s'ils peuvent se déshabiller.

Aurel Popesco regardait les juifs réunis en petits groupes devant leurs maisons. Un camion américain apparut aux portes du ghetto, un autre suivit et enfin un grand nombre de camions d'où descendirent des soldats américains avec des casques marqués M. P. (*Military Police.*) Ils cernèrent le quartier des villas.

Les juifs regardaient, comme s'ils avaient levé des antennes afin de tout voir et tout entendre.

« Ils viennent chercher encore des dollars, dit Mrs. Salomon. Ils viennent deux ou trois fois chaque semaine. »

Les Américains avaient pénétré dans les rues du quartier.

« La police militaire apparaît chaque fois qu'on lui signale une affaire qui a rapporté beaucoup de dollars. Ils perquisitionnent, s'emparent des dollars et disparaissent comme ils sont venus. En dehors des dollars, rien ne les intéresse. »

Les soldats établirent des barrages autour de quelques maisons.

« J'aime mieux qu'Isaac ne soit pas là. Ces razzias nous mettent les nerfs à la torture. Si vous saviez comme je suis contente de partir. Tant que nous ne serons pas sortis d'ici je ne pourrai pas respirer librement. Heureusement qu'Isaac est absent. Moralement il ne peut plus supporter aucune razzia. Aucune. Tant de fois ils nous ont pris l'argent! Jusqu'au dernier dollar. Maintenant, s'ils montent dans ma chambre, ils ne trouveront que du linge sale. »

Mrs. Salomon et Aurel Popesco s'étaient arrêtés et regardaient. Ils ne pouvaient plus avancer, la rue étant barrée.

« Nous serons tranquilles au Canada. Nous pourrons vivre comme tous les hommes, comme les autres hommes. »

A ce moment, on entendit un grand bruit, comme si quelque chose venait de s'écrouler.

La foule commença à hurler, à crier, à siffler. Les soldats américains doublèrent les barrages.

« Quelqu'un s'est jeté par une fenêtre », dit Aurel Popesco se haussant sur la pointe des pieds.

La foule se bousculait autour de la maison d'où quelqu'un venait de se jeter par la fenêtre, mais nul ne pouvait approcher.

Mrs. Salomon prit le bras d'Aurel Popesco. Elle s'appuya contre lui, elle était pâle.

« Mes nerfs ne peuvent plus supporter de telles émotions, dit-elle. Je n'en peux plus. Vivement que je m'en aille, que je sorte d'ici. »

Une ambulance arriva. Les infirmiers chargèrent le cadavre de celui qui s'était jeté par la fenêtre. Le tout avait duré quelques minutes.

Eddy Thall pria Aurel Popesco de la conduire dans sa chambre.

« Je suis tellement à bout de nerfs que je ne me sens pas capable de monter seule », dit-elle.

Ils se frayèrent une place à travers la foule. Tout le monde parlait et commentait le suicide.

Mrs. Salomon sentit sous ses pieds quelque chose de gluant, juste devant sa maison. Elle avait marché dans une flaque de sang, exactement à la place où le corps était tombé.

Eddy Thall voulut demander qui s'était tué, mais ses yeux fixaient la tache de sang sur l'asphalte, la tache dans laquelle elle avait marché avec ses souliers à talons garnis de perles dorées, selon la mode américaine. Ses escarpins étaient souillés de sang et sur la flaque rouge, les mouches bourdonnaient déjà.

« Montons, dit-elle, montons. »

Elle avait toujours devant les yeux la tache de sang, le camion blanc de l'ambulance, la foule qui l'entourait.

Un juif s'était jeté par la fenêtre. Et cela après la Victoire. Maintenant que les juifs étaient les propriétaires de la bombe atomique et que le patron de l'industrie atomique, Lilienthal, était un juif originaire du même village que Lidia!

« Heureusement que nous partons pour le Canada »,
dit-elle.

Elle avait le vertige et s'appuyait sur le bras d'Aurel
Popesco en montant les marches blanches. Elle voulait nettoyer ses escarpins pour ne pas rentrer dans
la maison avec des souliers pleins de sang.

« Qui s'est tué? demanda-t-elle.

— Je ne sais pas, dit Aurel Popesco. Les Américains
l'ont transporté à l'hôpital. Il est mort. »

Une fois dans la chambre, Mrs. Salomon se jeta sur
le lit.

« Donnez-moi quelque chose à boire, dit-elle.
Quelque chose de froid. Heureusement que nous partons d'ici, que nous quittons ce pays maudit! Vivement qu'on parte. Si seulement Isaac arrivait plus
tôt. Mais, Isaac ne rentre que demain soir à six heures.
Et jusqu'à demain soir six heures je dois rester seule,
seule, seule. »

Elle pleurait doucement. A travers les larmes elle
aperçut sur une chaise le chapeau d'Isaac. Elle ouvrit
de grands yeux. Elle vit le pardessus et le veston
d'Isaac, sur la chaise près du lit. Elle se leva d'un seul
bond, croyant rêver.

« Isaac est revenu? demanda-t-elle. Où est-il? »

La porte de la chambre s'ouvrit et deux policiers
juifs portant l'étoile de Salomon entrèrent silencieux.

« Isaac est revenu? » demanda Mrs. Salomon en
prenant le veston de son mari.

Les policiers se taisaient. Mrs. Salomon s'élança
vers eux avec le veston contre sa poitrine. Elle leur
demanda où était Isaac. Elle voulut s'agripper à eux
et les forcer à dire où se trouvait Isaac, mais les policiers se taisaient toujours. Ils ne bougèrent qu'au
moment où Mrs. Salomon s'écroula sur le parquet
avec le veston de son mari dans ses bras.

Alors les policiers la soulevèrent et l'étendirent sur
le lit.

« Les Américains étaient au premier étage, dirent les agents. Isaac est entré, il a monté l'escalier quatre à quatre, les Américains l'ont vu pénétrer dans la chambre. Quelques secondes après, il se jetait par la fenêtre.

— C'est donc lui? » demanda Aurel Popesco.

Les policiers eurent un regard vers Mrs. Salomon. Elle ne voyait et n'entendait rien.

« C'est lui qui s'est jeté par la fenêtre, oui, Isaac Salomon. C'est un de vos amis? Il avait des dollars, paraît-il? Il craignait une perquisition. »

Deux infirmières arrivèrent dans la chambre. Elles commencèrent à frictionner le front de Mrs Salomon toujours couchée sur le dos.

« Il paraît aussi qu'Isaac Salomon était surmené, dit un policier. Puisque vous êtes son ami, vous devez le savoir. Il était surmené à l'extrême. On ne peut reprocher à personne ce qui est arrivé. Les Américains n'avaient pas l'intention de perquisitionner chez lui. Ils ont été fort impressionnés par le suicide. Ils ont arrêté la razzia sur-le-champ. »

Sur le lit, sous le corps de Mrs. Salomon, il y avait la serviette d'Isaac Salomon bourrée de dollars.

Les infirmières la détournèrent afin qu'Eddy Thall puisse s'étendre commodément.

Quittant la chambre, les policiers dirent à Aurel Popesco :

« Au revoir. Ce n'est la faute à personne, la faute aux Américains encore moins. Nous sommes témoins. Dès qu'Isaac Salomon s'est jeté par la fenêtre, les Américains ont arrêté la razzia. »

X

Les informations d'Aurel Popesco étaient exactes.
Le soir du suicide d'Isaac Salomon, Boris Bodnariuk
recevait l'ordre d'assassiner le maréchal des Slaves du
Sud.

Après la liquidation de la première catégorie de
bourgeois, Boris Bodnariuk avait été nommé ministre
de la Guerre.

Il était dans le district de Néamtz pour quelques
jours. Il y était venu avec son avion personnel, que
pilotait Anatole Barsov, le jeune aviateur dont il
avait fait la connaissance à l'hôpital, près de Moscou.
Ils atterrirent sur l'aéroport de Piatra. A la place où
s'élevait naguère la maison de Pierre Pillat, à la place
des champs et du verger de Ion Kostaky on avait
construit un aéroport. Dans la maison de Kostaky
on avait installé des bureaux. Le village de Piatra
avait changé. Bodnariuk monta en voiture. Il serra
la main à Anatole Barsov et à Igor Poltarev, le pilote
en second et leur souhaita de bien s'amuser.

Les rues de Piatra étaient maintenant larges et
pavées. On avait construit une usine dans le village.
Entre la ville de Molda et le village de Piatra s'élevait
un bâtiment neuf, tout rouge : la prison.

On avait collectivisé les terres. La majorité des paysans travaillaient à l'usine et prenaient leurs repas à
la cantine. Ils ne rentraient chez eux que pour se
coucher.

Les maisons de Piatra paraissaient désertes. On n'y
faisait même plus de feu. Les paysans rentraient de
l'usine tard le soir, se couchaient harassés, et repartaient à l'aube. On ne voyait plus fumer les cheminées.
Il n'y avait plus de clôtures. Il n'y avait plus de chats,

plus de chiens, plus de fleurs aux fenêtres. Et il n'y avait même plus d'hommes dans le village, sauf le dimanche, et encore ce jour-là ils devaient aller à la mairie pour des réunions. Et les maisons étaient vides.

La voiture de Bodnariuk montait vers les forêts de sapins. Boris était content de l'œuvre accomplie.

« Pour la première fois, grâce aux Soviets, on offre à l'homme la possibilité de ne plus lutter pour son existence seul, à l'instar des animaux. L'individu est à l'abri du souci du lendemain. La lutte pour l'existence a lieu en commun. C'est le plus grand don qu'on puisse faire aux hommes. Et pourtant, ils s'y opposent. Et ils doivent être exterminés pour que la première Révolution vraiment grande de l'Histoire puisse s'accomplir. »

Dans la villa des montagnes aux forêts de sapins, Boris Bodnariuk devait préparer sa conférence pour le Congrès des Etats du Sud-Est européen. Auparavant, il allait se reposer pendant trois jours, ici, dans le calme des forêts. Il faisait froid, il serra davantage le foulard rouge autour du cou, il boutonna son manteau de cuir et s'enveloppa les jambes dans une couverture.

Boris n'avait jamais eu de vacances. C'était les premières vacances de sa vie. Pendant trois jours, il serait seul dans les montagnes, tranquille. Il sourit et descendit devant la villa aux murs blancs, aménagée à son intention.

Pendant ce temps, Anatole Barsov et Igor Poltarev, les pilotes de l'avion de Bodnariuk, se reposaient à Piatra, une bouteille de vodka devant eux.

Anatole Barsov était heureux d'être enfin loin de sa femme Olga. C'était une femme qui lui cassait la tête, sans arrêt. Il en était désespéré. Il ne reprochait rien à Olga, sauf qu'elle lui cherchait querelle continuellement. C'était une sorte de moulin qui n'arrêtait jamais.

« Ce soir, tu ne vas plus te disputer avec Olga, dit Igor, ni ce soir, ni jamais. Jamais. Elle se disputera avec les murs. Parce qu'avec toi, ça n'est plus possible. Nous partons ce soir.

— Où partons-nous? demanda Anatole Barsov.

— Comme nous l'avons décidé, dit calmement Igor Poltarev. Nous avons l'essence nécessaire. Nous avons tout. Il est plus facile de s'envoler de l'aéroport de Piatra que de Bucarest. Je peux te montrer l'essence. Elle est dans l'avion. »

Anatole Barsov se rappela mot à mot leurs discussions. Il lui semblait entendre les paroles d'Igor Poltarev.

Un soir, ils étaient de service ensemble. Igor Poltarev avait été à l'étranger avec les missions soviétiques. Il connaissait Londres, Paris, Nice, Berlin. Il racontait. Igor Poltarev demanda à Barsov, de but en blanc :

« Tu ne veux pas t'enfuir avec moi, en Amérique?

— Je ne suis pas un traître, répondit Barsov, fâché de la question.

— Moi, non plus, je ne suis pas un traître, dit Igor. Je te pose d'abord la question. Tu ne t'entends pas avec ta femme et tu ne t'entends pas avec tes chefs d'escadrille. Tu es l'ami du ministre Bodnariuk, c'est vrai, mais il est occupé, il n'a pas de temps pour toi. Je te demande si tu n'as pas envie de prendre l'avion et de t'envoler, de fuir Olga, l'escadrille, les dettes, le programme journalier. Fuir loin de tout. Voler dans un pays inconnu, devenir riche et libre, libre. sans femme, sans chefs. »

Barsov se souvenait de toutes les paroles de son camarade.

« J'y pense chaque soir, continua Poltarev, pendant des heures. Je m'imagine que je monte en avion avec un ami et que je pars vers l'inconnu, dans un pays chaud. Quand je pense au départ, je vis les plus beaux

moments de ma vie. C'est comme si je buvais du vin.
Je me chauffe de lumière.

— Tu ne te rends pas compte que ce sont des rêves
de traître? demanda Barsov. Si je te dénonçais au
commandant?

— Tu ne me dénonceras pas, répondit Poltarev.
Tu es mon meilleur ami.

— Je suis d'abord soldat et citoyen soviétique et
seulement en second lieu ton ami.

— Tu ne me dénonceras pas, dit Poltarev. Il n'y
a aucun mal dans ce que je te raconte. Je sais que tu
rêves aussi de partir avec l'avion et de voler jusqu'au
bout du monde. Chaque pilote rêve ainsi et c'est normal.

— Je le reconnais, dit Barsov. Moi aussi je rêve de
longs voyages, de vols, mais en même temps je rêve
que je reviens et j'atterris sur le sol de la Patrie soviétique que j'aime et à qui je suis fidèle.

— Moi aussi, j'aime le retour sur la terre de ma
Patrie soviétique, dit Poltarew. Moi aussi, je suis
fidèle et j'aime la Patrie, mais tu dois reconnaître
qu'après des heures de vol au plus profond du ciel,
lorsqu'il te semble que tout est à tes pieds, il est dur
de redescendre sur la terre et de supporter les observations du chef parce que tu n'as pas entièrement
boutonné ta tunique. »

Igor Poltarev savait parler.

« Vois-tu, c'est dur pour un pilote de redescendre
sur la terre. La terre est laide, la terre est étroite et
sale. La terre ne ressemble pas au ciel. Après le vol,
ton cœur souffre à l'idée de revenir sur la terre dans
une caserne; payer tes dettes, faire des économies,
exécuter des ordres idiots, te disputer avec les comman-
dants, avec la belle-mère, avec ta femme, supporter
les plaisanteries stupides des camarades. C'est dur de
revenir vers tout ça après le vol. C'est dur de descendre
du ciel où tu étais ton maître, où les étoiles te couvraient les épaules comme des galons de maréchal. Il

est impossible que tu n'éprouves pas la même chose. Tous les pilotes rêvent ainsi. »

Anatole, assis devant Igor Poltarev, se remémore la conversation. Il s'en souvient parce que depuis six mois il y pense sans cesse. Il pense à chaque parole échangée. Il avait répondu à Poltarev :

« De ton point de vue, tu as raison, mais nous sommes d'abord des citoyens soviétiques et en second lieu seulement des pilotes et des aviateurs. »

La discussion avait pris fin sur ces mots et c'est lui Anatole Barsov, qui l'avait reprise plus tard. Ç'avait été sa faute.

« Tu sais, moi aussi je pense à partir avec l'avion dit Barsov, Je pense que je pars avec un ami et que je ne reviens plus à l'escadrille.

— Crois-tu que c'est bien? insinua Igor.

— J'y pense chaque soir. Je dois reconnaître que ce sont les plus belles heures de la journée.

— On voit que tu as trouvé une sorte de bonheur, dit Poltarev. Ces derniers temps tu bois moins et tu as grossi, tu es moins nerveux, *une goutte de rêve adoucit la vie.*

— Si quelqu'un nous entendait parler ainsi, nous serions arrêtés tous les deux, dit Barsov. Nous serions condamnés aux travaux forcés à vie, car ce que nous faisons est très grave.

— C'est grave de rêver? dit Poltarev.

— Tous les crimes et toutes les trahisons commencent d'abord en rêve. Le rêve est la source de tous les crimes. A cause de cela, le camarade Boris Bodnariuk disait que le rêve doit être puni aussi durement que l'action. Du rêve à la réalité il n'y a qu'un pas infime. La justice devrait punir de la même manière le rêve, le crime rêvé et le crime commis. D'ailleurs, je crois que la justice soviétique a déjà commencé à punir le rêve autant que l'action. En rêvant, j'ai la conscience de commettre un crime.

— Serais-tu capable de passer à la réalisation de ce que tu rêves? demanda Poltarev. Par exemple, monter en avion et partir?

— Ça non! dit Barsov. Je ne deviendrai jamais un véritable traître.

— Si tu l'as accompli en rêve, tu l'accompliras aussi en réalité » dit Poltarev.

La discussion prit un ton violent.

Anatole Barsov menaça de tout rapporter à Boris Bodnariuk.

« Seulement, tu devras déclarer à la justice que tu rêves chaque soir comment t'évader, dit Poltarev. Tu devras déclarer que tu rêves comment tu voles un avion pour déserter. Tu sais ce que signifie une telle déclaration? Désertion imaginée, mais non exécutée par manque de moyens. Les juges savent que si tu avais eu de l'essence, tu serais passé du rêve à la réalité. Et ils te condamneraient pour intention. Autant que moi.

— Je ne serai jamais un traître, dit Barsov. Tu es un élément dangereux. Je ne te dénonce pas, mais j'éviterai de te parler à partir de ce soir. Je ne deviendrai jamais un traître.

— Ce n'est pas une trahison, dit Poltarev. C'est une chose normale pour un aviateur. L'aviateur rêve de voler, de partir au loin. Ce n'est pas une trahison envers le sol soviétique. C'est, mon cher Barsov, la fidélité de l'aviateur envers le ciel. Nous, les pilotes, nous aimons davantage le ciel que la terre, et c'est normal, parce que nous appartenons davantage au ciel. Si dans ce que nous faisons il y a une trahison, alors chaque aviateur est un traître car tous les aviateurs du monde font de même. Et quand les pilotes rêvent de voler, ils ne trahissent pas une certaine terre, en l'occurrence la terre de leur patrie, ils trahissent *toute* la terre. C'est normal aussi. Le ciel est plus beau, la terre est sale, mesquine, laide. Voilà pourquoi, toi qui es un vrai pilote, tu voleras avec moi. De plus, tu

aimes le luxe, l'argent, la musique, les femmes, tout
ce qui est beau, et c'est pour ça que tu viendras avec
moi. Nous réaliserons notre rêve de chaque soir.

— Le rêve de trahir mon pays? » demanda Barsov.
Il était furieux.

« Moi aussi, j'aime mon pays et ma patrie rem-
plira mon cœur partout où je me trouverai. Mais je
pars, avec toi, comme je l'ai rêvé. Et j'organiserai
ma vie selon mon bon plaisir. Je veux connaître des
pays étrangers, je veux avoir de l'argent, je veux
danser, écouter de la musique, avoir des amantes belles
et élégantes. Ce n'est pas de la trahison.

— Tu n'es pas un citoyen soviétique, dit Barsov, tu
es un traître.

— J'ai amassé mille litres d'essence, continua Poltarev. Dès que j'aurai la quantité nécessaire je te le
ferai savoir. Je t'appellerai et tu viendras. »

Anatole Barsov ne dénonça pas Poltarev ce soir-là,
ni le lendemain. S'il avait rencontré Boris Bodnariuk
il lui aurait tout raconté, mais Bodnariuk était parti.
Et Barsov ne pouvait pas le dire à quelqu'un d'autre.

Quelques jours plus tard, Igor Poltarev dit :

« Nous partirons bientôt. Je suis content que tu
aies accepté. C'est bien plus beau de s'envoler avec
un ami. Ensuite, pratiquement, je ne pouvais pas
partir seul, j'avais besoin de quelqu'un.

— Je n'ai rien accepté! dit Barsov.

— Le fait de ne pas m'avoir dénoncé, bien que je
t'aie montré le dépôt d'essence volé, signifie que tu
acceptes de partir avec moi. Maintenant, il est trop
tard pour me dénoncer. Si tu me dénonces, tu es
fusillé aussi. Simplement. »

Igor Poltarev riait; puis il lui donna le conseil de
voler aussi de l'essence. Barsov refusa.

Il pensait, maintenant à toutes ces choses, en regardant les maisons inhabitées de Piatra. Il but encore
un verre. Poltarev cacha la bouteille.

« Ne bois plus. Nous partons dans quelques heures. J'ai la quantité d'essence nécessaire. Tout est prêt.

— Je ne veux pas trahir. Je préfère mourir, dit Barsov.

— Il est trop tard pour refuser. » Poltarev montra l'avion sur l'aéroport. « Tous les bonheurs nous attendent de l'autre côté. Tu sais combien gagne par mois un aviateur civil en Amérique? Plus que nous ne gagnons en un an. Et si tu savais comme la vie est belle là-bas! Tu me seras reconnaissant.

— Je n'accepte pas de trahir », dit Barsov.

Il regarda l'avion.

« Je ne trahis pas, répéta-t-il.

— J'ai caché l'essence dans des boîtes de conserves, dans le hangar de l'avion. Nous avons tout ce qu'il nous faut pour partir, dit Poltarev.

— Et si les Américains nous arrêtent et nous livrent aux Soviets? demanda Barsov.

— Ne crains rien, dit Poltarev. Je te garantis que d'ici huit jours nous sommes au cœur de New York, avec des cigarettes au coin des lèvres et de l'argent plein les poches.

— Tu me le garantis? demanda Barsov. Comment peux-tu savoir ce qui arrivera?

— J'ai déjà été à l'étranger et je sais ce qui en est. » Ils regardaient l'avion en silence.

Barsov pensa à Olga et dit :

« Je vais avec toi. Si ça ne va pas bien, je me tue. Et ce sera juste. Un traître doit mourir. Je suis déjà un traître. Je l'ai été dès le premier jour que j'ai accepté de discuter avec toi, il y a six mois. »

Lorsque, deux heures plus tard, ils montèrent dans l'avion, Anatole Barsov se sentit heureux. Il dit à Igor Poltarev :

« Je suis heureux de partir. Heureux comme je ne l'ai jamais été.

— Tes bonheurs existent dans l'avenir. La vie com-

mence à peine. Tu ne sais pas comme la vie est belle.
Tous les hommes rêvent de partir. Tu as la chance de
partir comme tu l'as rêvé. Et c'est une grande chance. »

L'avion personnel de Boris Bodnariuk, ministre de
la Guerre de Roumanie, s'envola vers l'Ouest. Il se
dirigeait vers l'Autriche avec ses deux pilotes déser-
teurs.

« C'est une grande heure dans ma vie », dit Anatole
Barsov.

Pour la première fois de sa vie de pilote, il sentait
qu'il volait vraiment, qu'il était libre. Il volait comme
les oiseaux, selon sa volonté. Un vol véritable.

XI

Quatre heures s'étaient écoulées depuis la disparition de l'avion de l'aéroport de Piatra. Boris Bodnariuk ignorait tout. Il était dans sa villa au milieu des
sapins et feuilletait des revues. Il ne pouvait pas dormir. L'air lui semblait trop fort. Le lit trop doux.
Il commença la rédaction de la conférence qu'il devait
faire à Bucarest à l'occasion de l'anniversaire de la
commémoration de Tinka Neva et de la constitution
de la fédération des Républiques populaires soviétiques
danubiennes.

Il y avait sur un mur une horloge avec un coucou.
Boris Bodnariuk ne pouvait pas supporter le tic-tac de
l'horloge et surtout le coucou. Il arrêta le mouvement.

Il était près de minuit. Une voiture s'arrêta devant
la villa. Boris Bodnariuk mit son pantalon, jeta sur
ses épaules son vêtement de cuir et reçut les deux
colonels soviétiques.

Il devina qu'il s'était passé une chose grave.

« La patrie soviétique est de nouveau victime d'une

trahison, dit un des colonels. Le maréchal des Slaves
du Sud refuse de venir à Bucarest pour la constitution
de la fédération des Républiques danubiennes. Il s'est
retiré dans son château des montagnes. Deux divisions montent la garde. Dans quelques jours il dénon-
cera le pacte d'alliance avec les Soviets.

Boris Bodnariuk se leva. Il tremblait de rage. Il
avait communiqué à Moscou plusieurs informations
annonçant que le maréchal des Slaves du Sud était
en relations avec l'Occident. Le maréchal projetait
la constitution de la Fédération danubienne, pour se
détacher ensuite des Soviets et s'allier avec les Etats
capitalistes.

Boris Bodnariuk savait que la trahison du maréchal
des Slaves du Sud n'avait pour cause ni la soif d'argent, ni une divergence idéologique. Le maréchal était
un orgueilleux. Il voulait devenir un maître absolu,
un dictateur. Dans le cadre des Républiques de
l'Union soviétique, la chose était impossible. Il joua
alors la carte américaine.

Les Américains lui avaient promis (à condition qu'il
rompe les relations avec la Russie) leur aide pour la
création de la Fédération danubienne comprenant la
Roumanie, la Bulgarie, la Hongrie, la Yougoslavie,
l'Albanie, l'Autriche dont, lui, le maréchal des Slaves
du Sud serait le chef.

Lorsqu'il eut toutes garanties de devenir dictateur,
grâce aux Américains, il avait trahi.

Boris Bodnariuk offrit du thé aux deux officiers
russes. Il arpentait la pièce nerveusement.

« J'étais sûr que le maréchal trahirait, dit-il. Nous
étions amis, mais le jour où j'ai constaté qu'il possédait un chien, et qu'il aimait ce chien passionnément,
j'ai su qu'il était un futur traître. Un homme qui a
une passion pour quelque chose est un traître en puissance. Un homme qui aime passionnément un chien
ne peut pas être un communiste. »

Bodnariuk parlait vite.

« Il y avait ensuite le vice du luxe, continua-t-il. Le maréchal des Slaves du Sud avait des uniformes plus brillants que Gœring. Des pèlerines brodées d'or. Des uniformes d'opérette. Des pur-sang, des palais médiévaux. C'était normal qu'il aboutisse à la trahison. Il a trahi la classe ouvrière. Il suffisait de voir le chien et les uniformes pour savoir qu'il trahirait. Chaque fois que j'apercevais le chien du maréchal, j'avais envie de sortir mon revolver et de l'abattre sous ses yeux. Ce brave communiste est devenu un traître à cause du chien. Les autres passions ont suivi automatiquement. Il suffisait d'une seule et la première a été le chien.

— Moscou désire votre départ pour le pays des Slaves du Sud, dit un colonel. Le maréchal doit être fait prisonnier ou abattu avant de rendre publique sa trahison. Il n'y a pas une minute à perdre.

— Nous avons cinq divisions dans le pays, dit le second colonel. Demain, au cours de la journée, d'autres traverseront le Danube, venant de Hongrie, d'Autriche, de Roumanie. Vous avez à votre disposition une escadrille d'avions; elle est déjà sur place. Suivant les besoins, en quelques heures nous pouvons déplacer autant d'avions que vous en demanderez. Moscou désire que vous vous présentiez à la résidence d'hiver du maréchal. Vous aurez à votre disposition, dans l'enceinte même du palais, un peloton de policiers, un bataillon de parachutistes et un détachement de partisans albanais sur lesquels vous pourrez compter. Ils sont fort bien entraînés, ils s'introduiront dans l'intérieur du palais. Je vous donnerai tous les détails du plan dans l'avion. Moscou est fière de vous confier cette mission. Le maréchal des Slaves du Sud ne se méfiera pas de vous, vous êtes des amis intimes. Il vous invitera peut-être à le suivre dans sa trahison. En tout cas, il doit être fait prisonnier ou assassiné d'ici quarante-huit heures. C'est-à-dire avant que sa trahison soit rendue publique.

— Le maréchal des Slaves du Sud a été averti que vous lui rendriez visite au cours de la matinée de demain, dit le premier colonel. Il a confirmé sa réponse par radio et vous attend. Vous êtes le seul à pouvoir pénétrer dans le nid de la vipère pour lui tordre le cou. Maintenant nous devons nous hâter. »

Ils regardaient l'horloge à coucou. Elle ne marchait plus. Boris Bodnariuk s'habillait rapidement

« Un vrai communiste ne connaît aucune passion humaine, pensait-il. Un vrai communiste doit s'élever au-dessus de la condition d'esclave, un vrai communiste ne doit plus avoir l'instinct de conservation surtout. Il doit être prêt à donner sa vie avec la même facilité que sa chemise, sa tunique ou son porte-cigarettes, car tout appartient aux Soviets, y compris sa vie. »

Boris Bodnariuk réfléchissait au plan de suppression du maréchal au chien. Dans la pièce voisine, les deux colonels plaisantaient avec la servante. Boris Bodnariuk en fut mécontent. Il haïssait les femmes. Toute femme pouvait devenir un objet de passion pour un communiste. La femme était à priori un ennemi, pour lui, pour le parti, pour les Soviets.

Un motocycliste s'arrêta devant la villa. Il remit un radiogramme chiffré pour Boris Bodnariuk.

« *Votre avion personnel a franchi la frontière et a atterri en zone américaine d'Allemagne. Désertion préméditée des deux pilotes : Igor Poltarev et Anatole Barsov. Vérifiez si des documents n'ont pas disparu.* »

Bodnariuk déchira le papier sur lequel il avait déchiffré le radiogramme et le brûla avec une allumette. Il voulait paraître calme, mais il ne le pouvait pas. Il avait pour les traîtres une haine féroce mais jamais il n'avait tant détesté les traîtres et la trahison que cette nuit. Il n'avait qu'un rêve : étrangler de ses

propres mains le maréchal au chien afin de se venger
ainsi de toutes les trahisons passées et à venir; la trahison de Natacha, de Barsov, de Poltarev, et tout le
monde.

C'est avec cette soif dans le sang qu'il monta dans
l'avion accompagné par les deux colonels russes, et
qu'il partit dans la nuit, vers le maréchal au chien,
vers le nid de vipère.

« Je voudrais, au moment où je le supprimerai,
supprimer aussi le chien. Les deux avec la même
balle, » dit Bodnariuk pendant que l'avion décollait
de l'aéroport de Piatra.

XII

Quelques jours après le suicide d'Isaac Salomon, le
docteur Ante Petrovici se trouvait dans la chambre du
Schaffner Daniel Motok.

« Je vous ai prié de venir chez moi pour vous demander un service, dit Motok. J'ai fait de la contrebande avec Isaac Salomon. La police me recherche.
Je dois partir. »

Motok voulait rester calme.

« Si le Canada, ou l'Australie ou l'Argentine
m'avaient accepté je n'aurais pas fait de contrebande,
dit-il. J'ai essayé partout. Si je suis pris, on me con-
damne à cinq ans de prison. Je pars aujourd'hui pour
les Etats-Unis, dans deux heures. J'ai besoin de votre
aide. »

La chambre de Motok était en ordre. Il y avait une
valise sur le lit et une caisse en bois neuf derrière la
porte. Il regardait l'heure.

« On m'a demandé plusieurs fois. Ils peuvent revenir d'un moment à l'autre. Je savais que les soldats

américains ont le droit d'expédier à leurs familles des trophées de guerre pris à l'étranger, en Europe. Ils ont le droit d'envoyer à leurs familles toutes sortes d'objets qui attestent leur bravoure dans la Croisade pour la libération de l'Europe. Ils ornent leurs appartements de ces trophées. Je me suis procuré cette caisse. »

Motok montra derrière la porte la caisse toute neuve. Sur un côté on avait écrit : *Mrs. Blanche Schmith. — New York City N. Y.*

« Je vais entrer dans la malle. Le soldat américain John Schmith viendra à six heures prendre la malle et la conduire à l'aéroport. Je serai dedans. Sur le couvercle il y a écrit *Trophées.* Si je ne meurs pas étouffé pendant le voyage, j'arriverai aux Etats-Unis. Dès que je serai dans la caisse, je vous prie de clouer le couvercle et de remettre la malle à John Schmith. C'est ma seule prière. Quand il aura chargé la malle dans la *jeep,* vous lui donnerez cinq cents dollars. Je vous prie de me rendre ce service. »

Le marteau, les clous et les dollars étaient sur la table. Motok attendait la réponse.

« Le soldat Schmith sait que vous êtes dans la malle? demanda Petrovici.

— Non, répondit Motok. Il a accepté aux conditions suivantes : je lui donne cinq cents dollars pour payer le transport, la malle ne doit pas dépasser cent kilos et ne doit pas contenir des objets prohibés, quelqu'un doit la transporter de la chambre jusque dans la *jeep.* Je lui ai promis de respecter toutes les conditions. Il sera ici à six heures. Mrs. Blanche Schmith est sa mère, mais la malle attendra à l'aéroport de New York que le destinataire vienne la retirer.

— Vous vous considérez donc comme un objet que les autorités permettent aux soldats américains d'expédier en guise de trophée de la Croisade pour la libération de l'Europe?

— Les caisses de trophées ne sont pas ouvertes à l'aéroport, dit Motok. Le contrôle des colis se fait par rayons X. Je suis bien informé. Par les rayons les Américains voient tout ce qu'il y a dans la malle.

— C'est absurde, puéril et irréalisable, dit Ante Petrovici. Vous oubliez, en premier lieu que le corps d'un homme contient des métaux et des sels minéraux visibles aux rayons X. Le corps humain est aussi composé d'os. Les policiers de l'aéroport verront votre squelette. Les policiers ne verront pas votre chair, votre sang, votre cœur, et votre désespoir. Ils ne verront que votre squelette. Le reste, c'est-à-dire, la chair, le sang, le cerveau, la peau d'un homme ne les intéresse pas. La police n'a jamais attaché de prix à ces aspects de l'homme. Seul votre squelette l'intéresse, vos os, votre crâne. Ils découvriront votre colonne vertébrale, les maxillaires, le crâne, tout ce qui est métallique ou calcaire. Les autorités ne verront pas votre cœur, je sais bien, mais la police moderne avec ses appareils découvrira votre squelette dans la malle et vous ne serez pas accepté dans l'avion. Les squelettes des hommes ne peuvent pas franchir les frontières. Du moins je le pense. »

Motok souleva le couvercle de la malle, l'intérieur était capitonné de papier d'étain, enlevé aux paquets de cigarettes et de chocolat.

« On ne peut pas voir à travers ces feuilles d'étain, ni le crâne, ni l'échine. Mon squelette sera camouflé. »

Ante Pétrovici se taisait.

« La caisse est faite à mes mesures, dit Motok. J'ai dedans du café, des vitamines, du cognac. J'ai tout ce qu'il me faut pour le voyage. De la patience, j'en aurai. Il me faut seulement un peu de chance. Il y a plusieurs semaines que j'étudie mon plan. L'idée m'en est venu en lisant qu'une jeune fille voulait partir aux U. S. A. dans une malle expédiée comme

simple colis, mais avant même le départ de l'avion
elle avait suffoqué et avait crié au secours!

— Je n'accepte pas, dit Ante Petrovici. Je ne veux
pas faire ce que vous me demandez. En supposant
que vous arriviez aux Etats-Unis sans être découvert
et en vie, ce qui me paraît fort peu probable, que ferez-
vous une fois à New York? Quelques heures après,
vous serez arrêté et rapatrié ensuite. Les Etats-Unis
rapatrient ainsi des millions d'émigrants clandestins.
Tous les jours des navires chargés d'indésirables ou
d'émigrants clandestins quittent les ports américains
à destination de l'Europe. Après tous vos efforts, vous
serez embarqué sur un navire ceint de barbelés et
renvoyé chez vous. L'Atlantique fourmille de tels
navires, de prisons flottantes, qui transportent leurs
prisonniers vers l'Europe. Depuis la Victoire, les prisons ne couvrent pas seulement la terre. Les mers et
les océans ont leurs prisons flottantes. Vous voulez
donc fuir une prison terrestre pour être enfermé dans
un cachot flottant?

— Votre refus me peine, dit Motok, mais je ne
pouvais pas demander à un autre de clouer le couvercle de ma caisse. Mes amis ont disparu. Isaac
Salomon s'est tué. Varlaam est en Palestine. Aurel
Popesco est devenu un haut fonctionnaire qu'on ne
peut plus rencontrer. Pillat est un sentimental. Je
n'aurais pas pu lui demander ça. Pourquoi refusez-
vous, docteur?

— Parce que, pour moi, cette entreprise est synonyme de suicide. Je ne peux pas l'accomplir. Pardonnez-moi Motok. J'éprouve une immense pitié à
l'égard des hommes, non seulement pour vous ou pour
moi, mais pour tous les hommes qui ont été forcés
d'aboutir à de telles solutions désespérées. Nous ne
sommes pas les seuls. Il y a sur la surface du globe
plus de cent millions d'hommes qui ont recours à des
solutions désespérées comme la vôtre. Songez donc,

cent millions. La moitié de la population des Etats-Unis, deux fois la population de la France. Des hommes errants, désespérés, sans aucun droit. Jamais semblable prolétariat n'a existé dans le monde. Nous sommes le plus sombre prolétariat que la terre ait porté. A cause des traités et des conventions conclues par l'Occident avec les nazis, avec les Soviets ensuite, il existe maintenant cent millions d'hommes expropriés et jetés sur les routes et qui cherchent avec désespoir une issue. Je n'ai pas le courage de vous rendre le service que vous me demandez. »

Ante Petrovici voulut partit.

« Il se pourrait que les autorités accordent l'*exeat,* même si l'on découvre votre squelette dans la caisse. Du moment que les braves soldats ont le droit d'envoyer à leurs mères, pour orner leurs appartements, l'épée, la tunique, les épaulettes ou les boutons du soldat ennemi abattu, pourquoi n'enverraient-ils pas un crâne ou un squelette entier comme trophée? Si les soldats envoient à leurs mères ou à leurs épouses le squelette complet de leur ennemi, leur bravoure est encore plus convaincante. Les trophées les plus appréciés envoyés par les croisés dans leur patrie étaient les cordes avec lesquelles on avait pendu les chefs ennemis. S'ils ont envoyé les cordes des gibets, pourquoi ne pas envoyer des squelettes? Il peut se faire qu'ils ne vous dérangent pas dans votre cercueil volant et qu'ils vous apprécient comme trophée! Je me laisse peut-être guider par la haine. Pardonnez-moi, Motok, mon âme est trop révoltée.

— Si vous ne voulez pas m'aider, je chercherai quelqu'un d'autre », dit Motok. (Il regarda l'heure.) « Je dois être à six heures dans ma caisse clouée. John Schmith arrive à six heures précises. »

XIII

Ante Petrovici refusa de clouer la caisse dans la quelle se trouvait son ami.

Motok trouva quelqu'un d'autre pour lui rendre ce service.

A sept heures, la caisse, avec Motok dedans, était à l'aéroport près de l'avion de New York avec les autres colis de trophées. Les appareils de contrôle ne découvrirent pas Motok. On allait donc l'embarquer. Il entendit le bruit des hélices, les ordres des employés, les voix des passagers.

Deux hommes s'approchèrent de la caisse où se trouvait Motok. Ils parlaient russe. Motok comprit qu'il s'agissait de passagers qui devaient faire le même voyage que lui. Il écouta leur discussion attentivement. L'un s'appelait Igor, l'autre, Anatole Barsov. Ils se querellaient. Motok suivit la discussion. Il comprit qu'il s'agissait d'aviateurs soviétiques qui avaient déserté et que les Américains transportaient aux Etats-Unis.

« Tu n'es qu'un idiot, dit celui qui s'appelait Igor. Si tu continues à dire aux Américains que tu ne t'es pas enfui pour des motifs politiques, ils vont te renvoyer chez toi.

— Je ne peux pas mentir, dit Anatole Barsov.

— Tu dois raconter aux Américains ce qu'ils veulent, dit Igor Poltarev. Les Américains n'ont pas besoin d'officiers russes qui sont venus chez eux parce qu'ils se disputaient avec leurs femmes ou parce qu'ils ne pouvaient pas payer leurs dettes. Les Américains nous ont reçus et nous traitent comme des princes parce qu'ils considèrent que nous nous sommes enfuis en tant qu'ennemis du régime. Au lieu de parler aux journalistes de Staline, de Boris, de la terreur communiste, tu répètes comme un idiot que tu te disputes à longueur de journée avec ta femme, avec le commandant de l'escadrille et comment tu as été blessé à la guerre. Ça n'intéresse pas les Américains. Ils veulent que tu leur parles de Staline.

— Je ne sais rien de Staline, dit Barsov, je ne l'ai jamais vu, que veux-tu que je leur raconte sur lui?

— Tu n'as qu'à leur dire que tu l'as aperçu à une parade militaire, de loin, mais que personne ne pouvait l'approcher parce qu'il était gardé par quelques centaines de Caucasiens hauts de deux mètres et armés jusqu'aux dents. Comme je leur ai dit. Tu n'as pas remarqué à quel point les Américains aiment ce genre d'histoires?

— Je ne peux pas faire ça, dit Barsov.

— Dis-leur au moins que tu t'es enfui pour des motifs politiques, qu'une terreur sans bornes règne chez les Soviets, que personne ne peut vivre en Russie. Dis-leur au moins que les cigarettes que reçoivent les officiers russes sont mauvaises et que nous manquons de nourriture.

— Je peux leur dire que la nourriture et les cigarettes sont insuffisantes, dit Barsov, parce que c'est vrai.

— Dis aux Américains que tu es émerveillé par leurs voitures, par leurs uniformes, leur nourriture, leur chocolat et qu'en Russie pareilles choses n'existent pas. Les Américains sont des commerçants, c'est pour ça qu'ils adorent s'entendre traiter de militaires et diplomates. Si tu leur parles ainsi ta fortune est faite.

— Moi, j'ai une conscience, dit Barsov. Je ne suis pas une canaille. Toi, tu peux l'être.

— Tu es un imbécile, dit Igor. Si tu ne suis pas mes conseils, tout ira mal pour toi. »

Les ouvriers soulevèrent la malle où se trouvait

Motok et la montèrent soigneusement en avion avec des poulies, sans la cogner. Les ouvriers avaient vu que sur la caisse on avait marqué *Trophées* et ils savaient qu'on devait manipuler les trophées avec attention.

XIV

Boris Bodnariuk survolait les nuages vers le pays des Slaves du Sud. Les deux colonels soviétiques gardaient le silence. Boris aussi. Ils semblaient somnoler tous les trois. En réalité, ils réfléchissaient tous, au plan de l'assassinat du maréchal au chien.

Le premier colonel — le gros — mangeait des pastilles à l'eucalyptus. Il s'approcha de Bodnariuk en lui offrant un bonbon vert pour la toux et lui dit à l'oreille

« A midi, il y aura un déjeuner en votre honneur au château du maréchal au chien. Nous devrons laisser nos revolvers au vestiaire. Un de nos hommes en glissera d'autres dans nos poches. A table, nous serons donc cinq personnes armées. »

Silence. Le colonel regardait les nuages qui entouraient l'avion.

« Nos troupes commencent à pénétrer dans le pays des Slaves du Sud. »

Boris Bodnariuk cracha dans son mouchoir le bonbon offert par le colonel.

« D'ici ce soir le maréchal au chien sera tué, dit le colonel. Nos troupes auront tout le pays en mains. Elles seront à quelques centaines de kilomètres du Vatican. La liquidation du maréchal au chien ouvre à l'Armée Rouge les portes vers l'Italie, vers Paris, vers Londres. L'acte que nous allons accomplir aujourd'hui est un des plus importants de l'Histoire. Tout dépend de notre habileté. Le détachement d'Albanais est déjà dans l'enceinte du palais. »

Le colonel regarda sa montre et sourit.

« D'ici une heure de l'après-midi, le chien du maréchal restera orphelin. Un chien sans maréchal! »

Le colonel reprit un bonbon à l'eucalyptus.

L'avion volait à une grande altitude. Il semblait pencher un peu sur le côté droit.

Bodnariuk était las.

Un des pilotes se retourna et cria :

« Incendie! »

Boris Bodnariuk vérifia le parachute. Il regarda par la fenêtre. L'avion continuait à voler mais penché. Boris préparait ses poings pour briser la vitre. Il aurait aimé demander aux pilotes ce qu'il y avait lieu de faire. Il tenait les poings crispés comme lorsqu'il s'était jeté dans les eaux du Dniestr, à quinze ans. Tout était comme alors.

Dehors on ne voyait que des nuages blancs. Boris Bodnariuk n'avait pas peur. Il glissa sa serviette sous sa tunique et croisa son manteau de cuir sur sa poitrine.

Il pensa qu'ils étaient au-dessus de l'Allemagne. Si l'avion ne pouvait pas atterrir il devrait sauter en parachute. Une seule chose le gênait : le goût du bonbon à l'eucalyptus. Il toussa, il aurait voulu vomir. Ce goût d'eucalyptus lui soulevait le cœur. L'avion était rempli de fumée.

Bodnariuk frappa la vitre de son poing ganté. La vitre se brisa mais l'air qui pénétrait était suffocant. Bodnariuk se leva. La fumée envahissait tout. Il chercha la porte. Le hublot était trop petit, Boris ne pouvait pas sauter par là. Il serrait sa tunique sur sa poitrine et regrettait de ne pas avoir cherché la porte avant que l'avion fût rempli de fumée. Il ne la trouva pas. Son estomac le trahit. Le goût d'eucalyptus l'avait fait vomir. Il se pencha, crut s'effondrer. Il ne sentait plus que le goût douceâtre de l'eucalyptus. Il sentait qu'il sombrait.

Il lui était impossible de se tenir droit. Quelqu'un cria fort. Il ne put pas répondre et n'entendit pas ce qu'on lui disait. Il était courbé. Il sentait qu'il sombrait dans la nuit et dans la nausée immense du bonbon à l'eucalyptus.

« Maudit bonbon! » pensa Bodnariuk.

Cette nausée réduisait son corps au néant et puis plus rien. Son corps avait trahi Bodnariuk. Partout il n'y avait que trahison. Anatole Barsov avait trahi. Le maréchal au chien avait trahi. Le propre corps de Boris Bodnariuk avait trahi.

De dégoût, il ferma les yeux. Il ne sentait plus que la saveur de l'eucalyptus. Il avait à la fois le dégoût du bonbon et de la trahison. De toutes les trahisons mais surtout de la trahison de son corps.

Ce ne fut plus qu'une nausée, un effondrement dans des abîmes et dans le néant.

Lorsqu'il ouvrit les yeux, Boris Bodnariuk ne vit autour de lui que du blanc. L'éclat de cette lumière le fit larmoyer. Il ferma les yeux. Il se trouva plongé dans le noir.

« C'est encore une trahison », se dit-il. Il essaya de soulever une jambe. Elle était morte. Il voulut lever la main, elle aussi était morte.

« Les ennemis des Soviets ont sûrement connu ma mission, ils ont provoqué l'accident », pensa Boris Bodnariuk.

Il ouvrit de nouveau les yeux. Il était dans les montagnes. Il neigeait. Il gisait sur la neige. Il aurait voulu bouger, mais son corps ne lui obéissait plus. Seuls, la raison et l'œil se soumettaient, mais l'œil ne voyait que du blanc lorsqu'il était ouvert et quand il se fermait ce n'était que du noir.

Un œil seulement obéissait, l'autre restait fermé, mort; il avait peut-être quitté l'orbite. Boris Bodna-

riuk de nouveau ferma son œil, il ne vit que du noir.
Il l'ouvrit. Autour de lui, il n'y avait que du blanc. Ce
n'était pas de la neige, mais des femmes en blanc, des
hommes en blanc, des murs blancs, des draps blancs.

« Je n'ai plus qu'un œil, se dit-il. Comme Angelo.
Et avec cet œil je ne vois que du noir et du blanc.
Seulement deux couleurs et encore le noir et le blanc
ne sont pas des couleurs. »

Boris Bodnariuk chercha dans sa mémoire une autre
couleur. Même dans sa mémoire il n'y avait que du
noir et du blanc. Tout ce qu'il avait vu dans le passé
n'était que du noir et du blanc.

Bodnariuk ne se rendait pas compte en cet instant
qu'il avait atteint l'idéal pour lequel luttaient le Parti
et tous ses membres. Diviser l'univers en deux couleurs : le noir et le blanc. De même qu'il voyait du
noir en fermant les paupières et du blanc lorsqu'il les
ouvrait les hommes auraient vu les choses blanches ou
noires selon les nécessités de l'Histoire. Tel était
l'idéal : un univers clair, précis, sans couleurs. Les
couleurs sont inutiles et compliquées. Blanc et noir
suffisent. Oui et non suffisent. L'univers n'a pas besoin
d'autres réponses en dehors de *oui* et de *non*. Les autres
réponses sont réactionnaires. Les autres réponses sont
des nuances.

Bodnariuk sentit un corps étranger contre son
oreille. Après il entendit des sons. Il avait oublié qu'il
possédait le sens de l'ouïe. Dans les derniers temps il
n'avait plus rien entendu. Il avait vécu, mais complètement sourd. Il n'avait plus ressenti de douleurs alors
que maintenant ses paupières lui redonnaient la
douleur.

« Nous désirons rester seuls avec le patient », dit
une voix rude, en anglais.

L'appareil contre l'oreille de Bodnariuk était froid.
Il croyait éprouver pour la première fois cette sensation de froid. Il se souvint ensuite qu'il existait aussi

une sensation de chaleur, mais pour l'instant il ne
sentait que le froid.

Il ouvrit son œil. Dans la chambre, il n'y avait plus
que deux officiers soviétiques. Ils paraissaient noirs.
Les hommes et les femmes blanches étaient partis.

« Grâce à la piqûre vous resterez éveillé une heure »,
dit l'officier soviétique. (Il parlait maintenant russe.)
« Dites-nous si vous pouvez nous suivre. Si vous ne le
pouvez pas nous vous ferons une nouvelle piqûre.
Nous devons vous interroger. Nous sommes envoyés
par le commandement soviétique de Vienne. »

Ils montrèrent les cartes d'identité pour voir si Bodnariuk pouvait lire et s'il comprenait ce qu'il lisait.

Bodnariuk vit les cachets de la police secrète soviétique. Il se sentit en sécurité.

« Vous êtes dans un hôpital militaire américain, dit
le premier officier. Vous souvenez-vous de ce qui vous
est arrivé?

— Vous êtes parti de Piatra en avion, dit l'officier.
Vous êtes tombé dans les montagnes. Vous êtes le
seul survivant. Tous les autres sont morts. Les Américains vous ont transporté ici. Nous avons été avertis
de votre accident. Pendant deux semaines, nous avons
essayé de vous parler, mais en vain. On nous a dit que
vous avez déclaré, en état de commotion, vous appeler
Boris Neva, c'est sous ce nom que vous êtes inscrit
sur les registres de l'hôpital. C'est parfait. Maintenez
votre déclaration. Il vaut mieux que les Américains
n'apprennent pas votre identité. En réalité, le connaissez-vous, votre nom?

— Boris Bodnariuk, dit-il.

— Nous pourrons vous rapatrier dans dix jours, dit
le colonel. Entre-temps, maintenez que vous vous
nommez Boris Neva. Maintenant, répétez ce que nous
venons de dire.

— Je suis tombé avec l'avion, répéta-t-il. J'ai été
transporté dans un hôpital américain où je suis ins-

crit sous le nom de Boris Neva. Je serai rapatrié dans dix jours. Je ne dois pas divulguer ma véritable identité. »

La main du colonel lui frappa amicalement l'épaule. Pour la première fois Boris sentait son épaule.

« Je regrette de ne pas pouvoir vous emmener tout de suite, dit le premier officier. Les Américains soutiennent que vous n'êtes pas encore transportable. Nous viendrons vous voir régulièrement.

— C'était du sabotage? de la trahison? demanda Boris Bodnariuk.

— Les coupables seront punis, liquidés, dit l'officier en partant.

— C'est bien, s'ils sont « liquidés », dit Boris Bodnariuk. Très bien. »

Il ferma les yeux. Il retomba dans le noir.

XV

Quelques jours plus tard, les officiers soviétiques firent une nouvelle visite à Bodnariuk à l'hôpital. Ils discutèrent, tous les trois, longuement.

« Cet accident d'aviation a été un grand malheur, dit le colonel. Le maréchal des Slaves du Sud n'a pas pu être liquidé. Il a rendu publique sa trahison. Les Soviets ont perdu la Méditerranée, la porte vers l'Occident, l'Adriatique. C'est une catastrophe. Nous devons réparer ce qui est encore réparable. Maintenant, le maréchal au chien est devenu le valet des Occidentaux. Tous ces malheurs sont arrivés parce que tu n'es pas arrivé à destination à temps pour le supprimer. Tu étais maître de la situation, mais tu es tombé avec ton avion. Logiquement, la réparation de ce malheur t'appartient. Tu es mutilé, mais ton cerveau et tes poumons te restent; avec cela tu peux continuer à servir. »

Les officiers racontèrent à Boris Bodnariuk que les Soviets n'avaient pas renoncé au projet d'assassiner le maréchal au chien, mais que maintenant c'était difficile.

« La liquidation » demande du temps, dit le colonel. Nous avons mis sur pied un système complet. Nous « liquiderons » le maréchal au chien. C'est certain, mais ce sera long. Très long. Pour le moment, c'est moralement que nous devons le supprimer.

— Trotzky a été assassiné politiquement bien avant d'être abattu physiquement, dit Boris Bodnariuk. Dans les cas de trahison, quand l'accusé sauve sa vie, la « liquidation » des complices et sa condamnation morale et politique font de lui une épave, un inquiet, un...

— Pour la condamnation de Trotzky, nous avons eu besoin des procès de 1938, dit le colonel.

— Cela peut se répéter, dit Bodnariuk. C'est même absolument nécessaire. Les nouvelles républiques, la Roumanie, la Bulgarie, la Hongrie, sont farcies de complices réels ou virtuels. Le procès du maréchal au chien assainirait ces nouvelles républiques de toutes les insalubrités politiques. Aussitôt sorti d'ici, je propose un grand procès contre les conspirateurs.

— Le procès est déjà organisé, dit le colonel. Le mois prochain nous ouvrons à Bucarest un grand procès, dans lequel nous jugerons les complices du maréchal au chien. Nous démontrerons qu'il était à la solde des capitalistes occidentaux et qu'il luttait depuis longtemps pour asservir les peuples qui avaient été libérés par les Soviets de la domination des capitalistes anglo-américains. Des milliers de complices sont déjà arrêtés. Ils ont fait des aveux. Il manque seulement le principal organisateur. Un communiste d'élite, qui plaide coupable et qui expose les phases et les

dessous de la trahison. Il manque un homme comme
toi. Toi, qui es l'ancien vice-président de la Fédération danubienne. Il nous manque un chef qui ait la
valeur et l'autorité du maréchal au chien, qui avoue
en son nom. Quelqu'un qui puisse être jugé et condamné en tant que représentant du maréchal au chien.
Voilà ce qui nous manque, tout le reste est déjà organisé.

— Je n'ai pas été tué dans l'accident d'avion. Je
suis à votre disposition, dit Bodnariuk.

— Tu veux venir à Bucarest plaider coupable dans
la trahison du maréchal au chien?

— Il doit être « liquidé » politiquement. Ce serait
un crime de retarder sa condamnation. Qui pourrait
mieux que moi porter au traître ce coup mortel? »

Boris Bodnariuk pensa à la chance immense que
possédait un communiste par rapport aux autres
hommes. Il n'était plus qu'un infirme et pourtant il
pouvait continuer de servir le parti de façon exceptionnelle.

« Le principal accusé demandera la peine de mort,
dit le colonel.

« Il n'y a pas d'autre sanction pour une telle trahison », répondit Boris Bodnariuk.

Bodnariuk ferma les yeux. Il était de nouveau dans
le noir. Il pensa que l'existence humaine vécue avec
des nuances est une existence vécue sur le mode
mineur.

Une vie de qualité supérieure est faite de « oui » et
de « non », de blanc et de noir. Telle est la vraie perfection humaine.

« Nous faisons savoir que vous avez demandé de
venir à Bucarest pour vous accuser au nom du maréchal au chien?

— Les intérêts de l'Histoire le demandent, dit Boris
Bodnariuk.

— Prenez garde, pendant ce temps, de ne pas être identifié », dit le colonel.

Il glissa un petit revolver sous l'oreiller de Bodnariuk, tapota l'épaule du malade et sortit.

« La peur de la mort est un préjugé bourgeois. se dit Boris Bodnariuk après que la porte fut fermée. Maintenant que j'ai décidé de mourir, je n'éprouve aucune crainte. Au contraire, j'éprouve une sorte de soulagement, un état d'euphorie, et je sens que je vis dans l'Histoire. Pour la première fois je me sens intégré dans l'Histoire. Je vis intensément avec l'Histoire. La peur de la mort est un préjugé. Un simple préjugé! »

XVI

Boris Bodnariuk avait passé l'après-midi à la fenêtre de l'hôpital militaire. Il n'était pas complètement rétabli. Néanmoins il pouvait marcher. Il devait être rapatrié le lendemain à midi. Les officiers du commandement soviétique de Vienne avaient promis de venir le chercher à douze heures précises.

Bodnariuk pensait intensément à sa nouvelle expérience. Il devait rentrer, plaider coupable, pour une trahison qu'il n'avait pas commise. Grâce à cette action un nombre considérable d'éléments inutiles ou dangereux seraient liquidés et la position du parti serait fortement consolidée.

C'était le côté positif de l'expérience. Le côté négatif était sa destruction en tant qu'individu. Boris Bodnariuk s'analysait avec attention et sincérité. Il voulait savoir s'il avait peur de la mort. Il avait toujours parlé du mépris que le communiste éprouve à l'égard de la mort, en tant qu'individu, afin que le parti vive.

Rationnellement, Boris Bodnariuk acceptait maintenant encore cette théorie et n'hésiterait pas à demander avec passion la peine de mort.

« Considérée du point de vue de la raison, la mort est bien plus insignifiante que ne le disent l'histoire, la religion ou la littérature. » Dans la steppe, lorsqu'il avait voulu se suicider, il n'avait pas eu peur. Son geste ne lui avait pas semblé difficile, il n'avait pas hésité.

Maintenant, il décelait en lui-même quelque chose qui ne convenait pas. Une voix cachée lui disait :

« Après avoir plaidé coupable, tu seras condamné, mais tu ne seras pas exécuté. »

Boris Bodnariuk avait honte de cette pensée et pourtant il ne pouvait pas s'en défendre. Il espérait que, s'il plaidait coupable, le parti ne l'exécuterait pas, mais le comblerait d'honneurs.

« Est-ce la peur de la mort qui me donne cette illusion? » se demanda-t-il. Il aurait voulu arracher cette pensée. Il se disait : « Je demanderai la peine de mort et je serai exécuté, exécuté, exécuté. » Mais la voix continuait : « Le parti te comblera d'honneurs. Il ne te laissera pas mourir. Cet acte d'auto-accusation sera apprécié, fêté, vénéré. »

Boris Bodnariuk ne voulait pas avoir cette illusion. Il voulait se persuader qu'il mourrait, qu'il mourrait réellement, sur sa demande. La raison lui disait que les choses se passeraient ainsi, mais il ne pouvait pas faire taire la voix qui lui disait qu'il vivrait.

Une voiture s'arrêta devant l'hôpital. Un jeune homme vêtu d'un costume civil américain, l'allure gauche, en descendit.

Le médecin commandant de l'hôpital se trouvait dans la cour avec un autre médecin, juste sous la fenêtre de Boris Bodnariuk. Le jeune homme s'approcha d'eux. Bodnariuk entendait la conversation.

« Je suis Milan Paternik, conseiller politique du commandement des Forces européennes », dit le jeune

homme. (Il montra une carte d'identité et une lettre.)
Je vous amène une patiente. C'est pour un accouche-
ment.

— Chez nous il n'y a pas de section pour femmes,
dit le médecin-chef, c'est impossible.

— C'est un cas exceptionnel, dit Milan Paternik. Le
commandement vous invite à la recevoir et à lui donner les soins nécessaires. »

Le médecin lut la lettre.

Marie, prête à accoucher, était dans la voiture.
Aurel Popesco avait fait le nécessaire pour qu'elle
fût admise dans cet hôpital militaire parce qu'il n'en
existait pas d'autre et Milan Paternik l'avait conduite
en voiture.

« Nos médecins ne sont pas des accoucheurs. Nous
n'acceptons pas de femmes dans cet hôpital, mais du
moment que j'ai l'ordre de la recevoir ici, nous la
recevrons.

— C'est un cas exceptionnel », dit de nouveau Paternik.

Boris Bodnariuk écoutait attentivement. Les mots
« cas exceptionnel » que Milan Paternik avait répétés,
l'avaient choqué.

« C'est une extravagance, je ne comprends pas, dit
le médecin.

— C'est de l'extravagance d'envoyer dans notre
hôpital une femme prête à accoucher, dit le médecin.
Ils veulent se moquer de nous! »

Boris Bodnariuk recula.

« Je comprends, se dit-il, je comprends pourquoi on
l'a envoyée ici. »

Il voyait Pierre Pillat et Milan Paternik aider Marie
à descendre de voiture.

Dans l'esprit de Bodnariuk, le soupçon que les Américains l'avaient identifié devenait de plus en plus
net. De sa chambre, caché par le mur, il examinait
Marie. Il ne la reconnaissait pas.

« Ils ont amené Pillat ici, en même temps que cette femme enceinte, pour lui donner la possibilité de m'identifier. Pour être sûrs que je suis Boris Bodnariuk, les Américains ont fait venir un de mes anciens camarades de classe. C'est la personne la mieux qualifiée pour me reconnaître, pour dire qu'il s'agit bien de Boris Bodnariuk, ministre de la Guerre de Roumanie, et non du citoyen soviétique Boris Neva. »

Boris Bodnariuk pensa aux paroles des officiers russes qui ne lui avaient recommandé qu'une seule chose : « Ne vous laissez pas identifier. » Il pensa aux paroles du médecin : « C'est une extravagance d'envoyer une femme accoucher ici. Pourquoi justement dans notre hôpital? » Il pensa aux paroles de Milan Paternik : « C'est un cas exceptionnel. exceptionnel. »

Bodnariuk était sûr que Pillat avait été introduit dans l'hôpital américain pour l'identifier. Il calcula qu'il lui restait seize heures jusqu'à son rapatriement, mais si les Américains réussissaient à l'identifier, grâce à Pillat, son retour s'avérait difficile. Peut-être même impossible. Le procès de Bucarest, contre le maréchal au chien, serait ajourné ou même annulé.

« Surtout ne te laisse pas reconnaître », se dit Boris Bodnariuk, ne te laisse pas identifier. »

On entendait des voix dans la pièce voisine. D'abord en anglais. Milan Paternik parlait avec les infirmiers. Ensuite en roumain. Pierre Pillat parlait avec la femme enceinte.

« Son mari restera ici », dit Milan Paternik dans la pièce voisine.

Bodnariuk écoutait, l'oreille collée contre la cloison. « Il dormira ici, dans ce fauteuil. »

« Pourquoi justement dans cette chambre à côté de la mienne? se demanda Bodnariuk. Aucun doute n'est possible. Ils ont envoyé Pillat ici afin de m'identifier. Bientôt il viendra dans ma chambre sous un prétexte quelconque, pour me voir, selon les instructions qu'il a dû recevoir. » Bodnariuk s'aperçut pour la première fois que la porte de sa chambre ne fermait pas à clef.

« Encore un argument, se dit-il. Pourquoi ont-ils enlevé la clef de ma chambre? »

Il s'approcha de la fenêtre. Milan Paternik monta en voiture et partit seul. Dans la chambre voisine, Pierre Pillat et Marie parlaient en roumain. Marie se plaignait.

« On entend chaque parole aussi nettement que si elle était prononcée dans ma chambre », se dit Boris Bodnariuk.

Tout s'était passé par surprise. Il n'avait pas perdu son sang-froid. Il savait qu'il ne devait pas se laisser identifier. Pillat était dans la chambre voisine et il y avait encore seize heures jusqu'au rapatriement.

De nouveau, il examina la porte.

« Il pourrait m'assassiner, se dit Boris Bodnariuk. On dirait que tout cela n'était qu'une vengeance de Pierre Pillat. Pour l'opinion publique, cette explication du complot serait plausible. Les Américains veulent m'assassiner pour empêcher mon rapatriement et le procès pour trahison du maréchal au chien. C'est certain. »

Boris Bodnariuk regarda la fenêtre. Elle n'avait pas de barreaux. Le jardin de l'hôpital était couvert de neige; la route passait à deux cents mètres de la fenêtre.

« Dès qu'il fera sombre, je m'évade, je pars pour Vienne avant d'être reconnu. »

Sa main serrait le revolver dans la poche de la robe de chambre. Il ouvrit la porte de l'armoire, ses habits étaient là. On les lui avait laissés. La tunique, le manteau de cuir et le pantalon avaient souffert des brûlures. Il n'avait pas d'argent, pas de papiers et ne connaissait pas la région.

« Le principal, c'est de partir d'ici dès la tombée de la nuit. Après, je me débrouillerai », se dit Bodnariuk.

Il regarda par la fenêtre. Il avait les orteils gelés, il ne pouvait pas marcher.

« Je voyagerai clandestinement par le train pendant la nuit. »

Boris Bodnariuk se regarda dans la glace. Il était pâle et grelottait. Il s'habilla rapidement, cacha le revolver sous l'oreiller et se glissa dans le lit. Quand les médecins et les infirmières arrivèrent pour la visite du soir il se plaignit de migraine. Il leur dit qu'il ne mangerait pas, qu'il voudrait dormir. Il pensait à son plan d'évasion. C'était difficile. Il pouvait s'enfuir facilement de l'hôpital. Il sauterait par la fenêtre. S'il avait eu de l'argent pour acheter un billet de chemin de fer tout aurait été extrêmement simple, mais il n'avait pas d'argent, pas un pfennig. C'était un manque de prudence de sa part, il aurait dû en demander aux officiers soviétiques.

Lorsque l'infirmière de service fit sa ronde, Bodnariuk fit semblant de dormir. Dans la pièce voisine on entendait la voix de Pillat et les gémissements de Marie.

Bodnariuk finit de s'habiller dans l'obscurité. Il ne pouvait pas enfiler ses bottes à cause des pansements. Il enleva les pansements. Les pieds le faisaient souffrir. Il se glissa tout habillé sous les couvertures et attendit, sur le qui-vive, puis, toujours dans l'obscurité, il enjamba la fenêtre et sauta dans le jardin enneigé. Gagner la rue fut un jeu.

Lorsque les infirmières passèrent pour la ronde de deux heures et allumèrent la lampe de la chambre de Boris Neva, elles trouvèrent le lit vide.

On découvrit des traces de pas dans la neige sous sa fenêtre. L'alerte fut donnée. On avertit les postes de police, les gendarmeries. Les téléphones sonnèrent toute la nuit. On fouilla les trains. A huit heures du matin, les deux officiers soviétiques arrivèrent en voiture.

« Boris Neva savait qu'il serait rapatrié à douze heures et il a choisi la liberté, dit le médecin-chef de l'hôpital. Il ne voulait plus retourner en Russie soviétique. Des dizaines de mille font comme lui. Ce n'est pas une surprise. Il avait peur de revenir chez les Soviets. »

Les officiers russes ne voulurent pas accepter l'explication.

« Le citoyen soviétique Boris Neva a été enlevé, dit le colonel russe. L'hypothèse de sa désertion est à écarter, elle est absolument inacceptable. Nous demandons à effectuer l'enquête.

— Vous pourrez assister à l'enquête », dirent les Américains.

On fit venir les infirmières, le concierge, les sentinelles. Tous déclarèrent ne rien savoir. Le patient soviétique paraissait nerveux au cours de la soirée. Il avait refusé de manger et de revoir les médecins. Il s'était couché tôt. A deux heures du matin, il avait disparu. Son lit était vide. D'après les traces de pas dans la neige on put établir qu'il avait sauté par la fenêtre, qu'il avait traversé le jardin, escaladé le mur, et qu'il était sorti dans la rue. Mais c'était tout.

On s'attendait à ce que le patient soit découvert par la police et interrogé. Les officiers soviétiques étaient furieux. Ils promirent de protester par la voie diplomatique et de demander une enquête spéciale. Pendant ce temps, l'appareil de radio dans le couloir de l'hôpital diffusait le communiqué suivant :

« Les autorités et la population sont averties qu'un citoyen soviétique a disparu cette nuit d'un hôpital allié où il était soigné des blessures reçues dans un accident d'avion. Toute personne sachant où il se trouve doit avertir d'urgence les autorités. Nous don-

nons son signalement : grande cicatrice sur le front;
plaies par gelures, non encore guéries, sur la poitrine
et aux oreilles; marche difficilement parce qu'il a les
pieds gelés. Vêtements : manteau de cuir brun, bottes
noires, foulard rouge. »

Les officiers russes partirent sans écouter le communiqué. Il était neuf heures du matin. La porte de
la salle d'opération s'ouvrit juste comme ils passaient
devant. Une infirmière dit à Pierre Pillat qui se promenait dans le couloir :

« C'est une petite fille. La mère et l'enfant vont
bien. Vous pourrez les voir dans quelques instants.

— Doïna-Australie », dit Pillat.

Il était heureux. Lui seul ne s'était pas occupé et
ne savait rien de l'évasion du blessé soviétique.

Depuis son arrivée à l'hôpital il n'avait qu'une seule
préoccupation, Marie. Et maintenant, il en avait deux :
Marie et son premier enfant, la petite Doïna-Australie
Pillat. La joie lui fit venir les larmes aux yeux. Il
aurait voulu les embrasser toutes les deux.

« Doïna-Australie Pillat, se dit-il. Elle et Marie sont
en bonne santé. »

La radio continuait à annoncer :

« Nous répétons le signalement : manteau de cuir
brun, bottes noires, foulard rouge. »

« Doïna-Australie! Toutes les deux sont en bonne
santé », se disait Pillat.

LE LIVRE
DES HUMILIATIONS
(II)

BORIS BODNARIUK ne put être retrouvé ni par les Russes ni par les Américains. Il avait disparu sans laisser de traces.

Pierre Pillat et Marie étaient restés à l'hôpital américain. Quand Doïna-Australie eut deux semaines, ils reçurent une convocation de la Commission australienne. Les émigrants devaient se présenter d'urgence pour embarquer à Hambourg.

Marie, Pillat et l'enfant quittèrent l'hôpital le jour même, comblés de cadeaux. Les médecins, les infirmières, les malades offrirent toutes sortes de choses à Marie et à Doïna-Australie.

La fille de Pillat était née un jour faste. C'était le seul enfant né dans cet établissement. Elle était venue au monde dans un hôpital sur lequel flottait le drapeau étoilé de la démocratie américaine.

Marie et Pierre Pillat étaient arrivés à l'hôpital dans la voiture de Milan Paternik avec leurs sacs de voyage seulement. Maintenant ils avaient des bagages importants. Ils furent conduits à la gare dans une ambulance. Ils avaient reçu des billets de chemin de fer, de la nourriture, de l'argent et ils partirent vers Hambourg comme des privilégiés du destin.

Les journaux continuaient à parler de la disparition de Boris Neva, l'aviateur soviétique, mais personne ne savait rien de lui. Pillat et Marie ne s'en souciaient pas.

Ils étaient préoccupés par le voyage, par l'enfant et par leur nouvelle patrie.

« Ils ne faut jamais dire qu'il est trop tard, dit Pillat. Il y a quelques mois, quand toutes les commissions d'émigration nous refusaient, il nous semblait qu'il ne nous restait que le suicide. Aujourd'hui tous nos rêves commencent à se réaliser. Un beau jour nous retrouverons aussi papa Kostaky. »

Ils remerciaient le Ciel de les avoir sauvés. Ils arrivèrent à Hambourg, l'âme apaisée. A la gare, ils prirent un taxi, parce qu'ils avaient de l'argent, et se présentèrent devant la Commission australienne.

« Le bateau part dans trois jours, leur dit l'employé. Vous pouvez embarquer tout de suite. Présentez-vous devant la Commission de contrôle. »

Pillat présenta le certificat attestant qu'ils étaient acceptés pour l'émigration.

Il s'assit sur un banc et attendit. Il pensait que dans une heure ils seraient installés tous trois sur le bateau.

Un fonctionnaire les invita dans un bureau. Marie tenait dans ses bras Doïna-Australie et une grande poupée. La Commission était composée de trois hommes.

« Pillat Marie, appela un membre de la Commission.

— C'est moi », répondit Marie.

Elle souriait, maternelle et fière.

« Pierre Pillat, appela le fonctionnaire.

— C'est moi », répondit Pillat.

Les regards des membres de la Commission étaient braqués sur Pillat. Il y eut un silence, puis les yeux des trois personnages du bureau se dirigèrent vers la poupée que Marie tenait dans ses bras. C'était une poupée aussi grosse que l'enfant.

« C'est une poupée offerte par le commandant de l'hôpital américain, dit Marie.

— Il ne s'agit pas de poupée, dit l'homme du centre; il s'agit de l'enfant. »

Les trois regardaient Doïna-Australie qui dormait dans les bras de Marie comme s'ils avaient regardé un poupon de caoutchouc.

« Elle s'appelle Doïna-Australie, dit Pillat. Nous lui avons donné le nom de Doïna parce que c'est un chant d'exil de chez nous et Australie, à cause de notre nouvelle patrie.

— Sur la liste des émigrés en Australie, sur la liste *officielle*, il n'y a que deux personnes, dit l'homme du centre. Il y a inscrit Pierre Pillat. C'est vous. Et Marie Pillat. C'est vous. »

En même temps qu'il les nommait, il fixait du regard Pierre et Marie Pillat comme s'il avait voulu les clouer.

« Il n'y a pas d'autre personne sur la liste.

— Doïna-Australie est notre enfant, dit Pillat.

— Je regrette, mais elle n'est pas sur la liste, dit le fonctionnaire.

— Elle est née il y a deux semaines, ici, pendant que nous attendions le bateau.

— Le nom de l'enfant n'est pas sur la liste. »

Il y eut un silence long, oppressant.

« Que décidez-vous? » demanda le fonctionnaire.

Il avait une moustache rousse coupée court.

Pillat le regarda dans les yeux. Il n'avait rien à lui répondre. Il regarda Marie, puis Doïna-Australie, la poupée, le fonctionnaire à la moustache rousse.

« En quel sens devons-nous prendre une décision? demanda Pillat.

— Vous ne pouvez partir en Australie qu'à deux personnes, dit l'employé roux. Seulement les personnes inscrites sur la liste.

— Notre enfant ne peut pas y être inscrit? demanda Marie.

— Absolument pas », dit l'homme à moustache rousse.

Son ton était catégorique. « Les enfants au-dessous de dix ans ne sont pas admis à émigrer. »

Marie regardait la Commission et pleurait les yeux ouverts. Elle ne pouvait pas essuyer ses larmes, parce que ses mains étaient occupées par l'enfant et la poupée. Les larmes tombaient sur les joues rouges de la poupée.

« Que pouvons-nous faire? demanda Pierre Pillat.

— Vous devez prendre une décision, dit l'Ecossais.

— Existe-t-il une décision dans une pareille situation?

— Ou bien vous abandonnez l'enfant, ou bien vous renoncez à émigrer, dit l'homme à la moustache.

— Que devons-nous faire? »

Pillat avait bien entendu les paroles, mais il ne pouvait pas les croire.

« Vous abandonnez l'enfant, dit le fonctionnaire, vous l'abandonnez et vous pouvez émigrer. Quand il aura dix ans vous pourrez le faire venir en Australie. C'est simple.

— C'est simple? demanda Pillat. Vous dites que c'est simple? Vous trouvez que c'est simple? »

Pillat serra les poings. Marie pleurait.

« Pas d'histoire, dit le fonctionnaire. Nous n'avons pas le temps de faire du roman. Nous devons appeler les suivants. Vous devez prendre immédiatement une décision. Alors?

— Est-il possible de demander de telles choses à des parents? Etes-vous des hommes? Etes-vous des chrétiens? Etes-vous civilisés? »

Les poings de Pillat se serraient.

« C'est parce que nous sommes civilisés que nous vous le demandons, dit le fonctionnaire. C'est pour

des motifs de civilisation et de culture que nous ne
voulons pas soumettre à la torture d'un voyage jusqu'en Australie les enfants de moins de dix ans. Ce
serait une barbarie de le permettre. D'ailleurs, les lois
et les nouvelles dispositions de la Croix-Rouge internationale des Nations-Unies et le bon sens que tout
homme civilisé possède, je suppose, nous le défendent.
Nous serions des barbares si nous procédions autrement.

— Vous demandez donc à une mère d'abandonner
son enfant? »

Pillat était un homme calme, pourtant il serrait
les poings, il avait envie de frapper. Il regarda le
bureau. Il aurait voulu le démolir.

« Laissons le sentimentalisme de côté, dit l'Ecossais. Décidez-vous. Il ne s'agit pas d'un acte extraordinaire. Vous confiez l'enfant à un orphelinat. Vous le
reprenez dans dix ans. C'est une séparation temporaire. »

Pillat posa la main sur l'épaule de Marie.

« Allons-nous-en, dit-il.

— Que décidez-vous? » demanda l'homme à la moustache rousse.

Pillat se retourna. Il regarda les yeux bleus, le visage
rouge, la moustache rousse, la cravate bariolée, le
faux-col empesé. Il regarda la propreté et l'élégance
vestimentaire des Australiens. Il sentit sa bouche
pleine de salive, il était plein de dégoût. Il avait la
nausée. Il ne pouvait pas prononcer une parole. Quand
il entendit de nouveau la question : « Que décidez-
vous? », Pillat cracha de toutes ses forces sur la civilisation, sur l'hygiène, sur la culture. Sur *cette* civilisation, sur *cette* culture, sur *cette* hygiène.

Quand il arriva dans la rue, il prit Doïna-Australie
dans ses bras et l'embrassa. L'enfant pleurait. Elle
criait comme une trompette, comme une petite sonnette d'alarme. Rien ne pouvait apaiser ce cri. Pillat

et Marie s'éloignèrent de la Commission, avec l'enfant, la poupée et les valises. Ils pénétrèrent dans les rues encombrées de gravats et de ruines. Doïna-Australie criait, criait sans arrêt. Le cri sortait de sa petite bouche comme le son d'une trompette. Marie posa l'enfant par terre et la démaillota. Mais elle ne cessait pas de pleurer. Les passants s'attroupèrent.

« Allez chez un médecin, dirent les femmes qui passaient. L'enfant doit être malade pour pleurer ainsi. Pourquoi n'allez-vous pas voir un médecin? »

Pillat repartit avec l'enfant, la poupée, Marie et les valises. Ils allèrent à l'hôpital.

On déshabilla Doïna-Australie dans la salle de consultations et on l'examina. Elle criait. Le médecin lui fit une piqûre. Mais son cri, semblable à une petite sonnette d'alarme, ne cessait pas. Il devint plus faible, enroué, mais continuait. Pillat avait les larmes aux yeux, tant son enfant lui faisait pitié.

« Qu'a-t-elle, docteur? demanda-t-il. Dites-moi, de quoi souffre l'enfant? »

Il y eut un silence.

« Elle est morte », dit le médecin.

Et en vérité, le cri avait cessé.

Doïna-Australie avait fait éclater ses poumons en criant, ses petits poumons d'enfant né en exil.

Pillat et Marie se serrèrent l'un contre l'autre. Ils se prirent les mains, devant le petit corps bleu et froid. Ils regardaient le corps nu de Doïna-Australie. Ils savaient que la Commission australienne siégeait encore trois jours. L'enfant n'était plus. Ils auraient pu partir, mais c'était trop leur demander. Ils ne devaient jamais plus penser aux Australiens. L'Australie était le pays où les enfants n'étaient pas admis. Le pays où, pour des motifs de civilisation supérieure, on demandait aux mères d'abandonner leurs enfants.

II

Pendant que les autorités alliées cherchaient Boris Bodnariuk partout, celui-ci arrivait à Paris. Il se dirigea vers l'ambassade soviétique. Il demanda une audience.

« Le camarade ambassadeur n'accorde d'audience à personne », dit un employé.

Il examinait le visage non rasé de Bodnariuk, la cicatrice sur le front, le manteau brûlé, les bottes noires déchirées. Le foulard rouge était taché et brûlé. Dans la petite pièce à l'entrée de l'ambassade il y avait une table de bois. Une fenêtre donnait sur la rue. Le policier français qui gardait l'entrée de l'ambassade suivait tous les mouvements de Bodnariuk tout en faisant semblant de regarder ailleurs.

« Je dois faire une communication d'une grande importance, dit Bodnariuk. Il s'agit de questions d'une importance capitale. Je désire parler à quelqu'un du cabinet de l'ambassadeur.

— Vous êtes citoyen soviétique? » demanda l'employé.

Il était indifférent, et rangeait une pile de journaux.

« Je suis citoyen soviétique », répondit Boris Bodnariuk. Il pensait que cela lui ouvrirait toutes les portes. « Je veux être rapatrié d'urgence. C'est pour cela que je suis venu. »

Avec des gestes indifférents, mécaniques, l'employé prit sur un rayon une feuille imprimée et la tendit à Bodnariuk.

« Complétez le formulaire de rapatriement, dit-il. Vous recevrez la réponse à votre domicile. »

Bodnariuk savait qu'il devrait attendre des mois entiers s'il utilisait cette voie. Néanmoins, il compléta le formulaire rapidement et rédigea une pétition. Il relut :

> « *Camarade ambassadeur,*
>
> *Je soussigné, Boris Neva, citoyen soviétique, victime d'un accident d'avion dans les Alpes, déclare m'être enfui d'un hôpital américain d'Allemagne avec l'intention de me présenter au commandement soviétique. Pendant un contrôle de police j'ai dû sauter du train et monter dans un autre. C'était un train en direction de la France. J'y suis monté malgré moi, pour ne pas être arrêté. Aussitôt arrivé en France je me suis présenté à l'ambassade de Paris pour demander mon rapatriement. Vous pouvez obtenir tous renseignements me concernant auprès du commandement soviétique de Vienne.* »

Boris Bodnariuk savait qu'il n'en avait pas assez dit. Pourtant cette demande suffirait à éveiller la curiosité de ceux de l'ambassade.

« Nous ne transmettons pas de lettres », dit l'employé.

Il prit le formulaire de rapatriement et rendit à Bodnariuk sa demande, sans l'avoir lue.

« Je suis citoyen soviétique, dit Bodnariuk. Je suis arrivé à la suite d'un accident. Je dois faire des communications d'une extrême importance. »

Le fonctionnaire de la porte de l'ambassade, un jeune de la nouvelle garde soviétique, pensa :

« Après avoir trahi, chaque vipère a des communications importantes à faire. »

Il regarda Bodnariuk avec mépris. S'il avait pu, il l'aurait anéanti. Comme tout citoyen soviétique, il haïssait les espions et les traîtres, et il voyait des espions et des traîtres, partout.

« Vous n'avez pas indiqué votre domicile.

— Je n'ai pas de domicile en France. Je suis à Paris seulement depuis quelques heures », dit Bodnariuk.

L'employé lui rendit le formulaire.

« Vous ne pouvez pas présenter de demande de rapatriement sans domicile fixe. Il nous est interdit d'accepter des demandes incomplètes.

— Ne pourrais-je pas parler à quelqu'un de l'ambassade? demanda Bodnariuk.

— Je suis de l'ambassade, dit l'employé. Je vous ai donné tous les renseignements. Maintenant, vous pouvez partir. Il est défendu de stationner ici. »

L'employé ouvrit la porte. Il s'approcha de Bodnariuk et le prit par le bras.

« Va-t'en », dit-il.

Le fonctionnaire jeta un coup d'œil vers l'agent français devant la porte, prêt à lui demander de jeter dehors Bodnariuk.

A cet instant Boris Bodnariuk aurait voulu murmurer au fonctionnaire : « Je suis Boris Bodnariuk, général soviétique et ministre de la Guerre de Roumanie », mais il se maîtrisa. Il ne devait pas dévoiler son identité.

« File », ordonna le policier français.

Boris Bodnariuk sortit dans la rue, humilié. L'agent français le regarda en souriant. Quant au fonctionnaire soviétique, il ne le regarda même pas. Aux yeux du fonctionnaire de l'ambassade, Boris Bodnariuk était un des innombrables traîtres qui tournent autour des ambassades soviétiques du monde entier. Ce sont ou des espions des polices capitalistes, ou des traîtres qui veulent retourner dans la patrie. Les deux sont tout aussi dangereux. Les ordres sont sévères. Ces inconnus ne doivent jamais être écoutés, ni reçus à l'intérieur de l'ambassade; ou bien ils tendent des pièges qui provoquent des scandales dans la presse capitaliste, ou bien ce sont des éléments pourris et dis-

parates dont les Soviets n'ont pas besoin. A cause de
tout cela, le fonctionnaire de l'ambassade n'avait
même pas regardé Boris Bodnariuk. D'ailleurs il
n'avait pas la permission de lui parler, parce que le
citoyen soviétique habitant un pays capitaliste est
averti que tout étranger qui voudrait entamer une
conversation avec lui est un ennemi des Soviets, un
espion ou un agent provocateur.

Dans la rue, Boris Bodnariuk faisait son examen
de conscience de membre du parti. Il voulait se rendre
compte s'il avait bien agi et de façon intelligente.

Il avait reçu l'ordre de ne pas divulguer son nom
et de ne pas se laisser identifier. Au moment où il avait
failli être démasqué par Pierre Pillat, il s'était évadé de
l'hôpital. Il avait bien fait de s'évader. Il avait pris
le train pour Vienne. Lorsque la police allemande
avait effectué son contrôle il avait quitté son wagon.
Il était monté dans le train voisin pour attendre la
fin de la rafle. Le train avait démarré et il était arrivé
en France. Là, il s'était présenté immédiatement à
l'ambassade. L'ambassade soviétique, où il pensait obtenir assistance, l'avait refoulé.

Boris Bodnariuk marchait lentement dans les rues
de Paris. Il était affamé et fiévreux. Il pouvait à peine
traîner les pieds. Son seul réconfort était que personne
ne tournait la tête pour le regarder. En U.R.S.S.
un citoyen qui marcherait ainsi dans les rues, comme
il marchait dans les rues de Paris en ce moment, serait
immédiatement arrêté, interrogé, on vérifierait ses
papiers, ses autorisations, ses certificats de travail, mais
ici, il marchait librement.

« L'ambassade soviétique agit sagement, pensa Bodnariuk. Une ambassade soviétique en pays capitaliste,
donc ennemi, est exposée à tous les pièges, à tous les
chantages et à toutes les provocations. Pourtant, sans
le secours de l'ambassade, je ne peux pas partir. Je
n'ai aucun papier, pas d'argent et pas d'énergie phy-

sique. Je suis épuisé. En même temps, je dois arriver sans retard à Bucarest. Le procès intenté au maréchal au chien doit commencer le plus tôt possible. »

Boris Bodnariuk regardait les grandes vitrines des magasins, les femmes ravissantes qui le côtoyaient, mais il ne les voyait pas. Par-delà le spectacle, ses yeux cherchaient une issue immédiate.

« Si je ne trouve pas un moyen pour transmettre mon nom à l'ambassade, cela voudra dire que j'ai déserté, que je suis un traître, même si tout arrive malgré moi, » pensa-t-il.

Une douleur immense traversa la poitrine de Bodnariuk. Tout tournait autour de lui. Il se laissa tomber sur le bord du trottoir. Il lui était impossible de rester debout. Les gens passaient sans le regarder. Il éprouva un sentiment profond de solitude, le même qu'il avait ressenti dans la cour du Collège royal de Kichinev, lorsqu'il était vêtu d'habits de « recalé » et que ses camarades le côtoyaient sans le regarder. Il était seul, comme alors. Deux agents passèrent près de lui. Il sursauta. Les agents le regardèrent un instant, indifférents, et continuèrent leur route. Le vide était encore plus immense autour de Boris Bodnariuk. Il leva les yeux et aperçut une vitrine juste en face. C'était une vitrine d'habits d'occasion.

Il se leva. Il entra dans le magasin. Il voulut expliquer qu'il voulait vendre sa tunique mais il ne parlait pas français. Le marchand nord-africain comprit. il n'avait pas besoin de mots.

Il aida Boris à enlever son manteau de cuir.

« Russe? » demanda le marchand.

Boris Bodnariuk fit signe que oui. Cela n'avait aucune importance pour le marchand. Il regarda la poitrine couverte de cicatrices de Boris Bodnariuk.

Il prit la tunique kaki, la chemise et les deux flanelles américaines que Bodnariuk lui tendait. Il regarda le manteau de cuir mais Boris Bodnariuk le remit sur son torse nu et enroula le foulard rouge autour de son cou. Le marchand examina la tunique, la chemise et les flanelles et mit dans la main de Bodnariuk cent cinquante francs.

Boris prit les billets. Il ne savait pas si c'était peu ou beaucoup. Il ne connaissait pas la monnaie française. Le vertige commençait à lui brouiller la vue.

Il sortit dans la rue, serrant l'argent dans sa main. Il sentit le contact rugueux du manteau sur la peau de son dos, sur sa poitrine, sur ses épaules nues. Il aurait voulu boire quelque chose, manger un morceau de pain, fumer une cigarette, mais il se maîtrisa. Il entra dans un bistrot où il y avait indiqué *Téléphone*. Toujours par signes, il fit comprendre qu'il voulait téléphoner.

Il aurait préféré ne dire à personne où il voulait téléphoner, mais il ne savait se servir ni de l'annuaire, ni de l'appareil. Il resta dans la cabine comme dans un cachot, puis il demanda l'aide du cafetier.

Maintenant Boris Bodnariuk avait l'ambassade soviétique à l'autre bout du fil. Il parla russe. Une voix de femme répondit à l'ambassade.

« Le consul général n'est pas ici », dit-elle.

Après on entendit une voix d'homme.

« C'est l'aviateur soviétique Boris Neva qui est au téléphone, dit Bodnariuk. Je voudrais être rapatrié. »

Il tenta d'expliquer ce qui lui était arrivé.

« Pour les rapatriements, vous devez vous adresser au bureau de l'ambassade, dit la voix. On vous remettra un formulaire que vous devrez compléter. »

Boris Bodnariuk devinait que l'homme de l'ambassade ne l'écoutait pas.

« Vous attendrez qu'on vous envoie la réponse à domicile », dit la voix.

Boris Bodnariuk entendit raccrocher l'appareil de l'ambassade. A ce bruit, il eut la sensation d'un déchirement intérieur.

Il garda un moment encore l'écouteur et puis il raccrocha à son tour.

« Voulez-vous encore une fois le même numéro? » demanda le patron.

Il prit dans la main de Bodnariuk l'argent des communications, la moitié de ce qu'il avait pu obtenir de la vente des vêtements et reforma le numéro de l'ambassade soviétique.

« Je vous prie de m'écouter, dit Boris, lorsqu'il entendit la voix de la femme à l'autre bout du fil. C'est un cas urgent. C'est l'aviateur Boris Neva qui téléphone.

— Vous avez parlé il y a quelques minutes, dit la femme. Vous avez tous les renseignements. Pourquoi rappelez-vous? »

On entendit dans l'appareil le même bruit. La téléphoniste de l'ambassade avait de nouveau coupé la communication.

Boris Bodnariuk se sentait suspendu dans le vide. Les Soviets et le parti étaient loin et il ne pouvait les approcher. Bodnariuk sortit dans la rue serrant le reste de l'argent dans sa main.

Il ne pensait qu'à une chose : il était en retard au procès de Bucarest. Chaque heure perdue devenait une trahison. Son esprit ne découvrait aucune solution, aucune.

Boris Bodnariuk pensa aux communistes français qu'il avait connus en Russie. Il aurait voulu se rendre chez l'un d'entre eux pour établir une liaison avec l'ambassade. Ç'aurait été la meilleure solution. Il avait eu des camarades français à Moscou, mais il ne se souvenait de personne. Boris Bodnariuk faisait des efforts de mémoire. Il avait besoin d'un communiste habitant Paris et auquel il aurait pu dévoiler sa véritable identité, lui dire qu'il était Boris Bodnariuk et qu'il devait retourner en Russie.

Le communisme est une grande famille qui a des

membres dans toutes les villes du monde. Un communiste n'est seul nulle part, mais il ne se souvenait d'aucun communiste français. Il commençait à avoir mal à la tête, il se frotta les tempes. Au même moment un nom jaillit de son cerveau : le maître Voïvod. C'était un sculpteur, originaire de son village de Roumanie, qui vivait à Paris.

C'était un communiste dont les journaux parlaient souvent.

« J'irai chez lui, lui demander de me mettre en rapport avec l'ambassade soviétique », se dit Boris Bodnariuk.

Il n'avait jamais vu le maître Voïvod, mais il suffisait qu'il soit communiste et que lui et Bodnariuk soient nés dans le même village.

Bodnariuk trouva l'adresse du maître dans l'annuaire téléphonique et partit à pied à sa recherche. Le maître Voïvod habitait à Montparnasse un atelier avec une grande cour. L'atelier était vaste comme un hangar. Le maître portait une barbe majestueuse comme celle des prophètes. Il le reçut en sabots.

« Je ne veux parler à personne », dit-il et il voulut fermer la porte.

Il ne regarda même pas Bodnariuk. Sa venue l'avait mécontenté.

« Je n'ai rien à dire à personne. continua-t-il. Qu'avez-vous tous à vouloir me parler?

— Je suis de Roman, dit Bodnariuk. Du même village que vous.

— Je n'ai rien à voir avec Roman, ni avec la Roumanie, ni avec l'Europe. Je n'ai rien à voir avec personne, avec nul pays, nul homme de l'univers. Va-t'en le plus vite possible et laisse-moi tranquille.

— Je suis arrivé ce matin à Paris, dit Bodnariuk. Je sors de l'hôpital.

— Tu es réfugié? demanda le maître Voïvod dans l'embrasure de la porte. Pourquoi réfugié? Tu as eu peur des communistes? Vous avez tous peur des communistes, peur qu'ils vous fassent travailler. Croyez-vous qu'en Occident vous ne serez pas obligés de travailler? L'Occident est plein de réfugiés, plein, archiplein. »

Le maître était rouge de colère. Il s'arrêta.

Bodnariuk se réjouissait. Le maître paraissait un communiste fanatique. Cela augmentait ses chances. Le maître regardait Bodnariuk dans les yeux. Il regardait la sueur qui inondait son front, la cicatrice, les joues pâles, non rasées.

« Je te demande pardon, dit-il. Je sais que tu voulais rester en Roumanie. Tous les hommes veulent rester dans leurs villages, leurs villes, et leurs maisons. Je sais que ces fauves de communistes ne permettent plus aux gens de rester dans leur foyers. Je sais. Ils vous ont chassés. Je sais. Vous auriez voulu travailler, même à genoux, mais les Russes ne vous l'ont pas permis. Je sais. Des gens comme toi, j'en vois des milliers. Mais pourquoi venez-vous tous chez moi? Je ne suis qu'un vieux sculpteur. Prends ça et va-t'en. »

Le maître Voïvod tendit un billet de mille francs à Bodnariuk. Il voulut refermer sa porte, mais Bodnariuk était immobile. A travers la porte ouverte on apercevait les statues de l'atelier. D'innombrables statues. Boris Bodnariuk n'en avait jamais vu de semblables. Il n'y avait pas une seule figure d'être humain, ni d'animal. Aucune plante, aucun arbre. Point de fleurs. Il y avait des centaines de statues, les unes hautes de cinq mètres, les autres petites. Elles étaient toutes construites de lignes, rien que de lignes.

« Le maître est anticommuniste se dit Bodnariuk. Il a trahi, lui aussi. Ils trahissent tous. »

Bodnariuk regardait les statues. Ce n'étaient que lignes aérodynamiques, comme des statues du feu ou des flammes qui jaillissaient vers le ciel, en pierre, en marbre et en bois.

« Est-ce que ma statue existe encore au cimetière de Roman? » demanda le maître Voïvod.

Pour la première fois, le maître avait un accent humain, familier.

Le sort de ses œuvres passées l'avait vaincu.

« Certainement, les fauves communistes ont dû enlever ma statue du cimetière et la briser.

— Ils ne l'ont pas brisée », dit Bodnariuk.

La figure du maître s'éclaira.

« Viens manger quelque chose, mais dès que tu auras mangé, tu t'en iras. Tu m'entends? Je n'ai pas de temps à perdre. »

Bodnariuk prit le pain et le jambon que le maître lui tendait.

« Quand as-tu vu ma statue de Roman pour la dernière fois? » demanda le maître.

Boris Bodnariuk avait quatorze ans quand il avait vu pour la dernière fois cette statue — qui ressemblait à un obus — sur une tombe du cimetière de Roman. Depuis, il n'était plus revenu dans son village. Pourtant il s'en souvenait avec netteté. Chaque citoyen de Roman connaissait la statue du maître Voïvod dans le cimetière. En marbre blanc, elle brillait comme un miroir. Bodnariuk répondit qu'il l'avait vue six mois plus tôt.

« Elle y était encore il y six mois? »

Le maître était incrédule, mais heureux.

« La Vierge du cimetière de Roman a été ma première statue, dit-il. Depuis, j'ai fait des milliers de statues. J'en ai dans tous les musées du monde. J'ai travaillé pendant cinquante ans, ciselant mes statues, sans interruption, mais aucune ne m'est si chère que la Vierge du cimetière de Roman. Toutes les fois que les critiques me demandent comment j'ai pu aboutir à cet art linéaire, purement abstrait, je leur parle de la statue de la Vierge de Roman. L'épicier de notre village avait une fille qui est morte à seize ans. Il m'a demandé de faire sa statue pour la tombe. J'ai commencé par travailler d'après les photographies et de mémoire. J'avais connu la jeune fille. Je n'arrivais pas à sculpter une vierge morte en lui faisant des seins de chair, des cuisses, des hanches. Je ne pouvais pas sculpter une vierge avec des biftecks. Une vierge qui meurt est une chose dépourvue de chair. Quelque chose de pur. La chair est impure. Elle est accidentelle chez une vierge qui meurt. Tu comprends? En sculptant la statue j'ai commencé à enlever la chair de la jeune fille pour la créer telle que je la voyais et telle qu'elle était en réalité, pure, pure. Tu comprends? Continuant à tailler, j'ai éliminé tout ce qu'elle avait d'impur. D'elle, je n'ai gardé que les lignes étincelantes, hautes comme l'image d'une flamme, comme une flamme sculptée. C'était la statue de la Vierge du cimetière de Roman. Tout était devenu naturel. Telle a été ma formule artistique dans la vie. M'arrêter à l'essentiel, éliminer l'impur et l'inutile. Chez l'oiseau en vol, j'ai choisi le vol. C'est ce que l'oiseau a de plus important. J'ai enlevé le reste : la tête, les ailes, les pattes de l'oiseau. Elles n'étaient pas essentielles, seul le vol était intéressant. Tout ce qu'un oiseau possède en dehors du vol est secondaire. C'est quelque chose qui sert à la nourriture, à la reproduction, à la défense contre les intempéries. Mon oiseau ne pond pas, il vole. Tu comprends? »

Boris Bodnariuk avait vu nettement que le maître était un ennemi du parti communiste. Les statues du maître ne lui disaient rien. Pourtant il devinait que le maître Voïvod était un de ses camarades par l'esprit. Le sculpteur Voïvod travaillait dans le même sens que le parti communiste et que Boris Bodnariuk. Il sacrifiait tout à l'essentiel. Tous les hommes voient dans un oiseau, les ailes, les plumes, le bec, les œufs. Le vol est une abstraction. Seul le communisme a pu accomplir sur le plan social ce que Voïvod accomplissait

sur le plan artistique. Le communisme élève l'homme à
la hauteur pure du plan, et le sacrifie au plan si c'est
nécessaire, comme Voïvod sacrifiait l'oiseau au vol.

« Que t'arrive-t-il? demanda le maître. Tu es nu.
Tu n'as pas de chemise? Tu t'es évadé d'une prison
communiste? Ils t'ont torturé? »

Boris Bodnariuk aurait voulu dire :

« Non, maître. Au contraire : je suis communiste.
Je réalise sur le plan social, dans l'Histoire, ce que
vous réalisez dans l'Art. J'enlève les seins, les cuisses,
les hanches, tout ce qui est impur, pour réaliser une
société humaine parfaite. Vous sculptez des statues.
Je sculpte des hommes. Je détruis les préjugés, les
routines, les instincts et j'élève l'homme à une vie
collective supérieure, conforme à un plan. Votre
cruauté, quand vous tailladiez le corps de la Vierge et
éliminiez sa chair, ou lorsque vous arrachiez les plumes
et les pattes de l'oiseau pour lui redonner le vol,
c'est-à-dire ce qu'il a d'essentiel et de beau, nous
l'avons aussi, nous les ingénieurs nouveaux créateurs
d'hommes quand nous exterminons les classes réactionnaires, paresseuses, adverses, afin d'ouvrir une voie
vers une vie supérieure. La vie communiste ne ressemble pas à la vie que l'homme a menée jusqu'ici,
comme votre Vierge ne ressemble pas aux autres
vierges que nous voyons. Sommes-nous des criminels
ou sommes-nous des hommes supérieurs? Maître, vous
êtes mon frère par l'esprit, nous tailladons la chair
des hommes pour les élever à la beauté supérieure
du plan. La société communiste de demain sera pure
et belle comme la vierge du cimetière de Roman ou
comme votre oiseau en vol. Nous, les Soviétiques, nous
construisons une Société dans laquelle l'homme ne
lutte plus individuellement pour l'existence, comme
luttent les animaux. C'est la première fois que l'homme
dépasse la condition animale et lutte pour son existence collectivement, conformément au plan. »

« Va-t'en », ordonna le maître Voïvod.

Il semblait deviner les pensées de Bodnariuk : « Ces brutes asiatiques commettent des crimes monstrueux. Les Soviétiques sont les plus féroces assassins qui aient jamais paru dans l'univers. Gengis-Khan était un ange auprès d'eux. Les communistes appliquent dans la vie, aux hommes, les principes que j'applique dans l'art. Ils croient qu'il est permis d'accomplir dans la chair vive le travail qu'il est permis d'accomplir dans la pierre. L'homme ne se laisse pas modeler comme la pierre, le bois et le marbre. L'homme est parfait en lui-même. Si tu enlèves quelque chose à la personne humaine tu la mutiles. Les communistes veulent éliminer de la vie des hommes les sentiments, l'égoïsme, les instincts, les préjugés, les illusions. Le résultat est que partout où ils passent, les Soviets ne laissent derrière eux que des cadavres. Jamais une société communiste ne pourra être créée. La vie veut avoir des fautes, des parts de mystère. En détruisant les fautes des hommes, tu détruis l'homme même. — *Nur im Irrtum ist das Leben und in Weise ist der Tod* [1] disait un grand poète allemand. La plus belle dimension de la vie humaine est celle que les Soviets et le marxisme ignorent : c'est la dimension du mystère. C'est le seul *Zauber* [2] de la vie. Pars! Va t'acheter une chemise maintenant. Et ne reviens plus jamais chez moi. Laisse-moi en paix je t'en supplie. Je ne suis qu'un vieillard solitaire... »

Bodnariuk prit les nouveaux billets que lui tendait le maître.

« Va vers ta destinée », dit le maître.

Il entra dans l'atelier grand comme un hangar.

Bodnariuk s'éloigna. Il compta les billets de banque, puis se dirigea vers la gare.

1. « Dans l'erreur seulement est la vie. La sagesse est la mort. »

2. « Charme, enchantement. »

*

Il prit le train pour Strasbourg. Son plan était tracé. Il passerait clandestinement en Allemagne et de là en zone soviétique. Il avait maintenant de l'argent pour le voyage, il arriverait à temps pour le procès de Bucarest.

Avant de partir il regarda étonné les gens sur le quai. Paris lui donnait l'impression d'une débandade sans pareille. Chaque homme était comme un fauve qui devait se débrouiller seul, comme il pouvait. Chaque individu luttait seul pour son pain quotidien, pour ses plaisirs, pour sa vie. Exactement comme les bêtes.

La société bourgeoise n'offre aucune protection, elle ne met pas d'ordre. La société bourgeoise est un mot dépourvu de signification. Chacun est seul. A cause de cela, l'Occident ne comprend pas un communiste qui se sacrifie pour que la société vive. Car pour le communiste la société signifie protection, pain, plaisir, sécurité. La société est tout. L'individu n'est rien.

Ici, la société n'est rien, l'individu est tout. Dans la société occidentale les individus sont libres et sans aucune protection, comme les fauves de la jungle. Cela fatiguait Boris Bodnariuk.

Comme le train quittait la gare, il pensa au chemin qu'il avait à parcourir. Il devait franchir clandestinement deux frontières. Puis il serait de nouveau dans l'univers collectif des Soviets.

III

Après la mort de Doïna-Australie, Pierre Pillat et Marie entrèrent en France clandestinement. Les Français n'arrêtaient pas les réfugiés. Marie et Pierre arrivèrent à Paris. La police leur délivra une autorisation de séjour d'un mois. Ils pensaient pouvoir émigrer plus facilement de France. Tous les consulats et toutes les légations des pays d'outre-Atlantique s'y trouvaient. Ici il n'y avait pas de Commission de marchands d'hommes, comme en Allemagne. Marie espérait pouvoir émigrer au Canada, où se trouvait Ion Kostaky.

Ils louèrent une chambre près de la Sorbonne, dans l'hôtel de M. Dupont. M. Dupont avait une femme qui l'aidait à faire le ménage dans les chambres, et deux filles blondes. C'était un hôtel d'étudiants. Pierre Pillat et Marie recevaient l'argent du loyer et des repas de différentes sociétés de bienfaisance. A Paris, il y avait des milliers de réfugiés. Les sociétés charitables venaient au secours des réfugiés avec un bon de repas, quelques centaines de francs ou des vêtements. Quand ils n'allaient pas à un bureau de bienfaisance, Pillat et Marie allaient dans les ambassades et les consulats s'occuper de leur émigration. Ils avaient fait des demandes pour tous les pays qui acceptaient encore des émigrants et attendaient les réponses. Entre-temps ils écrivaient à tous leurs amis qui avaient réussi à émigrer, les questionnant sur leur vie là-bas.

Varlaam leur écrivait qu'il avait obtenu quatre décorations en Israël. Ante Petrovici était devenu un des plus grands fabricants de montres en Argentine. Daniel Motok leur écrivait une longue lettre :

J'apprends que vous voulez émigrer au Venezuela. Ici, je suis dans un paradis de serpents. Si vous émigrez légalement au Venezuela vous aurez peut-être une autre chance. J'y suis entré clandestinement. Vous connaissez mon départ d'Allemagne. Je suis parti par avion enfermé dans une malle. Dès le départ, la chaleur de mon propre corps me faisait suffoquer. J'avais des vertiges, je pensais mourir. On devrait prier le Ciel de ne jamais donner autant de souffrance que l'homme a d'endurance. J'ai bien souffert. Dans le même avion voyageaient en tant que passagers d'honneur deux aviateurs dont vous avez dû entendre parler par les journaux : Anatole Barsov et Igor Poltarev. Les Américains leur ont offert pendant tout le voyage des repas, de la boisson, ils les ont photographiés et interviewés. Les Américains voulaient en faire des martyrs des Soviets, mais les vrais martyrs, les Américains les ignorent. J'étais dans ma malle, je pense avoir dormi tout le temps. Lorsque je me suis réveillé et que j'ai soulevé le couvercle de la malle, j'étais dans le dépôt de bagages d'un aéroport américain. J'étais loin de la ville. J'ai quitté prudemment la malle. Mes tempes bourdonnaient. J'avais faim, soif, j'étouffais. Je me suis dirigé vers le Sud. Il faisait nuit. Je savais que moi, Motok, je me trouvais aux Etats-Unis d'une manière illégale mais je n'avais pas peur.

Je ne savais qu'une chose : j'étais un homme et du moment que j'étais un homme il n'était pas illégal de poser mon pied sur une route, de regarder les étoiles et de respirer l'air. Moi, Daniel Motok, je me sentais cette nuit-là dans la légalité. Je partais travailler pour gagner mon pain comme il est honnête et naturel de le faire. C'était légal. Si quelqu'un avait essayé, cette nuit-là de me dire que je marchais illégalement sur cette terre, je me serais battu. Je sentais que tout homme est dans son droit quand il lutte pour rester en vie. C'était légal. C'est le fait d'interdire à un homme de vivre qui ne l'était pas.

J'ai marché vers le Sud. Le jour, je dormais dans les champs. La nuit, je voyageais, par auto-stop, à pied, en train, toujours clandestinement. J'ai franchi des frontières sans être pris. Lorsque j'ai été arrêté on m'a dit que j'étais au Venezuela et on m'a demandé

si je voulais travailler. On ne m'a pas demandé de pa-
piers.

Le Venezuela construit une route qui coupe les
montagnes à travers la forêt vierge infestée de ser-
pents et sous un climat tropical. Tous les ouvriers sont
des Noirs évadés de prison. J'étais le seul Blanc. Ils
pensaient que j'étais aussi un criminel. C'est pour-
quoi on ne m'a pas demandé de papiers, ni d'où je
venais. Je suis parti pour le chantier.

Il n'est écrit dans aucun livre que de pareilles ré-
gions existent sur terre. Le soleil vous liquéfie et à
chaque pas on trouve un serpent. J'ai résisté. Je suis
devenu chef d'équipe. J'ai remplacé un ingénieur,
puis deux. En ce moment je remplace plusieurs ingé-
nieurs qui préfèrent ne pas venir tous les jours sur
le terrain. Je reçois la moitié de leur salaire pour
vivre à leur place dans cet enfer tropical rempli de
serpents. J'ai amassé de l'argent. J'ai une valise pleine
de bank-notes, mais je suis à la torture. Les motifs de
mes souffrances sont les suivants : d'abord, la chaleur
suffocante, puis les serpents. J'en ai une peur atroce.
En troisième lieu le désir des femmes. Depuis mon
arrivée je n'ai pas vu une seule femme, même sur une
photographie. En quatrième lieu, la peur des Noirs.
Les Noirs haïssent les Blancs d'une haine mortelle. Ils
n'osent pas tirer sur les Blancs, sauf si ces derniers
sont en état d'ivresse. Chaque nuit, les quelques cen-
taines de nègres qui sont sous mes ordres rôdent au-
tour de ma tente pour voir si je n'ai pas bu de
whisky. Au moment où je prendrais un verre d'alcool,
je serais assassiné, les nègres se jetteraient sur moi et
me couperaient en morceaux. Je ne touche donc pas
à l'alcool et plus je m'en abstiens, plus je le désire.
Mon contrat expire dans un an. Si au cours de cette
année je ne meurs pas de soif, d'insolation, dévoré
par les serpents ou coupé en morceaux par les nègres
je redescendrai dans le monde. Je serai devenu un

*homme riche et je vous chercherai, si vous êtes sur ce
continent. Mais un an c'est beaucoup. Il me semble
que c'est une éternité, surtout qu'ici je suis seulement
avec mes ennemis, avec le soleil qui tue, avec les
serpents et avec les nègres. S'il vous plaît pensez donc
aussi à moi dans vos prières car sans le secours de
Dieu personne ne peut résister un an au milieu de
tels périls. Telle est ma situation. Pourtant, je peux
dire que jusqu'à présent j'ai eu de la chance d'arriver
ici. Comme toutes les chances réservées aux hommes
en exil, celle-ci est aussi une chance de seconde main,
une chance pareille à un vêtement acheté d'occasion,
une chance d'emprunt.*

Pillat fut très ému par la lettre de Motok.

« Ça ne va pas nous arriver, dit-il. Nous émigrerons
légalement. C'est beaucoup, d'émigrer dans la légalité. »

IV

Pierre Pillat fut autorisé à émigrer au Venezuela.
Il n'avait plus qu'à attendre le bateau pour embarquer. La lutte de chaque jour pour l'existence était
dure et humiliante. L'espoir de pouvoir bientôt travailler leur donnait courage. Ils attendaient à l'hôtel
de M. Dupont.

Un matin, vers cinq heures, on frappa à leur porte,
on frappait fort, à coups de poing.

Ils étaient à Paris depuis trois semaines. Ils avaient
une autorisation de séjour et n'avaient rien fait de
mal. Pourtant la police était à leur porte.

Pillat tremblait. Il ouvrit. Dans le vestibule se tenaient deux policiers civils et deux agents en uniforme.

« Vos papiers », ordonna le premier agent.

Pillat chercha son autorisation de séjour en France, un papier fin comme un papier à cigarettes, et le tendit au policier.

« Vous n'avez pas d'autres papiers?

— Nous en avons de Roumanie », dit Pillat.

Marie s'habillait sous les couvertures. La porte de la chambre était ouverte. Les quatre policiers surveillaient tous leurs mouvements.

« Vous n'avez pas d'autres papiers français?

— Non », dit Pillat.

Il commença de s'habiller.

Marie avait caché sa tête dans ses mains et priait en pensée : « Mon Dieu, faites qu'on ne nous arrête pas. Mon Dieu, épargnez-nous l'arrestation. »

« Habillez-vous et descendez », ordonna le policier.

Il plia les deux minces feuillets et les mit dans sa poche.

« Nous sommes arrêtés? demanda Pillat nouant sa cravate.

— Oui, dit le policier. Dépêchez-vous de vous habiller. Dépêchez-vous.

— Nous garderez-vous longtemps? Devons-nous emporter quelque chose? Pourquoi nous arrêtez-vous? »

Le policier alluma une cigarette. Il s'appuya contre le mur. La porte était ouverte.

« Qu'avons-nous fait pour être arrêtés? demanda Pillat à nouveau. Notre autorisation de séjour n'est pas bonne?

— Descendez », ordonna l'agent.

Il ferma la porte de la chambre et remit la clef à M. Dupont.

Les filles et la femme de M. Dupont s'étaient levées. Elles regardaient Marie et Pierre encadrés par les policiers.

M. Dupont ne dit rien. Il prit la clef et regarda

Marie et Pierre avec mépris. C'était le mépris de tout homme libre envers un détenu. M. Dupont savait qu'il ne serait jamais arrêté. Ses filles ne seraient jamais arrêtées, sa femme non plus. De telles choses n'arrivaient qu'à ces étrangers.

« Qu'avons-nous fait? demanda encore Pillat. Pourquoi nous arrêtez-vous? »

Le policier ne répondit pas. Ils les conduisit à la Préfecture, ils grimpèrent à pied jusqu'au cinquième étage. Il était six heures du matin. Il les enferma dans une salle. Pillat se demandait quelle faute ils avaient pu commettre. Leurs autorisations de séjour avaient été confisquées. A onze heures ils furent appelés et introduits dans le bureau d'un inspecteur aimable. On les invita à s'asseoir.

« Si l'infraction se répète, vous serez expulsés », dit l'inspecteur.

Marie pleurait.

« Nous sommes admis à émigrer au Venezuela, dit Pillat. Nous partons dans quelques jours, nous attendons le bateau. Nous n'avons rien fait de mal. Pourquoi nous arrêtez-vous? »

Marie regardait ses doigts noirs d'encre sans arrêt. Aussitôt arrivés à la police on avait pris leurs empreintes digitales. Et les taches d'encre de Chine étaient restées sur les doigts.

C'étaient des taches d'humiliation.

Marie frottait ses doigts et pleurait, mais les taches avaient pénétré dans la peau, on aurait dit qu'elles avaient pénétré dans sa chair. Elle avait beau frotter ses doigts. Ils restaient noirs.

« Je devrais vous envoyer au Dépôt », dit l'inspecteur.

Marie ouvrit de grands yeux.

« Vous ne savez pas ce que c'est le Dépôt? Le Dépôt c'est la prison. Je devrais vous y envoyer. Mais, comme c'est la première infraction, je vous pardonne.

Vous serez condamnés seulement à une amende.

— En quoi sommes-nous fautifs? » demanda Marie.

Pillat pensait que s'ils étaient punis d'amende, ils n'avaient pas d'argent pour payer et l'amende serait transformée en emprisonnement.

« Vous n'avez pas déclaré votre domicile à la police, dit l'inspecteur.

— Nous avons logé un jour, le premier de notre arrivée à Paris, à l'hôtel du *Chat qui pêche*. Puis nous avons déménagé pour habiter dans la même rue, deux numéros plus haut, à l'hôtel de M. Dupont qui est moins cher. Nous sommes ici depuis notre arrivée à Paris.

— C'est une infraction au décret du 31 décembre 1947, concernant la déclaration du domicile des personnes étrangères. Vous êtes des étrangers. Tout changement de domicile même comme celui-ci, d'une maison à la maison voisine, doit être déclaré au commissariat. La police française vous laisse libres et ne vous cherche pas chicane comme les polices des autres pays, mais elle veut vous avoir à l'œil. C'est logique. Vous êtes des éléments à surveiller par la police nuit et jour, en permanence. Tout étranger habitant Paris doit être surveillé. Comment voulez-vous que la police ait l'œil sur vous, si vous déménagez sans le déclarer au commissariat? »

Marie se frottait les mains, esssayant d'effacer les taches d'encre. Pillat regardait l'inspecteur dans les yeux.

« Vous pouvez partir, dit le policier, mais n'oubliez pas : à chaque changement d'adresse, avertissez le commissariat. »

Pillat le remercia de ne pas l'avoir envoyé au Dépôt. Ils sortirent et se hâtèrent vers l'hôtel pour se laver. L'odeur des couloirs de la Préfecture avait imprégné leurs habits.

« Vous avez eu de la chance, dit M. Dupont, en

les voyant revenir. Il n'y a qu'en France où les policiers soient si aimables avec les étrangers. »

Marie cachait ses doigts, mais les filles de M. Dupont semblaient les regarder. Les filles de M. Dupont avaient des doigts blancs, propres. Elles n'avaient jamais été à la police et jamais on n'avait pris leurs empreintes digitales. Elles n'avaient pas été obligées de tremper leurs doigts dans l'encre de Chine.

Marie sentit au tréfonds de son cœur l'humiliation d'avoir des doigts sales. Les filles de M. Dupont avaient des mains nettes et Marie leur enviait cette pureté qu'elle n'avait plus. Elle cachait ses doigts et pleurait, car elle revenait de la police. Elle, Marie avait été à la police; elle avait été arrêtée. Les larmes glissaient sur ses joues.

« Je vous ai interdit plusieurs fois de préparer vos repas dans votre chambre, dit M. Dupont. Vous salissez les murs et le parquet. »

La clef de leur chambre n'était pas dans son casier. Les bagages étaient dans le bureau de l'hôtel, par terre, les uns sur les autres. Il y avait du linge sale, un réchaud à alcool, et quelques pommes de terre, — le corps du délit — posés sur le tout. M. Dupont avait enlevé tous leurs effets de leur chambre et les avait descendus dans son bureau. Il avait posé par-dessus les pièces à conviction : les pommes de terre, le pain rassis et un paquet de graisse.

« J'ai trouvé des pommes de terre, dit M. Dupont, j'ai trouvé le réchaud à alcool et la casserole. Vous faites la cuisine dans votre chambre bien que je vous l'aie formellement interdit. Je ne peux plus vous garder dans mon hôtel, vous détériorez la chambre. Cherchez ailleurs.

— Monsieur Dupont, dit Pillat, monsieur Dupont...

— Une dernière concession. Vous logerez au sixième et vous me promettez de ne plus faire de cuisine; j'ai votre parole. »

Avec leurs paquets dans les bras, Pillat et Marie gravirent les marches qui conduisaient au sixième. Pour prouver qu'ils ne feraient plus de cuisine, Pillat laissa les pommes de terre dans le bureau. M. Dupont les jeta à la poubelle avec dégoût.

Les filles de M. Dupont regardaient Pillat gravir les marches comme s'il montait au Golgotha. Marie pleurait.

Dans la chambre elle resta loin de son mari. Elle lava ses mains longuement dans la cuvette. Elle les brossa avec force, mais les taches d'encre noire restaient. Marie n'arrivait pas à les enlever.

Une semaine plus tard, ce serait Pâques.

« Aujourd'hui commence la semaine sainte », dit Pillat.

Tous les deux pensaient à la Roumanie.

V

La semaine qui précéda Pâques, les sociétés de bienfaisance se montrèrent plus généreuses que d'habitude. Pillat reçut un secours d'argent des baptistes américains. Il paya la chambre de M. Dupont. Ils voulurent aussi réaliser un rêve. Préparer une volaille pour Pâques. Pendant qu'ils erraient, exilés, ils avaient pensé que jamais il ne leur serait plus donné de manger une volaille rôtie. Maintenant, après avoir payé l'hôtel, il leur restait de l'argent et ils pouvaient enfin réaliser leur désir des jours de famine, des longues nuits où ils rêvaient de pommes de terre, de pain, de beurre et quand ils n'avaient que de l'eau pour calmer leur faim.

Le Vendredi saint, ils achetèrent une moitié d'oie

et des pommes de terre. Il leur semblait avoir dépensé une fortune mais ils pensèrent qu'ils partiraient bientôt pour le Venezuela et qu'ils pouvaient se permettre ce grand luxe.

Le Vendredi saint, Pierre Pillat observa le jeûne absolu, sans prendre une miette de pain ni une goutte d'eau. Il priait pour que Dieu les aide à émigrer au Venezuela où ils pourraient recommencer une vie nouvelle. Ils prièrent pour le repos de l'âme de Doïna-Australie dont la tombe se trouvait dans la triste terre allemande. Ils prièrent pour Ion Kostaky, qui était loin, de l'autre côté de l'Océan, pour Iléana qui était peut-être encore dans son cachot et pour les cent millions de gens jetés sur les routes le lendemain de la Victoire, errant sans abri sur la surface de la Terre ou souffrant dans les prisons. Ils pensèrent à Eddy Thall, ils prièrent pour Motok qui vivait au milieu des serpents, pour Ante Petrovici qui, bien que riche, en Argentine, pouvait être arrêté à chaque instant parce qu'il lui manquait quelques millimètres au pied droit, et pour Varlaam qui combattait pour Israël.

Le soir était calme. Il semblait que le temps ne s'écoulait pas selon l'horloge de la tour en face l'hôtel, ni mesuré d'après les montres que les filles de M. Dupont portaient à leur poignet, ni d'après les montres des policiers et des soldats. C'était un temps qui s'écoulait mesuré par la grande horloge de l'Eternité, une horloge qui ne mesurait pas le temps en secondes et en minutes.

Quelque part, loin dans le temps, c'était la mise au tombeau du corps de Jésus-Christ. On sentait la lassitude des cent millions d'hommes qui gravissaient leur Golgotha sur la surface du globe, meurtris par les décisions des traités de paix comme par des clous enfoncés dans leur chair et qui attendaient d'être descendus de la Croix de l'exil et ensevelis dans la terre d'une Patrie.

A la tombée de la nuit Pillat alluma le réchaud à alcool et commença à préparer le repas; la volaille rissolait dans la casserole dans l'obscurité. Ils avaient faim mais voulaient observer le jeûne jusqu'à Pâques. Marie posa sa tête sur l'épaule de Pierre. Ils ne parlaient pas. Il n'y avait pas d'autre lumière en dehors de la petite flamme bleue du réchaud. La fenêtre était ouverte. Ils rêvaient en silence. Marie s'endormit. Pillat éteignit la lampe à alcool. Il s'étendit près de Marie et la prit dans ses bras. Ils s'endormirent ainsi enlacés pensant au Venezuela, leur future patrie, à Jésus et à la Résurrection. Ce fut la nuit la plus pure de leur vie. Pierre s'endormit le sourire aux lèvres; quand réveillé, il leva la tête de sur l'oreiller on apercevait par la fenêtre ouverte les lueurs de l'aube. Quelqu'un frappait à la porte à coups de poing. Une voix criait :

« Ouvrez! Police! Ouvrez! »

Les coups sur la porte redoublaient. On répétait l'ordre d'ouvrir.

« Notre autorisation de séjour est en règle, pensa Pillat. Pourquoi la police revient-elle? Qu'avons-nous fait de mal pour que la police revienne? »

Marie sauta hors du lit. Elle voulut s'habiller dans l'obscurité. Elle ne trouvait pas ses vêtements.

« Ouvrez! Police! » cria la voix à la porte.

On entendait d'autres voix dans les couloirs, puis des pas. Marie voulut cacher la casserole et le réchaud. Pillat donna de la lumière.

« N'ouvre pas encore, dit Marie. Encore une minute. »

Elle cherchait sa robe. Elle ne trouvait toujours pas sa robe. Jamais elle n'avait été aussi désespérée et aussi épouvantée que maintenant : ni à l'arrivée des Russes, ni quand ils étaient dans les bois, ni quand ils avaient franchi clandestinement les frontières. Jamais elle n'avait eu si peur.

« Police! Ouvrez!

— Ils vont encore nous arrêter, dit Marie. Je ne veux pas qu'on nous arrête. Non. »

Elle s'accrocha au bras de Pillat.

« Je dois ouvrir, habille-toi tranquillement. Il faut que j'ouvre.

— La police de la Sûreté, cria une voix à la porte. Ouvrez! »

Marie s'approcha de la fenêtre, les mains cachant ses yeux. Elle tremblait toute comme tremblait la porte dans laquelle frappaient les policiers en ordonnant d'ouvrir. Marie sentait le poing qui frappait la porte comme s'il avait frappé son corps. Elle sentait les coups dans son front, dans sa poitrine, dans le sommet de sa tête. Tout se passait avec une rapidité vertigineuse. Marie ne pouvait plus rien supporter. Elle avait couvert ses yeux avec ses paumes et elle appuyait souhaitant ne plus rien voir, ne plus rien entendre. Et son corps se penchait sur le bord de la fenêtre, au-dehors, ainsi qu'un cierge plie le jour de Pâques lorsqu'il fait trop chaud dans l'église pour l'office de la Résurrection. Simplement, elle ployait. Tout se passait tellement vite... Son corps ployait, tremblait, fondait. Marie ne pouvait jamais faire des choses compliquées.

Elle ne se défendait plus. Elle laissa son corps s'amollir comme un cierge qui fond et son corps tomba amolli, de l'autre côté de la fenêtre, du sixième étage dans la rue. Tout s'était passé très simplement.

Lorsque Pillat tourna la tête, Marie n'était plus dans la chambre. Il se précipita à la fenêtre. Il avait tourné le dos à Marie juste un instant, le temps d'ouvrir la porte aux policiers. Il entendit un bruit. Un bruit sourd, lointain, dans la rue. Il regarda.

Devant l'hôtel de M. Dupont il y avait le bec de gaz allumé, le trottoir et le corps de Marie écrasé, immobile comme une tache d'encre sur l'asphalte.

Quelques passants couraient vers le réverbère en face de l'hôtel.

Deux policiers, un civil et un autre en uniforme entrèrent dans la chambre de Pillat. Ils allumèrent et laissèrent la porte ouverte. Pillat était penché à la fenêtre.

« Que s'est-il passé ici? demanda l'agent, soupçonneux et dur. Que s'est-il passé? »

Les policiers s'approchèrent de la fenêtre et regardèrent le trottoir en bas.

« Que s'est-il passé? »

Les policiers regardaient le corps de Marie. On entendait des cris, la foule accourait.

« C'est de cette fenêtre qu'elle s'est jetée? »

Pillat sentit la main du policier qui le poussait vers le milieu de la chambre. Il serrait les dents, il ne pensait rien. Il serrait seulement les dents, à les broyer.

« Qui est-ce? demanda l'agent. C'est d'ici qu'elle s'est jetée? Réponds. »

La porte de la chambre était ouverte. Les locataires tirés de leur sommeil envahissaient le couloir. Des pas montaient rapidement vers le sixième étage, une multitude de pas.

Pillat voulut sortir de la chambre et descendre.

« Ne bouge pas », ordonna le policier civil.

Il le prit par l'épaule.

« Où vas-tu? »

Pillat voulut s'arracher, mais la main de l'autre policier l'empoigna par la poitrine. Pillat comprit que maintenant tout effort était inutile. Rien ne dépendait plus de sa volonté. Comme cela lui arrivait habituellement depuis qu'il était en exil, rien ne dépendait plus de sa volonté. Il était prisonnier. De nouveau il était prisonnier.

« Ton nom?

— Pillat », dit-il.

Il avait devant ses yeux fermés le corps broyé de Marie, étendu sur le trottoir. Il ne voyait rien d'autre.

« Tes papiers d'identité », ordonna l'agent.

Pillat fouilla dans sa poche, comme en rêve. Le policier en uniforme le tenait par l'épaule et surveillait chaque geste. L'autre ferma la fenêtre et prit ensuite le papier mince comme du papier à cigarettes. C'était l'autorisation de séjour en France, mais ce n'était pas celle de Pillat. C'était l'autorisation de séjour de Marie. Celle de Pillat était de l'autre côté. Les deux autorisations étaient collées l'une à l'autre.

« C'est elle, Marie Pillat?

— C'est elle », dit Pierre.

Ses lèvres saignaient. Ils les avait mordues et maintenant que la douleur de la lèvre mordue pénétrait son corps, il commença à pleurer.

Le policier civil lisait l'autorisation de séjour. Il regarda l'autre agent. Il était déçu.

« Ce n'est pas lui, dit le civil. (Il se tourna vers Pillat.) Quel est le numéro de votre chambre?

— 604 », dit Pillat.

De la rue montait le bruit des cris, des klaxons d'autos, des vrombissements de moteurs, des voix.

Le couloir devant la porte de la chambre était plein de monde. La porte était ouverte.

« Le Grec que nous cherchons habite au 504 », dit le policier.

Il regardait le papier avec le nom de l'étranger qu'ils recherchaient.

« Nous nous sommes trompés d'étage.

— Une erreur d'étage », répéta l'agent en uniforme.

Pillat voulut sortir de nouveau. La main du policier le tenait par l'épaule. Il aurait voulu se diriger vers la fenêtre. La main le tenait par l'épaule. Il était prisonnier.

« C'est ta femme? demanda le policier civil.

— Ma femme, dit Pillat.

— Pourquoi a-t-elle fait ça? »

Pillat regarda l'uniforme du policier qui lui tenait l'épaule et ne répondit pas.

« Pourquoi a-t-elle fait ça? » demanda de nouveau le policier.

Il avait un air accusateur, sévère, autoritaire. Il voulait rendre la justice et répéta la question :

« Pourquoi a-t-elle fait ça? Vous vous êtes disputés?

— Nous ne nous sommes pas disputés, dit Pillat.

— Pourquoi s'est-elle jetée par la fenêtre, réponds, pourquoi? »

Pillat serra les poings. Il serra les dents. La chair de son corps se serrait. Son cœur se serrait comme ses dents, comme ses poings.

« Que s'est-il passé? »

La main du policier tenait l'épaule de Pillat comme un croc.

« Erreur d'étage », dit Pillat et il se mordit les lèvres jusqu'au sang.

Il dit encore :

« Une erreur d'étage, d'étage... »

Il regarda la casserole avec la volaille. Il regarda la lumière qui se répandait argentée sur la Sorbonne et sur le Panthéon. Puis il éclata en sanglots. Il n'en pouvait plus.

« Une erreur d'étage, rien de plus, une erreur d'étage. »

Son pied frappa la casserole. La graisse se renversa sur le parquet de la chambre de M. Dupont en une large tache qui resterait toujours et qui ne pourrait jamais être nettoyée, jamais.

« Nous vous gardons pour enquête », dit le policier.

La main qui lui serrait l'épaule le poussa hors de sa chambre, dans les escaliers.

Devant l'hôtel il y avait une ambulance. Le corps

de Marie gisait étendu sur l'asphalte. Pillat se déga-gea et s'élança vers Marie.

Mais autour d'elle les policiers, avec leurs pèlerines noires comme les ailes des corbeaux, formaient un cercle. Il y en avait beaucoup. D'autres arrivaient à bicyclette, de droite, de gauche, avec leurs pèlerines comme des ailes déployées, et ils venaient tous vers Marie qui gisait morte sur le trottoir. Ils venaient à bicyclette avec leurs ailes déployées, tels des oiseaux funèbres.

Le corps de Marie fut déposé dans l'ambulance qui s'éloigna. Derrière l'ambulance les policiers sui-vaient sur les bicyclettes, avec leurs manteaux noirs, comme un vol de corbeaux qui sentaient l'odeur du sang. Ils suivaient le cadavre de Marie et ils dispa-rurent après le coin de la rue faisant tourner rapi-dement les pédales des bicyclettes afin de ne pas rester éloignés de l'ambulance au cadavre. Les policiers étaient attristés de ce qui venait de se passer. Ils étaient émus.

Les Français ont de la peine et sont toujours tou-chés lorsqu'il arrive un malheur à une jeune femme. Leur cœur est ainsi fait.

Devant l'hôtel de M. Dupont, près du bec de gaz, s'étalait une grande tache de sang. Les deux chats de l'hôtelier sortirent dans la rue. Ils s'approchèrent du sang et voulurent le lécher. Les demoiselles Dupont épouvantées rappelèrent les chats dans la maison et leur donnèrent du lait pour qu'ils ne boivent pas le sang de la femme morte. Mme Dupont vint ensuite avec un seau d'eau et une brosse et nettoya le sang de la suicidée pour qu'il ne tente plus les chats.

« Tu as raison de laver, dit M. Dupont. Tu as raison », et il pensait : « Les étrangers, ça ne me rap-porte que des tracas. Vraiment, si j'ai des ennuis, c'est par leur faute, rien que par leur faute. »

LE LIVRE DES REBUTS

I

Après la mort de Marie, Pillat cessa d'aller dans les ambassades pour s'occuper de son émigration. Il cessa d'aller aux bureaux de bienfaisance. Il ne faisait plus aucun projet d'avenir.

Il restait dans sa chambre du sixième dans l'hôtel de M. Dupont, seul, les volets fermés. De temps en temps il descendait acheter du pain. Il ne regardait personne et ne parlait à personne.

Un jour, Aurel Popesco se présenta à l'hôtel. Il était venu dans une Cadillac noire. M. Dupont le reçut debout. Aurel Popesco le questionna sur Pillat.

« Vous avez bien fait de venir, dit M. Dupont. Après son malheur, M. Pillat a sombré dans un tel état de dépression... Vous avez bien fait de venir. Il reste enfermé dans sa chambre à longueur de journée. Il ne parle à personne, il ne mange pas. Voulez-vous monter? »

Aurel Popesco apprit le suicide de Marie.

« Je l'emmène avec moi, dit Aurel Popesco. Pierre Pillat a été nommé à un haut poste auprès du commandement des Forces atlantiques. C'est un élément d'élite. Je suis venu spécialement le chercher. »

Aurel Popesco paya le loyer en souffrance de Pierre Pillat. Puis il monta dans sa chambre. A travers les rideaux les filles de M. Dupont regardaient la Cadillac noire devant l'hôtel.

« Lève-toi, cria Aurel Popesco entrant dans la chambre aux volets clos. Je t'apporte une nouvelle extraordinaire. Tu es devenu une personnalité. J'ai obtenu ta nomination au commandement des Forces atlantiques. Tu pars avec moi. Nous devons être ce soir même en Allemagne. Tu ne sais pas quel homme important tu es devenu!

— Dis-moi n'importe quoi. Mais ne dis pas que je suis quelqu'un d'important. Je sais ce que je vaux. Depuis que je suis en exil tout le monde m'évalue en centimètres, en kilos, par rapport à ma force musculaire, on prend mes empreintes.

— La situation est changée, maintenant, dit Aurel Popesco. Elle devait d'ailleurs changer. Lève-toi et prépare-toi à partir. »

Il expliqua à Pillat que les pays de l'Occident avaient organisé la lutte contre les Soviets.

« On a fait appel à tous les éléments d'élite réfugiés de ce côté du Rideau de fer. Tu es un de ces éléments, dit Popesco. Tu viens d'être nommé conseiller au commandement des Forces atlantiques. On va te confier une première mission d'une extrême importance. Tu seras fort bien payé. Tu n'as plus besoin d'émigrer. Maintenant tu es un homme important. »

Aurel Popesco força Pillat à se lever. Il prépara ses bagages avec lui et les descendit. M. Dupont les aida. Il les conduisit jusqu'à la Cadillac noire. Les Dupont lui serrèrent les mains, ils lui firent un sourire amical et lui firent des signes d'adieu lorsque la voiture démarra.

« Tu n'es pas enthousiasmé? demanda Aurel Popesco. C'est un événement extraordinaire. »

Pillat regardait la route. Il ne pensait à rien. Il s'était laissé emmener. Il se laissait transporter, comme il s'était laissé faire les derniers temps. Il n'agissait plus. Il était devenu passif envers tout ce qui pouvait lui arriver, passif comme un prisonnier.

« Ce soir, nous prendrons contact avec les dirigeants, expliqua Popesco. Trois généraux t'attendent à Heidelberg. Ils t'attendent, toi, Pierre Pillat. Tu dois résoudre un problème extraordinaire. Tu as eu un camarade d'études, Boris Bodnariuk. Le reconnaîtrais-tu si tu le voyais? »

Pillat fit oui de la tête.

« Bodnariuk est l'homme le plus important de Roumanie. Il devait organiser, avec le maréchal des Slaves du Sud, la Fédération des Etats danubiens. Il était ministre de la Guerre. Depuis quelque temps on ne savait plus rien de lui. Il y a quelques jours, les Américains ont arrêté en Allemagne un individu qui paraît être Boris Bodnariuk en personne. Son identification est certaine mais les Américains veulent avoir la conviction que c'est bien Bodnariuk. Si véritablement cet individu est Bodnariuk, alors il a une importance politique formidable. Les hypothèses les plus extravagantes sont possibles. Ou bien Bodnariuk a été obligé de s'enfuir parce que des schismes se sont produits parmi les pays soviétiques, des divergences politiques. Dans ce cas les Américains pourraient profiter de ces divergences. Ou alors, Bodnariuk est venu en mission. Dans ce cas, sa mission doit être d'une importance extraordinaire : un ministre de la Guerre envoyé en Occident comme un simple agent... Les Américains sont dans un état d'effervescence sans précédent. S'il s'agit bien de Bodnariuk, toute la politique mondiale change d'aspect. Tu es celui qui pourra dire si l'individu arrêté est véritablement Bodnariuk. Tout dépend de cela. Tu le regarderas, tu parleras avec lui et tu diras : « C'est lui ». ou : « Ce n'est pas lui ». La nouvelle attitude des Américains vis-à-vis des Soviets dépend de cette identification, qui sans toi serait impossible. Voilà pourquoi je suis venu te chercher à Paris. Tu resteras

en Allemagne. Tu seras conseiller permanent pour les
questions politiques auprès du commandement. C'est
un poste extraordinaire. Le même que le mien. Quand
as-tu vu Boris Bodnariuk pour la dernière fois?

— Quelques jours avant de m'enfuir de Roumanie », dit Pillat.

Aurel Popesco le prit par les épaules.

« Tu es l'homme qu'il nous faut. L'homme du
jour. »

Aurel Popesco parlait toujours. Pillat entendait de
temps en temps quelques phrases mais il n'écoutait
pas du tout.

« Si les Américains avaient eu les empreintes digitales de Bodnariuk ils l'auraient identifié sur-le-champ.
Mais ils ne les ont pas, et l'individu ne veut pas
parler. Si nous l'identifions, il sera transféré aux Etats-
Unis, et là, il parlera. Il existe des sérums qui vous
font tout dire. Imagines-tu les choses formidables
qu'aurait à raconter ce Bodnariuk? Sa présence sur le
territoire atlantique est d'une importance énorme mais
pour l'instant on a mis tous les espoirs en toi. C'est
toi qui dois nous dire si c'est lui ou non. »

En arrivant en Allemagne, Pierre pensa à Marie.
L'Allemagne était le pays qu'ils avaient parcouru à
pied, ensemble, avec leurs sacs sur le dos, affamés,
harcelés, désespérés.

Les villes et les villages étaient en ruine. Pillat les
regardait comme un rêve. Lorsqu'il vit le Neckar et
le pont de Heidelberg, Pillat dit :

« Arrête-toi.

— Que t'arrive-t-il? demanda Aurel Popesco. Tu es
souffrant? »

Il arrêta la voiture sur le pont. C'était le soir. Pillat
descendit. Il s'approcha de la balustrade. Il regarda
l'eau, il regarda l'allée qui longeait le bord du Neckar
et le banc au fond de l'allée.

« C'est ici que j'ai demandé à travailler. dit Pillat.

Maintenant le pont est achevé. Si l'on m'avait embauché, tout serait peut-être autrement aujourd'hui. Doïna, ma petite fille, ne serait peut-être pas morte. Peut-être tout serait-il différent si l'on m'avait laissé travailler à ce pont, mais je n'avais pas d'autorisation de séjour et ils n'ont pas voulu m'embaucher. »

Pillat regarda le banc sur lequel il avait laissé Marie et d'où les policiers l'avaient emmenée.

« Ici, Marie a subi sa première humiliation, dit Pillat.

— Nous sommes attendus par trois généraux, dit Popesco. Dépêchons-nous. »

Pillat remonta en voiture.

« A mon arrivée en Allemagne, j'ai voulu travailler à ce pont.

— Il a été terminé récemment, répondit Aurel Popesco. C'est un beau pont. »

Il regarda sa montre :

« Pressons, nous sommes attendus. »

Pillat était pâle. Il regardait l'eau.

« Un pont admirable, dit-il. Admirable, vraiment admirable... »

Ils descendirent devant une villa neuve, le siège du commandement atlantique, section de l'information. Les officiers américains les attendaient. Pillat était l'homme dont ils avaient besoin et qu'ils avaient fait venir de mille kilomètres.

Ils le regardaient avec admiration.

II

« C'est la villa où j'habite, dit Aurel Popesco. A cause de l'importance du poste que j'occupe mon bureau est à mon domicile. C'est plus discret »

Quelques officiers américains attendaient dans le salon. Ils offrirent du whisky à Pillat. Il y avait des fauteuils luxueux, des tapis profonds, des tableaux de prix.

Tout le monde regardait Pillat. On avait donné l'ordre d'amener Bodnariuk de la prison et maintenant on l'attendait. Aurel Popesco changea de costume et vint s'asseoir près de Pillat.

« Tu auras le même genre de vie, dit-il. Un conseiller politique auprès du commandement américain bénéficie du logement. C'est-à-dire d'une villa splendide et de tous les avantages : voiture, salaire en dollars, exemption des taxes douanières. C'est un poste extraordinaire. Je suis très content que tu y sois nommé. Si tu veux, tu peux t'établir aux Etats-Unis à n'importe quel moment. Il n'y a pas d'obstacle à l'immigration des fonctionnaires du commandement. Tu deviens citoyen américain, le jour où tu le désires. »

Aurel Popesco fut appelé dans le bureau voisin. Il revint atterré. Il dit quelques mots aux officiers supérieurs. Les Américains s'attristèrent. Ils prirent leurs casquettes et s'en allèrent. Pillat resta seul.

« Boris Bodnariuk s'est évadé, il y a une demi-heure », dit Popesco.

Il tremblait. Il avait changé de visage. On aurait dit un autre homme.

« Tu restes ici, chez moi. En attendant qu'on t'octroie un logement et que tu t'installes, tu es mon hôte. Je ne peux croire que cet individu se soit évadé. Nul prisonnier ne peut s'échapper de chez les Américains, mais celui-ci y a réussi. C'est la preuve qu'il s'agit de Bodnariuk. Seul Boris Bodnariuk était capable d'accomplir un tel exploit. Il est certain qu'il avait des complices, des complices importants, mais il sera pris. En une demi-heure, il ne peut pas aller loin. Les Américains vont l'arrêter. Il l'amèneront ici pour que tu l'identifies. »

Aurel Popesco revêtit un pardessus gris.

« Couche-toi, dit-il. Je vais au Centre. Si nous l'arrêtons entre-temps, nous te dérangerons, il doit être identifié sur-le-champ. »

Pierre Pillat ne fut pas dérangé cette nuit-là. Les Américains n'avaient pas réussi à rattraper Boris Bodnariuk.

Pillat passa les jours suivants dans la villa d'Aurel Popesco et attendait. Bodnariuk ne fut pas amené. Il avait disparu.

*

Une semaine venait de passer. Aurel Popesco était absent nuit et jour. Il travaillait beaucoup.

« Bodnariuk nous a échappé », dit-il.

Il était fatigué. Depuis l'évasion de Bodnariuk, il dormait à peine quelques heures par nuit.

« On nous a signalé qu'il vient de passer dans la zone soviétique de l'Allemagne. Nous n'avons plus aucune chance de mettre la main sur lui. Tout ce que nous pouvons faire, c'est l'identifier d'après des photographies. Les Américains désireraient que tu leur rédiges un rapport détaillé avec le signalement de Bodnariuk. »

Pillat rédigea le rapport. Il décrivit par le menu la figure physique et morale de son ancien condisciple.

« Tu ne connais pas le poids de Bodnariuk? demanda Aurel Popesco. Les Américains y tiennent beaucoup, on ne peut pas identifier quelqu'un si on ne connaît son poids, même approximativement.

— Je ne me suis jamais demandé le poids des gens que je rencontrais.

— Depuis que je travaille avec les Américains, j'évalue immédiatement le poids de chaque personne que j'ai devant moi. C'est extrêmement important. Plus important même que la couleur des yeux. Tu ne

connais pas sa taille? Tu pourrais peut-être te souvenir de son poids et de sa taille au temps que tu étais
au collège? Si nous savions combien il pesait et mesurait à quatorze ans, nous pourrions déduire son poids
et sa taille actuels. Nous savons par exemple, d'après
la photographie, quelle était la pointure de son faux-
col et celle de ses chaussures. C'est très important, si
l'on veut identifier quelqu'un. »

La description que Pillat avait faite de Bodnariuk
déçut les Américains. Elle manquait de données con-
crètes, on y trouvait des omissions inadmissibles de
la part de quelqu'un qui connaissait Bodnariuk. Pillat
ne donnait aucun renseignement précis sur Bodnariuk.
Rien sur sa taille, son poids, son tour de tête, de cou,
la pointure de ses souliers, son tour de taille. Les des-
criptions étaient littéraires, non scientifiques. Les
Américains commencèrent à douter que Pillat eût
vraiment connu Boris Bodnariuk. Ils reprochèrent à
Aurel Popesco ces omissions. L'attitude d'Aurel Popesco envers Pillat changea, devint froide, distante.

Un jour Pierre Pillat revenait du cimetière de Heidelberg où il avait porté des fleurs sur la tombe de
Doïna-Australie. Il y allait chaque jour et passait de
longs moments près de la tombe de sa petite fille.

« Je dois partir, dit Aurel Popesco. Le commandement m'envoie en mission d'information en Israël. Je
dois prendre contact avec les juifs roumains. Je pourrai peut-être y organiser un Centre de lutte antisoviétique. De plus, je dois rédiger un rapport détaillé
sur le nouvel Etat. Les Américains m'ont choisi parce
qu'ils veulent un rapport objectif. Je ne suis pas phi-
losémite. J'observerai et rapporterai les choses comme
elles sont. C'est tout ce que les Américains veulent
savoir : comment sont les choses en réalité. Ils ont
investi tant d'argent dans la création de l'Etat d'Israël qu'ils ont le droit de se demander ce qui s'y passe.
C'est une mission d'une extrême importance. Je verrai

Mrs. Salomon et le lieutenant Varlaam. Tous les deux voudraient quitter la Palestine. Ils ne s'y plaisent pas. Si je peux, je les aiderai. Varlaam plus spécialement. Pendant mon absence, tu logeras ici. Je me suis occupé de tes papiers, ta nomination ne tardera pas, elle est maintenant à Washington. C'est Zaïg Burian qui me remplace. »

Pierre Pillat connaissait l'Arménien Zaïg Burian. C'était un gros commerçant de Roumanie réfugié en Allemagne.

« Burian assurera la liaison entre le commandement et toi. C'est à lui que tu dois t'adresser, si tu as besoin de quelque chose. Dès que ta nomination sera arrivée, il t'avertira. Entre-temps tu travailleras avec lui. Je serai absent deux ou trois mois. Nous resterons en relations épistolaires. En attendant mon retour, repose-toi, amuse-toi. Tu as besoin de distraction. Après tant de souffrances, tu as besoin d'un repos véritable. J'espère que tu l'auras. »

III

Après le départ d'Aurel Popesco, Pierre Pillat tomba de nouveau dans le même état de dépression qu'à Paris, sauf que maintenant il restait enfermé dans l'élégante villa sur les bords du Neckar au lieu de rester dans la chambre d'hôtel de M. Dupont. Le seul homme qu'il voyait était Zaïg Burian. Celui-ci lui apportait des journaux roumains, le priant de lui traduire les nouvelles importantes. D'autres fois, il lui demandait un renseignement concernant quelque personnalité politique à laquelle s'intéressaient les Américains.

L'Arménien était un vieillard aimable et poli. Chaque fois qu'il venait, il téléphonait à Pillat pour annoncer son arrivée.

Le téléphone sonna à nouveau. Pillat savait que c'était Zaïg Burian.

« Nous avons arrêté il y a quelque temps un individu très dangereux, dit Zaïg Burian. C'est un Roumain. Il a une histoire fort compliquée. Je vais vous l'amener pour que vous le voyiez et que vous lui parliez. Vous nous direz votre impression. Je serai chez vous dans une demi-heure. »

Pillat attendit dans le bureau aux fauteuils luxueux, où il avait rencontré pour la première fois les généraux américains. Une demi-heure plus tard, Zaïg Burian fit son apparition.

« Les Russes envoient sur le territoire atlantique toutes sortes d'espions, dit Burian. Ces derniers temps ils utilisèrent des ouvriers et des paysans, qui jouent les imbéciles, qui donnent l'impression de ne rien comprendre, de ne connaître aucune langue, bref, d'être idiots. Ce sont les plus dangereux. Les Américains nous ont mis en garde et nous devons contrôler chaque individu de cette nouvelle catégorie d'espions soviétiques. Celui que je vous amène est le type classique du nouvel espion. Il dit qu'il ne connaît que le roumain, qu'il ne s'occupe pas de politique, qu'il est un simple paysan. Les trucs classiques. Vous allez voir. »

Burian ouvrit la porte du salon et invita le prisonnier à entrer. La sentinelle resta dehors.

Dans le salon apparut alors, vêtu de haillons, avec une tunique canadienne, de gros souliers militaires allemands, une chemise américaine, une musette de toile pendue à son épaule, un homme de petite taille, maigre, vieilli. C'était une ruine. Seuls les yeux étaient vivants. Ils brûlaient, mais le reste c'était une ruine humaine. C'était Ion Kostaky. Au premier pas qu'il

fit timidement sur le tapis du salon, Pillat s'élança
vers lui, les mains tendues et cria :

« Père! »

Il aurait voulu ajouter quelque chose, mais il ne
pouvait dire que : « Père, père. » Pillat aurait voulu
serrer Kostaky dans ses bras. Il aurait voulu le serrer
à l'étouffer tant sa joie était grande. Lui raconter
vite, d'un seul coup, leur fuite de Piatra, l'incendie de
la maison, le pourchas des paysans conduits par
Sergheï Severin, toutes leurs humiliations. Il voulait
parler de leurs pérégrinations en Occident. Mais les
yeux de Kostaky ne permettaient pas l'approche. Il
avait de grands yeux brillants, chauds, mais qui ne
vous invitaient pas à l'approcher. Des yeux qui vous
tenaient à distance comme des signaux d'alarme. Les
yeux de Ion Kostaky étaient comme les yeux des
oiseaux sauvages, comme les yeux des biches qui vous
regardent, prêtes à s'enfuir. Ses yeux ressemblaient
aux yeux de chiens qui ont été trop longtemps battus
et qui s'approchent de vous, prêts à s'éloigner. Pierre
Pillat gardait les bras tendus sans embrasser Ion Kostaky.

Ion Kostaky restait près de la porte. Il regardait
Pillat comme s'il le voyait dans les brumes d'un rêve.
Il regardait autour de lui, les meubles, les tapis.

« Pierre, dit-il.

— Père », répondit Pillat.

Leurs mains se tendirent les unes vers les autres.

« Marie? dit Kostaky. Où est Marie? »

Les grands yeux brûlés par la fièvre cherchèrent
avec la peur des yeux de biches pourchassées, autour
de lui, parmi les fauteuils, et les tableaux. Puis sa
main se détacha de la main de Pillat. Ses yeux ne
cherchaient plus Marie. Kostaky avait compris.

Il n'avait plus que Pillat. Et ses regards, comme
deux phares de désespoir, se concentrèrent sur Pierre
Pillat.

Les doigts de la main droite de Ion Kostaky, couverte de durillons, serra de nouveau la main de Pillat de toutes ses forces. Il y avait un désespoir sans bornes dans le fait qu'il ne pouvait plus chercher Marie des yeux et qu'il était inutile de la chercher. Et plus il comprenait qu'il était inutile de la chercher, plus il s'accrochait à Pillat.

« Je m'en vais, dit Burian. Mes félicitations pour cet heureux événement. Je vous laisse seuls. Je téléphonerai. »

Burian partit. Il avait laissé un vide derrière lui.

« Il y a longtemps que c'est arrivé? » demanda Ion Kostaky.

Il s'essuya les yeux avec des gestes lents. Il n'y avait pas une larme dans ses yeux. Il n'y avait que de la douleur, une douleur plus grande que les larmes. Il n'attendit pas de réponse.

« Iléana vit peut-être encore. Au moins elle.... » dit-il. Puis il fit un signe de croix. « Dieu l'a voulu. C'était la volonté de Dieu. »

Il ne parla plus de Marie. Marie était présente à leur esprit mais ils gardaient le silence.

« Je reviens du Canada, dit Kostaky. J'ai travaillé presque deux ans au Canada. »

Le visage de Kostaky était tanné par le froid. Ses grosses chaussures étaient déchirées. Il les avait à son départ d'Allemagne, il les avait portées au Canada et il revenait avec elles. C'était à peine si elles lui tenaient aux pieds. Kostaky avait un pantalon kaki déchiré. C'était un pantalon militaire anglais. Pillat regarda la veste canadienne, la chemise américaine. Il regarda les yeux d'Ion Kostaky. Seuls les yeux étaient les mêmes qu'à son départ de la maison, mais ils étaient brûlés par la fièvre et épouvantés.

« On ne pouvait pas rester au Canada, dit Ion Kostaky. J'ai dû revenir. Cela n'avait pas de sens, que je meure là-bas, dans la neige, dans ce désert étranger. Il n'y avait aucun motif. Je devais revenir.

— Asseyez-vous, père », dit Pillat.

Kostaky s'assit. C'était un homme fini, d'où on avait extrait la vie comme au pressoir. Il n'avait plus que les os. Il était pâle, avec des signes de tuberculose, de maladies d'estomac. Il lui manquait des dents. Toutes celles de devant manquaient. Pillat versa un verre de whisky pour Kostaky et un autre pour lui.

« Je voudrais un verre d'eau », dit Kostaky.

Puis ils se turent tous les deux, longtemps. Ils se regardaient. Ils regardèrent par la fenêtre. On voyait en face le pont sur le Neckar et le banc sur lequel Marie s'était assise. Pillat se mordait les lèvres pour ne pas parler de tout ce qui était arrivé. Il ne voulait pas apprendre à Kostaky tout ce qui leur était arrivé. Ce lui serait trop pénible.

« Nous parlerons plus tard, dit Ion Kostaky. Il vaut mieux en parler plus tard. »

IV

Ion Kostaky fut rayé de la catégorie des suspects. Il habitait maintenant avec Pierre Pillat, dans la villa d'Aurel Popesco.

« J'aurai bientôt ma nomination comme fonctionnaire au commandement des Forces atlantiques, dit Pillat. Nous aurons une maison où nous habiterons provisoirement. Vous soignerez votre santé. Ensuite, nous verrons. Le principal c'est que nous ayons trouvé un abri convenable et la possibilité de faire une halte. »

Kostaky écoutait. Pillat savait qu'il pensait à Marie. Il ne parla plus.

Quand Burian arriva il les trouva assis l'un en face de l'autre dans le salon et regardant par la fenêtre. Ion Kostaky monta dans sa chambre. Burian était mécontent.

« Washington nous a renvoyé vos papiers, dit l'Arménien. C'est la deuxième fois qu'on nous les renvoie. Votre nomination au commandement des Forces atlantiques a été refusée, bien que Aurel Popesco ait énormément insisté pour que vous l'obteniez.

— On a refusé ma nomination? demanda Pillat.

— Vous n'avez pas un passé politique immaculé, dit Burian. Les Américains ont demandé des renseignements plusieurs fois. Je les ai envoyés. Maintenant leur réponse est claire, ils refusent de vous nommer parce que votre passé politique est douteux.

— Je n'ai jamais fait de politique, dit Pillat.

— Jusqu'à l'occupation de la Roumanie, par les Russes, c'est-à-dire jusqu'au jour de la Victoire, comme l'appellent les Anglais, vous étiez magistrat.

— C'est exact, dit Pillat. Dès leur arrivée, les Russes m'ont exclu de la magistrature.

— Alors vous êtes parti pour le village de Piatra, d'où votre femme est originaire.

— C'est exact, dit Pillat. A Piatra, je suis devenu agriculteur avec mon beau-père, Ion Kostaky. Je n'avais pas d'autre moyen d'existence.

— A Piatra, vous avez essayé de vous intégrer dans le parti communiste, dit Zaïg Burian.

— C'est exact, dit Pillat. J'ai fait des efforts pour m'y intégrer afin de pouvoir vivre, de pouvoir rester en vie, mais je n'ai pas réussi.

— Parmi vos tentatives, dit Burian, comme vous le déclarez vous-même dans votre rapport, on note votre demande d'inscription au parti communiste roumain.

— C'est exact, dit Pillat. J'ai fait une demande d'inscription au parti communiste.

— C'est pour ce motif que les Américains refusent

de vous nommer, dit Zaïg Burian. Vous étiez inscrit
au parti communiste roumain. Les lois américaines
sont implacables dans ce domaine. Toute personne
ayant appartenu au parti communiste, ne serait-ce
que pendant une heure, ne peut pas être nommée à
un poste public, et s'il s'agit d'un étranger, on lui
refuse jusqu'au droit d'entrer aux Etats-Unis. »

Pillat réfléchit un instant. Si telles étaient les lois
américaines, le refus de sa nomination était logique.
Il n'avait plus rien à demander. Il n'avait plus rien à
dire. Il devait de nouveau se débrouiller seul. Il regrettait seulement d'avoir accepté de quitter la
France.

« Ce qui est bien plus grave, c'est le cas de votre
beau-père, Ion Kostaky. Vous savez qu'on vient de le
transférer dans la catégorie des suspects, en ce qui
concerne l'ordre public.

— Papa Kostaky est dans la catégorie des suspects?
demanda Pillat. Papa Kostaky suspect? C'est impossible. Cela dépasse le ridicule.

— Ion Kostaky a quitté le Canada, dit Burian. Le
Canada est un pays démocratique. Pourquoi votre
beau-père n'a-t-il pas pu s'intégrer dans une démocratie? C'est la question que se posent les Américains.
J'ai lu le rapport de Kostaky... Le travail au Canada
était inhumain : on construisait des voies ferrées dans
la zone glaciaire, les salaires étaient élevés, mais la
vie étant très chère, il n'en restait rien. Si les ouvriers
voulaient manger tous les jours ils devaient s'endetter
à la cantine... Admettons même que les ouvriers
étaient exploités. Pourtant, les Américains ne peuvent
pas comprendre qu'un homme quitte une démocratie
parce qu'il est tombé chez un patron qui l'exploite. Ils
émettent d'autres hypothèses. Pour eux, tout être qui
abandonne un pays démocratique est un suspect.
C'est un individu qui ne peut supporter la démocratie.

— Nous essaierons d'émigrer de nouveau, comme au début. Au Venezuela peut-être.

— Autre chose, dit Burian. Emigrez le plus rapidement possible. Le conflit commence à prendre des proportions nouvelles en Extrême-Orient. Aujourd'hui c'est la guerre de Corée. Celle de Chine va suivre. Une semaine après l'entrée en guerre de la Chine, le conflit européen éclatera.

— Depuis la paix, depuis 1945, la guerre n'a pas cessé dit Pillat.

— Si la guerre éclate en Europe vous serez internés sans délai, dit Burian. Vous, en tant qu'ancien membre du parti communiste roumain, et votre beau-père, Ion Kostaky, pour avoir quitté sans motif un pays démocratique. Je vous le dis franchement. J'ai écrit à Aurel Popesco que vous êtes en danger. Les listes de ceux qui doivent être internés en cas de conflit sont déjà établies et je n'ai pas pu vous omettre. Vous êtes tous les deux sur les listes des futurs internés. »

Il y eut un silence.

« En tant qu'ami je peux vous aider à émigrer, dit Burian. J'ai des relations. Maintenant les intellectuels peuvent émiger aussi. Vous ne pourrez jamais entrer en U.S.A., mais il y a d'autres pays sur la terre. Je peux vous aider. Pour Kostaky, il est impossible de faire quelque chose. Personne ne peut rien pour lui. Il doit rester en Allemagne. Pour lui, les portes de l'émigration sont définitivement fermées. Il doit rester ici et attendre les événements. Il est passé dans la catégorie *hard core.*

— Dans quelle catégorie?

— *Hard core,* répéta Burian, la catégorie des rebuts inutilisables. Vous n'avez pas vu qu'il n'a plus une seule dent?

— Et c'est pour cela que papa Kostaky est un dé chet, un *hard core?* Il a souffert.

— Ce n'est pas moi qui le dis. C'est la désignation officielle américaine. Nous avons environ un million d'hommes qui ont des maladies incurables, des infirmités ou qui sont vieux. Ce sont des épaves. Ils ne peuvent plus figurer sur aucune liste d'émigration. Sur aucune liste au monde. Ils sont la lie, les rebuts, les déchets : *hard core*, le résidu. C'est ainsi qu'on les nomme officiellement. Vous avez vu la carte d'identité de Kostaky? C'est une carte de *hard core*, de déchet. C'est écrit dessus. Je sais qu'il est douloureux d'écrire sur le front de quelqu'un : déchet, bon à rien, mais les Américains ne sont pas des prêtres. On ne peut pas leur demander de se comporter comme des prêtres. Ces individus sont des scories humaines, des éléments dont on ne peut plus rien tirer. Vous avez vu Kostaky. C'est votre beau-père, je sais, mais vous devez reconnaître que c'est un *hard core*, un rebut.

— Je vous remercie, dit Pillat. Je regrette seulement qu'il ait fallu faire tant de chemin pour en arriver là, pour recevoir la marque *hard core*, sur le front, comme les bêtes dont la viande est impropre à la consommation, avariée, puante. Je vous remercie

— Faites attention, dit Burian. Chaque nuit, il peut se passer quelque chose et alors vous serez arrêtés. Ce n'est pas une plaisanterie. Toute personne dont le passé politique n'est pas immaculé cent pour cent, sera arrêtée. Vous êtes tous deux sur les listes. Vous et Kostaky. Décidez-vous à partir pendant qu'il est encore temps. Si vous restez ici vous n'avez qu'une chance : celle d'être arrêté. Dépêchez-vous, je le répète, dépêchez-vous.

— Je me dépêcherai », dit Pillat.

V

Ion Kostaky attendait Pillat devant la porte. Il
tenait des fleurs à la main. Ils devaient se rendre tous
les deux au cimetière, sur la tombe de Doïna-Australie. Kostaky avait acheté des fleurs et des cierges.
Les fleurs bleues lui éclairaient le regard. Il avait
une chemise propre et ses gros souliers brillaient. En
le regardant, Pillat sentit ses yeux se remplir de
larmes.

« Comment peut-on dire d'un homme que c'est
un déchet? Aucun homme n'est un déchet. »

Pillat monta dans le tramway avec Kostaky. Il le
regardait : résidu, *hard core,* qui ne pouvait être
reçu dans aucun pays de l'univers. Dans aucun pays
civilisé. *Hard core* qui doit rester et pourrir sur place.

« Père, dit Pillat, cette nuit nous repartons en Roumanie. Vous comprenez?

— C'est la première fois où j'étais vraiment bien,
dit Kostaky. J'avais l'impression que tout allait
s'arranger et que tu obtiendrais un poste. »

Kostaky serrait dans sa main le petit bouquet de
violettes : les fleurs pour la tombe de sa petite-fille,
Doïna-Australie.

« Ils ne veulent pas me donner ce poste, dit Pillat,
mais il ne s'agit pas seulement de ça. Nous sommes sur
les listes des personnes à arrêter.

— Nous arrêter? demanda Kostaky. Mais qu'avons-
nous fait?

— Rien, répondit Pillat, mais cette nuit nous partons. Nous serons abattus par les sentinelles ou nous
vivrons dans nos montagnes, dans les forêts de Piatra,
dans les montagnes de Néamtz. »

Pillat posa la main sur l'épaule de Kostaky.

Le tramway s'arrêta devant le cimetière. Ils descendirent. Kostaky serrait de plus en plus fort le bouquet de violettes.

« Vous, père, vous êtes sur la liste dans la catégorie des *hard core,* des déchets, de la lie. Vous ne pouvez entrer dans aucun pays de l'univers. Vous pouvez rester ici et mendier, pourrir et attendre la mort. Ou attendre d'être arrêté, car ils ont établi les listes de ceux qui doivent être arrêtés. Et le nom de Kostaky figure parmi les premiers.

— Arrêté? dit Ion Kostaky. Je n'ai jamais été arrêté.

— Vous le serez maintenant. Vous êtes sur la liste des Américains parce que vous avez quitté un pays démocratique : le Canada. C'est suspect, ça. C'est un motif d'arrestation.

— Mais je te l'ai expliqué, on ne pouvait pas vivre là-bas.

— C'est une offense à la démocratie. Celui qui ne reste pas dans un pays démocratique est un suspect. »

Kostaky ne comprenait pas. Il demanda des éclaircissements.

« J'aurais dû rester au Canada? demanda-t-il. Mais je serais mort, si j'étais resté là-bas! »

Ils avançaient lentement dans les allées du cimetière. Kostaky avait son bouquet de violettes à la main.

« Et toi, Pierre, qu'as-tu fait? Ils veulent t'arrêter aussi?

— Moi aussi je suis suspect, dit Pillat. Je suis suspect parce que j'ai essayé de rester en Roumanie; parce que je ne me suis pas enfui tout de suite et que j'ai essayé de vivre avec les communistes. C'est louche, ça. C'est un motif d'arrestation. »

Ils s'arrêtèrent devant la tombe à croix de bois. Sur la croix on avait écrit : *Doïna-Australie Pillat.*

Ils s'agenouillèrent. Kostaky déposa les violettes sur la terre humide. Pillat vit qu'il n'y avait pas un bouquet, mais deux.

« Un pour Marie, l'autre pour Doïna, pour la petite, pour notre ange. »

Kostaky prit deux cierges. Il en alluma un et le planta en terre.

« Celui-ci pour Marie. Que Dieu ait son âme. »

Il alluma le second cierge et le piqua en terre.

« Celui-ci pour Doïna. Que Dieu ait son âme. »

Ils contemplaient les violettes posées sur la terre humide de la tombe et les cierges qui brûlaient avec de petites flammes. Ils étaient pensifs.

« Tu crois qu'Iléana vit encore? » demanda Kostaky.

Pillat ne répondit pas. Les lumières brûlaient lentement. Ils pensaient à Piatra, à Iléana, à Marie, à Doïna.

« Pourquoi ont-ils dit que j'étais un déchet? demanda Kostaky.

— Parce que vous n'avez pas de dents. Parce que vous êtes vieux, malade. Parce que vous avez souffert.

— Que Dieu leur pardonne », dit Kostaky devant la tombe. Puis il se tourna vers Pillat. « Nous partons cette nuit. Dans nos forêts, personne ne dira que nous sommes *hard core*. Personne.

— Père, vous n'êtes pas *hard core*. Aucun homme n'est *hard core*. »

Kostaky pleurait comme une femme, pour la première fois de sa vie. Ils regardèrent le soleil pour voir s'il restait beaucoup de temps jusqu'au soir, quand ils repartiraient chez eux. Le soleil était au-dessus du cimetière.

Leurs ombres tombaient sur les tombes, sur toutes les tombes, le long de l'allée, avec l'ombre des croix.

LE LIVRE
DES HUMILIATIONS

(III)

I

AVANT de partir en voyage, Aurel Popesco passa au commandement des Forces atlantiques. Il signa les derniers rapports. Il causa avec Zaïg Burian qui devait le remplacer. Les chefs lui firent part des dernières dispositions. Milan Paternik l'attendait dans la voiture. Ils partirent ensemble. Ils se taisaient. La voiture traversait les villes et les villages détruits du Wurtemberg. Après la mort de sa mère, Milostiva Debora Paternik, Milan avait été exilé par son propre père. Les Allemands l'arrêtèrent. Il avait été emprisonné avec Aurel Popesco jusqu'à la fin de la guerre et libéré le jour de la Victoire. Il était sur les listes des victimes du fascisme, comme Aurel Popesco. Puis comme Popesco il avait été nommé conseiller politique au commandement américain.

Maintenant il avait un mois de congé et il voulait partir avec Aurel Popesco pour l'Italie, où il voulait se reposer.

« Pourquoi tiens-tu absolument à passer par Trieste? demanda Aurel Popesco. Trieste est la ville la plus triste d'Europe, plus triste que Berlin, plus triste que Vienne. Vienne, Berlin sont occupées par les quatre grandes puissances. En dehors des quatre occupants, Trieste possède des autorités italiennes et slaves. C'est une ville étranglée par six polices Nous devrions éviter Trieste. Tu t'amuserais davantage à Rome.

— Je tiens absolument à rester quelque temps à Trieste, répondit Milan Paternik. Tu m'y laisseras et tu continueras ta route. »

Aurel Popesco avait connu Milan Paternik à Buchenwald. Il savait qu'il avait exterminé huit cent mille juifs dans le pays des Slaves du Sud. C'était un homme qui ne s'embarrassait pas de sentiments.

« La patrie est quelque chose dont on ne peut pas guérir, dit Milan Paternik. Je veux aller à Trieste pour toucher le sol de la patrie, ne serait-ce que du bout du pied, sentir l'air, le vent, l'odeur de la terre paternelle. Je me suis toujours pris pour un individu sans racines. Je me suis trompé. Nulle culture, nul raffinement ne peut vous détacher complètement de la patrie. On ne peut pas se séparer de son propre corps. La patrie est comme un prolongement du corps de chaque homme. La voix de la terre se fait entendre chez les exilés comme le désir d'amour apparaît chez les anachorètes et les ermites pendant les nuits d'été. C'est une chose qui existe dans le sang et ne peut être tué, qui remonte de temps en temps à la surface. Le désir de la patrie lui ressemble. Tous les continents du monde ne peuvent faire oublier ce chant de Loreley de la terre natale, qui vous appelle quand vous ne vous y attendez pas. Tu n'as jamais ressenti cela?

— Et que veux-tu faire à Trieste? Regarder par-dessus les barbelés de la frontière les piquets de gardes de ton pays? C'est tout?

— Rien de plus, dit Milan Paternik. Je serai heureux de voir ma terre. Cela me suffit. J'en ai la nostalgie. Cela t'arrivera aussi un jour. Cela arrive à chaque homme, sans exception. »

Pendant le reste du voyage, ils ne parlèrent plus de la patrie. A Trieste, pendant qu'Aurel Popesco était au restaurant, Milan Paternik partit seul, à pied, vers le quartier oriental de la ville, vers la frontière de son pays. Il montra sa carte d'identité de fonctionnaire des Forces atlantiques, aux patrouilles anglaises, américaines, italiennes, slaves.

Il s'arrêta près de la barrière de fil de fer barbelé qui séparait le territoire international de Trieste du pays des Slaves du Sud. Il regarda de l'autre côté. Milan Paternik était né en exil, avait vécu en exil. Il avait passé quelques années seulement dans sa patrie. Mais la terre de son pays l'attirait maintenant comme un aimant géant. Il ne pouvait s'expliquer ce qui lui arrivait. Il n'y avait aucune explication logique, comme il n'y a pas d'explication logique à l'amour. Il semblait à Milan qu'il aurait aimé entendre des mots prononcés dans sa langue maternelle, voir les maisons blanches de son pays de l'autre côté des barbelés. En les regardant il sentait augmenter les pulsations de son sang et ses yeux s'agrandissaient comme le pouls s'accélère et les yeux s'agrandissent quand on approche l'être aimé.

Il enleva ses gants et les mit dans sa poche. Il se découvrit. Les sentinelles anglaises de la zone internationale et les sentinelles slaves de sa patrie le regardaient avec des jumelles. Milan Paternik était dans la légalité. Il n'avait pas dépassé la ligne de démarcation. Il était un touriste comme un autre.

On entendit le téléphone au poste frontière de la patrie. La sonnerie traversa le corps de Milan Paternik comme un courant électrique. Puis on entendit la voix de la sentinelle répondant au téléphone. On ne comprenait pas les paroles, mais seulement l'intonation de la langue maternelle. Dans la bouche du soldat un seul mot fut compréhensible : *Uredu*, qui signifie : « En ordre, *O kay, all right.* »

Dans l'âme de Milan Paternik tout était maintenant *uredu* — en ordre. Il regardait le paysage de sa patrie avec des yeux agrandis. Il aspirait avec les lèvres entrouvertes, avec les narines dilatées le parfum de la terre inculte de la zone frontière. Il laissa le mot chanter dans ses oreilles, il le laissa s'installer, s'éterniser.

Le soldat slave en face de Milan Paternik le regardait attentivement. Il avait sa mitraillette à la main. La sentinelle slave voyait bien que l'étranger n'avait pas empiété sur la terre qu'il défendait avec son arme automatique. Milan Paternik semblait vouloir avaler des yeux et des lèvres la terre au-delà des barbelés, cette terre que la sentinelle défendait. Le soldat le devinait. Il examina de nouveau Milan Paternik à la jumelle. Il ne comprenait pas que cet étranger regardât avec un tel intérêt la terre qu'il défendait. Il n'y avait qu'eux deux, face à face. D'un côté des barbelés, le soldat slave avec ses jumelles et la mitraillette, attentif et méfiant, de l'autre côté, Milan Paternik, qui aspirait la terre interdite par les narines, par les yeux, la bouche, par chaque pore de son corps. Le jeu ne pouvait pas durer longtemps. Le soldat, défenseur de la patrie, sentait qu'on absorbait quelque chose de la terre qu'il défendait. Le devoir du soldat était de défendre sa patrie. Il visa Milan Paternik avec la mitraillette pour lui faire peur et l'empêcher de regarder avec une telle avidité la terre des Slaves. Milan Paternik sourit amicalement en regardant le canon de la mitraillette qui défendait la terre de son pays. La sentinelle prit le sourire pour une provocation. Elle appuya légèrement sur la gâchette, une pluie automatique de balles traversa le corps de Milan Paternik. Il s'affala sur le dos, de ce côté de la ligne de démarcation.

Milan Paternik aurait pu tomber face contre terre, sur la poitrine. Alors son corps se serait allongé de l'autre côté de la ligne de démarcation et la tête et la poitrine auraient pu atteindre la terre de son pays. Il aurait pu mourir le front posé sur la terre paternelle. Mais Milan Paternik tomba sur le dos et versa son sang sur la terre étrangère, sur la terre internationale de Trieste.

Sa respiration chaude, le souffle le plus chaud de la respiration humaine, le souffle du spasme d'avant la mort, fut absorbé par une terre internationale. Les lèvres sèches de Milan Paternik cherchèrent la terre. Les lèvres de l'homme cherchent toujours la terre avant la mort, mais ses lèvres ne trouvèrent que la terre internationale. Ce n'était pas la terre de la patrie. Ses lèvres cherchèrent plus profondément mais dans le spasme de la mort la bouche de Milan Paternik s'emplit de terre étrangère.

L'alerte fut donnée. A Trieste il y avait des incidents de frontière plusieurs fois par jour. Cette fois la police des quatre puissances protesta énergiquement. Milan Paternik avait été abattu sans motif par un Slave sur le territoire international.

« Il voulait passer de ce côté-ci, dit le garde, il voulait passer.

— Personne n'essaie de passer clandestinement à onze heures du matin », dit l'Anglais.

On voulut établir les circonstances de l'incident. Elles n'étaient pas claires. La veille, les Anglais avaient abattu un Slave. Cette fois les Slaves avaient abattu un citoyen de la zone internationale.

« Nous sommes à égalité, conclurent les gardes-frontières. Un à un. Hier c'est vous qui avez tué un de nos hommes, aujourd'hui nous avons tué un des vôtres. L'affaire est classée, un à un. *Uredu?* demanda le Slave.

— *All right,* répondit l'Anglais. Affaire classée. *O kay!* »

*

Une jeep transporta le corps de Milan Paternik à la morgue de la ville. On vérifia ses papiers. On le fit savoir à Aurel Popesco.

Le commandement américain se chargea de l'inhumation de Milan Paternik, du fait qu'il était un fonctionnaire de ce commandement. Aurel Popesco était
obligé de partir. Il regrettait de ne pas pouvoir assister
à l'enterrement. Son programme était établi heure par
heure. Il avait son billet d'avion et ses rendez-vous
étaient pris. Il ne pouvait pas rester pour les obsèques.
Il se recueillit quelques instants près du corps de Milan
Paternik. Derrière lui, quelqu'un veillait aussi. C'était
un étranger. Lorsque Popesco voulut partir, l'étranger
l'arrêta et se présenta. C'était le représentant de la
Communauté juive de Trieste.

« La Communauté est entrée en contact avec le
commandement américain. Le défunt sera enterré par
nos soins, avec tous les honneurs de notre rituel religieux. »

Deux autres juifs surgirent. Il y avait maintenant
trois membres de la Communauté. Ils voulaient transporter le mort dans leur cimetière. Aurel Popesco avait
blêmi. Il pensait que Milan Paternik avait exterminé
huit cent mille juifs pendant qu'il dirigeait la police.

« La mère de mon camarade Milan Paternik était
juive, dit Aurel Popesco. Mais lui, le défunt, n'appartenait pas à la religion israélite. Du moins, d'après
ce que je sais. Je crois que ce serait un excès de...

— Si sa mère était juive, et cela ressort de ses papiers d'état civil, il était juif aussi, dit le délégué de la
Communauté. Le fait qu'il n'ait pas pratiqué n'a
aucune importance. Il arrive fréquemment aux juifs
d'oublier qu'ils sont juifs... Notre devoir de coreligionnaires est de leur rendre après leur mort les honneurs qui leur sont dus. même s'ils n'ont rien fait
pour les mériter. C'est de notre devoir. La Communauté s'occupera donc de lui. »

Aurel Popesco comprit qu'il était inutile d'insister.
Il n'aurait pas pu empêcher les juifs de Trieste d'enterrer Milan Paternik dans leur cimetière. Ils avaient

lu dans ses papiers que sa mère était juive et n'avaient rien trouvé à la rubrique « religion ». Il était donc vain de vouloir les en empêcher.

« Enterrez-le alors suivant la religion israélite, dans le cimetière juif », dit Aurel Popesco.

Il quitta rapidement Trieste sans regarder en arrière.

Le fait que Milan Paternik, le bourreau des juifs, serait conduit au cimetière et pleuré par la Communauté israélite, l'épouvantait. C'était une impiété. Il aurait voulu revenir et leur dire la vérité. Les juifs de Trieste étaient en majorité des réfugiés de l'Etat indépendant, des parents des juifs assassinés par Milan. Il serait enterré à côté de ses victimes ou des parents de ses victimes. Il serait leur compagnon pour l'éternité. Aurel Popesco se souvint qu'un écrivain français antisémite, qui vivait en Autriche sous un faux nom et qui se faisait passer pour juif afin d'échapper à la peine capitale, avait été enterré comme Milan par la Communauté israélite dans un cimetière juif. Quelques semaines plus tard on avait appris la véritable identité du mort et le cercueil avec le cadavre avait été jeté par-dessus le mur, la nuit, hors du cimetière. Une nuit, peut-être, Milan Paternik serait jeté aussi par-dessus le mur du cimetière de Trieste.

II

Aurel Popesco arriva en Palestine obsédé par la mort de Milan Paternik.

Il ne pouvait pas imaginer la Communaute juive de Trieste conduisant Milan Paternik au cimetière et les juifs suivant le cercueil en pleurant.

Il regardait les constructions de style américain du nouvel Etat. Il voulait tout voir, tout enregistrer. Son voyage en Palestine était un voyage d'information. De plus, il devait prendre contact avec les juifs d'origine roumaine et prendre le pouls de la nation.

« Ce peuple d'Israël a ce qu'on appelle la guigne, pensait Aurel Popesco tandis que l'avion atterrissait sur la Terre promise. Depuis des millénaires le peuple juif rêve qu'il est le peuple élu dont la mission est de gouverner la planète. Ils ont fait tous les efforts pour arriver à la domination mondiale. Chaque fois qu'ils ont été en train de réaliser leur rêve, comme les prophètes le leur avaient promis ils ont échoué sans aucun motif. Ils ont échoué par guigne. Ils ont inventé le marxisme. C'était un bon chemin pour aboutir à la domination mondiale. Ils ont fait la révolution russe. Ils l'ont réussie. Il leur restait à conquérir le monde. Au moment précis où ils créèrent le premier Etat communiste, on les chassa de Russie, Trotzky en tête. Puis ils essayèrent de conduire le monde en créant la Société des Nations à Genève, cette société par actions juives... mais ils firent faillite. L'état mondial gouverné par les juifs échoua de nouveau. Dans la seconde guerre mondiale, les juifs ont eu six millions de morts, un juif sur trois, mais ils ont gagné. A la fin de la guerre les juifs possédaient la plus importante usine de l'Univers, avec laquelle ils auraient pu dominer la planète : l'usine de bombes atomiques des Etats-Unis. Le président de cette usine, David Lilienthal, était un juif originaire de l'Europe centrale. Au moment où ils pouvaient détruire un demi-million de Japonais avec une seule bombe les Anglais les tenaient enfermés dans des camps entourés de barbelés, sur les bords de la Méditerranée et de la mer Rouge. C'était inexplicable. La guigne... Les juifs ont enfin créé cet Etat, Israël, et bien que ce fût leur Etat, ils devaient y entrer clandestinement. Dès que les Anglais les surprenaient à y pénétrer, ils les enfermaient dans des camps entourés de barbelés. Les Anglais ont quitté la Palestine et les juifs sont restés seuls maîtres dans leur pays. Les premières choses qu'ils aient construites dans leur nouvel Etat, ce furent les camps de concentration. Il les ont construits tout seuls. Dès qu'un nouveau juif arive dans l'Etat d'Israël il est reçu dans un camp entouré de barbelés, dans un *Shaar Aiyyah, gate of imigration* [1]. Toutes leurs frontières sont fermées par des fils de fer barbelés, à l'instar des camps. Maintenant qu'ils sont seuls et que les chrétiens ne sont plus là pour les persécuter pour des motifs religieux, ils se persécutent entre eux, toujours pour ces mêmes motifs.

Au moment où Aurel Popesco quittait l'aéroport, sa valise à la main, il s'entendit appeler. C'était Varlaam.

« Le ciel t'envoie, dit Varlaam. Il faut me sortir d'ici. »

Varlaam avait grossi, il était bien habillé.

« Tu n'as pas mauvaise mine, dit Popesco. Où peut-on trouver un taxi?

— Aujourd'hui c'est samedi, dit Varlaam. Il n'y a pas de taxis. Il faut me sortir d'ici. Si tu ne me fais pas sortir de Palestine, je ne te laisse pas partir. Si tu ne le peux pas, personne ne le pourra jamais. »

Le lendemain, Aurel Popesco accompagna Varlaam au ministère des Affaires cultuelles. C'était le ministère qui possédait la plus grande autorité. Toutes les questions de l'Etat dépendaient de lui. Popesco intervenait avec plaisir en faveur de son ami. De cette manière il avait l'occasion de connaître les mœurs et la vie du nouvel Etat. Au ministère des Affaires cultuelles ils furent reçus par un fonctionnaire subal-

1. « Porte de l'immigration. »

terne. Les bureaux étaient vastes. On se serait cru aux Etats-Unis d'Amérique, non à Tel-Aviv.

« Je suis le lieutenant aviateur David Ozias », dit Varlaam.

Il tendit ses papiers, posa sur le bureau les ordres du jour, les décorations, les journaux qui parlaient de ses actes de bravoure dans la lutte contre les Arabes. Le fonctionnaire se leva et serra la main de Varlaam.

« Je suis extrêmement honoré de faire la connaissance d'un héros. Les héros de la guerre pour la défense de la patrie ont droit à tous les honneurs. En quoi puis-je vous être utile?

— Je désire un visa de sortie, dit Varlaam.

— Un visa de sortie d'Israël? demanda le fonctionaire. Pourquoi quitter Israël?

— Je ne peux pas m'adapter, répondit Varlaam. Il y a de trop grandes différences. Ici, tout est organisé sur des bases religieuses. J'ai une autre religion. De ce fait, je me trouve hors de la société.

— Celui qui émigre en Palestine reste ici », dit le fonctionnaire.

Il avait une bonne voix chaude.

« Je ne suis pas un émigrant, dit Varlaam, je ne suis même pas juif.

— Vous êtes un citoyen de l'Etat d'Israël, dit le fonctionnaire. Et, de plus, un citoyen d'élite, on le voit clairement d'après vos documents.

— Mes véritables papiers ont été détruits. C'était la première condition pour mon engagement dans l'armée d'Israël : détruire tous mes papiers et prendre un nom de guerre.

— Je regrette, mais il n'apparaît pas d'après vos papiers que votre nom soit un nom de guerre.

— C'est ainsi, dit Varlaam. Regardez-moi et croyez je vous prie que je dis la vérité. Nous sommes ici au ministère des Cultes. En dehors des lois et des actes, ici les fonctionnaires connaissent une loi plus grande,

la loi de Dieu. C'est la Loi éternelle. Je vous prie de
me rendre justice selon cette loi. Je suis un pauvre
homme. Je vous supplie de m'aider. Je ne peux plus
vivre ici. Je veux partir. Je suis un homme, un pauvre
homme. Dans vos Livres saints, dans la Thora il est
écrit : « L'homme fut d'abord créé individu unique,
« pour qu'on sût que quiconque supprime une seule
« existence, l'Ecriture le lui impute exactement comme
« s'il avait détruit le monde entier, et quiconque
« sauve une seule existence, l'Ecriture lui en tient le
« même compte que s'il avait sauvé le monde entier. »

— Etes-vous juif, oui ou non? demanda le fonctionnaire.

— Je ne suis pas juif. Aucun de mes ancêtres n'était
juif.

— Vous ne pouvez pas demander justice au nom
d'une loi que vous violez, dit le fonctionnaire. La première loi de la Thora dit : « N'ajoute rien et n'enlève
« rien à ma loi. » Et la loi dit : « ...quiconque sup-
« prime une seule âme *d'Israël,* l'Ecriture le lui im-
« pute, *etc...* » et « quiconque sauve une seule âme
« *d'Israël,* l'Ecriture lui en tient compte, *etc.* » Vous
avez remplacé « une seule âme d'Israël » par « une
« seule existence. » C'est un sacrilège. Un sacrilège... »

III

Aurel Popesco trouva Eddy Thall dans une petite
maison en pierre, récemment construite. Il n'y avait
pas même de plâtre sur les murs, pas d'eau courante,
pas d'électricité.

Dans la chambre d'Eddy Thall il y avait un lit et
un tas de valises empilées les unes sur les autres. On

voyait bien qu'elle n'ouvrait jamais ces valises où se trouvaient ses robes et tout ce qu'elle possédait. Dans la Terre promise, elle n'avait besoin d'aucune de ces choses. Un pantalon suffisait.

« Je travaille dans cette ferme collective, dit Eddy Thall. Notre patrie n'a pas besoin de vieilles actrices. Il y a trop de jeunes artistes belles et pleines de talent. Que voulez-vous qu'Israël fasse des vieilles? Au début je voulais être professeur. Lorsqu'on m'a désignée pour travailler dans cette ferme, j'ai voulu me suicider, mais maintenant je suis heureuse. Plus heureuse même que si j'avais fait du théâtre. »

Aurel Popesco avait été informé qu'Eddy Thall avait fait une demande de retour en Roumanie, dès son arrivée en Palestine. Il voulait savoir si c'était vrai.

« C'était dans un moment de désespoir, répondit Eddy Thall, dans les premières semaines qui ont suivi mon arrivée en Israël. Tout me paraissait tellement étranger, tellement pauvre et rude que j'ai perdu le contrôle de mes nerfs. J'ai adressé une requête au consulat de la Roumanie communiste de Tel Aviv et j'ai demandé un visa d'entrée pour la Roumanie. On m'a répondu que l'entrée dans le pays m'était interdite à jamais parce que j'avais maltraitée l'héroïne nationale Tinka Neva lorsqu'elle était à mon service. D'ailleurs, ils ont bien fait de me refuser le visa, parce que je ne serais pas partie. Cette requête a été un acte de désespoir momentané. C'est tout. »

Eddy Thall riait. Elle avait beaucoup grossi, ses pieds étaient enflés. Elle portait des souliers qui ressemblaient à des pantoufles.

« Maintenant, il ne me viendrait plus à l'idée de partir, dit-elle. Pourquoi quitter Israël? »

Elle sentit qu'Aurel Popesco regardait ses jambes enflées.

« Elles enflent à cause du climat, dit Eddy. Le

climat d'ici est un peu dur surtout que je suis revenue malade de l'Oural, mais je m'y habituerai aussi. Cela mis à part, je suis contente de tout. Je suis même très contente. »

L'Eddy Thall qui parlait, assise sur une valise vêtue d'un pantalon bleu, n'était ni l'Eddy Thall du Désert de sable, ni celle de l'Oural, ni celle de Varsovie ou de Stuttgart. C'était une autre qui ne ressemblait à aucune de ces Eddy Thall.

« J'ai l'impression que les lois religieuses étouffent la vie du nouvel Etat, dit Aurel Popesco. Un Etat moderne ne peut être dirigé par des rabbins. Un Etat qui possède un équipement hydraulique, une centrale électrique, un réseau de voies ferrées, des navires, ne peut pas passer le samedi les mains croisées sur la poitrine comme la religion le demande. Les juifs pouvaient se permettre cela quand ils étaient un peuple de pasteurs. Du moment qu'ils sont devenus des citoyens d'un Etat moderne, ils doivent renoncer à ces règles religieuses, faites pour les temps jadis, incompatibles avec la vie moderne. C'est une aberration.

— Non, répondit Eddy Thall avec énergie. Pratiquer la religion à la lettre peut paraître absurde, mais c'est quelque chose d'admirable. Au début, moi aussi j'ai pensé que c'était absurde, lorsqu'on nous a dit à la ferme de ne pas traire les vaches le samedi parce que la religion le défend. Je le trouvais absurde. Maintenant je trouve que c'est normal. Dommage que la religion n'ait pas pu imposer tous ses points de vue. Cette religion absurde a sauvé le peuple juif depuis des milliers d'années. Ses lois sont dures. Ce sont des lois d'exil, mais des lois salutaires.

— Maintenant l'exil a pris fin, dit Aurel Popesco. Pourquoi appliquer les lois de l'exil quand vous avez une patrie?

— Le peuple d'Israël est toujours en exil, même s'il a une patrie. Il y a deux millions de juifs en Pa lestine, dit Eddy Thall, mais dix millions de juifs sont encore en exil. Comment peux-tu dire que l'exil du peuple d'Israël a pris fin Nous changerons nos lois quand les dix millions de juifs ne seront plus exilés. Ce n'est pas le cas pour l'instant. Vous, ceux du dehors vous critiquez seulement. Moi, qui suis ici, je dis que la vie dans la Patrie éternelle est très belle. Extrêmement belle. Et je suis heureuse ici. »

Aurel Popesco aurait voulu savoir si Eddy Thall mentait. Il ne parvenait pas à s'en rendre compte.

« Comme toute artiste, je dois déclamer. Mais cette fois, ce ne sera pas un poème. Je vais vous réciter un verset extrait des Nombres : « Ce n'est pas dans « un pays où coulent le lait et le miel que tu nous « as conduits, ce ne sont pas des champs et des vignes « que tu nous as donnés... » Je sais : la Terre promise n'est pas une terre. La Terre promise c'est de la pierre. On nous a promis de la terre et on nous a donné de la pierre, mais ici on est bien.

— Donc, vous vous sentez bien dans la patrie? dit Aurel Popesco.

Eddy Thall le fixa :

« Savez-vous quelle est la patrie d'une femme, Aurel Popesco? La patrie d'une femme c'est la jeunesse. Là seulement elle est heureuse. J'ai perdu ma patrie, c'est-à-dire ma jeunesse, et je ne la retrouverai jamais. Les hommes, les peuples peuvent retourner dans leurs patries car elles sont quelque chose de matériel. La patrie d'une femme est un âge. J'ai perdu la mienne pour l'éternité, maintenant je suis une apatride, une *heimatlos*. Il est inutile de chercher une chose qui ne peut plus être retrouvée. Je reste ici et je mourrai en exil parce que la vieillesse est l'exil d'une femme. Tu comprends? Chaque femme est en exil quand elle devient vieille. Une fois la jeunesse passée, on ne peut goûter que les joies de l'exil. Peu importe l'endroit où je me trouverai à ce moment-là : en R.P.R.

ou U.S.A. ou U.R.S.S. — puisque maintenant les pays
n'ont plus de noms, mais des initiales — je serai tou-
toujours exilée. Il ne me reste plus que les joies de
l'exil, qui sont parfois âcres, parfois amères, jamais
douces. mais qui sont pourtant des joies. Je commence
à aimer les animaux, le travail à la ferme m'enchante.
Je me console avec les bêtes. Tu connais le poème de
Walt Whitman :

« Je crois que je pourrai changer de vie et aller
« vivre avec les animaux,
   « Ils sont si paisibles et si fermes,
   « Je suis là, et je les regarde, longuement.
   « Leur condition ne les fait pas pester et gémir,
   « Ils ne restent pas éveillés la nuit pour pleurer sur
« leurs péchés.
   « Ils ne m'écœurent pas par des discussions sur leur
« devoir envers Dieu.
   « Pas un n'est insatisfait, pas un ne connaît la folie
« de posséder des choses,
   « Pas un ne proteste devant un autre, ni devant
« ses semblables qui vivaient des milliers d'années
« avant lui.
   « Pas un n'est respectable, ni malheureux de par le
« monde. »

Aurel Popesco se leva.
   « J'espère que vous m'écrirez, dit-il. Si un jour, je
peux vous être utile, je vous prie de m'écrire
   — Non, répondit Eddy Thall. Pourquoi vous écrire?
Je n'écris plus à personne. A personne. Jamais, jamais
plus. »

IV

De même que les Soviets avaient fait de Tinka Neva, malgré elle, une héroïne légendaire, les Américains voulaient faire d'Anatole Barsov un héros légendaire qui, ne pouvant plus supporter la persécution soviétique, s'était réfugié chez eux avec son avion. Seulement, Anatole Barsov ne voulait pas être un héros, et même s'il l'avait voulu, il ne le pouvait pas.

Il était aux U. S. A. depuis un an. Pour lui tout allait de plus en plus mal. Maintenant il venait de nouveau chez son ami Igor Poltarev. Ils n'habitaient pas ensemble et se voyaient très rarement. Les affaires de Poltarev étaient prospères. Il était en plein succès. Il écrivait des articles pour des journaux et des revues et gagnait beaucoup d'argent. Anatole Barsov avait travaillé dans une fabrique de confection mais il avait été congédié. De nouveau il était sans travail. Il était maigre, mal rasé et déprimé.

« Je veux retourner dans mon pays, dit Anatole Barsov. Je suis venu te dire que je veux retourner dans ma patrie. »

Igor Poltarev se maîtrisa. Il aurait voulu prendre Barsov par les épaules et le jeter dehors.

« Je voudrais te prier de me prêter encore un peu d'argent, supplia Barsov. Je suis sans logement depuis deux jours et je tombe de fatigue.

— Tu m'as dit que tu veux retourner en Russie, dit Poltarev. Staline n'a qu'à te donner de l'argent. Pourquoi viens-tu chez moi? »

Poltarev prit Anatole Barsov par les épaules et le jeta dehors. Il lui cria :

« Si tu ne retournes pas tout de suite chez ton

Staline, je te préviens que je demanderai aux Américains de t'y envoyer, espèce de double traître. »

Anatole Barsov sortit dans la rue.

Il se dirigea vers l'usine de confection où il avait travaillé. Il y connaissait un Américain communiste qui lui avait donné maintes fois le conseil de rentrer en Russie. Il aurait voulu lui parler. L'Américain s'appelait Ballin.

« Je veux retourner dans mon pays, dit Barsov, comment faire?

— Quand je quitterai mon travail à six heures, je te conduirai au consulat soviétique, dit Ballin. Le consulat te donnera tes papiers et tu pourras partir. »

Le soir, Barsov, accompagné par Ballin, se rendit au consulat soviétique et y déposa une demande de retour en Russie.

Au moment de se séparer, Ballin dit :

« Demain tu m'attendras devant l'usine et nous irons encore une fois au consulat. On te donnera tes papiers. »

Barsov lui avoua qu'il n'avait plus un sou et qu'il ne savait où coucher.

Ballin lui tendit quelques billets. Ce n'était pas beaucoup. Barsov entra dans un café. Il se sentait mal à l'aise. Il aurait voulu boire quelque chose et il commanda de la bière. Deux jeunes gens vinrent s'asseoir près de lui. Barsov eut l'impression qu'il était suivi. Il but rapidement sa bière et partit.

Il n'avait pas assez d'argent pour aller à l'hôtel, mais il connaissait un endroit dans le voisinage où l'on pouvait dormir en louant un siège à l'heure. Une corde passée sous la nuque vous soutenait la tête. Barsov entra dans le bistrot :

« Deux heures », dit-il.

Selon l'habitude, il paya d'avance pour deux heures de sommeil. Le garçon lui donna un siège et arrangea la corde d'appui sous sa nuque. On pouvait dormir comme dans un fauteuil. Beaucoup de gens se reposaient ainsi mais c'était cher. Barsov s'endormit tout de suite. Il ne s'aperçut même pas de l'arrivée du garçon qui enleva la corde sous la nuque et lui donna un coup de genou dans le dos. Les deux heures de sommeil étaient passées.

Barsov sortit de nouveau, erra un peu dans les rues et entra dans un bar. Le principal était de passer la nuit. Le lendemain il irait au consulat et peut-être, bientôt, il en aurait fini avec cette vie...

Dans le bar, il retrouva les deux jeunes gens qui s'installèrent de nouveau près de lui. L'un d'entre eux poussa Barsov et lui donna un coup de poing dans les côtes. Barsov recula. Le jeune le frappa de nouveau, Barsov tomba. D'autres clients arrivèrent et la bagarre commença. Il y eut des bouteilles et des verres cassés. Barsov se leva mais il fut frappé au visage, à la poitrine, dans les reins. Il tomba. Barsov ne voulait pas de scandale. Il resta un moment étendu, puis il voulut se sauver en rampant entre les pieds de la foule agglutinée. Il sentit des coups de pieds.

« Je n'ai rien fait, dit Barsov, que me voulez-vous? »

Entre temps la police arriva. Tous les gens du bar furent arrêtés pour scandale.

Barsov ne comprenait pas pourquoi tout cela était arrivé.

Il était couvert de sang. Ses habits, sa chemise étaient déchirés. On l'enferma seul dans une cellule.

Il s'étendit sur le lit et s'endormit. Il ne regrettait pas d'être arrêté, il avait peur seulement d'être retenu le lendemain car il avait rendez-vous avec Ballin.

Le lendemain, on interrogea Anatole Barsov. Il raconta tout ce qu'il savait. Quatre policiers lui posèrent toutes sortes de questions.

« Qu'avez-vous fait hier, toute la journée?

— J'ai été chez un de mes amis, avec lequel je m'étais enfui de Russie. Il s'appelle Igor Poltarev. »

Les policiers se regardèrent et sourirent, victorieux. Anatole Barsov ne mentait pas.

« De quoi avez-vous parlé avec votre camarade?

— Je lui ai dit que je voulais retourner en Russie », dit Barsov. (Il parlait avec une candeur de nouveau-né.) « Igor, mon camarade, m'a battu et m'a jeté dehors.

— Et après qu'avez-vous fait?

— J'étais fâché, répondit Barsov. Je suis allé à l'usine. Je voulais demander du travail, mais j'ai renoncé. J'ai appelé Ballin, un de mes amis avec lequel j'avais travaillé dans la même salle, au repassage des cols. Je lui ai dit que je voulais retourner dans mon pays. Il m'avait conseillé plusieurs fois de rentrer. Je n'ai pas parlé d'autre chose avec Ballin. Nous sommes allés ensemble au consulat soviétique. J'ai déposé une demande de rapatriement. J'ai emprunté de l'argent à Ballin. J'ai dormi deux heures dans un café. Je n'avais pas assez d'argent pour louer une chambre. J'ai loué seulement une place pour deux heures.

— Vous avez loué une place pour dormir? » demanda un policier abasourdi.

Ses collègues lui expliquèrent qu'il existait à New York des locaux où les malheureux qui n'ont pas d'argent pour une chambre, louaient des sièges, à l'heure, dans des cafés.

« Après ces deux heures, je suis sorti dans la rue, continua Barsov. Je suis entré dans un bar. Deux jeunes gens m'ont bousculé et puis frappé. Après, il y a eu du scandale. La police est venue. On m'a conduit ici. C'est tout, absolument tout. »

Les policiers étaient sombres. Tout ce que Barsov avait raconté était la pure vérité, tout concordait avec les déclarations des agents qui avaient suivi Barsov depuis sa sortie du consulat, avec les déclarations de Poltarev et avec celles des agents chargés de provo-

quer le scandale qui fournirait le motif de l'arrestation de Barsov.

Barsov ne leur avait rien caché.

« Vous voulez vraiment retourner en Russie? demanda un policier.

— Oui, répondit Barsov. Bien sûr, que je veux rentrer en Russie. »

Un fonctionnaire apporta un papier et un carnet.
Anatole Barsov reconnut le carnet où il écrivait son
journal chaque soir. Le carnet ainsi que tous ses objets
avait été laissé en gage dans son dernier hôtel parce
qu'il n'avait pas payé le loyer. Ce journal était maintenant entre les mains des policiers. Sur une feuille
de papier il y avait la traduction anglaise du journal
de Barsov tapée à la machine.

Les policiers lisaient, mécontents, les notations jour-
nalières d'Anatole Barsov.

« A quel moment avez-vous pris la décision de retourner chez vous?

— Il y a longtemps. Dès les premiers jours qui ont
suivi mon arrivée en Amérique, mais je n'avais pas
le courage de le faire. Maintenant je n'en peux plus.
Je dois rentrer.

— Savez-vous que si vous retournez chez vous, Staline vous fera fusiller?

— Oui, dit Barsov. Pour trahison. Chez nous, c'est
puni de mort. J'ai trahi.

— Et vous rentrez pour être fusillé? demanda le
policier.

— J'espère que ma peine sera commuée en travaux
forcés. Dix ou vingt ans de travaux forcés. Ce que j'ai
fait est très grave, mais une fois ma peine purgée, je
reprendrai rang parmi les hommes.

— Pourquoi êtes-vous parti de Russie, du moment
que vous êtes d'accord avec le régime? »

Le souvenir de son départ faisait mal à Barsov.

« Répondez. Pourquoi êtes-vous parti?

— C'est la question que je me pose depuis que je suis ici. Je me casse la tête et je n'arrive pas à le savoir exactement. »

Le policier lut dans le journal de Barsov : « Chaque « soir, je me casse la tête pour découvrir les vrais « motifs de mon départ. Plus j'y pense, plus je com- « prends que mes vrais motifs sont les suivants : « 1° mésentente avec ma femme, 2° mésentente avec « mes chefs d'escadrille, 3° j'avais des dettes que je « ne pouvais payer, 4° l'influence néfaste d'Igor Pol- « tarev. Je crois que j'ai l'esprit d'un aventurier. Il « me semble que tels sont les motifs qui m'ont incité « à trahir. »

« Du point de vue politique êtes-vous en accord avec le régime soviétique? demanda le policier.

— Je ne me suis jamais demandé si le régime sovié- tique était bon ou mauvais. Jamais. Quand je suis arrivé ici tout le monde m'a demandé la même chose. Je pense que le régime soviétique est comme tous les régimes : bon et mauvais à la fois.

— Vous n'avez jamais subi la terreur, ni senti le poids de la dictature? demanda le policier.

— Je n'ai jamais senti le poids d'aucune dictature dans mon pays », répondit Barsov.

Il regardait les yeux de l'interprète. Il s'efforçait de bien comprendre et de ne laisser passer aucun mot. Il voulait répondre franchement, honnêtement. Il n'avait rien à cacher.

« La démocratie des Etats-Unis ne vous plaît pas? » Barsov baissa les yeux.

« Répondez honnêtement, dit le policier. Vous ne vous sentez pas à l'aise dans le régime de liberté et de démocratie des Etats-Unis? Les U. S. A. sont le pays le plus démocratique de l'Univers, la démocratie la plus parfaite. Vous n'êtes pas bien dans ce régime de li- berté? »

Barsov serrait les poings.

« Répondez, ordonna le policier, êtes-vous bien ou non, dans ce régime de liberté?

— Non, répondit Barsov. Je ne suis pas bien dans cette démocratie.

— Vous étiez mieux sous le régime soviétique?

— Je suis mieux sous le régime soviétique », répondit l'aviateur Anatole Barsov.

Les quatre policiers se regardèrent. Ils avaient tous la même pensée : Anatole Barsov souffrait d'une dépression nerveuse et devait être interné dans une clinique psychiatrique. Cela, dans le cas où il disait la vérité. Pour avoir vécu sous la terreur soviétique Anatole Barsov devait avoir les nerfs ébranlés.

« Avez-vous bien réfléchi à ce que vous venez de dire ou bien est-ce une décision prise à cause de la misère, de la faim, du manque de repos? demanda le policier.

— J'ai fort bien réfléchi à ce que je viens de répondre. Dès le début j'ai compris que j'avais commis une faute. Il est vrai que je suis fatigué, déprimé, affamé, mais ce que je viens de vous dire est mûrement réfléchi. Je préfère le régime de ma patrie et je ne peux pas vivre en Amérique. »

Les policiers sourirent. Barsov voyait qu'ils se moquaient de lui et qu'ils le prenaient pour un dément.

« Vous ne vous plaisez pas aux U.S.A. parce que nous n'avons pas de camps de concentration. C'est ça qui vous déplaît chez nous? C'est parce qu'il y a des camps en Russie que vous voulez y retourner?

— Non, pas pour cela! Même si j'avais des millions je ne pourrais jamais vivre en Amérique.

— Vous êtes le seul homme de l'Univers à dire cela.

— Tous mes camarades penseraient et agiraient de la même manière s'ils étaient dans ma situation, dit Barsov.

— Vous voulez faire de la propagande communiste?

— Non, dit Barsov. Je vous prie de m'excuser.

— Nous vous excuserons, si vous avouez honnêtement pourquoi vous ne vous plaisez pas en Amérique
et pourquoi vous préférez la Russie aux Etats-Unis.
Vous devez avoir une théorie fort intéressante.

— Je n'ai aucune espèce de théorie, dit Barsov. Je
ne sais pas faire de politique, ni avoir de théories. Je
sais, et je l'ai vu de mes yeux, qu'en Amérique les
hommes sont mieux habillés, qu'ils vivent mieux, ils
ont de plus belles voitures, un salaire plus élevé, mais
je ne m'y plais pas. Je préfère la Russie.

— Vous n'avez toujours pas dit pourquoi vous préférez la Russie, du moment que là-bas on vit moins
bien, on gagne moins et on travaille plus durement?

— Chez nous, l'homme n'est pas seul, dit Barsov.
Ici, je suis seul, comme au milieu des loups. En
Russie, chacun trouve du travail. Ici personne ne vous
vient en aide. Personne. En Russie il y a de l'ordre,
de la camaraderie. Je vais vous citer l'exemple de mon
père. Mon père est pêcheur. Une fois, pendant un
orage en mer Noire, la barque de mon père a sombré
avec tout son équipement. Trois jours après mon
père a reçu de l'Etat une autre barque et d'autres
outils. Il a pu continuer à gagner son pain. En Amérique, si sa barque avait sombré, il serait mort de
faim. Moi, par exemple, en Russie j'aurais eu du travail. L'Etat m'en aurait procuré. Ici, je cours partout
comme un chien, et on ne me regarde même pas.

— Mais vous êtes libre de courir, dit le policier.

— Je ne veux pas être libre pour courir, dit Barsov.
Que voulez-vous que je fasse de la liberté?

— La démocratie offre à chacun la liberté. Ce que
l'homme fait de cette liberté, cela n'intéresse que l'individu lui-même. Avec cette liberté, les uns deviennent
présidents de républiques, d'autres des criminels. Avec
cette liberté, votre ami Poltarev écrit des articles et
des livres. Vous, avec cette même liberté, vous retournez en Russie pour être envoyé en Sibérie ou dans

les mines de sel pour votre vie entière. Chacun fait de
sa liberté ce qu'il veut, ce qu'il pense être le mieux.
C'est la plus grande justice sociale qui existe sur
terre : la liberté pour l'individu de choisir ce qui lui
plaît, ce qu'il croit le mieux aimer. Et parce que c'est
ainsi, nous respectons même votre point de vue : partir et être enfermé à vie ou fusillé. Vous pouviez
faire autre chose de votre liberté que d'aller volon-
tairement en prison. Vous pouviez devenir pilote, ingénieur, banquier, soldat. Vous étiez libre. Vous préférez
la prison. Nous vous laissons partir. Il est pourtant de
notre devoir de vous envoyer d'abord chez un psy-
chiatre pour qu'il voie si vous êtes normal. Si vous
ne l'êtes pas, nous vous soignerons. Nous vous laisserons prendre une décision après le traitement. »

Anatole Barsov paraissait convaincu. Ce qu'on venait de lui dire lui semblait logique.

« Maintenez-vous vos déclarations du début? demanda le policier. Avez-vous quelque chose à ajouter?

— Je n'ai rien à ajouter, répondit Barsov. Je main-
tiens que je n'ai pas quitté la Russie pour des motifs
politiques. Je me suis enfui pour des motifs personnels. Surtout parce que je ne m'entendais pas avec ma
femme. Si j'y retourne c'est toujours pour des motifs
personnels et non pour des motifs politiques. J'y retourne parce que j'ai le mal du pays. Le désir de
revoir ma patrie. C'est le véritable motif. Et puis, je
ne peux pas vivre parmi les étrangers. Je veux bien
aller en prison, mais parmi les miens, vous comprenez?

— Pour le moment, vous restez ici, pour complé-
ment d'enquête. »

LE LIVRE
DE LA DESCENTE
DANS LES TÉNÈBRES

Le docteur Ante Petrovici était le plus heureux parmi les émigrés d'Europe. En fort peu de temps il était devenu une personnalité, en Argentine. Ante Petrovici était propriétaire de la plus grande fabrique de montres de l'Amérique latine.

Dans chaque maison on trouvait des réveils, des pendules, des montres-bracelets fabriquées par lui. Ante Petrovici était riche. Il était devenu citoyen argentin. Ses amis l'incitaient à prendre part à la vie politique.

En ce moment, le docteur Ante Petrovici inspectait son usine comme il avait l'habitude de le faire chaque jour. C'était une construction géante, ultra-moderne, terminée seulement depuis quelques mois. Il entra dans les bureaux, dans les ateliers, dans les magasins d'expédition. C'était le matin. Petrovici était vêtu avec élégance. Les employés et les ouvriers le saluaient amicalement. Son succès était quelque chose de rare. Il avait débuté sans un sou et en quelques années il était devenu le propriétaire de cette colossale entreprise. Il dicta les lettres urgentes puis il descendit dans la rue. Le chauffeur le conduisit dans le quartier des villas de Buenos Aires et s'arrêta devant un immeuble portant une plaque sur laquelle on pouvait lire : *Clinique privée des maladies nerveuses du docteur*

Brünn. Le chauffeur retourna à l'usine. Ante Petrovici, ému, pénétra dans la clinique.

Le directeur de la clinique, un Suisse, le docteur Rudolf Brünn, était un grand ami d'Ante Petrovici.

Le docteur Rudolf Brünn se trouvait maintenant dans son bureau, seul avec Petrovici. Ils avaient le même âge. Le docteur Rudolf était blond, grand. Il était de la race des Suisses travailleurs, protestants, économes. Il aimait la poésie, la religion et le travail.

« J'ai pris des dispositions pour que mes valises soient amenées dans le courant de la matinée, dit Ante Petrovici. La situation est claire. Hier soir, j'ai parlé avec le chef de la police. A partir d'aujourd'hui, je m'attends à faire l'objet d'un mandat d'amener. Les chefs d'accusation sont les suivants : fausses déclarations devant une commission d'émigration et de naturalisation, fausses déclarations au ministère du Commerce et de l'Industrie, fausses déclarations au ministère de l'Intérieur. L'enquête, provoquée par de nombreuses dénonciations, est terminée. On s'attend à mon arrestation, à ma condamnation à une peine de prison et à l'expulsion.

— N'exagérons pas, dit le docteur Rudolf. On ne peut te reprocher aucun de ces faits. Tu es tout juste coupable d'avoir falsifié quelques dates en Europe, afin de pouvoir émigrer. Un faux par désespoir, sans intentions criminelles. Dès ton arrivée, tu as pu t'intégrer dans la société et tu es devenu une des personnalités les plus constructives. Tous les pays ont besoin d'hommes comme toi. Ton cas deviendra un sujet de discussion au parlement. Hier même, le président de la république nous a donné l'assurance, par un ami commun, que l'affaire sera classée. Tes papiers seront rectifiés et tu pourras reprendre ta place dans la société.

— Mais entre-temps, je serai arrêté, dit Ante Petrovici. Je ne peux plus supporter la prison. Ce serait trop demander à mes nerfs.

— Tu ne seras pas arrêté, répondit le docteur Rudolf. Pour l'instant, tu restes ici, dans ma clinique, jusqu'à l'amnistie. Personne ne peut t'arrêter dans une clinique. Il est écrit dans l'Ancien Testament que Moïse avait demandé à ses successeurs de créer, aussitôt arrivés dans leur patrie, des villes-refuges qui serviraient d'asile aux hommes injustement poursuivis. Contrairement à la société des temps bibliques, la société moderne ne pense plus aux hommes. Aujourd'hui, les êtres innocents sont dévorés par les lois comme par des chacals. Les seuls endroits où les hommes peuvent être défendus contre les lois sont les institutions comme la mienne. Ici l'homme est invulnérable. Sois le bienvenu ici, *Kollega.* »

Ante Petrovici regarda l'horloge murale. C'est lui qui l'avait construite. Il aperçut ensuite son visage dans la glace. Les tempes d'Ante Petrovici étaient blanches. Il avait vieilli. Son regard était éteint.

« Je ne savais pas qu'un jour je viendrais demander asile dans une maison de fous, dit-il avec mélancolie. Ton entreprise me paraît une monstruosité. Tu es le propriétaire d'une maison de fous. Ta clinique est un cimetière de morts vivants. Et pourtant, si je ne viens pas ici, on m'arrête. On peut me prendre à la maison, à l'usine, dans la rue. Je suis obligé de venir chez toi. Heureusement qu'il existe dans l'univers de tels endroits où les policiers ne peuvent pas pénétrer. Je crois comme toi qu'à l'heure actuelle, le seul endroit inaccessible aux lois c'est l'asile d'aliénés. Ici la loi est impuissante. Un fou est un homme libre. Le seul homme qui ne puisse pas être frappé, dévoré par les lois. C'est la seule chance qui reste à l'homme de ne pas être dévoré par les lois. »

Rudolf Brünn regardait les yeux de son ami. Il vit qu'il avait la fièvre et le pria de se reposer.

« Après de telles aventures il est normal que je grelotte, dit Ante Petrovici. On n'a pas besoin d'être malade pour trembler. On n'est pas obligé d'avoir de la fièvre pour avoir les yeux rouges. Pour quitter l'Europe, où j'étais condamné à une mort lente, j'ai dû recourir à un faux. D'avoir caché que mon pied droit était trop court de quelques millimètres, que j'avais quelques années de plus, que je mesurais 1 m 57 au lieu de 1 m 60 et que je n'étais pas catholique, cela n'a fait de tort à personne et surtout je n'ai pas fait de tort à ma nouvelle patrie. Ces défauts, qui m'interdisaient l'émigration, ne m'ont pas empêché de construire cette fabrique de montres, de procurer du travail à des milliers d'hommes, de créer une nouvelle industrie, de gagner de l'argent et la gloire. Les faits prouvent qu'on peut être un élément utile même sans voûte plantaire au pied droit. Mais la loi surgit maintenant, qui veut contredire la réalité. La loi veut me punir, prendre mon argent, ma liberté et m'expulser, bien qu'elle soit en contradiction flagrante avec la réalité. Pourquoi m'interdire l'émigration parce que le creux de mon pied droit manque? Voici pourtant qu'un homme dépourvu de voûte plantaire peut créer quelque chose de constructif. Un homme qui a de mauvaises dents peut faire quelque chose. Je l'ai fait, moi. Pourquoi la loi me poursuit-elle? Uniquement parce qu'elle est la loi? Ce n'est pas un motif suffisant. »

Le docteur Rudolf Brünn sortit dans le parc de la clinique avec Ante Petrovici.

« Si tu savais comme j'ai pu souffrir depuis que je suis en Argentine, dit Ante Petrovici. Si je rencontrais un policier dans la rue, je m'arrêtais pour qu'il ne me voie pas boiter. Si j'entrais dans un bureau, dans un lieu public, je me dépêchais de m'asseoir sur une chaise. J'avais peur de rester debout, peur qu'on remarque que je mesurais trois centimètres de moins que la taille indiquée sur mes papiers. Dans chaque femme qui me plaisait je voyais une dénonciatrice possible qui pouvait pénétrer dans mon intimité et apprendre que j'étais musulman. J'ai donc évité toutes les femmes. J'ai voulu me présenter devant le président de la république, lui avouer tout et lui demander la grâce pour le faux accompli avant l'émigration. Je n'en ai pas eu le courage. Maintenant il est trop tard. Je dois rester caché dans cet asile de fous ou accepter la prison et l'expulsion. Telle est l'alternative. Et je suis fatigué, je ne peux plus lutter. »

Le docteur Rudolf le prit par le bras.

« Bientôt nous trouverons une issue. L'Argentine est un pays où les hommes sont encore humains. Tu as beaucoup d'amis. Tu es apprécié. Tout va s'arranger. C'est une question de temps, de quelques jours, tout au plus de quelques semaines. »

Une femme élégante au regard et aux gestes timides s'approcha d'eux.

« Docteur, je dois vous faire une communication urgente », dit-elle. (Ses ongles rouges s'enfonçaient dans la peau blanche de ses paumes.) « Pouvez-vous m'entendre un instant? C'est très important et urgent, très urgent. »

Le docteur Rudolf voulut s'éloigner.

« C'est une de mes malades, dit-il. Elle s'appelle Mrs. O'Hara, c'est la femme d'un grand industriel anglais.

— Je vous parle sans vous connaître et je vous prie de m'en excuser, dit-elle à Ante Petrovici. Il se passe des choses tellement insolites et tellement graves que je dois parler. Savez-vous ce qu'ils veulent faire? Oh! c'est quelque chose d'affreux. Ce soir, ils veulent me brûler. Cette nuit, ils vont me brûler vive. »

Les ongles rouges de Mrs. O'Hara s'enfoncèrent plus profondément dans la peau de ses mains pâles.

« Je ne sais que faire, dit-elle. C'est incroyable. Brûler une femme vivante, dans notre siècle. En pleine civilisation chrétienne. C'est incroyable. Condamner une femme à être brûlée vive. Et je ne sais même pas pourquoi ils m'ont condamnée, pour quel motif; je ne connais même pas ceux qui m'ont condamnée. Je ne sais ni de quel droit, ni en vertu de quelle loi on m'a condamnée. Cette nuit, ils vont me brûler

— Oh! madame, ce n'est pas vrai, dit le docteur Rudolf.

— Vous dites cela pour me consoler, mais c'est vrai, dit Mrs. O'Hara. Je sais que la chose peut paraître absurde, incroyable, mais malheureusement elle est vraie, on va me brûler vive.

— Le docteur Ante Petrovici est un de mes amis, dit le docteur Rudolf. C'est un nouveau patient, il aura l'appartement voisin du vôtre.

— Vous aurez l'appartement voisin? Si vous avez l'appartement voisin vous serez témoin. Vous verrez que ce soir ils viendront me brûler. C'est un acte horrible, monstrueux et incroyable dans notre siècle civilisé et chrétien. Ils me brûleront, bien que je n'aie rien fait. Je n'ai absolument rien fait. Et ce qui m'exaspère, c'est de ne pas savoir qui m'a condamnée. Si vous habitez l'appartement près du mien, tant mieux, vous serez témoin. »

A petits pas, Mrs. O'Hara s'éloigna enfonçant toujours ses ongles dans ses paumes à peau fine et pâle.

« Elle a subi les bombardements de Londres, dit le docteur Rudolf. Pendant la guerre elle a tout supporté, héroïquement. A son arrivée en Argentine, où son mari possède une usine d'automobiles, elle est tombée malade. On a dû la conduire ici. Elle a la conviction qu'elle est condamnée à être brûlée vive. Tous les jours elle est debout dès cinq heures du matin et se torture avec cette idée. »

Cette rencontre troubla Ante Petrovici jusqu'au plus

profond de son âme. Il oublia qu'il était venu ici pour
échapper à l'arrestation. Il oublia son propre cas. Il
pensait aux paroles de Mrs. O'Hara : « Pourquoi
m'ont-ils condamnée à être brûlée vive? »

Lidia, la femme d'Ante Petrovici, avait été condamnée à être brûlée. Lidia avait été *réellement* brûlée.

« Pourquoi ont-ils condamné Lidia à être brûlée?
se demanda Petrovici. Qui l'a condamnée et de quel
droit? Qui a condamné Lidia à être brûlée? Lidia a
été condamnée et a été brûlée dans notre siècle chrétien et en pleine civilisation. Six millions de juifs ont
été brûlés. Quelques millions d'Allemands ont péri
brûlés dans les ruines des villes bombardées par les
Américains, quelques millions de Polonais, de Japonais. Pourquoi les a-t-on brûlés? Qui les a condamnés,
dans quel but et pour quelle faute? A l'heure actuelle,
il existe quelque cent millions de réfugiés sur toutes
les routes du monde, qui sont brûlés vifs, eux aussi, à
petit feu : Pierre Pillat, Marie, Eddy Thall, Varlaam,
Ion Kostaky... »

« Te souviens-tu de *Candide?* dit Ante Petrovici.
L'Université de Coïmbre avait décidé de brûler de
temps en temps, à petit feu, un être humain, afin
d'éviter les tremblements de terre... Aujourd'hui, des
millions d'hommes sont brûlés, à grand ou à petit
feu, afin que les gouvernements conservent de bonnes
relations entre eux. Quelques centaines de partisans
russes ont été brûlés par les Américains afin que
l'amitié qui existait entre le président des Etats-Unis
et Staline ne s'altère pas. Je l'ai vu personnellement.
Une moitié de l'Europe avec ses villes, ses villages,
ses hommes et ses bêtes, a été offerte aux Russes pour
être détruite, afin que les Anglais puissent mieux vivre
et que les Américains puissent vendre du Coca-Cola
en Russie. Une moitié de l'Europe a été sacrifiée en
vain. Les Américains n'ont pas réussi à vendre du
Coca-Cola aux Russes. Mais les hommes ont été tués.

Les Anglais n'ont pas réussi à mieux manger, bien qu'ils aient vendu aux Russes les hommes de Pologne, de Hongrie, de Roumanie, de Bulgarie, d'Esthonie, de Lettonie, de Lithuanie, de Prusse, Allemagne, Albanie. De quel droit les Occidentaux ont-ils vendu à l'U.R.S.S. ces pays et ces millions d'hommes? De quel droit les Anglais ont-ils vendu aux Russes les Lithuaniens? Uniquement pour des motifs politiques. La politique est le chant du cygne d'une civilisation.

— Calmez-vous mon cher confrère, dit le docteur Rudolf. Les paroles de la pauvre Mrs. O'Hara vous ont produit une grande impression. Le cas est impressionnant, mais vous devez vous ménager. Ne voyez pas les choses si sombres.

— Mrs. O'Hara a raison, dit Ante Petrovici. Elle sait que le grand danger du monde actuel est que les hommes soient brûlés vifs. Mrs. O'Hara ne sera jamais brûlée vive, mais elle sent le danger qui est dans l'air, dans tous les pays du globe. Ma femme n'avait pas peur, et pourtant elle a été brûlée. Le général des partisans Grisha Costak ne savait pas qu'il serait brûlé par les Américains et il l'a été pourtant. La peur de Mrs. O'Hara est parfaitement justifiée.

— Allons, allons », dit le docteur Rudolf, prenant Ante Petrovici par le bras.

Ils montèrent sur la terrasse.

« Il y a des années que je sens que je brûle, dit Ante Petrovici. Je brûle depuis des années à petit feu parce que ma jambe droite est plus courte de quelques millimètres. Maintenant l'incendie a éclaté. Aujourd'hui on va lancer contre moi un mandat d'arrêt parce qu'il manque à ma jambe droite quelques millimètres. Pour y échapper, j'ai dû me réfugier dans un asile d'aliénés. Tout cela parce que j'ai le pied droit plat. »

Ante Petrovici resta seul. Il prit les journaux, on parlait de la guerre sainte des Etats-Unis en Corée.

Le général Mac Arthur y avait remporté de nouvelles victoires contre les communistes. Dans la colonne voisine on lisait que le président du Conseil de Sécurité des Nations Unies, donc celui qui menait la lutte contre les communistes en Corée, était le communiste Malik. Donc, les Nations Unies, sous la présidence de Staline, représenté par Malik, luttent contre Staline. Malik lutte contre Malik. Mac Arthur reçoit des ordres de Malik pour lutter contre Malik...

Ante Petrovici se frotta les yeux.

Il vit Mrs. O'Hara :

« Voulez-vous que nous parlions un peu? demanda-t-il.

— Non, je voudrais que vous me compreniez. J'ai beaucoup lu autrefois. J'aimais l'art, la beauté, maintenant je ne peux plus parler. Ma situation est exceptionnelle. Maintenant que je sais que je serai brûlée cette nuit, comment voulez-vous que je puisse parler? Et le plus terrible c'est de ne pas savoir pourquoi j'ai été condamnée, ni par qui. Comment pareille chose est-elle possible dans un siècle dit civilisé? Personne ne peut m'aider et cela est dramatique. Personne, aucun homme ne peut m'aider. Aucun gouvernement, aucun pays ne peut venir à mon secours. J'ai pourtant des relations nombreuses et malgré cela, personne ne peut rien pour moi. »

Ante Petrovici rentra dans sa chambre. Il réfléchit. Lui aussi avait de nombreuses relations en Argentine. Il connaissait tous les membres du gouvernement. Et personne ne pouvait rien faire pour empêcher son arrestation. Quand on avait brûlé Lidia, il était ministre de l'Intérieur et il n'avait rien pu faire pour elle. Le mari de Milostiva Debora Paternik était le chef de l'Etat indépendant et il n'avait rien pu faire pour elle. *Nul ne peut plus rien pour personne. Le mal est trop grand.*

Les hommes sont brûlés à petit feu. Le général des

partisans Costak était l'allié des alliés, et les alliés n'ont pas pu empêcher qu'il soit brûlé. Nul ne peut plus rien pour personne.

Ante Petrovici sentit que son regard se brouillait. Il avait des vertiges. Il s'allongea sur le divan et ferma les yeux. Mais lorsqu'il ferma les yeux sa raison s'éteignit; une sorte de nuit l'enveloppait et maintenant il éprouvait un grand bien-être. Son esprit était mort. Et la mort de son esprit fut pour Ante Petrovici sa descente de croix. Sa descente dans les ténèbres. Dans les ténèbres, il y avait la paix, le calme. La crucifixion avait pris fin. Dans les ténèbres il se sentait bien. Ante Petrovici n'était plus crucifié. La raison avait cédé et avait fait place à la nuit. Il devina une main au-dessus de lui. Il entendit une voix qu'il ne se souvenait pas d'avoir jamais entendue.

« Tout est arrangé, avec les autorités. L'action intentée contre toi est éteinte. La femme du président de la république est intervenue personnellement en ta faveur. Tu pourras partir quand tu voudras. Tu es amnistié! »

Le docteur Rudolf Brünn était heureux. Il prit la main d'Ante Petrovici.

« Cela mérite qu'on boive une bouteille de champagne, dit-il. C'est une grande victoire. L'Argentine est un pays qui n'a pas son pareil. Voilà pourquoi je crois à l'avenir de l'Argentine. Ce geste l'honore. Tu es un homme de grande valeur. Tu ne pouvais pas être condamné pour rien. A partir d'aujourd'hui tu seras heureux. Tu comprends, *Kollega?* »

Ante Petrovici regardait paisible, détendu.

« Tu as meilleure mine, dit le docteur Rudolf, tu es reposé. Je suis heureux de ta victoire. Tu méritais de vaincre. Tu es une personnalité, une grande personnalité, dans tous les domaines de l'activité humaine : mathématicien, juriste, encyclopédiste, et maintenant grand industriel.

— Est-ce vrai que j'ai été jadis en Amérique du Sud? demanda Ante Petrovici

— Tu *es* en Amérique du Sud. Tu l'as oublié? »

Les yeux d'Ante Petrovici étaient grands ouverts. Ils regardaient dans le lointain. Ante semblait sourire. Avant d'avoir entendu la réponse il cessa d'écouter.

« *Du bist doch in America* », dit Rudolf en lui prenant la main.

Les yeux d'Ante Petrovici étaient grands ouverts. Il n'entendait rien. Il était calme, plongé dans la nuit, on l'avait descendu de sa croix. La crucifixion d'Ante Petrovici avait pris fin. Sa raison était entrée dans la nuit, dans la tombe, dans les ténèbres.

« *Tu es en Amérique du Sud* [1], dit le docteur Rudolf Brünn. Tu m'entends? *You are now in America.* »

Mais Ante Petrovici ne comprenait plus aucune langue. Il ne savait plus rien, son combat était fini. Il regardait dans la nuit, sa raison était plongée dans les ténèbres.

« Ante, *mein Freund...*, dit le docteur Rudolf, *my friend... mon ami... amigo mio.* »

Mais Ante ne l'écoutait plus. Il n'écouterait plus rien, jamais.

1. En français dans le texte.

LE LIVRE DE LA FIN

I

BORIS BODNARIUK avait quitté Paris grâce à l'argent du maître Voïvod. Il aurait voulu prévenir Bucarest de son arrivée mais il ne le fit pas. Il lui semblait plus prudent de ne prévenir personne, de rentrer clandestinement, pour se présenter au procès du maréchal au chien.

Il traversa la France. Il traversa l'Allemagne. A la veille d'entrer en zone soviétique, il fut arrêté par les Américains. Il fut amené devant Aurel Popesco, interrogé, battu pour avouer la vérité et, lorsqu'il se sentit près de sombrer physiquement, il rassembla ses dernières forces et s'évada. Son évasion d'une prison américaine était synonyme d'une tentative de suicide, et pourtant il réussit.

Après avoir voyagé accroché sous un wagon de marchandises, il se trouvait enfin en territoire roumain. Boris Bodnariuk avait traversé la Hongrie et la Pologne. Il aurait voulu descendre seulement à Bucarest. Mais le train s'arrêtait dans le nord de la Roumanie. Bodnariuk se présenta au chef de la police de Molda. C'était le premier district roumain qu'il avait communisé. Les kolkhozes fonctionnaient maintenant dans chaque village. La terre avait été transformee en fermes collectives. On avait construit de nouvelles routes, des usines. Les paysans étaient transformés en ouvriers.

Boris Bodnariuk voyait tout cela pendant qu'il traversait les villages. Il était content. A Molda, il y avait une nouvelle fabrique de conserves, des tracteurs, une prison en briques rouges, un aéroport.

« Faites savoir à vos chefs que Boris Bodnariuk s'est présenté à votre poste et demande à être conduit immédiatement à Bucarest. Je vous remets officiellement ce rapport. J'attendrai ici. Il m'est impossible de continuer seul le voyage. »

Boris Bodnariuk était en haillons. Son manteau de cuir était déchiré. Il n'avait pas de chaussettes Il n'avait même pas de chemise, mais il était heureux de se retrouver enfin parmi des communistes. D'être enfin revenu *à la maison*. Il n'était plus environné d'ennemis. Et parce qu'il ne devait plus être en permanence sur le qui-vive, il sentit que ses forces l'abandonnaient.

Le chef de la police de Molda avertit ses supérieurs. Il donna à Boris Bodnariuk sa propre chambre, lui apporta du linge, lui servit à manger, à boire, appela le médecin, mais il était trop tard. Boris Bodnariuk voulait seulement de l'eau et un lit pour dormir. Il avait de la fièvre et se sentait à bout de forces.

Le chef de la police de Molda était un Russe jeune, de la nouvelle garde. Il était heureux que Bodnariuk l'ait trouvé sur son chemin. Il se créait ainsi une relation importante. Bodnariuk était une personnalité. Le chef de la police savait que grâce à Bodnariuk sa situation pourrait changer. Il le soigna pour le mieux. Le lendemain avant le réveil de Bodnariuk, le chef était à la ville afin de recevoir personnellement les ordres du commandement concernant Bodnariuk. Le commandant de la police régionale avait mis Bucarest au courant de l'événement par radio. La réponse était

venue en quelques heures : Bucarest n'envoyait pas
d'avion pour transporter Bodnariuk, ni automobile,
ni ambulance.

« L'état-major a donné l'ordre de procéder à l'enquête habituelle afin d'établir la véritable identité
du prétendu Boris Bodnariuk. Vous prendrez ensuite
les mesures habituelles. C'est un ordre.

— Vous croyez qu'il n'est pas Boris Bodnariuk? demanda le chef de la police de Molda.

— Vous avez l'ordre de découvrir sa véritable identité et de la communiquer dans votre rapport men-
suel. C'est tout. Je ne peux me livrer à aucun
commentaires, mais, du moment que tel est l'ordre,
cela signifie que votre type n'a aucun rapport avec
Boris Bodnariuk. C'est un imposteur. »

Le chef de la police de Molda revint furieux au
poste. Boris Bodnariuk dormait encore. On le fit venir
dans le bureau pour l'interrogatoire.

Bodnariuk se présenta devant le chef de la police
avec les vêtements neufs, reçus la veille, avec une chemise propre. Il était rasé, lavé, il avait le visage reposé.
Depuis son évasion de l'hôpital américain, il n'avait
pas dormi une seule nuit tranquillement. C'était sa
première nuit de vrai sommeil. Son corps avait retrouvé sa vigueur. Il voulut s'asseoir. Un sourire de
contentement flottait sur ses lèvres. Il avait enfin
atteint son but.

« Qui t'a ordonné de t'asseoir? » demanda le chef
de la police.

Bodnariuk, qui avait été traité la veille comme une
vedette par ce jeune fonctionnaire, crut à une plaisanterie. Il sourit.

La gifle du chef claqua sur le visage de Bodnariuk
avec violence. Une fois sur la joue droite, une fois
sur la joue gauche. Sous les coups, Bodnariuk se mordit la lèvre et le sang se mit à couler des lèvres sur
le menton. Il lui sembla sentir dans la bouche un

goût d'eucalyptus, le goût qu'il avait senti lorsqu'il
était tombé avec l'avion.

« On ne se moque pas de moi, dit le chef. Je veux
la vérité. »

Il sonna. Un milicien entra, il salua Bodnariuk en
premier, mais lorsqu'il le vit couvert de sang, debout,
le milicien, honteux, retira sa main de sa casquette.
Il regarda le chef.

« Enlève-lui ses vêtements, son linge, sa cravate.
Enlève tout. Qu'il s'habille avec ses guenilles, ordonna
le chef. Puis tu le conduiras au cachot. Dans quel
but as-tu déclaré être ancien ministre et t'appeler Bodnariuk? demanda le policier.

— Je n'ai pas menti. Je suis Boris Bodnariuk. »

Le chef bondit de sa chaise. Il voulut le frapper. Le
sergent revenait avec le ballot de haillons et ordonna
à Bodnariuk d'enlever son pantalon.

« Enlève aussi la chemise, les souliers, tout »,
ordonna le milicien.

Bodnariuk s'exécuta. Il se mit nu. Il chaussa ensuite
ses bottes déchirées, sans chaussettes. Il mit son manteau de cuir sur son corps nu, et enroula le foulard
rouge autour de son cou. Il mit son pantalon noir
troué.

« Parle! » ordonna le chef.

Le sang qui coulait des lèvres et glissait sur le menton de Bodnariuk était rouge, comme son foulard
autrefois. Maintenant son foulard n'avait plus de couleur définie, il était sale. Et Boris Bodnariuk, de nouveau en haillons, battu, se sentit humilié pour la première fois de sa vie.

« Je suis victime d'une erreur, dit-il. (Il essayait
de maîtriser sa révolte.) Je suis Boris Bodnariuk et je
n'ai dit que la vérité. »

Le chef regardait la photographie de Bodnariuk
sur un vieux journal et la comparait au visage de
l'homme qui se tenait devant lui. La ressemblance

était grande, mais cela ne prouvait pas que c'était la même personne.

« Je veux savoir toute la vérité. Je ne veux pas être ridicule aux yeux de mes chefs, dit le policier. Pendant la conversation d'hier j'ai remarqué que tu n'étais pas bête. Tu es même plus intelligent que d'autres. Dis-moi sincèrement pourquoi as-tu menti en te faisant passer pour Boris Bodnariuk, l'ancien ministre de la Guerre? Dans quel but as-tu inventé cette histoire?

— Je n'ai fait que dire la vérité, répondit Bodnariuk.

— Si toi et Bodnariuk vous ne faisiez qu'un, Bucarest aurait déjà envoyé un avion pour te chercher, mais Bucarest n'envoie ni avion, ni voiture. Bucarest nous demande d'établir ta véritable identité. Tu comprends? Ta véritable identité. Qui es-tu? Un ancien ministre, même coupable, est conduit à Bucarest ou à Moscou. Là il fait l'objet d'une enquête et s'il est coupable, on le pend. Quant à toi, nous avons reçu l'ordre de te garder ici pour t'identifier. Rien de plus. Ça ne se passe pas ainsi pour un ancien ministre. Je veux la vérité. »

Le chef s'approcha de Bodnariuk :

« On ne m'a même pas dit de t'accorder le régime spécial. La filière normale, simplement.

— C'est une erreur, dit Bodnariuk, une grande erreur.

— Il n'y a pas d'erreur, dit le chef. La seule erreur, c'est la mienne, parce que j'ai cru ce que tu disais hier. Voilà l'erreur. La plus grande erreur de ma carrière. »

Deux gifles claquèrent sur les joues de Bodnariuk. Il chancela. Le chef commença à frapper à coups de poings sur sa tête. Bodnariuk s'écroula. Il sentit des coups de bottes dans la tête, dans les côtes, dans la poitrine. L'extrémité des bottes qui le piétinaient était

chaude. Il sentait le pied chaud du policier à travers
le cuir de la botte.

« Je veux que tu m'avoues la vérité », dit le chef.

Bodnariuk sentit qu'on le soulevait pour le sortir
du bureau. Puis il sentit qu'il suffoquait. Il était
étendu sur le ciment. On avait posé une planche sur
sa poitrine pour qu'il n'ait pas les côtes cassées et un
milicien était monté dessus à pieds joints et l'écra-
sait.

Boris Bodnariuk ne sut pas combien de temps cela
avait duré. Quand il se réveilla, il était étendu sur
deux chaises. Ils le battaient, ils le frappaient sur la
plante des pieds.

La plante des pieds lui faisait mal comme brûlée
au fer rouge. Il en sentait la brûlure jusqu'au sommet
du crâne. Il en avait le cerveau endolori, comme si un
fer rouge brûlait aussi le cerveau. Lorsqu'il roula au
sol les brûlures cessèrent.

« Je veux la vérité! » répétait la voix du chef.

Elle faisait souffrir Bodnariuk autant que les coups
sur la plante des pieds.

« Si tu ne dis pas la vérité, je te tue. Je te tue sur
place. Et personne ne saura que je t'ai tué. Si tu veux
sauver ta peau, dis la vérité. »

Boris Bodnariuk voulut redire que c'était une
erreur, mais il n'en avait plus la force. D'ailleurs il
ne savait même plus si c'était une erreur ou non. Il
savait seulement qu'il ne pouvait plus rien endurer
et qu'il avait envie de mourir et rien d'autre.

Lorsqu'il ouvrit les yeux de nouveau, il était dans
une cellule, étendu à même le ciment. La cellule était
vide, sans lit, sans rien. Seulement des murs, les barreaux et le ciment sur lequel il gisait. Il regarda autour de lui. Il y avait longtemps qu'il n'avait rien
regardé, qu'il n'avait vu ni ses mains, ni sa poitrine. Il
palpa sa figure, ses lèvres. Il sentait qu'elles lui appartenaient mais il lui semblait les découvrir comme

etrangères. Il palpa son front. Les paupières, les lèvres,
les joues, la poitrine, étaient tuméfiées et lui faisaient
mal. Tout son corps était tuméfié et douloureux. Sa
main se mouvait lentement et lui faisait mal. Boris
Bodnariuk toucha ses paupières avec ses doigts. L'œil
gauche était fermé. Mort. Il voyait la lumière du
dehors seulement avec l'œil droit.

Sur les murs de la cellule on avait dessiné des croix,
Boris Bodnariuk ne les apercevait que d'un œil.
C'étaient des croix tracées dans le plâtre avec l'ongle.
Il y avait aussi un nom : *Iléana Kostaky*, une croix,
avant le nom, après le nom une autre croix. Boris ne
regarda plus. Quand les koulaks[1] sont en prison ils
ont l'habitude de dessiner des croix sur les murs.

La porte de la cellule s'ouvrit et Boris se sentit soulevé et soutenu sous les bras, puis il fut conduit dans
le bureau du chef. Maintenant le policier était calme.
Il regardait le manteau de cuir de Boris Bodnariuk.
Ce n'était qu'une loque. Le foulard rouge n'était plus
rouge. Le bout des orteils gelés sortait des bottes
noires qui bâillaient. Boris Bodnariuk n'était pas rasé,
il gardait un œil fermé, il était plein de sang et la
cicatrice de son front paraissait maintenant plus
grande et plus rouge.

« Récapitulons, camarade... Boris Bodnariuk dit le
policier. C'est bien le nom que tu t'es choisi?

— C'est mon nom.

— Un nom bien connu dans l'histoire du parti communiste, dit le policier ironique. C'est le nom de l'ancien ministre de la Guerre, le nom d'un héros de la
lutte des classes, d'un général de l'Armée Rouge. Un
nom qui était dans tous les journaux. Il n'était pas
difficile de trouver un pareil nom. Il était tellement
connu. Passons aux faits et examinons-les, un à un. »

Bodnariuk rassembla toutes ses forces. Il n'avait

---

1. Paysans aisés.

pas pensé à son propre cas. Il souhaitait maintenant faire la lumière. Il écoutait attentivement.

« Lors de ton arrivée ici, tu as fait certaines déclarations, répète-les.

— Après mon évasion de la prison américaine de Heidelberg, j'ai voyagé clandestinement jusqu'à l'arrêt du train et je suis venu directement au poste. Dans le rapport que je vous ai remis pour que vous le transmettiez au Centre, j'ai indiqué tout mon emploi du temps depuis mon accident d'avion jusqu'à maintenant. D'ailleurs, c'est facile : vous pouvez me confronter avec mes collaborateurs, comparer avec mes photographies, tout le monde me connaît. On peut identifier ma voix par téléphone. J'ai été défiguré à la suite de mon accident, c'est vrai, mais ce n'est pas un obstacle à mon identification. C'est tout ce que j'ai demandé, et aussi d'être envoyé à Bucarest où j'ai une mission importante à accomplir.

— Je trouve le passage suivant dans le rapport que tu as rédigé : « Ma mission (supprimer le maréchal « des Slaves du Sud) a échoué à cause de l'accident « d'avion. Je suis le seul survivant. A l'hôpital mili- « taire où j'ai été conduit j'ai vu arriver un de mes « anciens condisciples, Pierre Pillat. J'ai soupçonné « qu'on l'avait amené là pour m'identifier et je me « suis évadé de l'hôpital parce que les officiers sovié- « tiques de Vienne qui étaient venus me rendre visite « m'avaient donné l'ordre de ne pas me laisser iden- « tifier. Je suis arrivé en France. A cette époque je « me faisait appeler Boris Neva. Les officiers sovié- « tiques m'avaient demandé de garder ce nom. J'ai « exécuté l'ordre et je n'ai divulgué mon vrai nom « qu'une fois en territoire soviétique, à Molda Je me « suis hâté de revenir de Paris afin de remplir la mis- « sion dont j'étais chargé dans le procès du maréchal « au chien. »

Le policier s'arrêta :

« Quelle était cette mission?

— La mission confiée par le parti et dont j'avais pris connaissance par les officiers soviétiques venus me voir à la clinique. Je tenais dans ce procès le rôle de principal accusé. Je devais m'accuser personnellement et dévoiler toutes les trahisons du maréchal au chien. J'ai fait tous les sacrifices pour ne pas arriver en retard. Je savais que les intérêts du parti demandaient l'organisation urgente du procès. Et j'ai l'espoir d'arriver sans retard à Bucarest. Je ferai pour le parti le sacrifice suprême...

— Nous connaissons l'histoire, dit le policier avec ironie. Tu devais donc jouer le rôle de premier complice du maréchal au chien? Tu crois que les Soviets ont besoin de créer des traîtres et de monter des procès fictifs? Comment t'expliques-tu cette déclaration? Crois-tu que les Soviets prennent des innocents pour en faire des accusés dans des procès de comédie? C'est répéter les slogans de la propagande anticommuniste, c'est un geste de provocation, c'est de la diffamation.

— Certains traîtres réussissent à échapper, comme Trotzky et le maréchal au chien. Malgré cela, ils doivent être jugés et condamnés. Les nécessités politiques l'exigent. Et parce qu'ils ne peuvent pas être appelés à comparaître devant les tribunaux soviétiques, on fait appel à des volontaires qui s'accusent, au prix de leur vie, afin que le peuple puisse suivre le développement de la trahison. C'est un système extrêmement efficace. Ce n'est pas un acte de faiblesse, mais une preuve de la force des Soviets. On trouve toujours des éléments d'élite qui, au prix de leur propre vie, par l'auto-accusation, se sacrifient pour dévoiler à l'opinion publique les phases du crime de trahison.

— C'est de la propagande réactionnaire, dit le chef de la police. Les Soviets n'ont jamais fait de pareils procès. Les Soviets ont toujours arrêté et jugé les vrais coupables. Celui qui soutient le contraire est un traître et un ennemi réactionnaire. Il y a longtemps que les Soviets ont pris tous les conspirateurs de la bande du maréchal au chien. Du moment qu'ils les ont pris, à quoi bon recourir à des criminels fictifs et t'inviter à t'accuser pour un crime commis par les autres?

— Les complices du maréchal au chien sont cachés de l'autre côté des frontières, dit Bodnariuk.

— Dès 1942, la police soviétique avait à l'œil tous les complices du maréchal au chien, répondit le chef. Ils étaient surveillés depuis des années. Leurs conversations téléphoniques étaient interceptées. Aucun n'a réussi à s'enfuir. Ils sont tous arrêtés. Le principal complice est le criminel hongrois Rajk. Tous les journaux publient ses déclarations. Lis! »

Boris Bodnariuk regarda les titres des journaux sur le bureau du policier.

« Rajk a fait des aveux complets, dit le policier. Pourquoi veux-tu que les Soviets éprouvent le besoin de monter un procès fictif, puisque Rajk a été arrêté et a fait des aveux complets. Comment expliques-tu ta déclaration criminelle? »

Boris Bodnariuk vit en première page la photographie de Rajk, son collègue de Budapest, devant les juges : *Je suis coupable d'avoir comploté avec le maréchal des Slaves du Sud, en vue de créer une fédération du Sud-Est européen et de la placer sous la domination anglo-américaine,* disait le titre.

« Tu vois que la trahison du maréchal au chien avait son centre à Budapest? Les Soviets le savaient depuis des années. Les Soviets ont été vigilants. Au moment opportun, on a arrêté les conspirateurs; Rajk a fait des aveux complets. »

Boris Bodnariuk était un ami intime de Rajk. Ils avaient été étudiants ensemble à l'Académie rouge de Moscou. Ensuite ils s'étaient rencontrés dans tous les Congrès. Rajk était un communiste accompli. Boris

Bodnariuk ne doutait pas de lui, Rajk était aussi fidèle au communisme que lui-même. « Au moment où j'ai quitté l'hôpital, pensa Bodnariuk, sans donner signe de vie, les Soviets ont dû me croire disparu. Le procès du maréchal au chien devait avoir lieu. Le Kremlin a décidé de choisir un autre héros. Rajk a reçu mission de jouer le rôle qui m'était dévolu, le rôle de premier accusé et de complice du maréchal au chien. Le procès a été transféré de Bucarest à Budapest, uniquement parce que je n'étais pas là. Rajk joue mon rôle. C'est ma doublure. On donne la représentation à Budapest au lieu de Bucarest comme on l'avait prévu au début... »

Bodnariuk ne livra pas sa pensée. Il était heureux que son rôle soit joué par un autre, avec la même habileté, car son ami Rajk était un élément de valeur. Il jouerait magistralement. Rajk n'était pas un traître. Rajk était un héros.

« Le criminel Rajk a été depuis toujours un agent d'espionnage des capitalistes, dit le policier. Il a fait des aveux complets. »

« C'est ce qu'on aurait dit de moi, pensa Boris Bodnariuk. Tout le monde aurait cru que j'étais un vrai criminel. Les masses croient. Ces procès sont vraiment efficaces. Les masses croient, mais Rajk et moi nous connaissons la vérité. »

« Reconnais-tu maintenant avoir menti, et que toute cette histoire de procès était le fruit de ta fantaisie?

— Je reconnais avoir menti », dit Bodnariuk

Il savait que le but était atteint.

« Après ce mensonge, quelle foi peut-on ajouter à tes autres déclarations? demanda le policier.

— On ne peut pas ajouter foi à mes affirmations, dit Bodnariuk.

— Tu vas signer une déclaration par laquelle tu reconnais comme mensongère toute l'histoire du pro-

cès. Encore une question : comment t'appelles-tu en
réalité? »

Ce fut le moment le plus dur de la vie de Bodnariuk. Il lui était plus facile de donner sa vie que de
dire qu'il était un autre.

« Je m'appelle Boris Neva », dit Bodnariuk

Il avait parlé sans réfléchir. En Occident, il s'était
appelé Boris Neva et à cause de cela il répéta :

« Je m'appele en réalité : Boris Neva.

— Trêve de sottises! cria le policier. « Neva » est
le nom d'une grande héroïne. C'est le nom de la
grand-mère de notre Révolution. Neva n'est pas un
nom fait pour un vagabond de ton espèce, un déchet,
un gueux. »

Bodnariuk se mordit les lèvres. Jusqu'à présent il
ne savait pas qu'il tenait si fort à son nom.

« Alors comment t'appelles-tu? demanda le policier.

— Boris Bodnar », répondit Bodnariuk.

Pour la première fois, depuis des années, il donnait
son véritable nom. Il donnait le nom qu'il avait abandonné avec une profonde conviction.

« C'est ainsi que je m'appelle en réalité : Boris
Bodnar, tous mes autres noms étaient faux, des produits de mon imagination, des noms fabriqués.

— Va-t'en, ordonna le policier. Et cesse tes mensonges à partir d'aujourd'hui. Nul ne peut porter le
nom d'une autre personne. Si tu es Bodnar, à quoi
bon dire que tu es Bodnariuk? Si tu es Bodnar pourquoi te faire appeler Neva? Ce sont des noms de héros.
Ce ne sont pas des noms portés par des gens ordinaires. Les gens ordinaires crient si on les bat, et leur
sang coule si on les frappe. Bodnariuk et Neva étaient
au-dessus de la souffrance, au-dessus d'eux-mêmes.
C'étaient des héros soviétiques. Tu es Bodnar. Bodnariuk et Neva étaient autre chose, absolument autre
chose. Au cas où nous ne découvrirons pas que tu es
un criminel, et si tu ne continues pas à soutenir des

mensonges, nous t'enverrons dans un camp de travail pour délit de vagabondage. Au pays des Soviets,
même les vagabonds ont la chance de travailler à
l'œuvre commune. Tu seras donc envoyé dans un
camp, mais, je te le répète, à condition de ne pas
être un criminel. »

II

Boris Bodnariuk fut transféré à la prison en briques
rouges de Molda. A travers les barreaux on voyait
l'aéroport de Piatra, d'où il était parti en avion pour
exterminer le maréchal des Slaves du Sud et d'où
Anatole Barsov s'était évadé. Boris ne voyait tout cela
qu'avec un seul œil. L'autre, le gauche, était mort.
Il pensa à Paris, à l'ambassade soviétique, avec laquelle il n'avait pas pu prendre contact, à son retour,
à ses efforts pour être présent au procès de Bucarest
pour lequel il était arrivé trop tard. Il y avait été
remplacé par Rajk. Le procès se tenait à Budapest
au lieu de Bucarest. Boris comprenait tout cela. Mais
ce qu'il ne pouvait pas comprendre c'était le fait que
Bucarest l'ait abandonné ici, dans ce village de pro-
vince, à la merci d'un gendarme.

« C'est une erreur, se dit Bodnariuk. Si j'étais soupçonné de quelque chose, je serais conduit à Bucarest
et interrogé. Je serais jugé, condamné. C'est une erreur
sans aucun doute. »

Bodnariuk regardait l'aéroport de Piatra. Il aurait
voulu connaître ses torts. Il éprouvait un sentiment de
culpabilité mais il n'arrivait pas à trouver sa faute.

Bodnariuk songea que, maintenant, il était inscrit

sur les registres de la prison sous son vrai nom : Boris
Bodnar. On l'avait relevé de ses fonctions, de toutes
ses attributions, on lui avait enlevé ses grades. On lui
avait pris son nom de Bodnariuk. Il s'appelait Boris
Bodnar, comme lorsqu'il était venu au monde C'est
avec ce nom qu'il s'était enfui en Russie. Aujourd'hui
comme alors, il était en haillons, comme lorsqu'il avait
été exclu du collège militaire de Kichinev. Exactement comme alors.

Toutes ses actions d'éclat, le changement de climat,
la création de l'armée de partisans, la communisation
de la Roumanie, la réorganisation de l'armée, c'est
Boris Bodnariuk qui les avait accomplies. Il lui semblait que Bodnariuk était quelqu'un d'autre, un étranger. Il était redevenu Boris Bodnar, ce qu'il avait été
au début. Il était revenu aux haillons qu'il portait
avant de devenir Bodnariuk, à l'exclusion qu'il avait
subie avant d'être Bodnariuk, et à la solitude d'alors.
Il avait repris son nom d'avant la légende. En vérité,
Boris Bodnariuk avait été une fiction. Lui, était Boris
Bodnar. Dans son cachot, seul, en haillons, chassé de
partout, malade, battu, il n'était plus qu'un homme.
Boris Bodnar était un homme. Il se sentit vieux. Son
corps lui faisait mal. Et son âme aussi.

« Il n'y a eu de vrai que Boris Bodnar, pensa-t-il,
et quand je mourrai, c'est Boris Bodnar qui sera
enterré, parce que Bodnariuk ne mourra jamais. Il a
été une légende. Il a surgi, sans naître, et ne pourra
pas mourir. »

Il avait lutté toute sa vie pour la gloire de Bodnariuk. Pour Bodnar il n'avait rien fait.

On entendait des cris dans la cellule voisine. Boris
Bodnariuk tendit l'oreille. Deux femmes se querellaient, une jeune, à la voix énergique, et une vieille.
Elles se battaient. Boris entendit les gardes ouvrir
la porte de la cellule des femmes.

« Elle veut tenir la fenêtre de la cellule ouverte,

dit la voix jeune. Depuis ce matin, depuis mon arrivée, elle refuse de fermer la fenêtre.

— Si vous fermez la fenêtre, je me tue, répondit
la vieille. Depuis tant d'années que je suis en prison,
je n'ai jamais fermé la fenêtre, même pendant les
hivers les plus terribles. Et je n'ai pas gelé. Elle est
jeune et elle est là seulement depuis quelques heures.
Elle ne gèlera pas non plus, malgré la fenêtre ouverte. »

La vieille pleurait.

Bodnariuk entendit les gardiens qui voulaient fermer la fenêtre. Ils disaient que le règlement de la
prison voulait que les fenêtres fussent fermées. La
vieille se jeta sur les gardiens. Ils la frappèrent, elle
tomba mais elle se releva et voulut ouvrir de nouveau.
Elle fut encore battue et cria. Bodnariuk entendit les
coups de poing, les gifles, les cris. Ensuite on retira la
vieille de la cellule.

La vieille femme était Iléana Kostaky. Elle avait
toujours été seule dans son cachot de Molda. C'était
une détenue tranquille, qui n'avait jamais eu d'histoires avec les gardiens. Elle priait et attendait, résignée. La nuit précédente, on avait effectué de nouvelles arrestations et on avait amené une autre femme
dans la cellule d'Iléana Kostaky parce qu'on manquait
de place dans la prison.

Bodnariuk écoutait la voix de la jeune femme qui
expliquait aux gardiens :

« La vieille dit que son mari s'est sauvé dans les
bois. Elle n'espère plus le revoir parce qu'elle est
condamnée à quinze ans et elle sait qu'elle va mourir
en prison. Mais dès le premier jour, elle a laissé la
fenêtre ouverte parce qu'elle s'imagine que si son
mari venait à mourir, son âme viendrait, sous la forme
d'une colombe, lui dire adieu. Elle garde la fenêtre
ouverte pour que l'âme de son mari puisse entrer dans
le cachot. »

On fit revenir la vieille femme. On l'avait battue encore. On lui avait enchaîné les mains et les pieds pour l'empêcher de retourner à sa fenêtre.

« Je dois ouvrir cette fenêtre, cria-t-elle. Si mon homme meurt, son âme ne pourra pas venir vers moi me dire adieu. Et je ne saurai pas qu'il est mort, parce que son âme resterait au-dehors. »

Iléana Kostaky suppliait sa jeune camarade d'ouvrir; elle refusa.

Les gardiens attachèrent Iléana à son lit.

« J'ai gardé ma fenêtre ouverte pendant des années et le froid ne m'a pas tuée, même quand il gelait à pierre fendre. Je ne veux pas qu'on ferme la fenêtre. Je ne veux pas être séparée de mon homme. Au moins, à l'heure de sa mort, je veux que son âme puisse revenir près de moi. Je l'attends. Si la fenêtre est fermée, il ne pourra pas entrer. Je dois l'attendre. S'il lui est arrivé quelque chose, je dois le savoir. Vous n'avez pas le droit de me séparer de mon homme. »

Les gardiens riaient. Iléana Kostaky était enchaînée à son lit. La jeune détenue riait aussi.

« Je dois l'attendre avec la fenêtre ouverte, criait Iléana. Si vous la fermez, il ne pourra pas entrer »

Boris Bodnariuk s'étendit sur le lit. Il ne voulait plus écouter les cris de la paysanne, mais il entendit des coups frappés à la porte voisine. Il y avait peut-être deux heures qu'Iléana avait été ligotée et que la fenêtre était fermée.

« La vieille est morte! cria la jeune prisonnière, appelant les gardiens. Je ne veux pas rester dans la même cellule qu'une morte! J'ai peur... »

Iléana était morte au moment où les gardes avaient fermé définitivement la fenêtre. Elle était femme et sa mission était d'attendre son mari. Et parce qu'elle ne pouvait plus espérer le voir vivant, elle avait ouvert la fenêtre pour l'attendre après la mort. Quand la fenêtre avait été fermée, Iléana Kostaky était morte.

parce qu'elle n'avait plus rien à faire sur cette terre, parce que sa vie était devenue inutile, puisqu'elle ne pouvait plus attendre son mari à l'heure dernière. Sa mission de femme avait pris fin.

Les gardes enlevèrent le corps d'Iléana, et il fut enterré dans la terre glacée, près de la prison bondée. Son âme, si la réalité était semblable à ses rêves avait quitté sa vieille poitrine afin de chercher Ion Kostaky par-dessus les monts et les mers et lui dire adieu sur cette terre, mais nul ne connaît la vérité sur ces choses; nul homme, nul prêtre, ne la sait.

Tout ce que les témoins et les gardes savaient de la mort d'Iléana Kostaky était fort peu de chose. Ils savaient que son corps froid, délivré de ses chaînes, avait été descendu dans la terre glacée et que, sur ce corps sans cercueil, on avait jeté des mottes de terre mélangée de neige et de glace; que les chaînes qui avaient entravé les mains et les pieds d'Iléana Kostaky avaient été essuyées et remises soigneusement dans la salle de garde, pendues à un clou, pour servir à un autre prisonnier. C'était tout, mais c'était peu. C'était trop peu pour que ce fût tout.

III

Boris Bodnariuk avait atteint la paix de l'âme et la sérénité de ceux qui renoncent à toute leur vie terrestre pour un idéal. Bodnariuk savait que tout ce que possède un communiste appartient au parti. Ses biens, son instruction, ses vêtements, sa vie, et jusqu'à son nom appartiennent au parti. Peu importait qu'on lui eût tout pris par erreur ou avec intention : le parti avait le droit de tout prendre, et lui n'avait pas le droit de s'en trouver malheureux. On lui retirait quelque chose qui ne lui appartenait pas.

Au commencement, il avait regretté de ne plus s'appeler Boris Bodnariuk. Maintenant il en était fier. De combien de confiscations de noms n'avait-il pas été le témoin? Seuls les noms célèbres étaient confisqués. Lorsque les héros communistes d'Espagne, d'Allemagne, de France arrivaient en Russie, on commençait par confisquer leurs noms héroïques. Ils en recevaient d'autres. Leurs noms de bataille et de gloire n'appartenaient pas à des individus, mais à l'Histoire et à la Collectivité.

Les nouveaux venus étaient des hommes de chair et d'os qui pouvaient s'enivrer, faire du scandale, se quereller comme tous les hommes. Il était injuste de leur laisser leurs noms de héros et de leur permettre de commettre des fautes avec ces noms. Le nom devait donc être enlevé, mis de côté sur les rayons de l'Histoire. Celui qui l'avait porté pouvait vieillir, faire n'importe quoi, mais avec un autre nom, pas avec celui d'un héros.

Bodnariuk fut flatté que son nom fût conservé dans l'Histoire et que lui continuerait sa vie avec un nom banal, un nom sans légende.

*

Quelqu'un chuchota à sa porte :

« On vient d'arrêter saint Angelo. »

Les pas s'éloignèrent et la voix répéta son annonce aux portes des autres cellules.

« Saint Angelo a été arrêté. »

On entendait la voix de plus en plus faible devant les portes des cellules du fond du couloir.

Boris savait que tous les détenus de la prison en briques rouges de Molda étaient des ennemis des Soviets. Il ne voulait pas participer à leur vie. Ils étaient ses ennemis et il voulait rester éloigné d'eux.

« C'est un mot d'ordre des réactionnaires de la prison », se dit-il.

La voix se fit de nouveau entendre à la porte et murmura par le trou de la serrure que saint Angelo était arrêté.

Bodnariuk écoutait attentivement, l'oreille collée au mur.

Il y avait plusieurs prisonniers dans la cellule de gauche, mais on ne percevait qu'une voix :

« Mon père, croyez-vous que l'âme de Ion Kostaky serait venue après sa mort, sous la forme d'une colombe, dire adieu à sa femme dans son cachot? l'Eglise enseigne-t-elle de telles choses?

— Iléana le croyait, répondit le prêtre Thomas Skobaï.

— Cette conviction était-elle justifiée, ou bien était-ce une hérésie? » demanda le prisonnier.

Bodnariuk voulut savoir si le prêtre allait répondre *oui* ou *non*.

« La conviction inébranlable d'Iléana que l'âme de son mari la chercherait avant de quitter la terre, sa volonté d'attendre et de veiller avec la fenêtre ouverte, tous les jours, hiver comme été, avaient leur source dans son amour pour son mari, dans sa fidélité et son devoir de femme, qui est d'attendre, de souffrir et de ne pas se laisser vaincre par l'oubli. Ce sont les plus belles qualités d'une femme. Si la conviction jaillie de ces qualités était fausse, Dieu Tout-Puissant lui accordera son pardon quand même, parce qu'elle a eu foi en quelque chose de faux par *trop* d'amour, par *trop* de fidélité et par *trop* de patience. »

Le prêtre continua :

« Que le Seigneur accorde la grâce à Iléana Kostaky et garde son âme dans le Royaume des Cieux, là où il n'y a ni larmes, ni ténèbres, mais seulement la Vie éternelle. Ainsi soit-il... »

Dans sa cellule, Boris Bodnariuk avait décidé de se résigner, d'accepter son nouveau nom de ne plus opposer de résistance. Dans le cas où tout ce qui lui était arrivé depuis son retour en Roumanie était la conséquence d'une erreur, les Soviets le rappelleraient et répareraient cette erreur. Dans le cas où tout était voulu, c'est que l'intérêt de l'Histoire l'exigeait : il continuerait alors à servir sous son nouveau nom et dans son nouvel état, avec la même fidélité, et finirait par triompher comme dans le passé.

Cependant les voix qui, quelques instants plus tôt, chuchotaient que saint Angelo avait été arrêté n'étaient plus des murmures. On le disait maintenant à haute voix.

La foule s'était amassée.

« Les paysans sont venus délivrer le saint! » criait-on dans les couloirs.

On entendait une multitude de voix, des paysans en colère, des femmes qui couraient, des gens qui se bousculaient. Les portes des cachots s'ouvraient, les murs craquaient, on entendait la foule venue pour délivrer saint Angelo. Bodnariuk ne savait rien du saint. Il entendit seulement une clef tourner dans la serrure de sa porte. Des hommes pénétrèrent dans son cachot et lui dirent qu'il était libre.

Il ne put sortir que difficilement. Les corridors de la prison de Molda étaient envahis par les paysans, et ceux du dehors voulaient entrer aussi, mais la place manquait. On n'apercevait pas un seul gardien, un seul policier. Rien que la foule, qui arrivait par vagues, brisait les portes, frappait les murs à coups de pioche. Les détenus quittaient les cellules. Les paysans arrachaient les portes et les briques des cloisons. La foule avait pris possession de la prison et la détruisait. Le bâtiment n'avait pas d'étage. Les paysans démolirent les murs. Ils sortirent avec des briques dans les bras et les déposèrent dans leurs chariots.

Bodnariuk sortit par le trou creusé dans le mur. Il essaya de se frayer un chemin. Ses yeux habitués à évaluer les foules dans les réunions estimèrent à dix mille environ le nombre des paysans qui avaient attaqué la prison de Molda. Ils prenaient tous des briques, des pierres et des planches de la prison détruite et les emportaient.

« Saint Angelo a été délivré! » cria une voix.

La foule tomba à genoux, comme au commandement, chacun à l'endroit où il se trouvait, avec les briques et les pierres de la prison dans les bras.

La foule avait délivré de la prison un jeune moine. Les paysans le portaient sur leurs épaules vers les voitures. C'était le saint, saint Angelo, pour lequel les villages s'étaient soulevés et étaient accourus pour sa délivrance. Bodnariuk avait voulu le voir, mais, porté par les paysans, saint Angelo lui tournait le dos.

« Nous n'avions plus personne pour guérir nos malades, dit une vieille femme, près de Bodnariuk. Saint Angelo apaisait nos âmes, guérissait nos malades, nos bêtes et priait pour nous. Depuis des années, saint Angelo était la seule consolation des paysans. Les Soviets sont venus l'arrêter au fond des bois. C'en était trop, Dieu ne pouvait pas le permettre. Maintenant saint Angelo est libre à nouveau. »

Après le passage du saint, la foule se leva et le suivit. Le moine était dans une voiture attelée de chevaux blancs qui se mit lentement en marche sur l'étroit chemin des bois.

Bodnariuk était poussé de tous côtés. Lui seul avait les mains vides. Lui seul n'avait pas pris de brique au mur de la prison. Tous les autres en emportaient.

« Prends-en aussi », dit une femme. Elle tendit une brique à Bodnariuk. « Les pierres du mur de la prison où saint Angelo a été enfermé portent chance. Tu la mettras devant ta maison ou dans un de tes murs. »

Bodnariuk prit la brique rouge. Les murs de la prison diminuaient à vue d'œil. Si chaque paysan emportait une brique et une pierre, en quelques heures, à la place de la prison communiste de Molda, il n'y aurait plus que la terre nette et piétinée.

Bodnariuk se laissait porter par les vagues de cette mer humaine derrière la voiture du saint. Il se laissait porter, tenant sa brique, poussé par les paysans qui chantaient des cantiques.

Le convoi se dirigeait vers les forêts. Il n'y avait plus un soldat. Personne pour arrêter la révolte des paysans. Le cortège avançait dans les bois.

Boris Bodnariuk fut invité à monter dans une voiture. Il y monta, et la voiture suivit les autres au cœur de la forêt. Chemin faisant, il apprit que les églises des villages avaient été fermées une à une. Celles qui étaient encore ouvertes avaient des prêtres communistes. Les paysans allaient dans les bois où saint Angelo, un jeune moine, accomplissait des miracles. C'était un renouveau de la religiosité de la foule qui voulait croire. Et lorsque les Soviets avaient arrêté le jeune saint, les paysans de tous les villages s'étaient soulevés et étaient venus le libérer.

« Le miracle, c'est qu'on n'ait pas trouvé un seul soldat russe sur notre route, dit la femme qui conduisait les chevaux. C'est un vrai miracle du Bon Dieu. Il n'y avait qu'un gardien à la prison. A Molda, nous n'avons pas rencontré un soldat, pas un policier. Dieu les avait tous éloignés pour que nous puissions délivrer saint Angelo. »

Les voitures s'arrêtèrent devant une clairière. Bodnariuk ne voyait pas ce qui se passait en avant mais il entendit les voix des paysans chantant des hymnes de louanges.

« Mets-toi à genoux, dit la femme. Saint Angelo fait une prière d'action de grâce pour remercier le Seigneur de l'avoir sauvé de la prison communiste. »

Bodnariuk obéit. Il descendit de la voiture et s'agenouilla avec les milliers de paysans dans la poussière
de l'étroit chemin forestier.

« Il est impossible qu'un tel mouvement de masses
se produise sans que les Soviets prennent des mesures
de sécurité, pensa Bodnariuk. C'est une véritable révolution. »

« Garde bien ta brique, lui dit quelqu'un. Si tu
la perds, tu n'en retrouveras plus. On a pris jusqu'au
gravier de la prison. Il ne reste plus rien. Garde-la
bien. Ce serait dommage de la perdre, tu n'en trou-
verais pas d'autre.. »

Bodnariuk prit la pierre. Jamais il n'avait vu un
tel mouvement de foules. Tous ne faisaient qu'un.

IV

Ion Kostaky et Pierre Pillat firent le chemin d'Allemagne en Roumanie en voyageant la nuit par les bois
pour ne pas se faire prendre par les Russes. Ils étaient
de nouveau dans la forêt qui surplombait Piatra. Ils
venaient d'arriver. Il faisait jour. Ion Kostaky voulut
continuer sa route pour descendre dans le village, mais
son gendre l'en empêcha.

« Tu ne me connais pas, Pierre, si tu me demandes
de rester ici sans descendre au village, dit Ion Kostaky.
Crois-tu que je pourrais regarder d'ici mon village
sans y aller, après avoir traversé l'Océan pour revenir
à Piatra? Crois-tu que je pourrais seulement le regarder de loin?

— Attendez jusqu'à ce soir, dit Pierre. Ce serait
trop dangereux en ce moment. Vous le savez bien.
Depuis Heidelberg nous n'avons voyagé que de nuit.
Patientez. Il y a encore deux heures jusqu'au jour. »

Ion Kostaky regarda les étoiles du matin. Il savait que le jour se lèverait bientôt. On était au cœur du printemps. Dans la lumière bleutée de la nuit, à travers les hauts sapins, on apercevait dans la vallée le village de Piatra enveloppé d'un nuage blanc et transparent comme un voile de mariée.

« Tu crois que je pourrais rester toute une grande journée à regarder le village de loin? demanda Kostaky. Tu voudrais que je regarde de loin ma maison, mes champs? Tu crois que c'est pour ça que j'ai traversé tous ces pays, tous ces bois comme un chien, comme un voleur? Pour ne regarder ma maison que de loin? »

Le village s'étendait à leurs pieds, mais parce que dans Piatra il y avait les Russes, la milice, les gendarmes et les gardes populaires, ils avaient décidé d'attendre la nuit suivante pour y descendre. Maintenant qu'ils étaient au-dessus du village et qu'ils le voyaient à leurs pieds, Kostaky ne pouvait plus patienter. Dans la main droite il tenait un énorme bâton. Il le serrait de toutes ses forces.

« C'est imprudent de descendre pendant le jour, dit Pillat. Je sais qu'il est difficile d'attendre jusqu'au soir, mais si nous descendons, nous serons pris, père, nous serons pris. Je comprends votre désir de descendre. C'est aussi le mien. La terre, le lieu de notre naissance, nos maisons, sont comme autant d'aimants. Contre eux, la prudence est impuissante. Je sais. Nous pouvions être prudents et ne pas descendre pendant le jour dans les villages étrangers. Là-bas, il nous était facile de rester dans les bois, mais s'il s'agit de notre village, de notre maison, comme c'est dur de ne pas y aller, de rester là à les regarder de loin! Si vous voulez, je vous accompagnerai, père, mais ce n'est pas prudent.

— J'y vais seul, dit Kostaky. Je te laisse mon sac. J'y vais juste avec mon bâton, mais j'y vais seul. Juste

un regard sur la maison, sur le village et je suis de
retour au lever du jour. Attends-moi ici.

— Depuis tant de mois, nous ne nous sommes jamais séparés, dit Pillat. Partons encore ensemble.

— Je descends seul, dit Kostaky, autoritaire. Je jette
seulement un coup d'œil et nous retournons ensemble
la nuit prochaine. Tu as raison, mieux vaut y aller
la nuit. Maintenant, attends-moi ici. Je veux descendre
un instant dans les champs, sentir ma terre sous mes
pieds, regarder mes champs, les puits, respirer l'air de
chez nous. Il le faut, comprends-tu? Je ne croyais
plus pouvoir marcher un jour dans les rues de mon
village. Dieu est grand de m'avoir accordé cette dernière joie de ma vie : fouler de mes pieds les ruelles
de Piatra. »

Kostaky se fatiguait vite en marchant. C'était toujours lui qui demandait de faire halte. Maintenant,
on aurait dit qu'il avait bu. Il ne voulait plus s'arrêter. Il ne s'était même pas assis une seconde.

« Je connais les chemins, dit Kostaky. S'il y a des
patrouilles, je n'entre pas dans le village. Je te re
trouve ici. Dans une heure je serai de retour. »

Ion Kostaky s'en alla.

« J'apporterai peut-être quelque chose à manger
dit-il. Qui sait?... Mais non, je ne parlerai à personne.
Au revoir, je vais seulement jeter un coup d'œil. »

Kostaky descendait rapidement vers le village. On
aurait dit qu'il courait. Il tenait à la main son bâton
un énorme bâton. Kostaky était droit comme un sapin.
Son pas, dans la descente vers le village, était le pas
d'un jeune homme. La terre roumaine lui avait re
donné sa vigueur. Elle lui avait rendu la santé. Pillat
debout, le regardait.

La silhouette d'Ion Kostaky disparaissait sur le sen-
tier qui dévalait entre les arbres. Elle réapparaissait,
avec sa démarche jeune comme la démarche d'une
biche, avec hâte, avec soif.

Ce n'était pas le Kostaky d'Allemagne, ni celui du Canada, ni celui de Hongrie. Ce n'était pas le Kostaky inscrit sur les listes américaines de *hard core*, de déchets. C'était un Kostaky marchant comme un Seigneur de la terre. Son pas touchait la terre avec la familiarité du violoniste touchant les cordes de son violon.

Il disparaissait de nouveau derrière les arbres et sautait par-dessus les obstacles. Puis il disparut tout à fait. Le chemin de Piatra était court. Il fallait descendre tout le temps par les bois. Pillat s'étendit sur l'herbe. Il regrettait de ne pas avoir accompagné Kostaky, mais Ion Kostaky tenait à partir seul. C'était sa volonté. En ce moment il devait être dans le village.

Pillat caressa l'herbe couverte de rosée. Il arracha une touffe d'herbe et posa son visage dessus. Il était fatigué mais le sommeil le fuyait. Il se reposait rien qu'en sentant la terre. Son oreille était aux aguets pour écouter si l'on ne tirait pas dans la vallée, parce que les communistes patrouillaient sans arrêt dans les villages et gardaient les routes. La police était partout. Pillat écoutait comme s'il avait voulu entendre les pas d'Ion Kostaky résonner de nouveau sur les routes de Piatra.

« J'aurais dû partir aussi, dit Pillat. Je n'aurais pas dû le laisser seul. »

V

Ion Kostaky pénétra dans les ruelles de Piatra. Du bout de son pied il toucha la poussière. Il semblait vouloir se rendre compte si on n'avait pas changé la rue. C'était la même et c'était la même terre. Il marchait, joyeux d'avoir retrouvé la rue comme s'il ne la touchait pas avec son pied, mais avec son cœur. Il aurait voulu se déchausser et marcher pieds nus, mais ce n'était pas nécessaire; même à travers les gros brodequins allemands cloutés il percevait sous la plante des pieds la terre des rues de Piatra, la terre de son village, et ne marchait plus de la même manière. C'était sa terre, à lui. Kostaky avançait. Il regarda la première maison. C'était la même que jadis. Il n'y avait rien de changé. Il regarda les cours. Les clôtures manquaient, mais c'étaient les mêmes cours.

Il y avait un puits au milieu du village. Ion Kostaky aurait voulu goûter de son eau. Il éprouvait une soif soudaine de l'eau de son village, de l'eau de ce puits.

Il se contenta de poser des paumes caressantes sur la margelle du puits comme sur les hanches d'une femme. Il regarda le bras du puits et continua sa route. Il y avait, autrefois, un saule près du puits. Kostaky s'arrêta. Le saule n'existait plus. Kostaky en fut fâché.

« Pourquoi ont-ils coupé le saule? se demanda-t-il. Il s'est peut-être desséché, et alors ils l'ont coupé. »

Il continuait à avancer et s'attrista de nouveau.

« S'ils l'ont coupé, ils auraient dû en planter un autre. Ça c'est toujours passé ainsi, dans le village de Piatra, près de chaque puits il y avait un saule. »

Ion Kostaky serrait son bâton. Il regardait les maisons en hâte. Il sentait l'odeur de l'herbe. Toutes les fenêtres étaient dans l'obscurité. Un instant il songea à frapper à une vitre mais il réfléchit qu'il valait mieux ne pas se faire voir.

« J'ai promis à Pierre de venir seulement jeter un coup d'œil. Nous redescendrons la nuit prochaine et nous irons voir tous les nôtres. »

Son pas était de plus en plus rapide. Tout à coup il aperçut les murs blancs qu'il cherchait, les murs de sa maison. Il regarda autour de lui. Au fond il y avait un vide, un vilain vide derrière sa maison, un espace visible de loin. Là s'élevait jadis la maison de Pillat et de Marie, la maison qui avait brûlé.

« Nous en bâtirons une autre », dit Kostaky, mais il se souvint que Marie n'était plus là.

Il regarda, entre les noyers, les murs blancs, le toit gris, les petites fenêtres de sa maison. Une petite maison blottie au milieu de trois noyers. Une maison pareille à un être vivant. Le cœur de Kostaky battait. Il oublia la maison incendiée, il oublia les Russes. Il contempla sa maison et s'approcha d'elle.

« Iléana dort peut-être, se dit-il. » Puis il pensa qu'Iléana pouvait ne plus être à la maison, elle pouvait être toujours en prison ou Dieu seul savait où. On lui avait peut-être pris la maison.

Kostaky entra dans la cour sans clôture. Il l'examina, assombri. Près de la maison, il y avait autrefois une resserre où il rangeait ses outils, sa herse, sa charrue, sa voiture. La resserre n'existait plus, ni les outils, Kostaky se fâcha :

« Qui a pu démolir ma resserre? se demanda-t-il, mécontent. Personne n'avait le droit de changer ici quoi que ce soit. » C'était lui, le maître, Ion Kostaky, et c'est à cause de cela qu'il était fâché. Il pensa que peut-être sa maison avait été confisquée par la communauté. Et la communauté transforme ce qu'elle veut. Ion Kostaky grinça des dents. Il regarda les murs. Ils venaient d'être blanchis à la chaux. Lui aussi les chaulait avec Iléana, chaque printemps avant Pâques, pendant la semaine sainte, pour avoir des murs blancs pour la Résurrection. Il palpa le mur.

« Iléana est peut-être à la maison, et c'est elle qui aura blanchi les murs », se dit-il.

Il s'approcha de la fenêtre.

« Dieu fait encore des miracles. Il peut se faire qu'Iléana soit encore à la maison et qu'ils ne l'aient pas chassée. Elle dort peut-être... »

Sa main caressait le mur comme elle eût caressé le corps d'un être vivant, d'un bœuf ou d'un cheval.

La main sur le mur qu'il avait bâti, il chercha du regard l'étable, mais à la place de l'étable, il y avait le vide.

« Je n'ai même plus une bête », se dit Kostaky, puis il pensa qu'il était inutile de se faire du mauvais sang.

« Si je reviens, je remonterai tout. Peu importe. »

Il pensa à ses deux bais, à sa vache suisse, à ses porcs, et de nouveau il se mit en colère.

« Ils doivent me les rendre. Nul n'a le droit de me piller. C'étaient mes bêtes, nourries de ma main, de la sueur de mon front. A quoi bon me fâcher? Comment ne me suis-je pas fâché jusqu'ici? Jusqu'à maintenant je n'y avais pas pensé. J'avais bien imaginé qu'ils avaient pris ma maison, mais jamais cela ne m'avait fait autant de peine. Mais peut-être n'ont-ils pas pris la maison?... »

Il se haussa sur la pointe des pieds et regarda à l'intérieur à travers la vitre. Sa main continuait à caresser le mur. Ses yeux étaient pleins de larmes. Il savait que près de la fenêtre il y avait une armoire en noyer. Il ne la voyait plus. A l'intérieur de la maison il faisait noir. Il aurait voulu appeler Iléana mais il comprit que ce ne serait pas prudent. Iléana pouvait ne pas être là.

« Les communistes ont confisqué les maisons de tous les absents. »

Il fit le tour de la maison en caressant les murs. Ses terres, trois hectares entourant la maison, étaient incultes. On y avait construit des baraques aussi hautes que l'église. Il y avait des fils de fer barbelés.

« C'est l'aéroport, se dit Kostaky. Ils ont laissé ma terre inculte, en friche. Ma terre ne sert plus qu'à l'atterrissage des avions russes. C'était la meilleure terre de Piatra, une terre noire. Le maïs y poussait haut de deux mètres. » Kostaky tourna le dos à l'aéroport. Il était de nouveau près de la fenêtre. Il ne pouvait pas s'en éloigner. Une croûte de crépi tomba du mur. Kostaky s'en irrita.

« Ils ont laissé la maison tomber en ruine. Le crépi de mes murs ne tombait jamais. » Il écrasa entre ses doigts la croûte blanche, puis il essaya d'ouvrir la porte.

C'était la même poignée, mais la porte était fermée à clef. Il regarda par la fenêtre. Il caressa la vitre froide. La fenêtre était fermée de l'intérieur.

« Si je restais encore une demi-heure il ferait clair et je pourrais regarder à l'intérieur », se dit Kostaky, mais il se rendit compte que ce n'était pas raisonnable d'attendre le lever du jour dans le village.

« Je reviendrai demain. »

Il regarda le village. Tout était calme. Pas un chien, pas un chat, pas un coq, pas un homme.

« La maison est peut-être vide, pensa Kostaky. Je vais y entrer. »

Emu, il frappa à la vitre.

« Il y a quelqu'un à la fenêtre », dit une femme à l'intérieur.

C'était une voix étrangère.

Kostaky était appuyé contre le mur. On entendit une voix d'homme. Il y avait des étrangers dans la maison et cela lui faisait mal. Il était obligé de rester devant la porte cadenassée de sa maison sans pouvoir entrer.

« Qui est là? » demanda l'homme.

Kostaky vit par la fenêtre une femme qui se levait et allumait la lampe. Tous les meubles étaient étrangers. La femme qui avait allumé la lampe était étrangère. On ne pouvait pas distinguer son visage. L'homme qui était dans le lit de fer était étranger. Le lit était étranger, la lampe aussi.

« Qui est là? » demanda l'homme.

Il s'était levé et avait pris une hache. Il s'était approché en chemise de la fenêtre.

« Prends garde », dit la femme.

L'homme serrait la hache. Il regardait par la fenêtre. Pendant un instant Kostaky fut tenté de se battre avec ceux de l'intérieur, de les chasser de sa maison.

C'était absurde; même s'il les chassait, il ne pourrait pas habiter chez lui. Les gardes l'arrêteraient et sa maison serait encore vide.

Kostaky se résigna. Il s'éloigna, puis il revint sur ses pas. Il y avait de la lumière dans sa maison. L'homme à la hache était toujours à la fenêtre.

« Ecoutez », dit Kostaky.

L'homme leva la hache prêt à se défendre.

« N'ayez pas peur, dit Kostaky. Personne ne veut vous tuer, ni vous piller. Pourquoi avez-vous peur?

— Qui êtes-vous? demanda l'homme.

— Je suis Ion Kostaky, celui qui a construit cette maison. Je suis le propriétaire de la maison. Comprenez-vous? Le propriétaire Ion Kostaky.

— Connais pas, dit la femme. La maison est à nous.

— Vous y habitez maintenant, je comprends, mais c'est ma maison, je suis Ion Kostaky.

— Vous êtes fou, cria la femme.

— Tais-toi », ordonna l'homme.

Puis il demanda à Kostaky :

« Vous dites que vous êtes...?

— Je suis Ion Kostaky. Vous n'avez jamais entendu parler de moi?

— Jamais. Que voulez-vous?

— Mais d'où êtes-vous, pour ne pas me connaître? Je suis le propriétaire de cette maison. »

L'homme s'adressa à la femme :

« Ça doit être le koulak [1] qui habitait ici avant nous.

1. Paysan aisé.

— Dis-lui de s'en aller, dit la femme. Ne te crée pas des difficultés. Si c'est le koulak, ça veut dire qu'il s'est évadé. Demain, les gendarmes vont venir et s'ils apprennent que le koulak était ici ils nous arrêteront. Dis-lui de partir.

— Dites ce que vous voulez, mon vieux, et fichez le camp, dit l'homme.

— Vous pourriez peut-être me dire où se trouve ma femme, dit Kostaky. Vous ne savez pas où est Iléana Kostaky?

— Je t'avais bien dit que c'était un évadé, dit la femme. Eteins et viens te coucher. Si quelqu'un nous voit lui parler, on va payer cher.

— Renseignez-vous à la gendarmerie, répondit l'homme. Je ne connais pas d'Iléana Kostaky et vous non plus je ne vous connais pas. Allez-vous-en.

— Ecoutez, dit Kostaky. Un mot seulement.

— Je n'ai rien à écouter et rien à dire. Demandez à la gendarmerie. Vous m'entendez? Je ne sais rien.

— Si vous ne quittez pas la maison j'appelle les gendarmes, dit la femme. Je sors et j'appelle les gardes.

— Je ne veux pas vous faire de mal, braves gens, dit Kostaky.

— D'où venez-vous? demanda l'homme.

— Du bout du monde, de l'autre côté des mers et des montagnes. C'est ma maison, ici.

— C'est notre maison, cria la femme. Si vous voulez quelque chose, venez en plein jour, pas la nuit. Pourquoi êtes-vous venu la nuit?

— Vous ne savez rien de ma femme? C'est tout ce que je voulais vous demander.

— Je ne connais pas d'Iléana Kostaky, dit l'homme. Je n'ai jamais entendu ce nom. Je ne suis pas de Piatra.

— Vous n'avez pas entendu dire si elle est toujours en vie?

— Il n'y a pas d'Iléana Kostaky, ici. »

La femme souffla la lampe. L'obscurité envahit de nouveau la chambre.

Ion Kostaky caressa le rebord de la fenêtre avec ses paumes. Le crépi du mur s'écaillait et tombait. Kostaky fut peiné de le voir tomber. Il en prit une poignée dans la main gauche et il l'effrita tandis que la droite continuait à caresser le chambranle de la fenêtre.

Dans la maison, la femme continuait à se disputer avec son mari dans l'obscurité. Il dit :

« Ce doit être Ion Kostaky, celui qui a été déporté, celui qui habitait ici autrefois.

— C'est notre maison, dit la femme. Je n'ai jamais entendu parler de rien ni de personne. Et je ne veux pas en entendre parler.

— Pourquoi dis-tu que tu n'as jamais entendu parler de Kostaky? dit l'homme. Tu as souvent entendu parler de lui. Ion Kostaky, c'est celui qui habitait ici et qui a été arrêté, le koulak Ion Kostaky.

— Les koulaks ont été exterminés, dit la femme. La maison appartient à la collectivité et la collectivité nous l'a donnée.

— Mais avant d'appartenir à la collectivité elle était à Ion Kostaky.

— Ça ne nous intéresse pas, dit la femme.

— On aurait au moins dû lui dire que sa femme était morte, dit l'homme. Le pauvre Kostaky serait parti. Tu es une femme. Pourquoi n'as-tu pas de cœur? C'est tout ce qu'il a demandé : si sa femme vivait toujours. Il n'a plus personne. Si nous lui avions dit, il serait parti. Le pauvre homme n'en demandait pas plus. Il rentre peut-être de Sibérie. Il a fait peut-être mille et mille kilomètres pour venir jusqu'ici demander si sa femme était en vie. Pourquoi es-tu sans cœur? Je vais le chercher et lui dire que sa femme est morte en prison. Je vais lui dire ce que je sais. Je vais même lui porter quelque chose à manger...

Un jour il pourrait nous arriver aussi de tels
malheurs. Suppose que je sois à sa place et que je
vienne m'inquiéter de toi?

— Si tu pars, tu seras arrêté avec lui. »

L'homme commença à s'habiller.

« Je vais le trouver. Pourquoi ne pas lui dire?
L'homme voulait seulement savoir si sa femme était
vivante ou morte. C'est tout.

— Ne t'en va pas », cria la femme.

Kostaky l'entendit arracher les vêtements des mains
de son mari pour l'empêcher de s'habiller.

Kostaky détacha sa main du mur. Il s'éloigna de
la maison. La sueur ruisselait sur son front. On entendait dans la maison la voix de la femme qui se dispu-
tait avec son mari.

« Je vais te dénoncer à la gendarmerie, criait-elle.
Si tu sors, je te dénonce. »

Ion Kostaky vit que les deux pommiers plantés devant la maison étaient coupés. Il en fut tout triste.
Il ne comprenait pas pourquoi les communistes
avaient abattu les pommiers.

« Si tu pars, je te dénonce », glapissait la femme.

Kostaky s'éloigna. Il avait les larmes aux yeux. Il
tourna la tête encore une fois. Sa maison était dans
l'obscurité. La femme avait éteint la lampe.

« Que le Seigneur Dieu garde l'âme d'Iléana dans
son paradis », dit Kostaky.

Il enleva son calot américain et se signa :

« Que Dieu lui pardonne. »

Kostaky remit le calot sur sa tête en sueur et repartit vers les bois. Le village était désert. Les rues,
désertes. Sans Iléana, la terre entière lui semblait dé-
serte maintenant.

*

Kostaky vit trois ombres venant à sa rencontre sur
la route du village. Il voulut entrer dans un jardin,
mais les gardes l'avaient aperçu. Ils le sommèrent de
s'approcher. Kostaky s'éloigna en rampant. Il sentait
toute l'odeur de la terre pénétrer son corps et ses poumons. Derrière lui, les gardes tiraient. On avait donné
l'alerte sur l'aéroport. Les soldats envahirent les rues.
Les sorties du village furent barrées.

« Chiens de communistes », dit Kostaky.

Il ne se dirigea pas vers l'endroit où Pillat l'attendait, parce que les gardes arrivaient de là, mais il
rampa dans la direction opposée.

C'était le chemin du cimetière. Il le connaissait bien.
Là, personne ne pourrait le découvrir. Il avançait
parmi les buissons. Il pensait à Iléana et pas du tout
aux gardes qui le pourchassaient et qui avaient réveillé tout le village.

« Que Dieu prenne Iléana en Sa sainte garde, se
dit-il. Elle a dû bien souffrir. Beaucoup. C'est une
terrible souffrance que de mourir en prison. Pauvre
Iléana. »

« O N E   W O R L D »

I

DES mois avaient passé depuis la disparition de Ion Kostaky.

Il était parti revoir sa terre, revoir son village et chercher des nouvelles de sa femme.

Et Ion Kostaky n'était plus revenu.

Pierre Pillat attendit, un jour, une semaine, un mois, plusieurs mois.

Près d'un an s'était écoulé depuis le départ de Ion Kostaky, lorsqu'il fut obligé de monter plus haut dans la montagne. L'armée et la police avaient déclenché une nouvelle et puissante offensive, contre les fuyards, des forêts. Et les forêts étaient bondées de fuyards car les hommes qui depuis des millénaires avaient travaillé la terre, qui avaient transporté sur leurs épaules, avec leurs bêtes, avec leurs bras, des pierres et du bois et des matériaux de toute sorte pour construire des villes et des villages, des hameaux et des bourgades, les hommes étaient contraints de tout abandonner.

Ils durent abandonner les villes et les villages, les hameaux et les bourgades qu'ils avaient édifiés maison par maison, rue par rue, et se réfugier dans les bois pour y vivre comme les bêtes, sans abri, dans des huttes et des cavernes.

C'était l'exode dont parlait le prophète Jérémie :

Abandonnez les villes, demeurez parmi les rochers et soyez comme la colombe qui construit son nid au-dessus du précipice béant.

Pierre Pillat se rappela l'exode d'Ante Petrovici, la fuite de Daniel Motok, il pensa à Eddy Thall, à Varlaam, à Marie. Il tourna la tête; il croyait que ses yeux étaient humides à cause du soleil, mais le soleil n'y était pour rien.

*

Un bruit de fusillade monta de la vallée. Des avions survolaient le village et la forêt. Pierre Pillat s'abrita sous les arbres. Il pensait à Ion Kostaky, parti avec son grand bâton coupé dans la forêt, un bâton de légende, comme celui de Tannhäuser ou celui d'Aaron dans le Vieux Testament.

Pillat commença à graver avec son canif, sur le tronc de l'arbre qui l'abritait, le nom de Marie. Ensuite il écrivit « Pierre », et puis « Pillat, Ion Kostaky, Ante Petrovici, Eddy Thall, Daniel Motok, Varlaam, Max Reingold, Isaac Salomon, Milan Paternik... » Il grava les noms de tous les hommes qu'il avait connus pendant le grand exode. Il les gravait parce qu'il était seul et qu'il voulait avoir quelqu'un près de lui. Il était seul, seul avec la forêt. Seul avec l'Eternité, seul avec Dieu.

Et l'homme ne peut pas vivre seul.

« Seigneur, dit Pierre en regardant les noms gravés dans l'écorce de l'arbre, Seigneur, votre cœur doit se briser de douleur quand les hommes se présentent devant vous pour être jugés. Je crois que vous ne jugez pas les hommes. Vous devez éprouver pour eux de la pitié, rien que de la pitié, les hommes sont tellement pauvres dans le temps. Même la raison, qui est pourtant ce que l'homme possède de plus grand, ne peut pas voir au-delà de ce qui est palpable, de

ce que l'œil peut voir et de ce que l'oreille peut
entendre. La raison humaine est faible. L'homme entier est faible et pauvre.

— Vous êtes moine? » demanda une voix de femme.

Pierre Pillat tourna la tête. Il y avait une jeune
fille derrière lui. Une jeune fille d'environ dix-sept
ans. Une paysanne avec des nattes. Elle avait une
belle tête ronde comme un fruit et le regard timide.

« Pourquoi? demanda Pillat. Ai-je une tête de
moine?

— Je le crois parce que vous écrivez et vous n'êtes
pas armé, répondit-elle. Celui qui sait écrire n'est pas
un bandit. Nos forêts pullulent de bandits, mais les
bandits n'écrivent pas. Puis, vous n'avez pas d'armes.
Seuls les moines n'ont pas d'armes. »

La jeune fille se tut. Pillat remit son canif dans sa
poche.

« Je ne sais pas lire, mais j'aime voir écrire les
hommes. Je m'appelle Magdalena. »

Pillat se leva et lui tendit la main.

« Pourquoi ne portez-vous pas la soutane? demanda-
t-elle. Vous avez peur? Tous les moines de la forêt
ont peur de porter la soutane. »

Magdalena s'arrêta. Elle avait trop parlé et maintenant les mots qu'elle venait de prononcer la rendaient craintive.

« D'où êtes-vous, Magdalena?

— Depuis l'arrivée des Soviets, nous vivons ici, dans
les bois. On nous avait fait venir des bords de la
mer Noire. On nous a donné une maison et de la
terre, au kolkhoze, dans la vallée, mais papa s'est
enfui dans les bois avec les bêtes. Nous vivons dans les
bois, nous sommes ici, mieux que dans le kolkhoze.

— Connaissez-vous le village de Piatra? » demanda
Pillat.

Il aurait voulu l'y envoyer pour avoir des nouvelles
de Kostaky. Il était descendu plusieurs fois à **Piatra**

mais il n'avait rien appris sur le sort de son beau-
père.

« Je ne connais pas », répondit la jeune fille.

Elle cueillit une fleur rouge et la glissa entre ses
lèvres. Elle la mordillait de ses dents blanches.

« Pourquoi restez-vous ici au lieu d'aller sur le
rocher? demanda-t-elle. Là-haut, il y a beaucoup de
moines. De là-haut, on peut voir arriver l'armée et
la police. Si c'est pendant la nuit, papa allume un
grand feu sur le rocher, pour avertir les gens. Pendant le jour, il sonne du cor, alors les moines se
cachent. Comprenez-vous? Là-haut, la vie est plus facile, on y trouve à manger. Papa et les paysans qui se
sont enfuis des villages amènent dans les bois leurs
abeilles, leurs bêtes, tout ce qu'ils possèdent. Les
moines travaillent chez mon père et chez les autres
paysans pour leur nourriture. Les moines n'ont rien
apporté dans les montagnes, mais ils sont très hon-
nêtes. Je ne peux pas leur parler parce qu'ils ne
connaissent pas un seul mot de roumain. On ne peut
pas leur parler. Comment se fait-il que vous connaissiez le roumain? Vous n'êtes donc pas un moine
étranger?

— Je suis de Piatra, dit Pillat. Vous ne connaissez
personne de Piatra?

— Je ne sais pas où se trouve Piatra. »

Elle continuait à mordiller la fleur rouge.

« C'est la plus grande offensive, dit-elle. Elle dure
depuis quelques jours. Les gendarmes nous tirent
dessus et les avions bombardent la montagne. »

Les explosions de la vallée devenaient assourdis-
santes. Dans les montagnes on a l'impression que tout
se passe près de vous, et pourtant tout est loin.

« Quelle sorte de soutane portez-vous? demanda
Magdalena. Certains moines portent des soutanes
blanches. Elles sont très belles. Ce sont les blanches
qui me plaisent le plus. D'autres portent des ceintures

de corde. Ce sont les amis des oiseaux. Les oiseaux viennent près d'eux sans crainte parce qu'ils sont bons. D'autres encore portent des soutanes étroites comme des tuniques d'officier. Ils ont des yeux sévères. Ils ne mangent jamais de viande et vivent en communauté. Ils ne parlent même pas aux paysans, et font de l'agriculture tout seuls. »

Magdalena ne savait pas que c'étaient des jésuites.

« Etes-vous sûre que les hommes dont vous parlez soient des moines? demanda Pillat.

— Ce sont tous des moines. Ils lisent, écrivent, prient et ne portent pas d'armes. Ce sont des moines. »

La fusillade de la vallée augmentait. Des avions lançaient des bombes sur la montagne.

« Si vous venez là-haut vous pourrez avoir du lait. J'en parlerai à papa, dit Magdalena. Quelle soutane portez-vous? Et pourquoi portez-vous la barbe? Les autres moines n'en ont pas. »

La jeune fille partit sans attendre la réponse, Pillat l'appela, mais elle descendait rapidement.

Pierre Pillat aperçut les colonnes de soldats qui montaient de la vallée en formation d'attaque. Il ne voyait plus Magdalena.

Les jours suivants les soldats envahirent la forêt. Il y en avait partout.

Pillat errait, affamé comme un chien. Il aurait voulu rencontrer Magdalena. Il la cherchait inconsciemment. Il voulait monter sur le plateau où se tenaient les moines, mais l'armée avait occupé le sommet de la montagne.

Pillat trouva un mort. Il fouilla ses poches. Il y trouva des cigarettes, de l'argent russe et des allumettes. Dans la musette il y avait des boîtes de conserves et d'autres paquets de tabac. Pillat prit la musette et déshabilla le mort, il lui retira ses brodequins. C'était un milicien. Il n'était ni civil, ni militaire. Il avait une arme automatique et une boîte de cartouches. Pierre Pillat creusa une tombe avec la baïonnette du milicien puis roula le corps du mort dans la fosse et commença à jeter de la terre sur le cadavre nu.

Toujours avec la baïonnette il coupa une branche d'érable pour en faire une croix, afin que le monde sache que là se trouvait une tombe.

Il récita un « Notre Père ».

« Je vous avais bien dit que vous étiez moine », dit une voix.

Magdalena était derrière Pillat. Il s'en réjouit.

« J'ai bien vu que vous étiez moine. Seuls les moines enterrent les morts », dit-elle.

Magdalena réfléchit un instant. Elle ne savait pas si elle devait parler ou non, puis elle dit :

« Hier, les soldats sont venus là-haut arrêter les moines. Papa a réussi à s'enfuir, mais plusieurs moines ont été pris.

— Qu'est-ce que cette histoire de moines? Y a-t-il un couvent par ici? D'où viennent-ils?

— Ce sont des moines du Vatican, dit Magdalena. Est-ce que vous êtes déjà allé au Vatican? »

Sur le sommet de la montagne on entendit un cor de chasse.

« C'est papa », dit Magdalena, et elle disparut entre les arbres.

Pillat était de nouveau seul. Il écouta le crépitement des mitrailleuses, les explosions. Il alluma une cigarette prise dans le paquet trouvé dans la poche du mort.

Au-dessus de lui des hélicoptères survolaient la montagne. C'était la première fois qu'il en voyait. Jamais les montagnes n'avaient tant résonné. Pierre Pillat eut peur. Plus peur que jamais. La mort était à ses côtés.

II

Boris Bodnariuk se laissa conduire en direction de la forêt par la foule qui avait détruit la prison. Démolissant les murs de la prison pour délivrer saint Angelo, les paysans avaient aussi délivré Bodnariuk. Ils lui donnèrent asile dans leurs cachettes de la montagne. Bodnariuk était malade. Chaque jour il voulait rentrer dans la légalité. Pour lui, tous ceux de la forêt étaient les adversaires des Soviets, ils étaient réactionnaires et des ennemis du peuple.

« Ma place n'est pas parmi ces gens », pensait-il chaque jour.

Il attendait que les forces lui reviennent pour descendre dans la vallée. Il parlait rarement avec les paysans. Ils l'avaient délivré mais cela laissait Bodnariuk indifférent. La maladie l'avait contraint à rester plusieurs semaines dans la montagne. Les paysans s'absentaient souvent. Dans la solitude, Boris Bodnariuk pensait à la révolte de ces paysans. Une vraie révolte, une révolte comme jamais il n'avait pu en créer en Roumanie quand il avait été envoyé pour organiser des sabotages et une armée clandestine.

C'était un soulèvement de masses, comme celui qui avait détruit pierre par pierre la prison de Molda, qu'il aurait aimé organiser, mais il n'y avait pas réussi. Il n'avait réussi que des sabotages insignifiants. Les hommes étaient inertes entre les mains de Bodnariuk et de ses camarades. Il était contre les paysans qui l'avaient libéré parce que leur révolte était dirigée contre les Soviets. Il comprenait la puissance des enne-

mis des Soviets mais ne comprenait pas d'où venait
leur force.

Son cerveau avait créé une héroïne comme Tinka
Neva, mais de telles créations étaient semblables à
des châteaux de carton, parfaits mais préfabriqués!

Les paysans, c'était une force! Il les avait vus
enlever une à une les pierres de la prison. Il savait
maintenant ce qu'étaient ses ennemis. La force qui
avait détruit la prison de Molda était immense. Il
aurait voulu la voir au service des Soviets. D'où venait
donc cette puissance des paysans, cette puissance de
la réaction?

Boris Bodnariuk pensait à tout ce qui pouvait faire
la force d'un parti, d'une organisation. Il pensait à
une sage administration, à une police bien organisée,
à la fidélité de ses membres, à des tribunaux sûrs, à
la dureté des peines frappant les indécis. Les Soviets
avaient toutes ces qualités et de plus les Soviets
avaient des cadres, des cadres de surhommes. Lui,
Bodnariuk voulait rester dans les cadres communistes
qui dépassaient la condition humaine, qui dépassaient
les cadres des premiers chrétiens, parce que les communistes pouvaient dominer la mort.

Un seul être chez les chrétiens, le créateur du christianisme, Jésus-Christ, avait réussi à dominer la mort,
à mourir et à ressusciter. Dans le régime soviétique,
il existe des centaines de milliers, des millions d'êtres
qui n'ont plus le sentiment de propriété de leur vie et
qui, pour le parti, vont à la mort sans hésitation,
comme lui-même, comme Rajk, comme ceux de la
vieille Garde « liquidée », qui ont voulu leur propre
sacrifice. Contrairement aux chrétiens, les hommes soviétiques vont au sacrifice sans attendre de récompense.

Pourquoi donc, avec de tels éléments, Bodnariuk
n'avait-il pas réussi à fomenter, en Roumanie, une
révolte semblable à celle qui l'avait délivré de la prison de Molda? Avec quelle aide et avec quelle force

travaillaient ces paysans affamés qui manquaient de
cadres, d'armes, d'organisation, qui n'avaient rien de
ce qui pouvait faire une révolution?

Boris Bodnariuk sursauta. Près de sa cabane, quelque part dans les bois, on entendait un air de flûte.
C'était une *doïna*. La doïna est un chant mélanco-
lique, un chant comparable à la vie de chaque homme,
authentique et un peu triste.

Boris Bodnariuk boutonna sa tunique. Il n'avait
plus son manteau de cuir. Pour la première fois depuis
qu'il était devenu communiste, il n'avait plus son
manteau de cuir, ni son foulard rouge, ni ses bottes
noires. Il était nu-pieds. Il se cacha pour que l'homme
à la flûte qui jouait la *doïna,* ne le trouve pas. Il
regarda les briques rouges enlevées à la prison de
Molda que les paysans avaient scellées autour de la
cabane. Une haine terrible contre les paysans réactionnaires l'envahit. Il aurait voulu détruire la cabane
où il était hébergé, détruire tous les nids de réactionnaires, dans les bois.

Il entendit des voix au loin.

« Je n'ai jamais vu celui qui joue, disait une voix
de femme. L'homme à la flûte, c'est le plus grand des
bandits. »

La jeune fille qui parlait était effrayée. Magdalena
racontait à Pillat ce qu'elle savait du grand bandit qui
sans doute était près d'eux.

Boris Bodnariuk écoutait sans les voir et sans être
vu.

« N'approchons pas, dit Magdalena. C'est un criminel comme il n'en existe plus. Il terrorise toute la
région et il est fou. Comprenez-vous? Il est criminel
et fou. »

Pierre Pillat écoutait les paroles de Magdalena qui
se mêlaient à la mélodie de la *doïna*. Il connaissait les
paroles de cette chanson. Sa petite fille aussi s'était
appelée Doïna. L'âme de Pillat était comme une *doïna*.

Marie aussi aurait pu s'appeler Doïna. C'est le chant
de l'homme qui contemple le ciel, qui pense à la mort,
à l'amour, à Dieu et à la vie. Tel est le sujet de la
doïna : l'homme qui pense aux choses essentielles. Et le
bandit qui faisait peur à Magdalena modulait une
doïna non loin d'eux.

« Attendons son départ, dit Magdalena. J'ai peur.
S'il nous voit, il nous tuera. »

« Ion Kostaky avait aussi une vie, une âme et un
regard comme une *doïna,* pensa Pierre Pillat. Kostaky
avait les fenêtres de l'âme ouvertes vers tous les grands
événements humains : l'Eternité, la mort et l'amour,
vers le ciel et vers ce qui nous entoure. »

« Si nous approchons, il nous tuera, dit Magdalena.
Plusieurs légions de gendarmes cherchent le bandit
dans les bois. On l'appelle *le Paysan.* Jamais on
ne le voit une arme à la main. Il cache ses armes au
pied des arbres de la forêt. Il ne les porte jamais sur
lui, c'est pour cela qu'on l'appelle « le Bandit aux
mains vides » mais il dispose d'armes et de munitions
au pied de chaque arbre. Comprenez-vous? De chaque
arbre.

— L'avez-vous déjà vu? demanda Pillat.

— Je l'ai rencontré une seule fois, dit Magdalena.
Je l'ai rencontré une fois en allant chercher de l'eau,
mais je n'ai pas osé le regarder. Je tremblais de peur
et je me suis sauvée. Je l'ai vu du coin de l'œil. Il
était étendu sur l'herbe et jouait de la flûte en
contemplant le ciel. Les gendarmes qui le recherchent
le suivent au chant de sa flûte mais il se lève et il s'en
va. Son oreille entend le pas des gendarmes à des kilomètres de distance. »

Magdalena racontait, étonnée, l'histoire du Bandit
aux mains vides et la terreur qu'il faisait peser sur la
région.

« A-t-il beaucoup d'alliés? » demanda Pillat.

Magdalena haussa les épaules.

Boris Bodnariuk écoutait attentivement. Il voulait apprendre quels étaient les alliés du Bandit aux mains vides, du Paysan. Boris Bodnariuk avait deviné que ces alliés étaient les chefs de la rébellion qui avaient anéanti la prison de Molda. Il ne pouvait pas en exister d'autres. Lorsqu'il descendrait, il donnerait aux Soviets les noms de ces bandits.

« Vous n'avez jamais vu les complices du Bandit aux mains vides? demanda Pillat.

— Je n'ai vu aucun de ses complices. Si j'en rencontrais un, je mourrais de peur. »

Boris Bodnariuk écoutait.

Maintenant on n'entendait plus que la *doïna*. La flûte répandait dans le calme des bois sa mélodie qui parlait de l'amour, de l'éternité et de la tristesse de l'homme sur la terre. C'était le chant du Bandit aux mains vides.

« Personne n'a jamais rencontré les alliés du Bandit aux mains vides, dit Magdalena. Aucun homme n'a pu les voir. Aucun. Et pourtant ils sont partout. »

Boris Bodnariuk imagina la forêt et les hameaux de la vallée envahis par les alliés du Bandit aux mains vides, mais bien qu'ils fussent partout, nul ne les connaissait. Ils avaient soulevé les paysans. Ils avaient détruit la prison et délivré le saint prêtre et tous les détenus. C'est de tels alliés que Bodnariuk aurait aimé avoir à ses côtés lors de l'organisation des sabotages.

Des alliés qui sont partout et que la police ne peut pas capturer, ni avec les hélicoptères, ni avec les tanks, ni avec les parachutes. Cet allié que personne ne voyait, Boris Bodnariuk ne pouvait pas le livrer à la police, il ne pouvait pas l'exterminer. Cet allié ne pouvait pas être enfermé dans un cachot. Il ne pouvait pas être photographié, on ne pouvait pas prendre ses empreintes digitales. C'était un allié qui ne pouvait pas être soumis à la torture. Un allié parfait pour la lutte dans la clandestinité. L'allié idéal pour les moments difficiles.

« C'est de tels alliés que les Soviets devraient avoir en Occident pour conquérir le monde, se dit Bodnariuk. Avec de tels collaborateurs on peut transformer le climat, on peut instaurer le gouvernement communiste mondial, on peut réaliser la paix communiste universelle. Avec un tel collaborateur, on peut relever la condition humaine et libérer l'homme des préjugés. » C'est un tel collaborateur qu'il souhaitait avoir, mais Boris Bodnariuk n'en avait jamais trouvé. Il ne connaissait que des collaborateurs qui trahissaient et qu'il devait surveiller, espionner. Boris Bodnariuk ne pouvait pas s'imaginer que de tels alliés existaient dans la nature. N'en aurait-il eu qu'un, il aurait accompli des miracles.

« Ils doivent avoir des noms secrets, pensa Bodnariuk. Quel pourrait être leur nom? » Boris Bodnariuk réfléchit mais il lui fut impossible d'imaginer seulement le nom de ce grand allié des hommes de la forêt, des hors-la-loi. Il ne pouvait même pas connaître son nom, bien qu'il fût sur toutes les lèvres.

Boris Bodnariuk ne prononcerait jamais ce nom, il ne le soupçonnerait même pas : *Dieu*. Un nom que lui, qui savait tant de choses, ne connaissait pas, un nom qui lui était étranger. Un allié parfait, mais complètement inconnu de Boris Bodnariuk. Complètement inconnu des Soviets. Ce nom de combattant antisoviétique ne se trouvait sur aucune fiche de la police secrète russe.

Sans un tel chef, il était impossible de démolir les prisons en quelques heures. Lui seul pouvait le faire. Sans de tels collaborateurs, on ne pouvait réaliser que de petits sabotages. De tous petits sabotages, comme celui de Tinka Neva, qui n'en était même pas un.

« Quel dommage que je n'aie pas connu ce collaborateur! se dit Boris Bodnariuk. Avec lui j'aurais transformé tout le climat de l'U.R.S.S., j'aurais détourné le cours des eaux. Avec les autres on a le sentiment de travailler dans le vide. »

Boris Bodnariuk se mit à descendre vers le fond de la vallée. Une nouvelle offensive commençait. Hélicoptères, parachutistes, tanks, mitrailleuses montaient à l'assaut de la montagne. Mais Boris Bodnariuk n'avait pas peur des balles. Il n'avait pas peur de la mort. On n'est mort que si l'on croit avoir raison *contre* le parti. Bodnariuk était vivant. Il savait ce qui lui restait à faire. Il avait toujours fait son devoir, fidèlement, envers le parti. Le parti avait peut-être décidé de l'utiliser en tant que serviteur anonyme. Bodnariuk se souvint d'un général espagnol dont le nom était dans tous les journaux, sur toutes les boîtes d'allumettes soviétiques. Au sommet de la gloire, le parti avait décidé de lui retirer son nom, pour qu'il ne puisse pas le compromettre ou commettre des fautes pendant qu'il le portait... On lui avait donné un autre nom. On procédait peut-être de la même manière avec Bodnariuk. Dans un Etat socialiste, scientifique, il est naturel de ne pas laisser un nom de valeur à un homme sans valeur. Peut-être Bodnariuk n'avait-il plus aucune valeur?

« Peu importe, pensa Bodnariuk, mon devoir est de me présenter aux Soviets et de leur dire que j'accepte toute mission qu'ils voudront bien me confier. S'il leur plaît de m'envoyer dans un camp de travail, je ferai mon devoir dans un camp de travail. Je suis communiste, c'est tout. Je dois vivre les dernières heures de ma vie et je dois mourir, en vrai communiste, aveuglément soumis. »

Il descendait vers la vallée, vers un village. Les légions de gendarmes motorisés montaient.

Boris Bodnariuk voulait se rendre au premier détachement qu'il rencontrerait. La montagne était cernée. Même un oiseau n'aurait pas pu y entrer ou en sortir

« Pour avoir une telle armée et une telle organisation, on ne paiera jamais assez, même si des millions
d'hommes meurent. Je suis fier du travail des Soviets.
Jamais je n'ai vu une organisation militaire aussi parfaite que celle mise en œuvre en ce moment pour
nettoyer la montagne. »

Bodnariuk regardait, admiratif, monter les détachements motorisés.

Boris Bodnariuk avait les pieds enflés, en sang. Il
n'avait plus de chaussures, mais il ne sentait pas la
douleur. Il regardait l'armée parfaite et se sentait
plus heureux que jamais. Il se mit à chanter *Le Chant
des Forêts,* celui qu'il avait chanté lorsqu'il travaillait
à la transformation du climat russe.

Il marchait sur l'herbe douce vers les détachements
de policiers motorisés et descendait en chantant vers
l'armée soviétique. Il était heureux.

Il savait que pour lui, en tant qu'individu, tout
était fini, mais que pour les Soviets la vie commençait
à peine, que les Soviets deviendraient puissants, de
plus en plus puissants grâce à ces sacrifices individuels,
et grâce à son propre sacrifice.

Bodnariuk chantait de plus en plus fort. C'était
« Le chant du reboisement du désert et de la transformation du climat. » Il regardait les tanks, il regardait
les hélicoptères. Il savait qu'il se trouvait engrené,
même sans nom, même sans galons, dans la Grande
Œuvre soviétique. C'était le principal : se trouver
engrené dans la seule grande œuvre de l'Histoire,
l'Œuvre soviétique.

Il descendait rapidement.

Un soldat aux yeux obliques et à peau jaune sortit
la tête hors d'un tank. Il regardait Bodnariuk et le
laissait approcher. Il regardait les pieds nus, et ses
vêtements en loques. Le soldat portait un casque de
fer, des vêtements de cuir. Il était bardé de fer comme

un dieu, comme un dieu mécanique. Seules ses pommettes étaient jaunes. Ses mâchoires étaient serrées. C'était un vrai soldat. C'était une vraie armée, un vrai équipement. Et puis ces tanks immenses, plus hauts que les églises des villages...

Bodnariuk était heureux à la pensée que c'était l'armée soviétique...

Il sentait que sortir des bois et venir s'incorporer de nouveau dans cette machine géante qu'est la force soviétique, qui avait pour mission de conquérir le monde, c'était accomplir l'acte le plus important de sa vie.

Il regardait le visage jaune du soldat du tank et pensa que la race jaune, les Japonais et les Chinois, faisaient aussi partie des Soviets. Ce n'était plus seulement une force de la race blanche. Au fond du tank se tenait un Noir. La race noire s'était, elle aussi intégrée, ainsi que la race nordique. Boris sentit que toutes les races avaient fraternisé dans le combat sous le drapeau soviétique. Toutes les races étaient dans le même tank, sous le même drapeau. Les soldats jaunes, noirs, blonds. Boris Bodnariuk leva les bras. Il avança les bras levés au-dessus de sa tête, vers les canons des mitrailleuses du tank qui le visaient. Il avançait vers les soldats noirs, jaunes, blonds, comme vers des frères. Il était heureux d'avancer ainsi. Il ne chantait plus.

Soudain, il entendit l'ordre :

« *Halt!* »

Il s'arrêta.

C'était le soldat blond qui avait donné l'ordre, en allemand.

Bodnariuk pensa que des millions de soldats de toutes les races et de toutes les langues étaient enrôlés dans l'armée soviétique. Le Jaune, petit comme une parfaite poupée mécanique, descendit du tank et avança en direction de Bodnariuk.

« Vivent les Soviets! » cria Bodnariuk.

Il ne l'avait pas dit pour faire plaisir aux soldats, mais pour se faire plaisir à lui-même. Il l'avait dit par admiration et par fidélité envers les Soviets. Il cherchait l'étoile rouge sur le casque du soldat qui le fouillait pour voir s'il ne portait pas d'armes. Les autres le regardaient braquant sur lui leurs mitraillettes. On entendait des explosions au loin, au fond des forêts. L'action suivait son cours.

« Je suis heureux de me rendre aux forces soviétiques », dit Bodnariuk, en russe.

Ses yeux brûlaient, ils brillaient comme des lampes. Il ne pouvait se rassasier d'admiration pour la tenue de campagne, les manteaux de cuir, les armes, la tenue sobre des soldats.

Le soldat jaune fit signe à Bodnariuk de s'éloigner dans une direction qu'il indiquait de sa baïonnette.

« Vive la force soviétique! » dit Bodnariuk.

Les soldats l'ignoraient mais il éprouvait le besoin de leur parler. Il était malheureux de les voir regarder ailleurs.

« Si vous saviez, camarades, depuis combien de temps j'attendais cet instant... l'instant de revenir dans les rangs soviétiques... »

Un des soldats regarda Bodnariuk attentivement, puis il éclata de rire.

« Qu'est-ce que vous attendiez? » dit le soldat en anglais.

Il riait aux éclats.

« Vous ne parlez pas russe? » demanda Bodnariuk.

Il savait que les Soviets avaient créé des Légions étrangères.

Le soldat riait. Il fit signe à Bodnariuk de s'éloigner.

« Je suis fier de voir l'armée soviétique », dit Bodnariuk.

Le soldat du tank ne comprit que le mot « soviétique. »

« *Keine Sowieten mehr,* dit le blond. *Sowieten kaput. Kaput. Nicht mehr Sowieten*[1]. Va-t'en. Vi-t'en. »

Le brun, qui paraissait Italien montra à Bodnariuk l'insigne qu'il portait sur la poitrine. On pouvait lire : *One World 9th federation. East European forces.*

« Vous n'êtes pas des soldats de l'armée soviétique? demanda Bodnariuk.

— *No more Soviet. No more Russia,* dit un soldat. *Now one world*[2], compris? »

Boris Bodnariuk regardait les tanks, les uniformes, les visages des soldats.

Ses yeux virent sur la poignée du revolver accroché au ceinturon du soldat, le portrait du maréchal au chien. Sur le portrait il y avait ces mots : *The commander*[3].

Boris Bodnariuk ne pouvait y croire. Ce n'était donc pas l'armée soviétique? C'était une autre armée. Et son commandant était le maréchal au chien. Et les soldats n'étaient pas soviétiques.

Boris Bodnariuk se sentit poussé par la crosse d'un fusil. Les soldats, le Jaune, le Noir, le Brun, le Blond riaient et lui faisaient signe de partir. Ils portaient tous le même insigne, mais ce n'était pas l'insigne soviétique. Ce n'était pas l'étoile rouge. Les yeux de Bodnariuk se remplirent de larmes et à travers les larmes il voyait écrit en grandes lettres sur le tank *Made in U.S.A..*

L'arme continuait à le pousser par-derrière et maintenant Boris apercevait à travers ses larmes le camp entouré de barbelés vers lequel les soldats le conduisaient.

---

1. « Il n'y a plus de Soviets, fini, fini. Il n'y a plus de Soviets. »
2 « Plus de Soviets. Plus de Russie. Un seul monde.. »
3. « Le chef. »

III

Dans les montagnes, les réfugiés étaient épouvantés par le développement de l'offensive. Il y avait une semaine que cela durait. Jamais on n'avait tué tant d'hommes. Jamais on n'avait lancé tant de bombes, jamais on n'avait attaqué la montagne avec tant d'armes, de tanks, d'avions, avec tant de soldats.

Le bruit courait depuis longtemps que les Soviets avaient capitulé et que les gens pourraient revenir en toute tranquillité dans leurs villages, dans leurs villes et dans leurs hameaux. L'Armée Rouge avait disparu. On ne voyait plus de Russes. Les paysans avaient osé détruire la prison de Molda parce qu'il n'y avait plus de Russes. Mais au plus fort de leur espérance, lorsque tous avaient la conviction qu'ils en avaient fini avec les Russes et qu'ils pourraient retourner dans leurs maisons — dans ces maisons d'où les Russes les avaient chassés — l'offensive la plus terrible s'était déclenchée. Magdalena tremblait de peur. De nouveaux réfugiés arrivaient sans cesse dans les bois. Le sort des hommes était loin de s'améliorer.

Magdalena était la seule belle chose dans les bois assaillis par la police, dans les bois où depuis une semaine les hommes étaient chassés comme des fauves.

Pillat regardait les jambes de Magdalena. Il était amoureux d'elle. Une femme est quelque chose de beau. Une femme est semblable au ciel, au soleil. Une femme éclaire la vie de l'homme, même dans les ténèbres les plus profondes. La femme est semblable à la lune, elle détruit les ténèbres et les illumine; la femme fait briller la face du monde et éclaire la terre. Les jambes nues de Magdalena bougeaient vite. Elle

marchait comme en dansant. Son corps entier dansait
parmi les arbres quand elle marchait. Elle disparut,
puis elle revint en pleurant. Elle se laissa tomber près
de Pillat, rapportant sa cruche vide.

« Ils ont tué le Bandit aux mains vides, dit-elle.
Je l'ai vu de mes yeux. Il était mort. Mort. »

Elle pleurait à gros sanglots, avec des larmes. Effrayée, pleine de crainte.

« Qui est mort?

— Le Paysan, dit Magdalena. Le Bandit aux mains
vides est mort. J'ai buté contre son corps. Il est mort
dans un taillis. Venez avec moi. J'ai peur de l'approcher seule. Il fait peut-être semblant d'être mort.
Venez. »

Magdalena continuait :

« Il est effrayant. Même mort, j'en ai peur. C'est
l'Antéchrist. »

Magdalena se signait.

Pillat lui prit la main. Ils se dirigèrent vers l'endroit
où se trouvait le bandit mort. Dans la vallée, sur un
versant de roche, dans les fleurs, dans l'herbe, le visage
tourné vers le ciel, et la flûte sur la poitrine, son visage souillé par la fumée et par le sang, gisait le Paysan. Magdalena se couvrit les yeux pour ne pas voir
le bandit tué par la police.

La police soviétique n'avait pas pu l'abattre, bien
qu'elle eût envoyé à sa poursuite des légions entières
de gendarmes, et maintenant il venait d'être tué par
la police de l'Etat universel, qui poursuivait à
son tour l'offensive soviétique dirigée contre les
fuyards.

« C'est lui », dit Magdalena.

Elle cachait ses yeux.

« C'est lui », dit Pillat.

Il ferma les yeux et tomba à genoux.

« C'est lui, Ion Kostaky, mon père, le père de
Marie. »

Pillat prit la main morte qui tenait la flûte serrée sur la poitrine.

Ion Kostaky était vêtu de la même tunique canadienne. Pillat tenait dans sa main la main froide de Ion Kostaky. Il regardait le calot américain, le pantalon anglais, les lourds brodequins allemands. Il regardait la flûte roumaine. Il regardait la bouche de Kostaky souillée de sang. Il essuya la bouche avec sa main. Puis, pieusement, il ferma les grands yeux ouverts vers le ciel, vers son Grand Allié, vers Dieu. Kostaky semblait sourire de sa bouche pleine de sang. Il était mort, mais il était mort près de son allié, près de Dieu.

Pillat regarda la courroie soviétique qui ceignait la taille de Kostaky. Il regarda ses vêtements. Des vêtements de toutes les nationalités, de tous les pays où le corps et l'âme de Kostaky avaient saigné. Des vêtements des pays où Kostaky était mort lambeau par lambeau. Chacun l'avait tué. Il était la Roumanie crucifiée.

« Enterrons-le », dit Pillat.

Magdalena chercha une baïonnette. Ensemble ils creusèrent la tombe. Ils couchèrent Kostaky et le couvrirent de terre. A la tête, en guise de croix, ils plantèrent la flûte sur laquelle il modulait la *doïna*. Ensemble, Pierre Pillat et Magdalena s'agenouillèrent près de la tombe de Ion Kostaky :

... *Notre Père qui êtes aux Cieux...*

Puis ils s'éloignèrent.

« Venez là-haut, dit Magdalena, le tirant par la main. Le plus haut possible. Là, personne ne peut nous atteindre.

— Ce n'était pas un assassin, dit Pillat. Mon père Ion Kostaky n'était pas un assassin. Bien que pourchassé par tous les gouvernements de la terre, y compris par le gouvernement mondial, Kostaky n'était pas un assassin.

Un hélicoptère venait de découvrir Pillat et Magdalena en route vers la montagne. Ils se cachèrent dans un fourré.

« Il vaudrait mieux que je meure aussi, dit Pillat. Pourquoi ces organisations s'acharnent-elles contre les hommes? Dites-moi, Kostaky n'était qu'un Homme, un Homme, un Homme. C'est tout. Pourquoi l'ont-ils abattu? »

Des soldats avec des parachutes blancs descendaient sur les sommets. Pierre Pillat et Magdalena entrèrent dans un fossé. Il y avait encore un mort, un prêtre en soutane blanche provisoirement enterré là. Il avait une croix de bois à son côté. Il devait avoir été amené là par un de ses frères qui n'avait pas eu le temps de l'enterrer. Les moines enterraient toujours leurs morts.

Pillat regardait la soutane blanche. C'était un mort du jour même. Magdalena priait.

« Pourquoi ont-ils tué le moine? demanda Pillat.

— Ils l'ont fusillé parce qu'il s'était enfui du couvent, dit Magdalena. Les moines n'ont pas le droit de quitter le couvent. S'ils partent ils sont considérés comme rebelles. Ceux qui portent des soutanes blanches, ceux qui ont des ceintures de corde, ceux qui font de l'agriculture là-haut, se sont enfuis du Vatican. »

Magdalena tira un papier de son corsage.

C'était un ordre émanant de la neuvième fédération de l'Europe de l'Est adressée aux moines catholiques rebelles qui s'étaient enfuis de leurs couvents. On les sommait de rentrer au monastère. L'ordre était signé par un général américain, le commandant suprême des Forces de sécurité mondiale et par le maréchal des Slaves du Sud, le chef militaire de la neuvième fédération du gouvernement mondial *One World*.

« De quoi les pauvres moines sont-il coupables vis-à-vis du gouvernement mondial? Pourquoi les fusille-t-on? Les moines ont toujours prêché la fraternité de

tous les hommes sur la terre. Pourquoi le gouvernement mondial veut-il les tuer? De quoi sont-ils coupables envers *One World*?

— Les moines sont coupables de ne pas avoir voulu
reconnaître leur chef, répondit Magdalena. Ils m'ont
raconté que chez eux, chez les catholiques, il y a de
la discipline. Quand la paix a été proclamée, le pape,
le Saint Père des catholiques, a été nommé ministre
dans le grand gouvernement du monde. Mais le Saint
Père n'a pas voulu être ministre. Puis il est mort, il est
surtout mort de chagrin. Alors on a fait venir un autre
Saint Père de l'autre côté de l'Océan, de bien loin,
mais il ne savait pas le latin, et les moines du Vatican,
qui ne parlent que le latin dans leur église, n'ont pas
pu s'entendre avec lui. Les moines n'ont rien dit
contre lui, parce qu'il était leur nouveau Père, mais ils
sont tous partis dans les bois. C'est pour cela qu'ils
sont venus ici dans nos montagnes et que la police les
recherche. Pourtant ils ne font que prier et c'est
tout. »

Une nouvelle vague d'avions parut au-dessus de la
montagne. D'autres parachutes furent lancés, juste sur
le sommet.

« On dirait la fin du monde », dit Magdalena.

Pillat regarda ses beaux yeux effrayés et se souvint
d'une phrase de Martin Luther. Il y était question de
la fin du monde et on y trouvait la même sérénité que
dans les paroles de Magdalena. Pillat dit :

« *Und wenn morgen Weltuntergang wäre, ich werde
am heutigen Tage doch Apfelbäume pflanzen.* »

« Ils nous tirent dessus, dit Magdalena. Qu'allons-
nous faire? » Elle était épouvantée. « Que pouvons-
nous faire?

— Ce que les hommes ont toujours fait, dit Pillat.
« *Und wenn morgen Weltuntergang wäre...* »

Les balles sifflaient dans les fourés et dans les arbres
au-dessus de leurs têtes.

Magdalena posa sa joue sur la terre.

« Que dites-vous? » demanda-t-elle dans un murmure.

Pillat commença à traduire :

« La fin du monde serait-elle pour demain, je planterais quand même des pommiers aujourd'hui... »

Une rafale de mitrailleuse ferma la bouche de Pierre Pillat qui parlait et les oreilles de la belle Magdalena qui écoutait.

Le microphone d'un hélicoptère diffusait le bulletin météorologique à l'intention des soldats du gouvernement mondial, et les paroles résonnaient dans le fond des vallées :

« *Le beau temps persiste! Le beau temps persiste!* »

TABLE

IMPRIMÉ EN FRANCE PAR BRODARD ET TAUPIN
6, place d'Alleray - Paris.
Usine de La Flèche, le 18-04-1971.
1671-5 - Dépôt légal n° 9433, 2e trimestre 1971.
1er Dépôt : 3e trimestre 1963.
LE LIVRE DE POCHE - 22, avenue Pierre 1er de Serbie - Paris.
30 - 21 - 1026 - 07
*

Le Livre de Poche historique

(Histoire, biographies)

⬦ 30/1026/1